U0103229

陳耀南編著

典籍英華

上冊（經子哲教）

臺灣學生書局印行

序

數月前，我曾介紹了摯友陳耀南先生的清代駢文通義一書給學生書局在台重版。一天，該書局的副總經理張洪瑜先生對我說：「羅先生，您與陳君最爲知交，可知陳先生尙有其他著作？我們也很樂意爲他一併在台印行。」「還有三種：一種叫做典籍英華，已由香港人人書局出版；一種叫做應用文概說，也已由香港波文書局排印，不久卽可出版；另外一種，則是陳君應香港電台之邀請所作的演講稿，是關於文史哲方面的，目前還沒有發表。」後來經過了一番的接洽，本書的台灣版權，終由人人書局轉讓與學生書局了。這也就是本書在台問世的由來。

作者陳君，原係我早歲的同窗，也是多年來的畏友，對於他的學問文章，我不想多說好話，因爲他從前在上庠時，就已經爽然冠首。畢業後，他歷任香港英華書院、理工學院、香港大學諸校講席，聲華日茂，幾已有口皆碑，實在不必我來詳述了。而且，「貢人以諛，以長溢志」，也不合愛人以德的道理，所以我只守着「君子於其所尊敬，不敢爲溢量之語」的原則，庶幾可以寡尤寡悔罷。

研究國學的方法，雖然見仁見智，人人各有其道，但是入德之門，莫不以認識典籍爲先。前清張之洞典學，首重讀經，認爲經史之書是我國學術的淵源，所以寫了書目答問一書，作爲從學之士的南針。可是他所列擧的書，多達二千餘部，不但青年學子無法窮覽，卽使耆年宿學，也大有望「書」興嘆之慨。民初，陳衍承前有作，也列擧了四百餘種要籍，以爲初學者必讀必備之書。陳氏書目，雖不爲繁多，然其書不行於世，對於它的體例內容，不得詳悉。至於近儒梁任公之要籍解題及其讀法、今人屈氏萬里之古籍導讀，雖有啓迪後學的功用，可是過於「愼擇約擧，嫌其篇幅短小，難以開拓讀者心胸。而且二氏之書，重在題解與辨僞，對於各家學術之指歸、典籍之源流，又語焉而不詳，實在是美中不足。

陳君此書，博觀約取，擧凡經傳子史之書，詩詞賦頌之作，靡不擇其要者，條分縷析，溯其淵源，明其流變。有四庫之精審，而無其卷帙之繁多，將使讀者一册在手而古今歷覽，可謂體大思精了。

我與陳君交，十有餘年，知陳君之學最詳，故特表而出之，權當作序。

一九七七年一月　羅思美於香港中文大學中文系

例　言

一、本書一集經子哲教，二集文學歷史，依我國歷代學術重鎮，分章撮述大學預科以上所應當了解、能够了解的典籍知識，希望無論爲了應試抑或一般進修，都能提供老師、同學一些教學上的方便。——抄抹黑板、繕印講義、宣錄筆記以及發現、改正錯別字……等等的時間、精力，如果用於討論教材，研究怎樣審題、選材、組織、表達，甚至培養獨立處理資料的能力，豈不更有意義？更有效果？所以，本書的用意，是在分擔中文、中史老師的一部分次要工作，絕不是越俎代庖：賢良的老師，根本無可替代。

二、除例言外，本書用的是淺近文言。這是爲了直接引述和間接引用典籍原文的方便，也比較可以節省篇幅。又題解、語譯一類書籍，坊間已有若干，而且也各有優長，可資參考；本書也不擬效顰了。

三、祖國文化，源遠流長；如果不原原本本地介紹，只是排列若干個名詞，那就說了等於不說；所以，「次要」論題也必須清楚交代，然後「主要」論題之間的脈絡，以至學術演變的全貌，才會分明。這是本書選材的原則。

四、歷代典籍既多，爭訟的問題也不少。碰到重要的公案，本書也略舉前賢考證的成績一二。這並非是矜炫口耳之學，更不是貪多務得，不知剪裁；只是證明：古今學者的成就，全因爲「敏於懷疑，愼於假設，勤於求證」；而任何權威理論，都值得再研究、再評價而已。

五、「入學試」只是一時一地一種不得已的制度。如果說：「讀書不是爲了考試」，這句偉大的話，應該同時對主試者和應試者雙方面講；如果說：「不爲了考試，誰會花錢買書？辛苦啃書？」這話也不忍立卽就說不對。只是，如果不爲考試所役，反過來利用考試的督促、書本的引導，漸漸發生眞正的研究興趣，就更顯出這一代靑年的自覺和志氣，而這本東西也不算白寫了。

六、承蒙摯友兼同事、同學（崇基、港大研究院）陳炳星先生鼓勵、介紹，人人書局余鑑明先生錯愛，使本書得以出版，實在十分感謝。如果書中還算有些可用的資料，還不致太辜負各位先生美意的話，這完全是先哲的恩惠、賢師的啓發，也不能一一多謝了。

七、校務、課務實在冗忙，個人的學力和參考書又都短缺，書中不妥當的地方，相信一定很多。敬請讀者指正，以便修改。萬分感幸！

中華民國六十五年

陳耀南敍於香港大學中文系

目錄

第一章 詩經

一、來歷

（一）詩之源起

「詩」與「歌」「舞」皆出自然，殆與生民同始。故文心雕龍明詩篇云：「人稟七情，應物斯感；感物吟志，莫非自然」；詩大序亦曰：「詩者，志之所之也；在心爲志，發言爲詩。情動於中而形於言，言之不足，故嗟歎之；嗟歎之不足，故永歌之；永歌之不足，不知手之舞之，足之蹈之也。」皆卽此意。

舊傳黃帝以迄殷商，頗有詩篇；而遺文斷章，考信爲難；現存最早而可靠之詩歌總集，必稱詩三百篇，戰國以後，且尊之曰「經」焉。

（二）采詩說

據禮記王制，漢書食貨志，藝文志，公羊傳何休注等記載，古有采詩之官，每歲孟春，使者振木鐸巡行采詩，里巷男女老而無養者，亦坐辦其事。所采之詩，由鄉、而邑、而國，而達於司樂律之太師，集而陳於天子。國史則錄其世次，以觀民風，曉下情而知政教得失。詩經所收周克殷商以來，五百年間之詩，卽由此編集云云。

清崔述讀風偶識則頗疑采詩之說，謂爲臆度，蓋：

一　五百年間，何以前三百年所采殊少？

二　周諸侯千八百國，何以獨此諸國有詩可采？

三　春秋之策，何以絕不見有采風之使？左傳博搜，何以亦無之？

但誠如崔氏所言，世近而國尚文則詩作多傳，反是則少；且三代以來，兼併日盛；風詩諸國其數雖減，大抵已包當時中夏文化之所被。惟春秋未滅之國尚多，其詩不見三百篇中，是可疑耳。故采詩之制，雖難確考，而集衆人之所美愛而成編，以承古傳後者，亦必有其人也。

〔三〕删詩說

詩經所收三百零五篇外，頗有逸詩流傳；孔子又嘗謂「吾自衞反魯，然後樂正，雅頌各得其所」（子罕）。於是史記以後，乃有孔子删詩之說，謂：

「古者詩三千餘篇，及至孔子去其重，取其可施於禮義……三百五篇皆弦歌之，以求合韶武雅頌之音」（孔子世家）。然古來疑此者甚多，蓋：

一　删詩之說，孔子未嘗自言（崔述讀風偶識）。

二　删詩三千爲三百，十去其九，未免太多（孔穎達詩經正義詩譜序疏，鄭樵删詩辯）。且國語引詩三十一，其中逸詩僅一；左傳自引及述孔子所引詩四十八，其中逸詩僅三；列國公卿自引詩一百一，其中逸詩僅五，列國宴享贈答詩七十，其中逸詩僅五（趙翼陔餘叢考），故若古詩十倍於刪存詩，何以所引逸詩，反不及刪存詩二十分之一？

三　傳世三百篇之外，所謂逸詩，往往爲齊魯韓三家之文（魏源詩古微）；亦有由其用韵、詞彙，可推爲三百篇之後所作者（張西堂詩經六論）。此類詩篇，既均不由刪詩而逸，可證史記所云，未盡可信。

四　若云取其可施禮義，則何爲存鄭衞之音（江永鄉黨圖考）？若謂善惡兼存，以觀聽治亂（顧炎武日知錄卷三）；則何不俱存三千，何必刪削？

五　季札觀樂於魯，所歌列國風詩，雖鄭齊以下次序不同，而無出今本十五國風之外；且其時孔子不過八歲（魯襄公二十九年），自無刪訂之事。

六　孔子自衞返魯，在魯哀公十一年，時已六十九歲，若云刪詩，當在此時；何以前此言詩，皆曰「三百」（方玉潤詩經原始）？故孔子所云，殆爲正樂律，非刪詩也。

諸如此類，疑竇甚多，又或謂史記原文，後人竄改者（張西堂詩經六論）。按論語所載，孔子甚喜言詩，詩教之用，當三致意；而古來詩製，天籟民謠，數千猶不足盡其多，煩濫複重，自在不少，樂師矇叟，更不能徧爲諷誦，歷時既久，遂自沙汰；至孔子時，三百之數大抵已定，孔子整理編訂，以教弟子，自有可能。或如歐陽修、王應麟所云，篇刪其章，章刪其句，句刪其字，亦未可知也。

二、流傳

春秋之中，季札觀樂，所歌與今本詩經略同；孔子立教，亦屢稱詩篇。如曰：「詩三百，一言以蔽之，曰思無邪」（爲政）；「關睢樂而不淫，哀而不傷」（八佾）；「興於詩，立於禮，成於樂」（泰伯）；「誦詩三百，授之以政，不達；使於四方，不能專對，雖多亦奚以爲」（子路）；「小子何莫學乎詩？詩可以興，可以觀，可以羣，可以怨；邇之事父，遠之事君，多識於鳥獸草木之名」（陽貨），其教子也，亦曰：「人而不爲周南召南，其猶正牆面而立也與」（陽貨），「不學詩，無以言」（季氏），子夏明絢素之章（爲政），子貢悟琢磨之句（學而），而見譽於師。蓋其時士夫應對，諷誦詩篇，「酬酢以爲賓榮，吐納而成身文」（文心雕龍明詩）；譬如重耳亡秦，賦河水以求援，穆公右之，答六月以示意（僖公二十三年）。魯襄之世，其風尤盛。其時孔子方少，濡染遂深，日後之雅重詩教，此亦一因也（張須論詩教）。孟子深於詩書，荀子亦光大儒學，而二子之書，以及後來禮記大學中庸諸篇，猶多援引詩篇，斷章取義，以明其旨，可見詩學之盛矣。

秦項之劫，三百篇蒙禍較小，「以其誦諷不獨在竹帛故也」。漢興，魯申培公言詩，而齊轅固生，燕韓嬰皆爲之傳（漢志六藝略），是爲今文齊魯韓三家，皆列學官。申培公蓋荀卿弟子浮丘伯之徒也。又有魯人大毛公亨之學，自謂子夏所傳，授趙人小毛公萇，河間獻王好之（見漢志、鄭玄詩譜、陸璣草木蟲魚疏），是爲毛詩。大抵燕齊之風，多涉怪誕，魯詩「最爲近之」，然亦「咸非其本義」（漢志）；故鄭玄初習韓詩，後改從毛，獨爲作箋，毛詩遂專行於世。毛傳鄭箋，頗有異同（鄭玄六藝論），而三國六朝，說詩者多宗毛鄭，其後齊詩亡於魏，魯詩不過江東，王肅申毛難鄭，力攻康成，百餘年間，辯論不絕。

唐初修五經正義，孔穎達取毛傳鄭箋、劉焯毛詩義疏、劉炫毛詩述義爲本作疏，一尊之局遂定，而韓詩亦亡，僅存外傳。而成伯璵毛詩指說，頗多創見，非盡依傍毛鄭，實宋人說詩之先導也。

宋人尚理，勇於疑古，歐陽修詩本義，蘇轍詩集傳，直究本詩；鄭樵詩辨妄，王質詩總聞，程大昌詩論，掊擊毛鄭；至朱熹詩序辨說，詩集傳而集大成，雖有呂祖謙嚴粲等擁護漢說，亦莫之能抗，此外王柏詩疑刪削經文，王應麟詩考，采集三家遺說，詩經之學，又開新貌。

元明以來，科舉取士，以朱熹集傳爲定本。清世康雍以後，樸學大盛，攻宋復漢，蔚成風氣。陳奐則專主毛傳（詩毛氏傳疏），馬瑞辰則兼申鄭說（毛詩傳箋通釋）。道咸以還，魏源詩古微，陳喬樅三家詩遺說考，皮錫瑞詩經通論，王先謙三家集疏，則又不囿毛鄭，冀通三家。姚際恒詩經通論，崔述讀風偶識，方玉潤詩經原始，則擺脫舊藩，力倡新解，皆一家之說也。要之清儒治詩，先崇毛鄭以攻朱熹，復申毛以駁鄭，終合三家以難毛，是由宋而返漢，又由東漢以復西京者也。今人言詩，則多直究詩文，不拘漢說，以見先秦之舊。既節節而復古，亦步步以更新，蓋學術大勢所趨如此；詩經之學，未能獨異也。

三、作者與體例

詩三百篇，作者多不知名，蓋上古文學，口耳相傳，大抵全民之集體創作，一倡百和，增刪潤色，代代加工；其足表民情政教，以至普遍信仰者，亦以此。亦有少數詩篇，自言作者，如：

小雅節南山：家父　巷伯：孟子（寺人）

大雅崧高、烝民：吉甫

此外詩序所云，或不可信，或有可疑，亦不能深究矣。詩大序謂詩有六義，其中賦比興爲詩之作法；風雅頌則詩之體制，亦今本詩經篇目之所由分也：

分部		地域	篇數	作者
國風	周南	河洛以南，瀕至漢水	11	大部分爲民間歌謠
	召南	江漢之間	14	
	邶風	太行以東，朝歌以北（皆殷故地，詩風亦近）	19	
	鄘風	朝歌以西，東及於晉（皆殷故地，詩風亦近）	10	
	衛風	朝歌以東（皆殷故地，詩風亦近）	10	
	王風	東遷之後，洛邑號爲王城，此即其畿內也	10	
	鄭風	黃河之南，右洛左濟	21	

國風	齊風	山東東北，東至於海	11	160	小部分爲士大夫貴族之製
	魏風	汾水以南，河曲之北，本姬姓，地入晉	7		
	唐風	山西太原一帶，卽晉之本地也	12		
	秦風	陝隴之地	10		
	陳風	黃河東南，淮汝西北	10		
	檜風	洛邑與鄭之間，地入鄭	4		
	曹風	魯衛之間，黃河之南	4		
	豳風	西周故地，岐山之北	7		
雅	小雅	毛詩小雅南陔、白華、華黍、由庚、崇丘、由儀六篇，或謂亡其辭（詩序），或謂有聲無辭（朱傳），蓋伴奏鹿鳴四牡諸篇者也，篇數不計。	74	105	多貴族作，小部分民間歌謠。
	大雅	二雅均以十篇爲一組，稱之曰什，餘數入末什中	31		
頌	周頌	西周初祀神詩，多無韻	31	40	皆貴族作
	魯頌	多魯人頌僖公之作	4		
	商頌	宋人美宋襄公之詩	5		

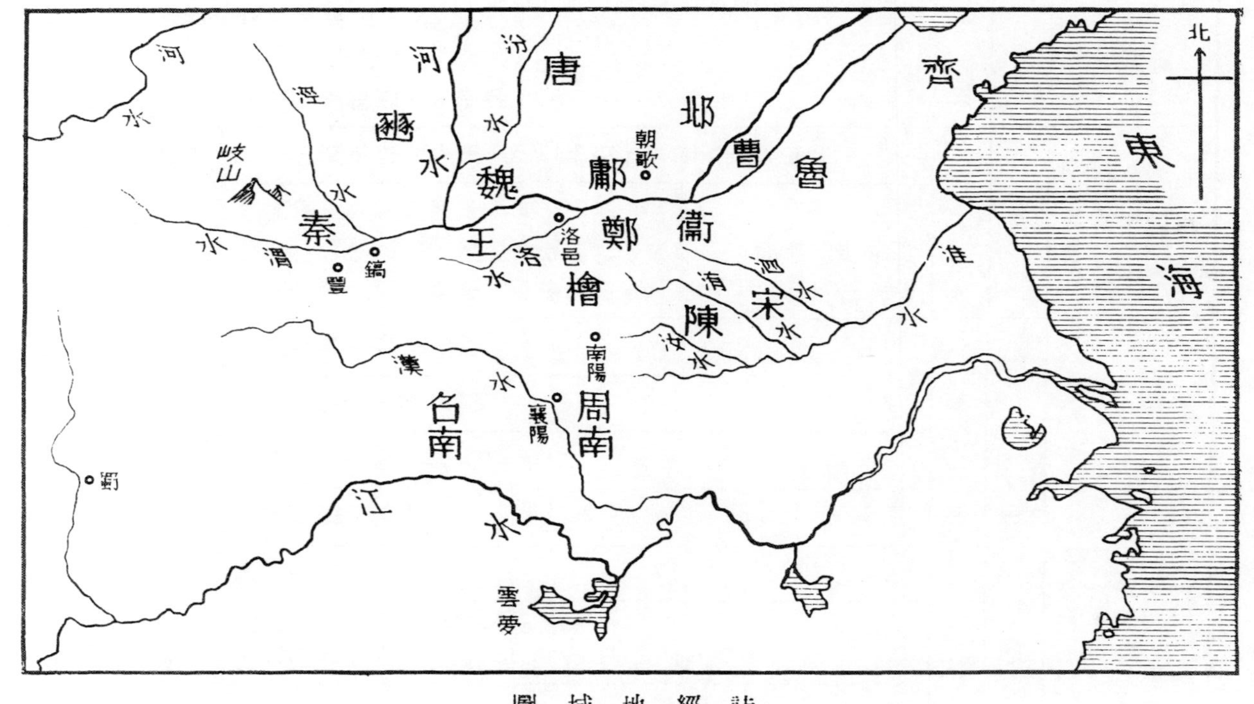
北
河
涇水
汾水
唐
邶
齊
豳
河水
岐山
渭水
秦
豐
鎬
魏
鄘
朝歌
曹
魯
東海
王
洛邑
洛水
鄭
衛
泗水
宋
陳
檜
汝水
淮水
南陽
漢水
襄陽
周南
召南
江水
雲夢
蜀

詩經地域圖

（二）釋風雅頌

古來論風雅頌者甚多，表列其要如后：

分法		風	雅	頌
就題材分		各地民歌，勞人思婦戀慕諷刺之辭。	中原正聲，述恩榮，敍酣宴，頌祖德，亦有農牧，戰爭諷刺之辭。	宗廟樂章，頌揚祖德，祈禱神明之辭。
就作用分（詩大序）		風，風也，敎也，風以動之，敎以化之。上以風化下，下以風刺上，主文而譎諫，言之者無罪，聞之者足以戒。是以一國之事，繫一人之本。	言天下之事，形四方之風。雅，正也。言王政之所由廢興也，政有小大，故有小雅焉，有大雅焉。（朱熹詩集傳：小雅燕享之樂，大雅會朝之樂，受釐陳戒之辭。）	美盛德之形容，以其成功告於神明者也。（鄭玄詩譜謂頌，容也，天子之德無不包容。）
就作者與風格分	鄭樵詩辨妄	出於土風，大概小夫賤隸婦人女子之言，其意雖遠，而其言淺近重複。	出朝廷士大夫，其言純厚典則，其體抑揚頓挫。（嚴粲云：小雅多寄興之詞，大雅詞旨正大，兼有風體，氣象開闊。）	初無諷誦，惟以鋪張勳德而已。其辭嚴，其聲有節，不敢瑣言藝語，以示有所尊。
	朱熹詩集傳序	多出於里巷歌詩之作，所謂男女相與詠歌，各言其情者也。	皆成周之世，朝廷郊廟樂歌之詞，其語和而莊，其義寬而密，其作者往往聖人之徒。	

就聲調音樂分	風，聲調也，國風卽土樂之意。（顧頡剛說）	雅，古文作疋，足迹也，引申爲記錄之意，又爲秦聲，故雅者，以周秦之音爲敍事之詩也。又：雅爲古樂器名。（章炳麟太炎文錄。）雅本作夏，謂中原正聲也。（梁啓超釋四詩名義。）	頌，舞之「容貌」也，以動作配合絃歌，故與風雅異（阮元揅經室集。）頌之聲緩，故多無韻，又不分章，不疊句。（王國維說周頌。）頌，卽鏞，大鐘也，以佐宗教舞蹈之樂。（張西堂詩經六論。）

國風諸篇，爲數百年間絕國殊鄉脣吻自然之詩，而章法、句法、韻法、以至助詞、代詞用法，均多劃一，可見其中一部分爲士大夫雅言之製，大部分民間歌謠，亦經樂師或編詩者以雅言修飾，乃能整齊若是也（屈萬里書傭論學集）。

（二）「四始」與二南問題

毛詩大序於釋風雅頌後云：「是謂四始，詩之至也。」則以風、大小雅、頌爲始，非更有爲風雅頌之始者（陳啓源毛詩稽古編）。「始」，蓋教化之「根本」也；此毛詩之說。史記孔子世家則謂關雎之亂爲風始，鹿鳴爲小雅始，文王爲大雅始，清廟爲頌始；此魯詩之說。齊詩則謂大明在亥爲水始，四牡在寅爲木始，嘉魚在巳爲火始，鴻雁在申爲金始云云；則涉於荒誕矣。

毛、魯二家而外，韓詩外傳載子夏之問，亦以周南首篇關雎，爲「風」之始。左傳隱公三年，「風有采蘩、采蘋（皆召南詩篇）」，則風詩首以二南，其來已久。然南字何義？二南之詩多屬何時？

以至二南獨立問題，古來論者亦多，簡述如次：

一　「南」以地言

甲、聖賢德政，自岐而行於南國（毛詩序、鄭玄詩譜、朱熹詩集傳）。

乙、詩之一體，本起於南，而北人效之（崔述讀風偶識。然朱熹集傳亦謂得之關中，雜以南國之詩者爲周南，得之南國者則直謂之召南）。

二　「南」爲樂名

呂氏春秋音初篇，謂塗山之女候禹，始作南音，曰：「候人兮猗」，周公召公取風，以爲周南召南。

宋程大昌詩論謂南雅頌皆樂名，若樂曲之在某宮，故以周、召、周、魯、商，標其所從出，二雅則純當周世，故不標別，故左傳記季札觀樂，歷敍南、雅、頌，自邶至豳，則單記國土，無「國風」之名，蓋十三國之詩不入樂，故直以徒詩繫之本土云云。

梁啓超釋四詩名義，亦謂禮記文王世子「胥鼓南」，左傳襄公十九年「季札觀樂，有舞象箾南籥者」、且周禮鄭注，公羊何注均謂南方之樂曰任，而南、任古音同，故應爲音樂之名。

此外，白虎通音樂篇、王質詩總聞等，亦以南爲樂名。

三　「南」爲樂器

今人甲骨文字研究謂甲文南字本象鐘形，更變而爲鈴，故「南」亦如「雅」，初當亦樂器之名，演爲曲調之名。張西堂詩經六論從之，謂「以雅以南」「胥鼓南」等例中，南皆指曲調，而以形狀如南之樂器件奏者云云。

四　二南獨立

崔述讀風偶識、顧炎武日知錄、程大昌詩論、梁啓超釋四詩名義均據小雅北山之什鼓鍾篇「以雅、以南、以籥、不僭」。以及禮記「胥鼓南」、左傳「舞象箾南籥」諸例：論南當爲詩之一體，別立於風雅頌外。此亦上述一、二、三諸說之必然推論也。

五　二南時代

自毛序、鄭玄以來，謂文王作邑於豐，使周公旦、召公奭分陜而治岐周故地，於是化行南國，乃有周南召南；故克商以前詩爲二南，代殷以後爲二雅，東遷以後爲王風；豳風則周公旦所作，及爲周公而作云。朱熹詩集傳、姚際恆詩經通論，近人吳闓生詩義會通等雖或以爲文王時，或以爲武王以至成康之世，然均謂西周初期之作。疑之者則謂二南之詩，無可證爲文王時，亦無可證爲西周；間有可證者，均東周之作，如：

1.周南汝墳：「王室如燬」，當指驪山亂亡事，而非指紂之滅亡，汝水源在洛邑。（崔述讀風偶識）

2.召南何彼襛矣：「平王之孫，齊侯之子」，王姬歸齊，事見春秋。舊說謂平，正也，指文王云云，甚覺牽强，朱子亦不能右。

3.召南言「江有汜」，則其地當爲「江陵漢陽之間」（朱集傳），而非陝西之地。

4.召南甘棠所稱「召伯」，當指召穆公虎，爲西周末宣王時人，闢江漢之域，而見稱於大雅江漢、崧高，小雅黍苗諸篇者；文王子召公奭，則必稱召公，見大雅召旻、江漢。

四、內容與技巧

(一)題材與詩例

(1)戀愛、家庭

- 戀慕——蒹葭(秦)　漢廣(周)　月出(陳)　有女同車(鄭)
- 相愛——靜女(邶)　溱洧(鄭)　木瓜(衛)　桑中(鄘)
- 挑情——摽有梅(召)　蘀兮(鄭)
- 離別——卷耳(周)　子衿(鄭)　伯兮(衛)
- 失戀——狡童(鄭)　終風(邶)　山有扶蘇(鄭)
- 結婚——關雎(周)　桃夭(周)　鵲巢(召)
- 嘉偶——女曰雞鳴(鄭)　出其東門(鄭)
- 怨偶——氓(衛)　柏舟(邶)　谷風(邶)
- 親情——陟岵(魏)　凱風(邶)　蓼莪(小雅)　載馳(鄘)

(2)生產、游樂

- 農桑——七月(豳)　良耜(周頌)
- 牧獵——大叔于田(鄭)　騶虞(召)
- 慶樂——螽斯(周)　駉(魯頌)

(3)歌頌、諷怨

- 頌揚——甘棠(召)　緇衣(鄭)　淇奧(衛)
- 悲悼——黍離(王)　黃鳥(秦)
- 諷刺——伐檀(魏)　相鼠(鄘)
- 怨怒——板、蕩(大雅)

(4)戰爭、歷史
- 征戍——六月（小雅）東山（豳）
- 史話——生民、公劉、緜、大明、皇矣（大雅）玄鳥（商頌）泮水（魯頌）

（二）天道觀念

詩三百篇，既爲先民生活之實際寫照，故亦爲研究上古文化史之重要資料。人類文化活動，莫不以價値觀念爲核心，而上古社會之共同價値，恆與天意不離。表現於詩三百篇者，亦復如此。其時以天爲君父，政權亦其授予：

「宜民宜人，受祿於天」（大雅假樂）

「天命玄鳥，降而生商」（商頌玄鳥）

故監臨人世，賞善罰惡；是以人之於天，必須敬畏：

「皇矣上帝，臨下有赫；監臨四方，求民之莫」（大雅皇矣）

「敬天之怒，無敢戲豫；敬天之渝，無敢馳驅」（大雅板）

至如大雅雲漢之歎天災，周頌閔予小子之念先祖，亦均以配上帝。而上天之道，表現於人：

「天生烝民，有物有則；民之秉彝，好是懿德」（大雅烝民）

此處所謂民彝物則，爲宋明儒者所喜言；尙德重理之中國人文傳統，端倪已見。而時代漸後，理性漸啓，乃有禍福非天，實人自召之論（小雅十月之交），甚或指斥天命，怨尤天意：

「浩浩昊天，不駿其德，降喪饑饉，斬伐四國。昊天疾威，弗慮弗圖！舍彼有罪，既伏其辜；若

此無罪，淪胥以鋪！」（小雅雨無正）

而民生之多艱，亦可見矣。

（三）藝術形式

一 句式：三百篇每詩章數、句數，並無定規，以多出民間，發乎情性故也，每句字數以四言爲主，而亦有變化：

二言：如祈父（小雅祈父）

三言：如振振鷺，鷺于飛（魯頌有駜）

五言：如誰謂雀無角，何以穿我屋（召南行露）

六言：如我姑酌彼金罍（周卷耳）

七言：如交交黃鳥止於桑（秦黃鳥）

八言：如十月蟋蟀入我牀下（豳七月）

九言：如泂酌彼行潦挹彼注茲（大雅泂酌）

二 用韻：純任天籟，自然合律。三百篇各詩用韻相差不大，又左、國、周易、騷賦以至秦漢以前之箴銘頌贊，往往韵與詩合，或亦其時雅言；集詩者容有整理之功，未可知也。

三 一般作法

古人謂詩有六義，其賦、比、興三者，卽詩之一般作法；簡釋如次：

詩例	作法	性質	鄭玄周禮注	鍾嶸詩品序	朱熹集傳	李仲蒙說（困學紀聞引）
陟彼岵兮瞻望父兮（陟岵）	賦	直述	鋪、直鋪陳今之政教善惡。	直書其事，寓言寫物。	敷陳其事而直言之者也。	敍物以言情，情盡物也。
缾之罄矣維罍之恥（蓼莪）	比	比喻	見今之失，不敢斥言，取比類以言之。	因物喻志。	以彼物比此物也。	索物以托情，情附物也。
關關雎鳩在河之洲窈窕淑女君子好逑（關雎）	興	觸發	見今之美嫌于媚諛，取善事以喻勸之。	文已盡而意有餘。	先言他物以引起所詠之詞。	觸物以起情，物動情也。

其中「興」之一法，所觸之「物」與所起之「情」，相類之處可能絕少，「不必與正意相關也」（姚際恆詩經通論）。此外，又往往用叠句、偶對、層進、省筆之法，例證繁多，亦不勝枚舉矣。大抵文成而後法立，吟志感物，莫非自然，動乎摯情，發於慧心，此亦三百篇文藝之足以千古也。

五、毛詩序

齊魯韓詩之序，既隨三家俱亡，惟毛序獨傳，於以見漢儒論詩之旨。然詩序大小之分，作者問題，美刺問題，紛煩糾擾，亦爲治詩一困。今約述如下：

（一）大小序區分問題

	關雎序		其餘各篇
毛詩序	關雎序 ①關雎，后妃之德也。 ②風之始也，所以風天下而正夫婦也，故用之鄉人焉，用之邦國焉。 ③風，風也，教也。風以動之，教以化之。 ④詩者，志之所之也……是謂四始，詩之至也。 ⑤然則關雎麟趾之化，王者之風，故繫周公……是關雎之義也。		葛覃序 葛覃，后妃之本也…… 卷耳序 卷耳，后妃之志也……
鄭玄詩譜	關雎序爲大序		其餘各篇序爲小序
陸德明經典釋文引舊說	①—②關雎序，乃小序	③—⑤爲大序	
程大昌詩論	凡發序兩語，世人謂之小序，乃古序，卽①	②—⑤兩語而外，續而申之，謂之大序者，衛宏語也。	其餘各篇亦類推
朱熹詩序辨	①—③及⑤爲小序	④爲大序，惟關雎序有大小之分	其餘各篇之序皆爲小序

各逞臆說，强爲分異，可謂治絲益棼。故陸德明經典釋文云：「此序止是關雎之序，總論詩之綱領，無大小之異。」崔述云：「余案詩序自『關雎，后妃之德也』以下句相承，字相接；豈得於其中割取數百言，而以爲別出一手？蓋關雎乃風詩之首，故論關雎而因及全詩；而末復由全詩歸於二南，而仍結以關雎。章法井然，首尾完密，此固不容別分爲一篇也……原無大小之分，皆人自以意相度之耳。」又曰：「序之首句，與下所言，相爲首尾，斷無止作一句之理。」可以平衆家之爭矣。

〔二〕詩序作者問題

詩序誰作，說法尤見紛歧；自尊而卑，酌刊如次：

(1) 孔子作（鄭玄毛詩南陔白華華黍序箋）
(2) 國史作小序，大序則孔子之意（二程遺書）
(3) 孔子題首句，毛公發明之（王得臣麈史）
(4) 卜商作（王肅孔子家語七十二弟子解注）
(5) 卜商裁初句，其下大毛公足之（成伯嶼毛詩指說）
(6) 卜商作大序，卜商、毛公合作小序（經典釋文引沈重述鄭玄詩譜意）
(7) 卜商所創，毛公、衞宏潤益（隋書經籍志引先儒相承之說）
(8) 孔子弟子述師意，毛公衞宏作之（蘇轍）
(9) 衞宏作（范曄後漢書儒林傳）
(10) 劉歆僞作初句，衞宏足之（康有爲新經僞經考）
(11) 毛公托之卜商，衞宏著毛公門人之說，而後人又復增加（曹粹中放齋詩說）
(12) 序首二言，毛萇以前經師所傳，以下續申之言，毛萇以下弟子所附（四庫全書總目提要）
(13) 雜出秦漢經師之手（范家相詩瀋）
(14) 漢之學者所作，借子夏以顯其傳（韓愈）

(15) 漢代山東學究所爲，又或有衞宏之作（朱熹）

(16) 詩人自作（詩瀋引王安石說）

(17) 村野妄人所爲（朱子全書引鄭樵詩辨妄）

上列諸說，問題尙多，蓋：

一 據周禮、禮記、國史並不掌詩。

二 先民作詩，大抵興發自然，非如應試應社者之先命題目。間或自言作旨，爲數亦當極少。

三 序文詞旨繁雜，不出一人之手，亦不類三代之作。

四 三家詩說與毛序常異，當非出先秦儒師。

五 齊魯諸家不傳此序，當非卜商之作。

六 毛傳與序說常相戾，則毛公之說亦有可疑。

七 衞宏之時，毛詩行世已踰百年，立之學官；宏一人之言，學者能否盡從之？鄭玄與宏時近，何以不言宏作？且據王引之經義述聞、漢志六藝略謂詩經二十八卷，三家序冠篇首，不別爲卷。毛詩二十九卷，序別爲一卷；則劉歆七略之時，毛詩已有序矣。

八 衞宏治古文尙書（後漢書儒林傳），而詩序雜取傳記，以禮記、左傳爲多，尙書則甚少；倘爲宏作，似不當如此。

九 關睢序多襲樂記，都人士序襲緇衣，而斧鑿之迹顯然，則詩序當出禮記行世之後。

大抵漢武以來，黜百家而崇儒術，利祿途開，假名僞造，繁徵博引以欺世弋名者遂衆；詩序之成篇，或起此時，未可知也。

〔三〕美刺問題與詩序價值

左傳襄公二十九年載吳季札觀樂於魯，謂周南召南「勤而不怨」，邶鄘衛「憂而不困」，歌小雅則曰「思而不貳，怨而不言，其周德之衰乎？」歌大雅則曰「廣哉熙熙乎，曲而有直體，其文王之德乎」；此所謂聞歌而知政也。至毛詩序，遂有變風變雅之說，鄭玄詩譜繼之，朱熹力攻詩序，而集傳多用序說，亦以正變分編風雅。毛鄭之說以爲：

	正	變
國風	周南、召南	邶至豳十三國風
小雅	鹿鳴至菁菁者莪	六月至何草不黃
大雅	文王至卷阿	民勞至召旻

於是更有美刺之分，正者讚美，變者諷刺，文武政淳教美，則謳而頌之，季世衰亂，則懷舊刺今云云。然鄭樵已謂正變之說，仲尼未言，他經不載，蓋一國之詩，有正有變；一時之詩，有刺有美，何可以國別世次爲分？譬如豳風七月，立國以農；衛風淇奧，睿聖得民；鄭風緇衣，好賢開國；齊風雞鳴，民勤昧爽；唐風蟋蟀，宴樂無荒；皆可見君德民風之美；又如小雅車攻、吉日、庭燎；大雅崧高、烝民、韓奕，皆非傷諷之作；由是觀之，概之以變風變雅，亦可謂迂而且固矣。倘依序說，風詩百六十

篇、美者十六，刺者七十六；二雅百零五篇，美者十一而刺者五十一，於是古人吟詠之詞，幾盡曲怨矣。誠然，春秋之世，成康已遠，容或衰世詩多，盛時詩少，但亦不當相懸如此之甚，何況詩序所云文王時詩，實大有可疑哉！

且詩序美刺，亦無定準，其意同，其辭似，在召南則美，在鄭風則刺（如「草蟲」與「風雨」），在小雅則亂世刺王，於大雅則太平頌祖（如「楚茨」與「鳧鷖」），其實易之，亦無不可者也。

朱熹謂「變風諸詩，未必是刺者，皆以爲刺；未必是言此人，必附會以爲此人。……鄭忽不娶齊女，其初亦是好底意思，但見后來失國，便將許多詩盡爲刺忽而作……其他謬妄，不可勝說。」蓋爲詩序者，務以風教德化，籠括羣篇，雜取經傳，强解詩義：如關睢序「情動於中……」一節，全出禮記樂記，「詩有六義……」一節，襲取周禮，鴟鴞序全出尚書金縢、周頌潛序，本之禮記月令；賚序見諸論語，諸如此類，李戴張冠，未必有當。無可雜取者，則又每望文生義，牽强曲解，背戾情理，如朱熹云：「小序大無義理，皆是後人杜撰，多就詩中采摭言語，更不能發明詩之大旨。才見有『漢之廣矣』之句，便以爲『德廣所及』；但見『牛羊勿踐』，便謂『仁及草木』」。康有爲亦云：「白華——孝子之潔白；崇丘——萬物得極其高大；雨無正——衆多如雨，而非所以爲正之類；皆望文生義，一味空衍。」此外，譬如召南小星，蓋「肅肅宵征，抱衾與裯」者「實命不猶」之感，而序謂夫人無妒忌，惠及賤妾，盡心進御於君；周南螽斯，祝子孫衆多，而序謂「若螽斯不妬忌」；召南羔羊，稱官吏安適；而序謂「節儉正直，德如羔羊」；周南卷耳，懷人之詩，詞意親暱，而序謂后妃嘉勞使臣之詞；諸如此類，爲例至多；誠如姚際恒所謂「庸謬百出」，「固滯、膠結、寬泛、塡湊、諸弊叢集」（詩經通論），於是至情至性之美文，遂成非愚則誣之諫書矣！章如愚山堂考索謂「詩序之壞詩而詩亡」；鄭樵以詩序爲村野妄人所作，非無故也。雖力右詩序如吳闓生者，謂「自二南外，序之可信爲多。蓋必古說相承，而殘闕不具，後之儒者，乃以私意掇而補之。是故一章之中，首尾衡決，不相聯貫，其迹顯然，無待深辨。篤守而信從之者，非也；一切掃而去之，抑亦未爲得也」（詩義會通自序），馬端臨曰：「詩序不可廢……愚之所謂不可廢者，謂詩之所不言，而賴序以明者耳；至詩之所已言，則序語雖工，不讀可也；況其鄙淺附會者乎！」（文獻通考），勉爲斡旋；然舍序讀詩，每不煩訓詁，其意自明；强詩合序，則雖曲生巧說，而文義愈晦。是故朱熹集傳，因襲詩序甚多，而仍力攻詩序，謂「若詩人先所命題，而詩文反爲因序以作。於是讀者傳相尊信，無敢擬議。至於有所不通，則必爲之委曲遷就，穿鑿而附會之，寧使經之本文，繚戾破碎，不成文理」（詩序辯說）。又曰：「大抵古人作詩，與今人作詩一般，其間亦自有感物道情，吟詠情性，幾時盡是譏刺他人？只緣序者立例，篇篇要作美刺說，將詩人意思盡穿鑿壞了。且如今人見人纔做事，便作一詩歌美之，或譏刺之，是甚麼道理？」（語類）

按先民作詩，多出自然，詞旨明白，當無故爲艱深之理，國風詩篇，尤必如此，今日而言三百篇，固亦不必盡去毛序，「別求其說於茫冥之中」（黃震語）。然必當以詩文爲主，序說如合，可備一說；倘不合情理，則雖出古哲，猶可懷疑；況或陋儒之妄作耶？

詩序雖不足據，然自漢以來，歷代尊經，於是風教言詩，正變美刺之說，深入人心，影響至大，後人作詩，遂多比興寄托，言在於此，義寄於彼，合古代作詩立言，賦詩代言之旨於一篇，於是旨趣迷離，意境沈鬱，遂成中國詩詞之特性（朱東潤說）。朱慶餘、張水部之贈答，張籍之卻聘，白居易新樂府，其顯例也。至如朱長孺之釋玉谿詩，張惠言之輯詞選，亦本此意。則既燭幽隱，亦易穿鑿，可謂得失互見矣。

第二章　今古文尚書

一、釋　名

書經本稱書或尚書，我國現存上古政治文獻、檔案之最早結集也。書者著也（說文），從聿（筆）從者省，故即記錄之意。荀子云：「書者，政事之紀也」（勸學）。孔穎達尚書正義序云：「夫書者，人君辭誥之典，右史記言之策」，即此意也。

至「尚」之爲義，向有數說：

一　尚者上古也（古文孔安國傳序），以其上古之書，故曰尚書。

二　尚者君上也，上所爲，下所書也（王充論衡、王肅書注序）。

三　尚者尊上也，孔子所加；尊而重之，若天書然（緯書說、鄭玄易贊）。

然詩、易、禮、樂，以至春秋，皆無加「尚」，故（三）說不可信；如曰君上，則宜稱上書；如曰臣記，則宜稱下書；如曰上古，則何不依據語法號爲「古書」？故（一）（二）兩說，亦未盡妥。當代羅香林教授「尚書名義釋」謂「尚」當爲「唐」之譌：

一　書斷自堯典；而舜典、臯陶謨，益稷謨等綜稱「虞書」，則堯典當稱「唐書」，爲全書首篇，則亦以概稱全書，而不應以後括前，以「虞書」兼包堯典；

二　據說文：唐，大言也；尙，借爲積累加高（段玉裁注），與「大言」意近；二字古文字形亦似；又尙、唐古音同部，從尙得聲諸字，如堂、當、黨、棠，後世仍多讀舌頭音，與唐同。棠、常亦與唐、堂通假（如詩唐棣、裳裳者華），可知唐尙二字意近，形似，讀音亦通。

按說文釋稘、㷊，孫星衍尙書今古文注疏，皆有唐書之目，則羅香林教授所考定者，亦有據之新說也。

至若尙書乃「右史記言」之策，以至劉知幾史通所謂「言爲尙書，事爲春秋，左右二史分尸其職」云云，亦未盡然。右史記言與禮玉藻說同，漢書藝文志則云左史記言，右史記事。鄭玄六藝論，則二說皆持，前後矛盾。實則左右二史，當日未必垂爲定制；言動左右，亦勢難淸楚劃分，且如尙書之中，堯典既爲記事，禹貢純敍九州山川，顧命所記，泰半成康之際喪服、即位典禮，可見尙書固多記言，而亦非無記事者也。

二、來歷與流傳

尙書乃虞夏商周四代政事文獻，則考明每篇作者已少可能。史記孔子世家謂孔子「序書傳，上記唐虞之際，下至秦繆，編次其事」。漢志則云：「書之所起遠矣，至孔子纂焉。上斷於堯，下訖于秦，凡百篇而爲之序，言其作意」。僞尚書孔安國序說略同。然孔子紹述六藝，編定書傳，取其辭氣馴雅，史事足徵者作爲教材，當亦有之。若謂孔子删書以制法百王，垂教萬世，實恐未必。史遷所云「序書傳」，亦係編訂之意。鄭玄、馬融、王肅則並云孔子作書序，亦有大小之分，其敍述旨意，多與題文不中，附會剽竊，文亦不如先漢之重厚有力。朱熹、顧炎武、康有爲等，皆已斥其僞妄矣。

秦項之劫，尚書殘缺最多，問題亦繁。遂有今古文之別。

今文尚書　據史記儒林傳、漢書藝文志，謂秦時焚書，博士伏勝壁藏之（博士官所職，何以尚須壁藏？經典釋文序錄謂孔子末孫惠壁藏之），其後亂大起，流亡。漢定，伏生求其書，亡數十篇，獨得二十九篇，即以教於齊魯之間（隋書經籍志則云傳二十八篇，又河內女子得泰誓一篇云）。

文帝時，欲求能治尚書者，天下無有。時伏生年九十餘，老不能行，乃詔太常使掌故朝（晁）錯往受（漢書顏師古注引衞宏定古文尚書序云：「伏生老，不能正言，言不可曉也，使其女傳言教錯。齊人語多與潁川異，錯所不知者凡十二、三，略以其意屬讀而已」云云。然伏生既有壁藏，則二十餘篇當屬簡册，而非傳自口耳，不論文字爲古文抑秦篆，晁錯似可求錄其書，甚或携書歸以報命也。僞尚書孔安國序，則謂伏生失其本經，口以傳授，裁二十餘篇云）。

伏生教濟南張生及歐陽生。晁錯所受，諸生所習，皆以當時通行文字錄之，是爲今文尚書。宣帝時，有歐陽（和伯）大夏侯（勝）小夏侯（建）三博士立於學官，即其傳也。後世今文家援二十八宿、北斗，謂二十九篇爲尙書完備之本，蓋亦利祿攸關，乃自固吾圉也。

古文尙書　漢志謂古文尙書者，出孔子壁中，武帝末，魯共王壞孔子宅，欲以廣其宮，而得古文尙書及禮記、論語、孝經凡數十篇，皆古字也。共王往入其宅，聞鼓琴瑟鐘磬之音，於是懼，乃止不壞。孔安國者孔子後也，悉得其書，以考二十九篇，得多十六篇，安國獻之，遭巫蠱事，未列於學官云云。此云武帝末，當作初，蓋魯共王餘卒於其時也。又漢書景十三王傳亦載此事，而史記五宗世家無之。史遷生當其時，反而不記，亦有可疑。又史記儒林傳謂「孔氏有古文尙書，而安國以今文讀（對譯）之，因以起其家，得逸書十餘篇，蓋尙書滋多於是矣」。

流傳　西漢哀帝時，劉歆求建立古文尙書與毛詩、逸禮、左氏春秋於學官，諸博士皆主今文，不肯、歆乃移書責之，然孔傳古文尙書終不得立，亦不行於世。東漢初，扶風杜林於西州得漆書古文尙書一卷，常寶愛之，雖遭艱困，握持不離（後漢書卷五十七）。其後賈逵、馬融、鄭玄皆爲訓注，然所傳惟二十九篇。鄭又間用今文義，於是鄭注行於世而今文三家廢。然古文尙書所多十六篇，終無師說，亦無傳注。故孔氏之本絕，馬鄭杜預之徒，皆謂之逸書。

漢魏擾亂，經籍罹劫，晉武帝置博士，仍有孔氏古文尙書（晉書荀崧傳），此或已爲王肅之僞矣。永嘉之亂，典册散亡不可勝紀，古文孔傳，今文三家皆佚。及東晉元帝時，豫章內史梅賾（或作頣）奏上孔安國古文尙書五十八篇，其中與今文二十八篇異者，皆文辭明順，絕非詰屈聱牙如二十八篇者，且凡經傳所引書語，諸家指爲逸書者，收拾無遺，於是「古文尙書孔氏」與「尙書鄭氏」並立學官。其後南朝梁陳所講，仍有孔鄭二家（經典釋文序錄、隋書經籍志），至北史儒林傳則謂尚書之學，江左好孔安國，河洛仍尚鄭玄；隋時孔鄭並行，而鄭氏已微，至唐初修正義，南學掩北，孔穎達本二劉（焯、炫）爲疏，主於孔傳，馬鄭傳注更就殘缺，五十八篇遂定一尊。

及南宋吳棫首疑古文尚書（書稗傳，今佚），朱子亦謂「暗誦者（今文）不應偏得所難，考文者（古文）反專得其所易，是皆有不可知者」（朱子全書書臨漳所刊四經後），又謂「書凡易讀者皆古文，豈數百年壁中物，不訛損一字者」「孔書至東晉方出，前此諸儒皆未見，可疑之甚」（吳澄引）。然「人心惟危，道心惟微，惟精惟一，允執厥中」十六字，朱子以爲堯舜心傳，以抗佛氏禪子者，正出孔傳大禹謨內。故亦未決。

元吳澄更謂今文二十八篇，雖難盡通，而辭義古奧，無疑上古之書；梅賾所增二十五篇，體製如出一手，采集補綴，雖無一字無所本，而平緩卑弱，殊不類先漢以前文，且千年古書，最晚乃出，而字畫略無脫誤，文勢略無齟齬，實大可疑，故本其是非之心，斷斷然不敢信此二十五篇爲古書云（校定古文尚書二十五篇自序）。明梅鷟疑之更甚，尚書考異，力排僞孔，羅列証據。至清人考證，樸實精勤，閻若璩古文尚書疏證，惠棟古文尚書考，據古引經，辨析詳明，皆謂梅賾采摭傳記，作爲古文以紿後世。丁晏尚書餘錄更證出於王肅，孔安國傳、序亦出僞造。先是毛奇齡作古文尚書寃詞，竭力辯護，而鐵證若山，無從平反；千年迷霧，一旦廓清，實學術史之盛事也。至若虞夏商周之書，孰爲當時史官所記，孰爲後人追記，有無托古之作，則研究之餘地尚多也。

三、體例與內容

孔安國以典謨訓誥誓命爲書之六體，孔穎達廣之爲十，舉例如後：

典——堯典、舜典
謨——大禹謨、皋陶謨
貢——禹貢
歌——五子之歌
誓——甘誓、泰誓等
誥——康誥、召誥等
訓——伊訓
命——顧命、文侯之命
征——胤征
範——洪範

然「書篇之名，因事而立，既無體例，隨便爲文」，孔穎達亦已言之矣。蓋古之爲書者，隨時書事，因事成言，取其達意，豈如後之爲文者，必先求合體制哉！方之後世史傳，則典謨約同紀傳，貢者地理方志，訓誥誓命，卽詔令書奏；歌則詞章文彙之類也。

尚書今古文篇目，較列如後：

（伏生所傳）今文二十八篇	（梅賾所上）古文五十八篇	
	王肅强分增爲三十三篇	王肅僞造二十五篇
堯典	分出舜典	大禹謨
臯陶謨	分出益稷謨	五子之歌
禹貢	同上	胤征
甘誓		仲虺之誥
湯誓		湯誥
盤庚	分上中下三篇	伊訓
高宗肜日	同上	太甲上、中、下
西伯戡黎		咸有一德
微子		說命上、中、下
牧誓		泰誓上、中、下
洪範		武成
金縢		旅獒
大誥		微子之命
康誥		蔡仲之命

酒誥
梓材
召誥
洛誥
多士
無逸
君奭
多方
立政
（以上）同上

顧命 分出康王之誥

呂刑
文侯之命
費誓
（以上）同上

秦誓

一說廿九篇，蓋有三解：
㈠後得秦誓。
㈡加書序。
㈢顧命後半分出康王之誥。

周官
君陳
畢命
君牙
冏命

四、思想

書既政事之紀，古來奉爲典要經籍。禮記經解云：「疏通知遠，書敎也」。尙書大傳謂孔子有七觀之說：「六誓可以觀義，五誥可以觀仁，甫（呂）刑可以觀誡，洪範可以觀度，禹貢可以觀事，臯陶可以觀治，堯典可以觀美」。史遷亦云：「書以道事。」（莊子天下篇同）「書記先王之事，故長於政」（太史公自序）。歷代儒者稱道之者，不可勝記。今日觀之，書本古史之一，典謨訓誥誓命之辭，卽上古政敎之文彙也；於是上古之情，讀遺書而可見，上古之制，覽闕典而猶存，此所以探索先民社會、哲敎，尙書爲必究之籍也。

我國古代思想，似少希伯來式之創世觀念，「人格天」亦非事事干預，而只在政敎一類複雜事件中，表現其原則性之指導以及賞罰。表現在詩書兩經者，大抵如此。天命之行，以「民彝物則」（民之常道，物之定理）爲表現，而「民之秉彝」則在「好是懿德」（詩大雅烝民）。其見諸今文尙書者，如：

堯典：「乃命羲和，欽若昊天，敬授民時」。

臯陶謨：「天工，人其代之：天敍有典，勅我五典五惇哉！天秩有禮，自我五禮有庸哉……天命有德，五服五章哉！天討有罪，五刑五用哉」。

又：「天聰明，自我民聰明；天明畏，自我民明威」。

湯誓：「有夏多罪，天命殛之……夏氏有罪，予畏上帝，不敢不正」。

高宗肜日：「惟天監下民，典厥義」。

洪範：「惟天陰騭下民，相協厥居……天乃錫禹洪範九疇，彝倫攸敘」。

大誥：「天休于寧王，興我小邦周」。

康誥：「天乃大命文王，殪戎殷」。

多士：「昊天大降喪于殷，我有周佑命，將天明威，致王罰，敕殷命終于帝」。

呂刑：「上帝不蠲，降咎于苗，苗民無辭于罰，乃絕厥世」。

泰誓（逸文，孟子引）「天視自我民視，天聽自我民聽」。

若此者，皆稱天以臨民，崇天以立戒者也，於以見先民之宗教思想。然天之監護萬民，惟在大事，賞善罰惡，亦表現於民情；則人之發揚「懿德」亦自多可致力處。然則日後儒學之尚德傳統，民本主張，人文精神，蓋可謂淵源有自矣。故先農重耕，知稼穡之艱難（堯典、臯陶謨、洪範、無逸）尊位重祿，尚賢能之可任（皐陶謨、洪範）以至建德立極，居敬精勤，諸如此類，亦隨處可見。至如堯典云：「克明峻德，以親九族；九族既睦，平章百姓；百姓昭明，協和萬邦。」臯陶謨云：「光天之下，至于海隅蒼生，萬邦黎獻，共爲帝臣，惟帝時舉」；此則合倫理於政治，由修齊治平而宇內尊親，亦與大學、中庸諸篇所論，其轍若一也。

第三章　周易經傳

一、釋　名

易之本義，已難確考。鄭玄易贊易論本乾鑿度云：「易一名而含三義：易簡，一也；變易，二也；不易，三也。」自來論者，樂道此說。釋之如次：

「**變易**」者：易所描述、解釋、發揮者，乃宇宙秩序，天人變化。故易繫辭云：「易之爲書也不可遠，爲道也屢遷，變動不居，周流六虛，上下无常，剛柔相易，不可爲典要，唯變所適。」又云：「易窮則變，變則通，通則久。」唐孔穎達周易正義云：「自天地開闢，陰陽運行，寒暑迭來，日月更出，孚萌庶類，亭毒羣品，新新不停，生生相續，莫非資變化之力，換代之功。」此謂周易乃描述窮、通、變、久之道；蓋宇宙之構成，萬物之生長，皆由變化代換之力也。故許愼說文解字所引「秘書說」，及道家言之周易參同契，均有「日月爲易，象陰陽也」之說，蓋謂相反相成之陰陽二力交互作用，乃成種種變易也。（據說文，則「易」象蜥蜴之形，非日月二文所合。）

「**不易**」者：天地變化，陰陽推移，雖極複雜，而變化之理，變化之規律，自必不變。故易繫辭云：「天尊地卑，乾坤定矣；卑高以陳，貴賤位矣；動靜有常，剛柔斷矣。」此謂宇宙、人生之變化雖繁，而其規律、定理自必不變，於以構成整個宇宙秩序。

「簡易」者：六十四卦，統一切天人現象；故通曉卦理，可以執簡馭繁，知難以易。繫辭云：「夫易，聖人所以極深而研幾也。」宋楊萬里誠齋易傳云：「易之爲言，變也；易者，聖人通變之書。」皆卽此意。

既通其變，乃知所適從，故繫辭曰：「乾以易知，坤以簡能，易則易知，簡則易從，易知則有親，易從則有功，有親則可久，有功則可大，可久則賢人之德，可大則賢人之業，易簡而天下之理得矣。」此謂宇宙變化，不外以乾（發動、通達、完成）坤（承受、質料）爲基，故易於明瞭，易於把握。明智之士，善用此理，故能開物成務，立久大之功業也。

至名爲周易者，周禮太卜「掌三易之法：一曰連山，二曰歸藏，三曰周易；其經卦皆八，其別則六十有四」。舊說連山爲夏易，歸藏爲殷易；「連山」者，象山之出雲，連連不絕，故以「艮」爲首；「歸藏」者，萬物莫不歸藏地中，故以「坤」爲首云云。然周禮出孔孟後，繫辭、班志，既不著二易，後世亦無傳，闕疑可也。至周易之義，向有二說：易道周普，無所不備，又有周帀，周而復始，循環不息之意，此鄭康成之說；孔穎達周易正義引易緯云：「因代以題周」，則以周爲時代之名矣。

二、內容

〔二〕易經

一　卦爻

分陰⚋陽⚊二種，爲一切卦象之基本符號，爻者、「交」也，象相交以成變化；又「效」也，效天下之變動也。或疑爻與珓、筊有關，蓋擲杯珓以卜，向上者或凹（⚋）或凸（⚊）也。陽爻曰「九」，陰爻稱「六」。重卦有六爻，次序由下而上，最下稱「初」，最上稱「上」。譬如「未濟」䷿六爻，依次爲初六、九二、六三、九四、六五、上九；「既濟」䷾則反之。至何以稱爲「九」「六」「初」「上」，古人解者紛如；亦不必贅引矣。

二　八卦

爻有二種，而每卦構自三爻，故共有八（$2^3=8$）。

乾☰　坤☷　震☳　巽☴

坎☵　離☲　艮☶　兌☱

周易正義引易緯云：「卦者挂也，言懸掛物象以示於人」。易緯乾鑿度謂卽天地雷風水火山澤八字。或曰卦從「卜」從「圭」，蓋疊二土杯筊，擲之以卜者也。又或曰皆本計數之具。解說紛紜，未知孰是。大抵八卦乃「準文字」符號，象徵基本自然現象或形體，其後內涵漸豐，外延亦漸廣矣。（見下「說卦」條）

三　六十四卦

八卦重之，故爲六十四（$8^2=64$），每兩卦一組，大多數爲上下倒易（如泰䷊否䷋），倒易而各仍爲原卦者，則兩兩陰陽相對（如乾䷀坤䷁，坎䷜離䷝，頤䷚大過䷛）：

乾　坤　屯　蒙　需　訟　師　比

小畜　履　泰　否　同人　大有　謙　豫

隨　蠱　臨　觀　噬嗑　賁　剝　復

无妄　大畜　頤　大過　坎　離　咸　恒

遯　大壯　晉　明夷　家人　睽　蹇　解

損　益　夬　姤　萃　升　困　井

革　鼎　震　艮　漸　歸妹　豐　旅

巽　兌　渙　節　中孚　小過　既濟　未濟

各卦得名，八純卦用原名，其他則多取義上下二卦象之合，若六書之會意（如天地交爲「泰」、不交爲「否」），或通體之象（如二陰下生而陽退，爲「遯」；四陽下長而陽大，爲「大壯」）。

四　卦辭

無韵，各卦均有。統一卦之義，以言吉凶，示可否；或亦設象以喻，如：「乾：元、亨、利、貞。

五　爻辭

間作韵語，每卦各爻皆有之，或以象，或以事，或以物，或以意，解釋一爻意義。如乾卦六爻：

初九，潛龍勿用　　九二，見龍在田　　九三，終日乾乾

九四，或躍在淵　　九五，飛龍在天　　上九，亢龍有悔

卦辭爻辭合稱繇辭，即有韵可誦之謠也。

〔二〕易傳——十翼

周易有傳十篇，向稱十翼，謂如鳥翼之輔經也。有十翼之輔，周易遂由卜筮之書演成哲理之書，即彖辭上下、象辭上下、繫辭上下、乾坤文言、說卦、序卦、雜卦是也。

彖辭：彖、斷也。斷定一卦之涵義、作用，以解釋卦辭。如乾卦：「大哉乾元，萬物資始，乃統天。」

象辭：大象總論卦象，或韵，多作「君子以……」「先王以……」。如乾卦：「天行健，君子以自强不息。」小象述其取象之所以然，以解爻辭。如乾：「亢龍有悔：盈不可久也。」

繫辭上下：亦稱大傳，雜錄孔子論易之言。

文言：就人事解釋乾坤兩卦義蘊，二卦蓋易之門戶也。

說卦：言八卦所表之物象、人體、家人以及方向，如「乾」表天、馬、首、父、西北之類。

序卦：解釋六十四卦，由乾、坤以至既濟、未濟次序之理。

雜卦：雜輯訓詁家言，以解六十四卦卦名。

三、作者

（一）八卦

據云伏羲氏所畫。易繫辭云：「古者庖犧氏之王天下也，仰則觀象於天，俯則取法於地，觀鳥獸之文，與地之宜，近取諸身，遠取諸物，於是始作八卦，以通神明之德，以類萬物之情」。史、漢說同。時賢屈萬里、勞榦等先生，則以周易卦爻，由商代卜兆衍變而成云。

（二）六十四卦

重八卦爲六十四者，古有數說：

（甲）伏羲自重。孔穎達周易正義采王弼說論重卦之人云：「易歷三聖，伏羲既畫八卦，卽自重爲六十四卦」；易繫辭謂「庖犧氏作網罟以佃漁，蓋取諸離；神農作耒耜，蓋取諸益」；故六十四卦，當在伏羲之世已有云。

（乙）姬昌重之。司馬遷報任安書、史記自序、周本紀、日者列傳皆云文王卽位五十年，囚羑里，益八卦爲六十四卦，演三百八十四爻，漢書藝文志、揚雄法言問神、問明二篇、王充論衡對作篇皆信此說，蓋易繫辭云：「易之興也，其於中古乎？作易者，其有憂患乎？」又曰：「易之興也，其當殷之末世，周之盛德耶？當文王與紂之事耶？」此說信者較多。

（丙）神農重之。鄭玄說。亦本（甲）繫辭下第二章神農耒耜取諸益，日中爲市取諸噬嗑之說。

〔丁〕夏禹重之。孫盛說。蓋本鄭玄所云：「夏有連山之易」也。

〔三〕卦辭爻辭

〔甲〕皆文王拘羑里時作，其後遂成卜筮之書。鄭玄說。

〔乙〕文王作卦辭，周公作爻辭，孔穎達採鄭衆、賈逵、馬融、陸績之說。蓋爻辭有「王用享於岐山（升）」，「箕子明夷（明夷）」等語。

〔丙〕皆孔子作。清皮錫瑞說。

時賢屈萬里先生，則據卦、爻辭中器物、習語，謂必東周以前；由其用字一貫，知爲一人創作；由「晉」「隨」「益」諸卦之卦、爻辭、知成於周武王時云（書傭論學集）。

〔四〕十翼

〔甲〕皆孔子作。（古來通說。如：漢志云：「孔氏爲之彖、象、繫辭、文言、序卦之屬十篇。」孔穎達周易正義云：「十翼之辭，以爲孔子所作，先儒更無異論。」）

〔乙〕彖、象辭孔子作，繫辭、文言，孔門弟子作，說卦、序卦、雜卦，後人依附作。（宋歐陽修易童子問，鄭樵六經奧論，程迥古易考。）

〔丙〕皆戰國至漢初解釋周易著作之選輯，藉卜筮之辭以建立、發揮其宇宙、人生哲學。即漢書藝文志、儒林傳所載，雒陽周王孫，丁寬、齊服生等所著易傳數篇之類是也。（近人通說。）

要之，周易經傳，由卜筮之書而天人義理要籍，時經數代，人歷多世，不必鑿言某聖撰造，然後增其價値也。

四、流傳

易本卜筮之書，未遭秦刼，傳者不絕。漢興，田何治之。訖於宣元，以今文施讎，孟喜、梁丘賀爲正宗；又有京房、焦延壽主言災異，而亦立學官，後均亡失，僅存焦氏易林，演成四〇九六卦，以占吉凶。今存十三經之易，爲古文費氏。然易不在焚列，漢之今古文遂無大差異，皆以象數爲主，末流近於讖緯。至王弼注易，舍象言理，排擊漢儒之敝，自標新學，然當世疑難者亦不寡。其後河北宗鄭，江南行王，唐修五經正義，用輔嗣說，鄭易以衰。唐李鼎祚周易集解，不宗王而取漢，蒐輯子夏易傳以下三十餘家，於是漢易乃得考見。宋儒言易，附會河圖洛書，劉牧、邵雍皆主象數；至淸胡渭易圖明辨，還圖、書於道敎，元和惠棟則復興漢易象數之學。大抵自來言易，不出數理二途：理詆數爲誣罔，數譏理爲落空。其實易本三代卜筮之書，其據在數；易亦儒門天人之籍，其精在理。參酌「象數」，固非無補於「義理」也。

五、基本義理

〔一〕宇宙秩序觀

易之卦爻組織，原爲占卜之用，其後演爲六十四卦，予以一定排列及特定名稱，遂代表特殊意義，如：

一　六十四卦，以乾（發動、剛進）坤（質地、柔順）爲首，作爲宇宙、人生一切變化之基始條件。

二　六十四卦，以旣濟（一階段之完成）未濟（變化永無終止，另一階段卽又開始）爲終，表示萬象生滅成毀，往復不已。

三　每卦六爻，表示該卦中之六階段，故六十四卦合表總歷程，三百八十四爻表總歷程中各類情況。

故易理可謂宇宙、人生全體之縮影，繫辭云：「易與天地準，故能彌綸天地之道」；又云：「夫易，何爲者也？夫易，開物成務，冒天下之道，如斯而已者也。」此謂發生、冒出種種變化，以建設、維持宇宙人生秩序，乃周易精神所在者也。此一「變、動、生、成」之理，至中庸而益明。

〔二〕變化二元論

天地萬象，無時不在變中，而其基礎在「乾」與「坤」，乾坤代表宇宙、人生兩種相反相成之力量或現象。乾表發生、進取、陽剛；坤表質料、容受、陰柔；交相爲用，而開物成務，生生不息。故繫辭云：

「一陰一陽之謂道，繼之者善也，成之者性也。」

「生生之謂易，成象之謂乾，效法之謂坤。」

此謂「易」以「生生不息」爲總原理，以「乾」爲一切變化之動力，以「坤」爲質料、形式。以甲形式爲質料，變爲新形式乙，復由乙形式爲質料，生出新形式丙，如此「新新不停，生生相續」，乃能表現「天地之大德」，宇宙乃能無窮無盡。故陽乾陰坤，交互作用，乃能善（生），能成，此皆天地之道，而亦萬物之性也。

故彖辭云：

「大哉乾元，萬物資始，乃統天。」

「至哉坤元，萬物資生，乃順承天。」

象辭亦云：

「天行健，君子以自强不息。」

「地勢坤，君子以厚德載物。」

皆卽此理。故曰：「乾坤其易之緼邪！」「乾坤其易之門邪！」

三）物極必反說

宇宙變化，爲一無盡過程，生生不息，以開物成務，故六十四卦，始乾而終旣濟、未濟。以其未濟，故爲另一系列，變化之乾也。如是循環往復，乃能無窮，遂有物極必反觀念，如：

泰卦象云：「无往不復，天地際也。」

蠱卦象云：「終則有始，天行也。」

繫辭云：「日往則月來，月往則日來，日月相推而明生焉；寒往則暑來，暑往則寒來，寒暑相推而而歲成焉。往者屈也，來者信也，屈信相感而利生焉。」

是以各卦各爻，亦常有靜極而動，凶甚則吉之義，如：

一　乾䷀初九至九五，象龍德之漸進，上九則亢龍有悔；

二　坤䷁表妻道臣道地道，陰柔靜順，上六則龍戰於野，其血玄黃。

他如泰與否、剝與復、損與益、亦然。

（四）其他規律

一　陽爻當陽位（一、三、五），陰爻當陰位，稱爲「當位」，較吉。

二　二、五兩爻，居上下兩體之中，較吉；九五、六二，得中又當位，更吉。

三　三、四兩爻，居上下之交，象進退去就之際，故多猶疑不定之辭。

四　易之繇辭，雖言吉凶休咎，而結果之決定，常有彈性：往往提供如何則吉，如何則凶，如何則无咎，此則馭機祥以人事，而人本精神，自由意志於以透顯，是亦中國文化特色之一也。

六、周易文學

章學誠文史通義易教中云：「易象雖包六藝，與詩之比興尤爲表裏。」又曰：「戰國之文，深於比興，即深於取象者也」；今人居乃鵬「周易與古代文學」舉例釋之（國文月刊七十四期）：

大過九二：枯楊生梯，老夫得其女妻，无不利

- 枯楊生梯——設象辭……近詩之比興
- 老夫得其女妻——記事辭——前承卜辭，後開春秋，皆以祀戎爲大事
- 无不利——占斷辭

周易用字謹嚴，故章氏又云：

「亨有小亨，利貞有小利貞，貞有貞吉、貞凶，吉有元吉，悔有悔亡，咎有无咎；一字謹嚴，甚於春秋。」

周易用韵甚多，句式同於三百篇者亦不少，如：

頤六四：「虎視眈眈，其欲逐逐。」

屯六二：「屯如邅如，乘馬班如。」

小　畜：「密雲不雨，自我西郊。」

中孚九二：「鶴鳴在陰，其子和之；我有好爵，吾與爾靡之。」皆可入詩。

周易之文，又兼駢散。文言、繫辭，後世文家推爲儷辭之祖。清阮元父子，近代劉師培等，更援之以與古文爭正統。其他彖辭、象辭，亦多偶對，蓋亦出於自然者也。

第四章 三禮

十三經中，周禮、儀禮、禮記、合稱「三禮」，其名始於鄭玄。茲編述禮記較詳，蓋「禮之所尊，尊其義也；失其義，陳其數，祝史之事也」（禮記郊特牲）。言禮學者，自以義理爲上，制度儀節次之；是故禮記價值，當在二經之上也。

一、周禮

周禮六篇，舊稱周官，王莽時劉歆爲國師，始建立周官經爲周禮。惟有古文。內容言國家政制，述政府六部之職掌，相傳作於周公，以致太平（朱熹、王安石、紀昀）；或謂劉歆僞造以迎合王莽（康有爲）；均未可盡信。此書疑是周秦間學者所編，掇拾西周舊制，參以己見，守先待後，而托之于周公。其所載官制職掌，條貫周詳，規模弘大，頗能配合古代社會，故自北周隋唐以後，中央官制名目均以之爲藍本，此書之可貴，亦以其爲政典之故也。

六官	首長	職掌	後世六部
天官	冢宰	掌邦治，統百官，均四海	吏部
地官	大司徒	掌邦教，敷五典，擾（安）萬民	戶部
春官	大宗伯	掌邦禮，治神人，和上下	禮部
夏官	大司馬	掌邦政（征），統六師，平邦國	兵部
秋官	大司寇	掌邦禁，詰姦慝，刑暴亂	刑部
冬官	大司空	掌邦土，居四民，時地利	工部

冬官原闕，漢人以考工記補之，蓋周秦間工藝發展之實錄也。

二、儀　禮

儀禮十七篇，晉以前名爲士禮，又稱禮經，蓋記述古代禮俗儀文之書。相傳作於周公，而編訂於孔子，以教門人。以冠昏喪祭朝聘鄉射八者爲禮之大體，條目繁瑣。故昔人有言，禮儀三百，威儀三千。如士相見禮，賓主下拜十餘次，可謂甚矣。故縟節繁文，從之匪易；奧詞古義，通之亦難。蓋禮之精神，今古無異；禮之儀節，世易則殊。故今日治禮，當以言義理者爲宗，論儀節者爲佐，考其事所以明其義也。至若冠昏喪祭之禮，可考親族關係、宗教信仰；射御朝聘之禮，可考政治制度，外交情況。他如宮室舟車衣服飲食等記載，尤研究文化史者所宜究心也。

三、禮記

禮記爲禮儀法度以至體國經野之議論文集，與論、孟、荀子諸書，並爲研究晚周秦漢儒學之要籍。

（一）來源

禮記一書，乃七十子後學所記，又多采其他儒學典籍，如子思子、公孫尼子等，而傳述於漢初儒生。其中作品，以戰國末西漢初百餘年間爲中心，十之七八，代表荀卿一派之儒學思想。據孔穎達正義引述，王制爲漢文帝命諸博士作（盧植說），月令本呂氏春秋十二月紀首章、呂不韋集衆儒之作，中庸子思作（皆鄭玄說）；樂記則武帝時河間獻王與諸生共作（漢志）；隋書音樂志則引沈約謂中庸、表記、坊記、緇衣，皆取子思子，樂記取公孫尼子云云。此外各篇，則無作者主名，要之亦難確考矣。

（二）流傳

漢初河間獻王得禮記一三一篇，宣帝時，博士后蒼說「后氏曲臺記」數萬言，傳戴德（延君）及其姪聖（次君）。德所傳八十五篇，稱大戴記；聖所傳四十九篇，稱小戴記；篇目不盡相同，蓋各以己意去取也；而並立學官。二戴記之比較，則小戴釋經較多，大戴則子史混陳，故漢末經學大師鄭玄注小戴記。唐初五經正義亦采小戴；大戴記遂漸殘缺，今存三十九篇。清所修十三經，其禮記四十九篇，即小戴記也。

（三）辨隋志說

隋書經籍志卷一云：「漢初，河間獻王又得仲尼弟子及後學者所記一百三十一篇，獻之，時亦無傳之者。至劉向考校經籍，檢得一百三十篇，向因第而敍之，而又得明堂陰陽記三十三篇，孔子三朝記七篇，王氏史氏記二十一篇，樂記二十三篇，凡五種，合二百十四篇，戴德刪其煩重，合而記之，爲八十五篇，謂之大戴記；而戴聖又刪大戴之書爲四十六篇，謂之小戴記。漢末，馬融遂傳小戴之學。融又足月令一篇、明堂位一篇、樂記一篇，合四十九篇，而鄭玄受業於融，又爲之註。」此出自正史目錄要籍之說，似頗明暢，而疵誤甚多：

一　漢志六藝略：「記百三十一篇」，禮記正義引鄭玄六藝論篇數同。漢志據向，歆父子別錄，七略寫成，倘劉向檢得百三十篇，班固、鄭玄何以增多一篇？

二　經典釋文引劉向別錄古文記二百四篇，此處則云連同明堂陰陽記等，合共二百十四篇，數目亦不符；

三　漢志：「王史氏廿一篇」，廣韻：「王史複姓」，隋志作王氏史氏，顯誤；

四　二戴西漢中葉人，早於劉向，焉能刪其書？

五　二戴篇目相較，有同有不同，可見小戴刪大戴之說不可信；亦非自一百三十一篇中，大取八十五、小取其餘四十六；

六　小戴弟子橋仁，著禮記章句四十九篇；后蒼弟子慶普所傳禮記亦四十九篇（分見後漢書橋玄、曹褒二傳），可見小戴記不待馬融增加三篇，已爲四十九篇（鄭玄六藝論之說同）。

由此諸證，可見隋志不可信。

（四）內 容

禮記既屬論文總集，故自劉向別錄以來，歷代學者，多依各篇主要論旨分為若干類；總其要歸，大抵如次：

甲、通論禮意，並推論其哲理基礎者（15篇）：

禮運、樂記、學記、大學、中庸、緇衣、儒行、經解、坊記、表記、孔子閒居，仲尼燕居，禮器、郊特牲、哀公問。

乙、通述國家禮制者（4篇）：

月令、王制、文王世子、明堂。

丙、通述生活軌範者（6篇）：

曲禮上下、內則、少儀、深衣、玉藻。

丁、解釋儀禮所載之各別禮儀者：

一　喪禮（14篇）：

奔喪、檀弓上下、曾子問、喪大記、喪服小記、雜記上下、服問、大傳、間傳、問喪、三年問、喪服四制。

二　祭禮（3篇）：

祭法、祭義、祭統。

三 冠、婚、鄉飲酒、射、燕、聘、投壺等禮（7篇）：

冠義、昏義、鄉飲酒義、射義、燕義、聘義、投壺。

四、儒家禮學理論述要

〔一〕通論

孔子重禮，而儒家禮學理論系統至荀子而始成，至禮記而始備，禮記所言，蓋大率推演蘭陵之說也。荀子禮論篇論禮之起源曰：「人生而有欲，欲而不得，則不能無求；求而無度量分界，則不能不爭；爭則亂，亂則窮矣。先王惡其亂也，故制禮義以分之，以養人之欲，給人之求；使欲必不窮乎物，物必不屈於欲；兩者相持而長，是禮之所起也。」

故儒家之所謂禮，其義有兩：㈠「禮者體也」（淮南子齊俗訓），一切儀文，均原本於人我間之體念愛敬；㈡「禮者履也」（荀子大略篇），足之所據，踐之而行，自少誤失。故自狹義言之，禮即個人生活行爲之準則；自其廣義言之，則國家社會一切典章制度，所以定規疏，決嫌疑，別同異，明是非（禮記曲禮）維繫羣體，防止衝突者，均可謂之「禮」也。

禮之根本有三，荀子禮論篇曰：「禮有三本，天地者生之本也（生物），先祖者類之本也（人類），師者治之本也（文化）……故禮，上事天，下事地，尊先祖而隆君師，是禮之三本也。」

禮之原則，在順時世，因人情；使人各盡本份，而達致羣體之和一。故禮記禮器篇曰：「禮，時爲大，順次之，體次之，宜次之，稱次之」；故適時代，順人情，因體制，配環境，合身份，均爲禮之要義。坊記篇曰：「禮者，因人之情而爲之節文，以爲民坊者也。」故人欲如水之奔流；放縱壅絕，均所不宜，必得其正確導引，使人我之欲，均得合理滿足，而不致互相賊害。「禮」卽爲達致上述目的，而彼此共遵之準則也。故荀子大略篇（此篇多雜記荀子後學之言）曰：「水行者表深，使民無陷；治民者表亂，使民無失；禮者，其表也。」

禮記經解篇云：「禮，禁亂之所由生，猶坊（堤也）止水之所自來也。」

又云：「禮之敎化也微，其止邪也於未形，使人日徙善遠罪而不自知也。」

荀子王霸篇云：「國無禮則不正，禮之所以正國也，譬如猶衡之於輕重也，猶繩墨之於曲直也，猶規矩之於方圓也，既錯（置也）之而人莫之能誣也。」

禮記禮運篇云：「夫禮，先生以承天之道，以治人之情，故失之者死，得之者生。」

曲禮曰：「道德仁義，非禮不成；敎訓正俗，非禮不備；分爭辨訟，非禮不決；君臣父子上下，非禮不定；官學事師，非禮不親；班朝治軍蒞官行法，非禮威儀不行；祠禱祭祀，供給鬼神，非禮不誠不莊；是以君子恭敬撙節退讓以明禮。」仲尼燕居：「言而履之，禮也；行而樂之，樂也。君子力此二者，以南面而立，夫是以天下太平也。」此均言禮之大用也。

〔二〕禮治與法治

儒者以爲禮教之用，常先於刑法。孔子曰：「道之以政，齊之以刑，民免而無恥；道之以德，齊之以禮，有恥且格。」大戴禮記禮察篇推演其意曰：「禮者，禁於將然之前，而法者，禁於已然之後，是故法之用易見，而禮之所爲生難知……（禮）貴絕惡於未萌，而起敬於微眇，使民日徙善遠罪而不自知也。孔子曰：『聽訟，吾猶人也，必也使無訟乎！』此之謂也……以禮義治之者，積禮義；以刑罰治之者，積刑罰。刑罰積而民怨倍，禮義積而民和親。故世主欲民之善同，而所以使民之善者異。或導之以德教，或毆之以法令；導之以德教者，德教行而民康樂；毆之以法令者，法令極而民哀戚。哀樂之感，禍福之應也。」此所謂德治主義，而與崇法治，尙刑名者大異。要之各有其理，不宜偏廢。且就其廣義，則「法」亦「禮」之一環，近世嚴復譯孟德斯鳩法意按語，以至曾國藩聖哲畫象記之力崇禮學（見後第二十一章），均卽此意。

（三）喪葬之禮與孝義

荀子既謂禮以節人之欲，亦以飾人之情，其「文飾」之作用，於喪禮祭禮中最爲可見。蓋吾人之心，有情感、理智二方面，如吾人所親愛者死，自理智觀之，則死者不可復生，而靈魂永在之說，又渺茫難證；但自感情言之，則又希望死者復生，靈魂永存；故吾人對待死者，若純依理智，則爲情感所不許；若專憑情感，又迷信而不合理。荀子、禮記中所言對待死者之道（喪葬之禮），則折衷於此二者之間，兼顧理智與情感，如禮記檀弓云：「孔子謂爲『明器』者，知喪道矣；備物而不可用。」蓋爲之「備物」者，冀其能用，以滿足情感之期望也；知其「不可用」者，理智知之也（以上采馮友蘭說）。荀子禮論篇云：「禮者，謹於治生死者也。生，人之始也；死，人之終也；終始俱善，人道畢矣。故君子敬始而愼終，終始如一，是君子之道，禮義之文也。夫厚其生而薄其死，是敬其有知而慢其無知也，是姦人之道而倍叛之心也……喪禮者，以生者飾死者也；大象其生以送其死也，故事死如事生，事亡如事存，終始一也。」小戴禮三年問，即全襲禮論之說。故「大象其生」以滿足情感（仁）；「以送其死」仍依理智（知），此則儒者喪葬之禮眞義所在也。

孔子答弟子問孝，謂「生，事之以禮，死，葬之以禮，祭之以禮」（爲政）；至漢儒而此義更張，觀大戴禮記曾子大孝篇，以孝代仁，作爲萬德之本，以個人小我對宗族大我之承傳責任，代替孔孟所言心性主宰，作爲價值基礎；其理論骨幹，在「父母全而生之，子全而歸之」，故「身者親之遺體也」，形軀既全，德性亦備；始則體念父母唯疾之憂，不敢毀傷膚髮；終則戰陣有勇，以尊顯父母；不僅「父母既歿，以哀祀之」而已。於是萬德歸於「孝事父母」，而非抽象理念之「仁」，固可謂較爲具體；然子女之個人尊嚴，自由意志，心性主宰諸端，亦隨而抑隱；由服從理性，變而爲服從君父威權；甚至愚忠愚孝，而不知「仁」爲忠孝根本；是故漢儒論孝，可謂孔子學說之發展而非進展也。

五、中庸述要

（一）撰者問題

一　孔伋作（史記孔子世家，鄭玄禮記目錄，朱熹中庸章句）。

二 非孔伋作，必出孟子後。

清袁枚：論孟言山均稱泰山，而中庸獨稱華嶽，疑出于西京儒士依托。清崔述洙泗考信錄：

一、孔孟之言均平實切用，中庸獨探賾索隱，欲極微妙之致；

二、論語之文，有若曾參門人所記，正與子思同時；論語之文簡而明，孟子之文暢而盡，中庸之文獨繁而晦，

三、「在下位……」以下十六句，亦見孟子離婁，舊說謂孔子之言，子思述之而傳於孟子，但孔子名言多矣，孟子述之必稱孔子曰，此何以獨異？

故：中庸采孟子；孔子家語采中庸。

三 部分孔伋作。

日人武內義雄子思子考：

一、中庸本子思子首篇（隋書音樂志引梁沈約：「中庸……取子思子」）。

二、中庸上（一——十九章）下（二十——）兩卷，思想、文體、內容均異；上卷尙有子思舊文應在戰國初，下卷則在秦末。

今日一般學者，多對「子思作中庸」抱懷疑，而從中庸晚出之說，蓋：

一 就措辭論：

一、「今天下車同軌」諸語，應在秦一統後；

二、言山多稱華嶽，近西京儒士之語；

三、「聲名洋溢乎中國……」歌頌大一統聖王，與始皇二十八年瑯琊刻石：「普天之下，摶心揖志；器械一量，同書文字；日月所照，舟輿所載，皆終其命，莫不得意」語意從同；

四、多引詩經，斷章取義，同於大學，荀子之風；

五、用「中和」稱天地萬物，以董仲舒始；

六、東漢以後，始多用「中庸」一詞，以代中行、中人、中道之義。

二　就文體論：

一、冗繁奧晦，不類孔孟時言；

二、孟子尙爲紀言體，中庸則多論說，論說晚於紀言，故中庸當非子思子；

三、紀言部分，亦未紀子思之言。

三　就思想言：

一、先秦諸子，多强烈排他，至秦漢而漸趨折中，呂覽淮南之類是也。「道並行而不相悖」之說，當不起於戰國晚期以前；

二、鬼神、蓍龜、禎祥、妖孽之類，漢儒習用，當起於鄒衍五德終始，陰陽學說之後；

三、天人性命之說，當後於董仲舒，否則董生立說，何不援重其言？

四　旁證：

莊子天下篇，荀子各篇，均未嘗論及中庸。故今人胡止歸中庸著作年代辨証，謂當在董生首次對策之後，劉向之前，約六十年間云云，亦以此也。

（二）全篇綱要

一　純粹哲學理論基礎

一、樹立價值標準——「中庸」——至「正」不偏，恆「常」不易之道。

二、覓出價值理據——「誠」——「聖」「天」合一境界，眞實無妄之「天命之性」。

三、說明修養工夫——「明」——「修道」以復「天命」而顯「誠」。

二　道德論（個人中庸之道）

三達德

五達道

愼獨

自强

忠恕

三　政治論（個人道德之擴大，中庸之道之開展）

九經

人治

祭祀

四 聖王之描述（中庸之道恒式人格）

〔三〕「中庸」「誠明」釋

中庸一篇，蓋儒者論天人至理之要籍也。

何以謂之「中庸」？

說文云：「中，內也，從口、丨；下上通也。」又：「庸，用也。」

鄭玄禮記目錄云：「名曰中庸者，以其記中和之爲用也；庸，用也。」

鄭玄注本篇君子中庸句云：「庸，常也，用中爲常道也。」

何晏論語集解雍也章中庸之爲德也節：「庸，常也，中和可常行之德。」

程頤云：「不偏之謂中，不易之謂庸；中者天下之正道，庸者天下之定理。」

朱熹云：「中者，不偏不倚，無過無不及之名；庸，平常也。」

今折衷羣言，則「中」者，至正不偏而可入，「庸」者，恒常不易而可用；釋以今語，則「中庸」者，「正常」之別稱；蓋儒者價值觀念之標準，而民生日用所當循行者也。故曰：「君子中庸，小人反中庸；君子之中庸也，君子而時中；小人之反中庸也，小人而無忌憚也。」此言依違中庸，爲君子小人之所由判也。又曰：「素隱行怪，後世有述焉，吾弗爲之矣。君子遵道而行，半途而廢，吾弗能已矣。君子依乎中庸，遯世不見知而不悔，惟聖者能之。」此謂君子居仁由義，憂樂終身，不以素隱行怪而苟求傳名也。此義曾滌生聖哲畫象記一文，釋之最切。

中庸既爲民生日用之正常準則，故其道「造端乎夫婦」，以「忠恕」爲基本工夫，卽大學所謂絜矩之道也；言其要義，不過「施諸己而不願，亦勿施於人」而已；是故匹夫匹婦之愚，可以與知，可以能行，此所以「道不遠人」也。然自邇行遠，自卑登高，則涓流積爲滄溟，拳石崇成太華；及其至也，「察乎天地」，參天地，育萬物，成物成人，則雖聖人亦有所不知，有所不能，此所以「天地之大」，而人「猶有所憾」也。故曰：

「中庸其至矣乎！民鮮能久矣！」

「人皆曰予知，擇乎中庸而不能期月守也。」

「天下國家可均也，爵祿可辭也，白刃可蹈也；中庸不可能（耐久也）也。」

此謂中庸之道，費而且隱；偶然行之，匹夫匹婦亦可，若乃擇善固執，如顏回之拳拳服膺，堅守勿失者，則可貴難能。蓋智者予智自雄，以中庸之道爲平常無奇，迂腐不用；愚者偶爾行之，而不知其義，於是若存若亡，或違或依，十寒一曝，終亦失之矣。故曰：「道之不行也，我知之矣：知者過之，愚者不及也。道之不明也，我知之矣，賢者過之，不肖者不及也。人莫不飲食也，鮮能知味也。」

夫子之所以有「道其不行矣乎」之歎者，此也。

誠明　「中庸」既爲價值標準，指導思想、行爲之軌範；至此標準何所據而建立？則曰「誠」。

誠，信也，實也；誠者，天地萬物之實理，眞確無僞，故曰誠。萬物稟誠而生，「誠」者，萬物各具天賦之理，卽「天命」之「性」也。故曰：「誠者，天之道也。」是則萬物之誠，卽其天性之本來，天性之完成。故曰：「誠者，自成也，而道，自道也。」謂道爲萬物自我發展完成之途徑，而其結果乃本性之圓滿顯現也。故曰：「誠者物之終始，不誠無物」也。於人則曰「中庸」，「中庸」者，人性發展，完成之「正常」規律也。循「中庸」而行，則復其本性卒抵於「誠」矣。

「誠」者，吾人靈昭不昧之本來天性也，大學則曰「明德」。此一天性之發展，完成過程，則曰「率性」、曰「道」。率者，順由也，遵循也；道者，規律也、途徑也；謂循天命之性而發展之也。人之後天努力，修養工夫，使所爲符合價值標準（「中庸」），則曰「修道」、曰「教」、曰「明」、曰「誠之者，人之道也」，曰「擇善固執」，大學則曰「明明德」，皆此理也。

然人之所以能「明」者，以其本性爲之發動也，故曰：「自誠明，謂之性」；由「明」而顯其本性（「誠」）之本來圓滿，則後天修養之功，故曰：「自明誠，謂之教。」

是則「誠」爲本體，「明」爲工夫，故曰：「誠者，天之道也；誠之者，人之道也。」無本體，工夫無由而出；無工夫，本體無由而現；無「誠」，不能有「明」；不「明」，無由見「誠」；故曰：「誠則明矣，明則誠矣。」

萬物發展、完成，蓋生生不息，無盡無窮，故曰：「至誠無息」，不息則久，徵、悠遠、博厚、高明，足以覆載萬物，成就萬物，與天地同大，與無限同久。此至誠之理，雖幽隱微妙，無聲無臭，似不動，似無爲，似不見，而其作用至顯，成就至大。故曰「章」，曰「變」、曰「成」也。「其爲物不貳，則其生物不測」，不貳者，率「天命之性」而發展之也。

此理之用於人，則由致曲、致全，能盡己性，而盡人之性，盡物之性，贊化育，參天地，此所以人爲天地之心，而「天下至誠爲能化」也。中庸云：「喜怒哀樂之未發謂之中，發而皆中節謂之和；中也者，天下之大本也；和也者，天下之達道也。致中和，天地位焉，萬物育焉。」蓋喜怒哀樂皆天命之性也；以此爲本體，而後「率性」、「修道」有所從出，故曰天下之大本也。而率性修道之極，則喜怒哀樂發皆中節，可應可諧，故曰「天下之達道」也。率性循道，由修己而至治人，人物之性，無有不盡，天地化育，能贊能參，故曰：「致中和，天地位焉，萬物育焉。」其理在此也。

由是觀之，則人之由「誠」而能「明」，由「明」而返「誠」，即所謂「中庸」之道，正常之道也。而世往往以不緩不急，不趨極端，以至依違模稜，近於鄉愿之道爲中庸，英儒理雅各氏（James Legge）又以亞里士多德「折衷之道」（Doctrine of the Mean）譯之，均似未妥也。

六、大學述要

（一）釋「大學」

孔穎達禮記正義引鄭玄三禮目錄云：「名曰大學者，以其博學可以爲政也。」又云：「此大學之篇，論學成之事，能治其國，章明德於天下也。」

朱熹大學章句云：「大學者，大人之學也。」序云：「大學之書，古之大學所以教人之法也…三代之隆，其法寖備…人生八歲，則自王公以下，至於庶人之子弟，皆入小學，而教之以灑掃、應對，進退之節、禮樂射御書數之文。及其十有五年，則自天子之元子、衆子、以至公卿大夫士之適子，與凡民之俊秀，皆入大學，而教之以窮理正心、修己治人之道，此又學校之教，大小之節所以分也」。

王守仁大學問，則以「大人」為「以天地萬物為一體」者，此「大人」之學，則為大學。

綜合諸儒之說，則大學者，最高教育階段之中，教人成為「大人」之學也。儒者既以內聖外王為鵠，則修己治人，均為大人本分。故漢唐宋明諸儒之說，雖各有所重，要亦可以貫通；惟朱子所言古之學制，大抵出於臆斷，與其割裂改易大學原文次序，均似非所宜為，而亦足以見宋人深於言理，疏於考詁，勇於改易之風也。

（二）撰者問題

一　子思作。明鄭曉大學源流云：「魏正和中，詔諸儒虞松等考正五經，衛覬、邯鄲淳、鍾會等以古文，小篆，八分刻之於石，始行禮記，而大學、中庸傳焉。松表述賈逵之言曰：孔伋窮居於宋，懼先聖之學不明，而帝王之道墜；故作大學以經之，中庸以緯之」。

按：㈠曹魏並無「正和」年號；

㈡衛覬死，鍾會始五歲，似難同時書石；

㈢賈逵說無他證；

㈣中庸深微晦遠，大學平實條理，不出一人之手；

㈤石經大學二卷，明豐坊僞作，實亦如朱熹之改易原文；鄭曉此說，不過爲其張目。

二

經一章，曾子述孔子之意。

傳十章，曾子門人述師意。

朱熹章句說。大學或問云：「正經：非聖人不能及也；然以他無佐驗，故疑之而不敢質。至於傳文；或引曾子之言，而又多與中庸、孟子者合，則知成於曾氏門人之手，而子思以授孟子，無疑也。」然癸未垂拱奏劄則云孔子作。

以上諸說，實均無確據，歷來疑者甚多，如清崔述洙泗考信錄指出：

一　誠意章：「曾子曰」云云，故不應爲曾子所撰，否則何必標明。

二　「大學之道」以下經文，不類孔子之言。

三　全篇首尾一貫，當出一手，不得强分經傳；且文繁而盡，又多排語，當爲戰國之文。

清陳澧東塾讀書記、日本武內義雄先秦經籍考均以爲：

一　禮記中大學、學記二篇，理論頗多相符，關係密切，時代應同；

二　二篇皆屢引古文尙書（大學—太甲，學記—兌命），此在武帝時方發現，故應在武帝後。

（三）源流與價值

大學本小戴禮第四十二篇，唐韓愈尊之，原道一篇，卽援引其說以攘斥佛老，實宋明儒者之先聲也，其言曰：「傳曰：古之欲明明德於天下者，先治其國……欲正其心者，先誠其意；然則古之所謂正心而誠意者，將以有爲也；今也欲治其心，而外天下國家，滅其天常」。此於儒佛之學，同重心性主宰，而發用迥異，已見其別矣。宋司馬光作講義以張之，程頤尤推爲「孔氏之遺書，而初學入德之門也，於今可見古人爲學次第者，獨賴此篇之存，而論孟次之。學者必由是而學焉，則庶乎其不差矣」。

朱子承之，謂此篇「因小學之成功，以著大學之明法；外有以極其規模之大，而內有以盡其節目之詳」，故「先須通此，方可讀他書」，是以「平生精力，盡在此書」；「三四十年，日夜用功，修改甚多」（弟子黃榦語），至屬纊而後絕筆。其後明清二代，懸爲功令，戶誦家弦，其補傳、注語，權威等於經傳。朱子又更易古本大學原來次序：

原本次序	朱子章句次序
一、大學之道……此謂知之至也	①
二、所謂誠其意者……故君子必誠其意	⑤
三、詩云瞻彼淇奧……此以沒世不忘也	③
四、康誥曰：克明德……止於信	②
五、子曰聽訟吾猶人也……此謂知本	④（繼之以「補傳」）
六、所謂修身在正其心者……以義爲利也	⑥（皆依舊文）

又改「親民」爲「新民」，刪「此謂知本」四字，作補傳一百三十四字，可謂勇矣。其後改本紛起，王陽明等則力主復古本之舊，而其崇奉大學，依之以發揮己說，則與朱子無殊。蓋大學全篇，以三綱八目爲脈絡，以本末先後爲層次，以格致誠正之內在修養，建立齊家治國平天下之外在事功，而以修身爲內聖外王之樞紐；上承孔孟，下啓宋明，可謂我國傳統賢人德治理論之大宗也。中山先生推爲固有文化之至寶，蓋亦以此。至若「心誠求之，不中不遠」，「未有學養子而後嫁」一類觀念，强調心術，輕抑技術，遂使方法不明，理想近於懸空；制度不講，徒善不足爲政，可謂至寶之瑕疵，而亦傳統儒學之缺漏也。梁任公要籍解題，頗輕大學，謂不過秦漢間一儒生之言，不値遵守如此，亦有所見而云然也。

篇中「格物致知」四字，原無詳確之解，於是惹起無數異說，辨難之作，充棟汗牛，而朱熹、王陽明之言，最具代表性，亦足以見二子基本歧異。詳見後宋明理學章。

第五章　春秋經傳

一、釋「春秋」

春秋乃五經之一，舊傳孔子據魯史删削編訂而成，蓋中國現存編年史之祖也。

春秋本周代諸侯國史之通稱。杜預春秋經傳集解：「春秋者，魯史記之名也。」尹知章管子注云：「春秋卽國公之凡例，而諸侯之國史也」。孔穎達謂周世法：每國有史記，同名春秋；墨子書稱：「吾見百國春秋。」又云：「著在周之春秋，著在燕之春秋，著在宋之春秋，著在齊之春秋。」可證。

春秋爲編年體史書，杜預云：

「記事者，以事繫日，以日繫月，以月繫時，以時繫年……年有四時，故錯舉以爲所記之名也。」

自來釋春秋之名者，以此最允。其他諸說，如謂：春主褒賞，秋主貶罰；魯哀公獲麟於春，孔子成書於秋；固屬臆說；或謂殷商西周之際，一年惟分春秋；其後曆法既密，乃有冬夏，故亦以春秋稱史，以表一年云云（古代漢語通論十九）。

二、春秋經成書之舊說

孔子修春秋之旨趣，見孟子滕文公下篇：「世衰道微，邪說暴行有作：臣弒其君者有之，子弒其父者有之，孔子懼，作春秋。春秋，天子之事也，是故孔子曰：『知我者，其惟春秋乎！罪我者，其惟春秋乎？』」又云：「孔子成春秋而亂臣賊子懼。」離婁下篇亦云：「王者之迹熄而詩亡，詩亡然後春秋作。晉之乘，楚之檮杌（本惡獸名，古以爲詈人之語），魯之春秋，一也。其事則齊桓晉文，其文則史；孔子曰：『其義則丘竊取之矣。』」

史記孔子世家云：「魯哀公十四年春，狩大野，叔孫氏車子鉏商獲獸，以爲不祥。仲尼視之，曰：『麟也。』……曰：『吾道窮矣！』喟然歎曰：『莫知我夫！』……曰：『弗乎！弗乎！君子病沒世而名不稱焉，吾道不行矣，吾何以自見於後世哉！』乃因史記，作春秋；上至隱公（魯隱公元年——B.C. 722），下訖哀公十四年（B. C. 481），凡十二公（隱、桓、莊、閔、僖、文、宣、成、襄、昭、定、哀），據魯、親周、故殷（謂魯爲周公之後，禮文備物，故以魯史爲據；奉周爲共主，而以殷爲參鑑），運之三代，約其文辭而指博，故吳楚之君自稱王，而春秋貶之曰子；踐土之會，實召周天子，而春秋諱之曰：『天王狩於河陽』。類此以繩當世貶損之義，後有王者，舉而開之，春秋之義行，則天下亂臣賊子懼焉……筆則筆，削則削，子夏之徒，不能贊一辭。」太史公自序復引董仲舒之言曰：「周道衰廢，孔子爲魯司寇，諸侯害之，大夫壅之。孔子知言之不用，道之不行也，是非二百四十二年之中，以爲天下儀

表：貶天子，退諸侯，討大夫，以達王事而已矣。」後文亦盛言春秋之義，謂「上明三王之道，下辨人事之紀；別嫌疑，明是非，定猶豫；善善惡惡，賢賢賤不肖，存亡國，繼絕世，補敝起廢，王道之大者也」；「春秋辯是非，故長於治人」；「禮義之大宗也」。故昔人謂春秋一字之褒，榮於華袞；一字之貶，嚴於斧鉞；而公羊、穀梁二傳，亦逐字釋之，以發揮所謂微言大義也。

三、春秋之缺失及義例

春秋文字之簡，實由上古質樸，文字記載未如後世之便；非藉三傳以明之，則不僅所謂褒貶者不可知，卽事蹟亦不能曉，故王安石譏之云爲「斷爛朝報」，非無故也。劉知幾史通惑經篇且謂春秋有十二未喻，五虛美；以明春秋內容，實未盡合後人所謂義例，而雷同一响，譽之者亦多虛美也。

近人魏應麒中國史學史，謂三傳所謂義例，特三傳本身之義例，與春秋本書無關；良由自來學者，多以「經」視春秋，而不以「史」視春秋，故多穿鑿附會。近人康有爲托古改制，亦利用公羊傳義例說。如以史視春秋，則其義例亦有可見：

一　春秋所注意者，爲天道之運轉，人事之變化，典禮之舉行，國際之大事。蓋古人以爲天人相應，故星象節候災祥，常載於春秋。此可以明春秋採記之標準。

二　春秋所記國際大事，除史官親所聽聞外，多憑來告之辭，故每多疏誤，魯史載事，原無成心；本「有聞必錄」之旨，爲提綱絜領之書。

三　春秋記二百四十二年之事，爲時既久，史官亦歷數氏，故前後文字，多有牴牾；此則作風、技術、思想、見解之異，不必强立體例，亦不必妄爲護譏也。

四　孔子既與春秋發生關係，容有正名示誡之義；惟史蹟既略，史文亦簡；其有存疑未知者，又予「闕文」；故褒貶之義，亦難考見。

魏氏之說，頗覺中肯。春秋文字既過於簡略，乃有三傳輔經而行。公羊、穀梁二傳，均問答體裁，申明春秋文字義例，爲解經之書；左傳則敍事之作。此外，漢志尚著錄有「鄒」、「夾」二氏傳，而「鄒氏無師，夾氏未有書」，皆不傳。

四、春秋經傳示例

（一）僖公十六年（周襄王八年，西元前六四四）

春秋　春，王正月戊申，朔；隕石於宋，五；是月，六鷁退飛過宋都。

左傳　十六年，春，隕石于宋五，隕星也。六鷁退飛過宋都，風也。周內史叔興聘于宋，宋襄公問焉，曰：「是何祥也？吉凶焉在？」對曰：「今茲魯多大喪，明年齊有亂，君將得諸侯而不終。」退而告人曰：「君失問。是陰陽之事，非吉凶所生也。吉凶由人。吾不敢逆君故也。」

公羊　曷爲先言霣而後言石？霣石，記聞，聞其磌然，視之則石，察之則五。是月者何？僅逮是月也。何以不日？晦日也。晦則何以不言晦？春秋不書晦也。朔有事則書，晦雖有事不書。曷爲先言六而後言鷁？六鷁退飛，記見也；視之則六，察之則鷁，徐而察之，則退飛。五石六鷁，何以書？記異也。外異不書，此何以書？爲王者之後記異也。

穀梁 先隕而後石，何也？隕而後石也。于宋，四竟之內，曰宋。後數，散辭也，耳治也。是月者，決不日而月也。六鷁退飛過宋都，先數，聚辭也，目治也。子曰：石無知之物，鷁微有知之物，石無知，故日之；鷁微有知之物，故月之。君子之於物，無所苟而已。石鷁且猶盡其辭，而況於人乎！故五石六鷁之辭不設，則王道不亢矣。民所聚曰都。

〔二〕哀公十四年（周敬王三十九年，西元前四八一）

春秋 春，西狩獲麟。

左傳 十四年春，西狩於大野，叔孫氏之車子鉏商獲麟，以爲不祥，以賜虞人。仲尼觀之曰：「麟也」，然後取之。

公羊 何以書？記異也。何異爾？非中國之獸也。然則孰狩之？薪采者也。薪采者，則微者也。曷爲以狩言之？大之也。曷爲大之？爲獲麟大之也。曷爲獲麟大之？麟者仁獸也，有王者則至，無王者則不至。……孔子曰：孰爲來哉？孰爲來哉？反袂，拭面，涕沾袍……春秋何以始乎隱？祖之所逮聞也。所見異辭，所聞異辭，所傳聞異辭。何以終乎？哀十四年，曰：備矣。君子曷爲爲春秋？撥亂世，反諸正，莫近於春秋，……

穀梁 引取之也。狩地不地，不狩也。非狩而曰狩，大獲麟，故大其適也。其不言來，不外麟於中國也。其不言有，不使麟不恒於中國也。

五、公穀二傳述略

（一）公羊傳

班固漢書藝文志自注曰：公羊子，齊人；顏師古注曰：名高。唐徐彥公羊傳注疏引戴宏序曰：子夏傳公羊高（數傳至壽），至漢景帝時，壽乃與齊人胡母子都著於竹帛，四庫全書總目提要推定爲壽撰，而胡母子都助成之，舊題公羊高撰，非也。公羊傳不詳事實，致力解釋春秋書法，以發明孔子褒貶之義，有所謂「尊王攘夷」、「大一統」（故經文之首卽曰元年春王正月）、「張三世」（所見世三，所聞世四，所傳聞世五，又名太平世—天下遠近大小若一；升平世—內諸夏而外夷狄；撥亂世—內其國而外諸夏）之說，以爲孔子之微言大義，頗涉附會。而影响後人則甚大。

（二）穀梁傳

舊題穀梁赤撰，近人崔適春秋復始、張西堂穀梁眞僞考，謂爲漢人僞作，欲奪公羊之席者，亦爲解經之書，而尤次於公羊。

六、左傳作者問題及價值

左傳又稱左氏春秋，舊傳爲與孔子同時之魯君子左丘明所作，以輔翼春秋。（論語公冶長，子曰：「巧言令色，左丘明恥之，丘亦恥之；匿怨而友其人，左丘明恥之，丘亦恥之。」）

又史記十二諸侯年表云：

「七十子之徒，口受其傳指，爲有所刺譏褒諱貶損之文辭，不可以書見也，魯君子左丘明，懼弟子人人異端，各安其意，失其眞；故因孔子史記，具論其語，成左氏春秋。」

漢書藝文志六藝略云：「古之王者，世有史官，君舉必書，所以愼言行，昭法式也。左史記言，右史記事，事爲春秋，言爲尙書，帝王靡不同之，周室既微，載籍殘缺，仲尼思存前聖之業……以魯周公之國，禮文備物，史官有法，故以左丘明觀其史記，據行事，仍人道，因興以立功，就敗以成罰，假日月以定曆數，藉朝聘以正禮樂，有所褒諱貶損，不可書見，口授弟子，弟子退而異言。丘明恐弟子各安其意，以失其眞，故論本事而作傳，明夫子不以空言說經也。春秋所貶損大人，當世君臣有威權勢力，其事實皆形于傳，是以隱其書而不宣，所以免時難也。」

然西漢經師，似未連左傳於春秋，及劉歆校中秘藏書，見古文春秋左氏傳，大好之，引以解經，欲建立於學官，與太常博士爭執，但以「左氏春秋」爲「春秋」之傳，則兩漢魏晉以來，多無異議，至隋劉光伯、唐趙匡、陸湻（淳）、柳宗元、宋程頤、朱熹以後，漸有疑之者，頗有見地；而淸代以來，亦有以今古文家法之不同，抨擊左傳，幾無完膚，蔽於門戶，逞於意氣，務欲証左傳非春秋之傳，非賢人之作，以貶其値者。綜其論據，蓋有數端：

一 左丘複姓，如左傳作者眞爲左丘明，何以不名左丘傳，如公羊穀梁二傳之例？
二 左傳所記之事蹟制度，不僅及於孔子卒後，且及戰國初期。
三 春秋之時，文字簡質，不可能有如左傳之長篇流暢散文出現。
四 史記太史公自序云：左丘失明，厥有國語。國語爲國別史，與左傳事同體異，故世稱國語爲春秋外傳。梁任公疑左丘所作爲國語，卽左氏春秋，分國爲紀，並非編年；劉歆取國語一部僞製左傳，而以其餘爲國語云云（見要籍解題及其讀法），此蓋本其師康有爲之說也。

此外，章炳麟春秋左傳讀，以「左氏」爲地名，如詩之有「齊」「魯」，吳起傳左氏春秋，又傳其子期，起所居之地，卽稱「左氏」。瑞典漢學名家高本漢（Bernard Karlgren）論左傳眞僞及其性質一書，則根據語法，證明左傳國語甚近。

故左傳作者及年代問題，今尙在考証中，未有定論。要之「左氏敍事之工，文采之富，卽以史論，亦當在司馬遷班固之上，不必依傍聖經，可以獨有千古；史記漢書後世不廢，豈得廢左氏乎！」（皮錫瑞語）。故史通深推左傳，謂言史言文，皆遠勝公穀，史通外篇申左篇有三長五短之論。雜說上篇云：

「左氏之敍事也：述行師則簿領盈視，哤聒沸騰，論備火則區分在目，修飾峻整；言勝捷則收穫都盡，記奔敗則披靡橫前；申盟誓則慷慨有餘，稱譎詐則欺誣可見；談恩惠則煦如春日，紀嚴切則凛若冰霜；敍興邦則滋味無量，陳亡國則凄涼可憫；或腴辭潤簡牘，或美句入詠歌；跌宕而不羣，縱橫而自得。若斯才者，殆將工侔造化，思涉鬼神，著述罕聞，古今卓絕。如二傳之敍事也，榛蕪溢句，疣贅滿行；華多而少實，言拙而寡味；若必方於左氏也，非惟不可爲魯衞之政，差肩雁行；亦有雲泥路阻，君臣禮隔者矣。」

申左篇則云：「左氏載諸大夫詞令，行人應答，其文典而美，其語博而奧。述遠古則委曲如存，徵近代則循環可覆……」可謂譽之甚而且切矣。

范寗穀梁傳集解則謂「左氏艷而富，其失也誣；穀梁淸而婉，其失也短；公羊辨而裁，其失也俗。」意在調停，而右袒穀梁之旨顯見。

近代梁任公力推左傳，謂其爲西元前四五百年史籍之先進，有系統，有別裁，雖因時代關係，雜有若干神話，而大抵皆本實錄，忠實簡潔，爲研究中國文化成熟期之寶典。左傳性質雖屬政治史而兼及社會，尤非後來資治通鑑所及。其中嘉言懿行，有益修養，有助應世。其文章優美，善敍繁雜之事，如五大戰役等，提綱絜領，嚴謹分明，委曲簡潔，可謂極技術之能事。其記言文淵懿美茂，而生氣勃勃，後此亦殆未有其比。又其文雖時代甚古，而無詰屈聱牙之病。故論史論文，左傳皆宜精讀云云（要籍解題及其讀法）。可謂方家之言也。

第六章　諸子通說

一、晚周諸子勃興之因緣

司馬談論六家要指，謂「皆務爲治，直所從言之異路，有省不省」；漢志諸子略亦稱九流十家，「皆起於王道既微，諸侯力政」；然則諸子者，蓋均匡時救世之學也。考其勃興之因，總有三端：諸子值可匡之時（時代劇變），有匡世之資（文化累積），具匡世之志（立言不朽）是也。茲以此爲綱，條析如后：

（一）時代、社會之劇變

上古社會，維繫於封建禮文，歷夏、商至西周而備，至春秋而變，至戰國而衰。秦漢之際，乃爲中央集權，郡縣之局。是則晚周數百載間，可謂上古政治、社會之一大變動時期。傳統價值、傳統秩序，既告崩潰，人心遂在動搖中求安頓。於是或主恢復以維持秩序；或主應時以創建秩序；或倡修人以勝天；或倡順天以安人；思想自由，異葩耀采，同歸殊塗，一致百慮。此其一。

列國分立，爭爲雄長，強者後亡，弱者先絕；於是安上治民，強兵富國之術，遂爲當務之急。各國地域民風既殊，執政當權者好尚亦異，是以百家並起，飛辯以馳術，弋祿而濟時。此其二。

戰爭日劇，兼併日繁，貴族式微愈速；遂以其所特有之修己治人之學術訓練，廣開教授之門，既以維持生計，亦以栽培後起；孔子其首也。一師倡之，千徒和之，平民智慧既啓，布衣卿相與時俱進，於是學者朋興，處士橫議。此其三。

加以朝聘會盟，酬酢濡染者多列國之菁英；征伐貿易，文化接觸亦及於庶民戰士，交流既盛，思想更昌。此其四。

又經濟發展，商賈興起，結駟連騎，富可敵國；國際政治交通更趨繁複，貧富亦益見懸殊，重以干戈擾亂，庶民困苦，救世之道，需求更切。此其五。

以上諸端，交光互影，實難截然劃分；他如書籍之流布，文字之趨簡，養士之成風，亦皆有助於學術思想之發展。

淮南子要略，諸子學之要篇也；論衆家之興，謂文王以卑弱制强暴，去紂殘賊而成王道，乃生太公之謀；孔子修周公成康之道，以塞爭道，寧王室，撫諸侯，乃有儒者之術；墨子背周禮之煩擾奢費，用夏政之薄儉刻苦，故墨者之學生焉；齊桓興於東海，民多智巧，用官山府海，尊王攘夷之術以致霸，故管子之書生焉；齊景公好聲色犬馬，故晏子之諫生焉；戰國爭雄，故縱横之術生焉；韓處四戰之地，襲故晉之遺，故刑名之書生焉；秦俗貪戾，地險積富，故商鞅之法生焉云云。此即以時勢、地理、民俗，探源諸子之學者也。

至若齊臨大海，思想詼奇，乃有陰陽家之世界觀；中州四會之地，乃有名家之學；山陝民風强悍，法術以盛；江漢之域，地饒民放，爲老莊學說之溫床；則梁任公先生論之詳矣。

（二）文化之蓄積

劉班諸子略，有諸子出於王官之說，而「合其要歸，亦六經之支與流裔。」近人胡適之先生力駁之，謂前此莊子天下篇，荀子非十二子、解蔽、天論諸篇，以至司馬談，淮南子，皆無諸子出於王官之說。墨家一段尤謬，附會揣測，全無憑據云。然諸子之學，「立言救世以致不朽」爲其因，「世積亂離，風衰俗怨」爲其緣，「王官之學，六藝之籍」則其立說之所本也。古代文書圖籍，存於王官，官各有史，掌理其學，發而用之，以教貴族，以治萬民。自孔子開私人講學之風，諸子踵起，立論馳說，自必參考古來典章義理，斟酌損益，因可革否，以匡世用時。莊子天下篇所謂：

「天下之治方術者多矣，皆以其有爲，不可加矣。古之所謂道術者，果惡乎在？曰：無乎不在。……其明而在數度者，舊法世傳之史，尚多有之；其在於詩書禮樂者，鄒魯之士，搢紳先生，多能明之：詩以道志，書以道事，禮以道行，樂以道和，易以道陰陽，春秋以道名分。其數散於天下，而設於中國者，百家之學，時或稱而道之。天下大亂，賢聖不明，道德不一，天下多得一察焉以自好……」。

則百家淵源於王官所守六藝之學，六藝卽上古學術之總名也。根深實茂，積厚流光，然後乃有諸子之發皇。卽以胡氏所稱，淮南子要略最爲近實；而要略所云儒者修成康之道，述周公之訓；墨者背周道而用夏政；管子廣文武之業，則所變所承，皆六藝也。韓非李斯之流，謂儒文亂法，詩書蠹國，而嘗師荀況，則其飽饜六藝可知。故謂十家九流，一一出於某官，以至某家出於六藝之某一藝，不免固陋穿鑿；然謂諸子絕不出於王官，恐亦魯莽武斷也。百家之學，固非六藝所得而囿；諸子之說，固非盡備於王官；而王官所守六藝，六藝諸子所本，王官六藝之於諸子，猶濫觴之於湖海也。「言中國哲學而不本之於六藝，是無卵而有時夜，無父祖而有曾彌也」（近人鍾泰中國哲學史語）。烏乎可哉？

〔三〕諸子立言以匡世

如上所言，文化蓄積，「磅礴鬱積，一觸卽發」（任公語），豐矣厚矣；東周以來，禍亂相尋，衰矣亂矣；然苟無濟世匡時之心，日月爭光之志，則諸子學說，亦無由發興也。文心雕龍諸子篇云：

「諸子者，入道見志之書。太上立德，其次立言。百姓之羣居，苦紛雜而莫顯；君子之處世，疾名德之不章；唯英才特達，則炳曜垂文，騰其姓氏，懸諸日月焉。」

然則身與時舛，志共道申；標心萬古之上，而送懷千載之下；此諸子學之所以勃興，亦先秦諸子之所以不朽也。

二、通論諸子之要篇

典籍	篇名	所論諸子及次序
莊子	天下	一、墨翟、禽滑釐　二、宋鈃、尹文　三、彭蒙、田駢、愼到　四、關尹、老聃　五、莊周　六、惠施、桓團、公孫龍

書	篇	所論
荀子	非十二子	一、它囂、魏牟　二、陳仲、史鰌　三、墨翟、宋鈃　四、愼到、田駢　五、惠施、鄧析　六、子思、孟軻（後附論：子張、子夏、子游三氏之賤儒）
	天論	一、愼到　二、老子　三、墨子　四、宋子
	解蔽	一、墨子　二、宋子　三、愼子　四、申子　五、惠子　六、莊子
尸子	廣澤	一、墨　二、孔　三、皇　四、田　五、列　六、料
呂氏春秋	不二	一、老耼　二、孔子　三、墨翟　四、關尹　五、列子　六、陳駢（田駢）　七、陽生（楊朱）　八、孫臏　九、王廖　十、兒良
淮南子	要略	一、太公之謀　二、儒者之學　三、墨子　四、管子之書　五、晏子之諫　六、縱橫修短　七、刑名之書　八、商鞅之法
史記	自序司馬談論六家要指	一、陰陽　二、儒　三、墨　四、法　五、名　六、道
漢書	藝文志諸子略	一、儒　二、道　三、陰陽　四、法　五、名　六、墨　七、縱橫　八、雜　九、農　十、小說

梁任公先生謂莊荀以下論列諸子，皆對一人或學風相近之二三人立言，其概括一時代學術之全部而綜合分析之，比較評論，自司馬談始。學派分類，本屬最難：蓋各派前承後傳，交光互影，同異之際，

至爲複雜，談所分六家，已爲最當。劉歆班固諸子略，以此六家置九流之前六，但以通行諸書，未能盡包，乃更立縱橫、雜、農、小說四家以廣之，蓋爲目錄學之方便也。蘇張一派，傳書不少，而於六家哲理，一無所合，故列於七。其餘無可歸類，兼及數家者爲雜家，列於八。然既云「雜」，卽不成一家矣。農爲專技，與兵、醫相等，實宜入方技略（按漢志以許行屬農家，實則君臣並耕之論，宜近墨家，又頗有道家輕視政府職能之想），小說一家，爲叢殘小語，文體與九流不類，內容亦至駁雜，故列於末；故以思想分類而言，七略增多家數，實不逮談之別裁云云（諸子考釋）。

司馬談論六家要指，以道家爲「神」，五家爲「形」，五家皆道之一偏，惟道家能得其全，有衆派之長而無其弊，故五家皆務爲治，而有省有不省，惟道家最爲明察，故君人南面之術，乃在全神保形，用各家之說，以濟時需，而歸本於黃老。

今按：道家一名，起於漢初，蓋春秋以迄暴秦，干戈擾亂，生民困敝，垂數百載；於是無爲而治，與民休息，乃成時代要求。加以韓非解老、喻老以來，一般所了解之老子思想已爲法、道混合之政治理論：主君上虛靜無爲，待勞以逸，馭繁以簡；因任授官，循名責實；臣下則奉法事上，蕭規曹隨，以收無爲而無不爲之效，而復返於自然；此卽所謂黃老之術也。於是朝野上下，聞而樂之，行而安之，以謂古今至道，無逾於此，故諸子皆各道其所道，而老學獨專「道家」之名，此也。加以老子力崇自然，倡言「道」「德」之大，故並舉之曰道德家，簡稱之曰道家。

又漢代文化特色，在綜合融和。道家之書，微妙彷彿，易於穿鑿曲解，故各家各派，均可解釋爲道家權事制宜之一種表現。譬如漢初與民休息，景帝則刻忌任法，然其時皆以申韓爲老氏之流衍，亦道家之道隨時適變之證。明此，則文中所謂「其實易行，其辭難知。其術以虛無爲本，以因循爲用。無成勢，無常形，故能究萬物之情。不爲物先，不爲物後，故能爲萬物主。有法無法，因時爲業，有度無度，因物與合。故曰：聖人不朽，時變是守。虛者，道之常也；因者，君之綱也。羣臣並至，使各自明也……」一段，可以得其眞詮矣。

又談初習道論於黃子，仕於建元、元封之間，正値孝武初基，儒道爭長未定之際，是以文中多抑儒崇道，而歸本於人主利益之言。至劉班七略，乃言道家之弊，而以儒爲九流之最高。時代之變，可以見矣。

此外，十家之分，至劉歆、班固始定，至謂古代王官，恰有此十者，爲十家之源，則恐未必然；且冢宰、宗伯、司馬、司寇之類，皆王官之要職也，何以竟無所出？由是觀之，漢志諸子略之勉强附合，亦可見矣。雖然，周代郁郁之文，固本掌於王官；王官之學，卽諸子學之種子也。

第七章 論語

一、來歷

論語者，孔子應答弟子時人，及弟子相與言，而接聞於夫子之語也。當時弟子各有所記；夫子既卒，門人相與輯而論纂，故謂之論語（班固漢書藝文志六藝略）。

論語一名，蓋始於仲尼後人孔安國（論衡正說篇）；初未普遍，故史記稱論語，或云「論語弟子籍」、「論語弟子問」（仲尼弟子列傳）、或泛曰「傳」（封禪書），頗不一致也。

編輯論語者，古有數說。或曰仲弓、子游、子夏等撰（鄭玄說）。惟孔門高弟，曾子最少，高壽；泰伯篇載其疾篤之言，則非三子所得而撰矣。或曰曾子之徒樂正子春、子思等爲之（柳宗元說），或曰曾參、有若之門人所撰，故獨二人以子稱（程頤說）；亦確據無多。揆以論語各篇文體，稱謂均不一律，則必非成於一人一時之手。大抵及門高弟各有所記，編纂之功，則七十子之後學耳。

二、流傳

漢興，論語有齊魯之說，今文；又有古文論語，舊云出孔子壁中。魯論二十篇：

學而、爲政、八佾、里仁、公冶長、雍也、述而、泰伯、子罕、鄉黨、先進、顏淵、子路、憲問、衞靈公、季氏、陽貨、微子、子張、堯曰。

篇目同後世傳本，古論廿一篇，漢書原注謂兩「子張」，又引如淳曰：「分堯曰篇後『子張問……』以下爲篇」，名曰「從政」。未知何名爲合。且堯曰篇只三章，若再分篇，恐有未安。齊論廿二篇，多問王、知道，皆篇名也。王應麟漢志考謂問王疑作問玉，說文玉部璪、瑩皆引逸論語；可証。然古論、齊論早亡，亦無從考據矣。

其時傳齊論者唯王陽（吉）名家，又有庸生；傳魯論者安昌侯張禹等，皆名家（漢書藝文志）。禹先事王陽，後從庸生（漢書本傳），善者從之，號曰張侯論，加以位尊，乃爲世所貴，餘家寖微。漢末，鄭玄就魯論篇章考之齊、古（何晏論語集解序），鄭注久佚，今所見者惟敦煌殘卷。其後魏何晏集解，梁皇侃疏，劉宋刑昺義疏，卽今十三經注疏本也。宋儒崇四書，朱熹爲論語集註，至今通行，清劉寶楠正義，則考証詳博，足供參考。

三、內容問題

崔述洙泗考信錄謂古用簡書，鈔藏不便，故篇末空白，往往綴記有關書外之文，在記者不過省事備忘，後則輾轉傳鈔，混羼本文，先秦古書，若此者甚衆，論語中亦有其例，如：

雍也篇末：「子見南子，子路不說，夫子矢之曰：予所否者，天厭之，天厭之」章。

鄉黨篇末：「色斯舉矣，翔而後集。曰，山梁雌雉，時哉時哉，子路共之，三嗅而作」章。

季氏篇末：「齊景公有馬千駟，死之日，民無德而稱焉；伯夷叔齊，餓死首陽之下，民到于今稱之，其斯之謂與」章。

又：「邦君之妻，君稱之曰夫人，夫人自稱曰小童，邦人稱之曰君夫人，稱諸異邦，曰：寡少君；異邦人稱之，亦曰：君夫人」章。

微子篇末：「周公謂魯公曰，君子不施其親，不使大臣怨乎不以，故曰無大故，則不棄也，無求備於一人」。

又：「周有八士：伯達、伯道、仲突、仲忽、叔夜、叔夏、季隨、季騧」。

皆或無關孔門，或文義不類，疑皆非原文。

崔述又謂末五篇——季氏、陽貨、微子、子張、堯曰皆有可疑：

論語通例：	五篇特例：
一、稱孔子曰「子」，記其與君大夫問答乃曰「孔子」。	一、季氏篇每章首皆稱「孔子」，陽貨微子篇往往稱「孔子」，子張篇有稱「仲尼」者。
二、門弟子面稱孔子曰「子」。	二、陽貨「武城」、「佛肸」二章，面稱孔子曰「夫子」，此似戰國時人語。

又如季氏篇「季氏將伐顓臾，冉有、季路見於孔子」；考冉有、季路並無同仕季氏；陽貨篇記「公

山弗擾以弗畔，召，子欲往」，實則其時孔子爲魯司寇，手定費亂，焉有應叛者召而欲往之理？又記「佛肸以中牟畔，召，子欲往」；此次叛亂爲趙襄子時事，而孔子卒五年，襄子方立，其不可信尤明。此外，季氏、陽貨二篇文多俳偶，不類他篇；微子篇雜記古今軼事，或與孔門無涉；堯曰篇首章冗長而文義亦不類（洙泗考信錄），子張篇全爲子路、子夏、子游、曾子、子貢之語，揆其情理，尤似孔子已卒，門人高弟卓然成家之語，而非復能「接聞於夫子」者；亦爲一例。

且上論下論，亦有殊異，如：

前十篇	後十篇
一、記孔子對定公、哀公問云：「孔子對曰」，答卿大夫之問則云「子曰」；禮分判然。	一、先進、顏淵篇答季康子問，皆曰「孔子對曰」。
二、記君，大夫之問，皆只言「問」，弟子之問更然。	二、顏淵篇君大夫之問，皆曰「問於孔子」，陽貨、堯曰二篇，則弟子之問，亦稱「問於孔子」。
三、文較簡，過百字者僅兩章。	三、文較長，三百餘字者一章，一二百字者八九章。
四、非孔子及門弟子之言不錄，第十篇鄉黨記孔子行事，似作總結。	四、間有雜記古人之言，古人之事，與禮記檀弓相似。
五、除第九子罕篇外，餘皆以首句「子曰」「子謂」以下爲篇目。	五、除先進篇外，餘皆逕以首句二字爲篇目。

（詳見崔述洙泗考信錄，梁啓超要籍解題及其讀法，錢穆論語要略等）。

大抵論語纂輯工作，時非一代，人非一派，傳經者輯而合之，亦不復多爲編整澄汰，是以文體參差。後十篇時代稍晚，君卿之權與日俱重，記者習用當世之稱，是以體例異於上論，而於孔子正名分，辨措辭之旨，相距較遠。日知錄謂孟子引孔子之言二十九則，其與論語所記符合者惟八，可見論語所收而外，當多有號稱孔子之語，流傳於世；齊魯諸儒，「於雜記聖人言行，眞僞錯雜中，取其純粹，以成此書，固見其有識；然安必無一二濫收者，固未可以其載在論語，而遂一一信以爲實事也」（趙翼陔餘叢考）。故記載孔子言論、行事，論語一書，雖已最爲可信，非晉人僞作孔子家語、孔叢子可比，亦當愈於史記孔子世家；但吾人研究，仍當「嚴冷謹愼」：「蓋凡一偉大人物，必有無數神話集於其身，不可不察也」（梁任公語）。

四、基本精神

論語一書，爲考究孔子思想之主要憑藉，孔子開諸子先河，亦儒學宗祖。儒學固非宗教，孔子學說之支配人心，影響世道二千餘載，亦幾等於國教矣。昔人尊奉太過，衆美咸歸，議不敢及；數十年來，魯莽後生，則又讀未卒篇，橫加掊擊，誣蔑詆毀。實則人非全知，世無盡善；孔子德慧固迥絕凡庸，而因於時地，定於才性，學說主張，自必得失互見。今世思想解放，疑辨自由；歷煉紛來，眞價亦出，或亦孔子學說之幸也。

古來論述孔子學說之書，汗牛充棟，猶不足以言其多。然必先明基本精神所在，然後執簡馭繁，全盤學說之脈絡乃見。茲條述論語所示要義如后：

（一）人文精神之發揚

尚書、雅頌中常見之「天命」、「受命」等語中，「命」多爲「命令」之意，與「人格天」觀念相連，在先民社會中，「天意」既爲權威標準，亦爲價值標準，「義」與「命」遂相結合，日後墨子學說，以至數千年來民間信仰，卽此觀念之遺。及西周代殷，姬旦制禮作樂，以血緣關係建立宗法，以宗法維繫封建，而貫注於一切禮樂制度者，乃一種以「人」爲本位之「人文精神」，代替殷商之「尚鬼」；上古以來之原始信仰，神權勢力，至此大爲減色，孔子所稱「周監于二代，郁郁乎文哉，吾從周」（八佾）者以此，孔子所以「夢見周公」者亦以此。春秋之世，王綱解紐，禮壞樂崩，由傳統禮俗形成之規範力量，旣僵化而衰微，天下漸入唯力是尙，風紀蕩然之狀態。面對此一時代問題，孔子乃思發揚西周立國之文化精神，重注禮樂制度以新活力，而恢復秩序，其基礎在人類道德自覺，卽所謂「仁」（見後）；其目的在開物成務，化成世界。孟子所謂「仁也者，人也；合而言之，道也」（盡心下），最能道出孔子開展之儒學精神。故曰：「人能弘道，非道弘人」（衛靈）。論語微子篇隱者長沮，桀溺謂避人不如避世，子路以告孔子，孔子憮然曰：「鳥獸不可與同羣，吾非斯人之徒與而誰與？天下有道，丘不與易也」（荷蓧丈人章），子路述孔子之意，謂「不仕無義，長幼之節，不可廢也；君臣之義，如之何其廢之？欲潔其身而亂大倫。君子之仕也，行其義也，道之不行，已知之矣」；此種「知其不可而爲之」（憲問）之精神，卽先秦儒學與逍遙觀賞之老莊者流相異之處，亦中唐宋明以來，程朱陸王「新儒學」與捨離世累之禪門相異之處。

此種人文精神開展，承認「成敗得失」之客觀限制（「命」），更强調是非善惡之自覺主宰（「義」），故孔子以來眞正儒學之價值基礎，既不在「功利」（如此，則世俗之强權財富，卽爲價值），亦不在超自然之「主宰」（神鬼監察，末日審判，報應之類），更非如佛老二氏之以嗤笑、輕捨一切價值爲唯一「價值」，而是建立人生價值於道德自覺之上，故曰：

「不知命，無以爲君子也」（堯曰）。

「五十而知天命」（爲政）。

「道之將行也與，命也；道之將廢也與，命也」（憲問）。

「不怨天，不尤人，下學而上達，知我者其天乎」（憲問）。

「富而可求也，雖執鞭之士，吾亦爲之；如其不可，從吾所好」（述而）。

「死生有命，富貴在天；君子敬而無失，與人恭而有禮，四海之內，皆兄弟也」（顏淵）。

故「知命守義」、「盡人事以安天命」之人生態度，卽爲儒學精神所在。文天祥所謂「父母有疾，雖不可爲，無不用醫藥之理」，卽此種精神之表現。成事固在天，謀事必須在人，故對原始信仰之神鬼一類觀念，更存而不論。故子路問事鬼神，孔子曰：「未能事人，焉能事鬼？」問死，則曰：「未知生，焉知死」（先進），樊遲問知，則曰：「務民之義，敬鬼神而遠之，可謂知矣」（雍也），祭祀之禮，亦首在誠敬，曰：「祭如在，祭神如神在」；「吾不與祭，如不祭」（八佾），日後中國傳統「寬和而不熱烈」之宗教態度，由此表現；儒學之並非宗教，亦由此可見。但窮通禍福，論而未深；靈魂身後，避而不談，所以佛老二氏，能抗衡尼父於日後也。

（二）尙德傳統之建立

儒學人文精神之表現，在道德規範之建立與踐履，一切認知活動，藝術情操，勇力運用，經濟籌營，均統轄於道德意志之下；換言之，知識、藝術、勇力、財富等之價値，皆以道德爲衡；甚至嚴格言之，道德之外，別無價値。此種觀念，至陸象山、王陽明而極，而於詩書已見端倪，至孔子而其理始暢。論語云：

「志士仁人，無求生以害仁，有殺身以成仁」（衞靈）。

「賢哉回也！一簞食，一瓢飲，在陋巷，人不堪其憂；回也不改其樂。賢哉回也！」（雍也）。

「子路慍見曰：君子亦有窮乎？子曰：君子固窮；小人窮，斯濫矣！」（衞靈）。

形軀生命，既亦可輕，則「憂道不憂貧」、「謀道不謀食」（衞靈），自爲君子之道。日後士爲四民之首，淸寒似屬當然可嘉；工商經濟，貶爲市儈；其傳統之成，固非一端；而以道德爲基本價値，則亦孔子倡也。又曰：

「知及之，仁不能守之，雖得之，必失之」（衞靈）。

「好知不好學，其蔽也蕩」（陽貨）。

此則「知識」主宰於「道德」，其於人生方有意義。宋明陸王心學，謂能尊德性，方有道問學，實從此出；而與西方文化強調「知識即力量」(Knowledge is power)、「知識即道德」（Knowledge is Virtue）大異其趣。譬如論語論仁、論君子諸章，皆未爲「仁」「君子」諸詞下一界說，作一定義，而惟因材施教，當機立說，言其踐履之道而已。蓋道德境界，本重親證；道德規則，本重履行；躬行實踐，自能入其境界，明其意義。西方自希臘古哲以還，論道言德，必循名析義，剖析精微，遂成尙理智、重推論之精神。近世泰西學術之發皇，蓋由於此；而知行分離，學德爲二，買櫝還珠之弊，亦往往不免。我國歷代儒哲，大抵皆重言行合一，卓爲世法；而自荀子以外，其於知識規律之講求、思辨方法之探究，多未措心；是則重德輕智，亦非無弊矣。

論語又載：

「子謂韶（舜之樂），盡美矣，又盡善也；謂武（武王之樂），盡美矣，未盡善也」(八佾)。

「子路曰：君子尙勇乎？子曰：君子義以爲上。君子有勇而無義，爲亂；小人有勇而無義，爲盜」（陽貨）。

此則音樂（堯舜禪讓，優於湯武革命）、勇力，皆以道德決其價值也。

政治方面，孔子亦主張身教而行德治：

「子路問君子，子曰：修己以敬……修己以安人……修己以安百姓」（憲問）。

「君子篤於親，則民興於仁；故舊不遺，則民不偸」（泰伯）。

「善人為邦百年，亦可以勝殘去殺矣」（子路）。

「子為政，焉用殺？子欲善而民善矣。君子之德風，小人之德草；草上之風，必偃」（顏淵）。

「為政以德，譬如北辰，居其所而衆星共之」（為政）。

「道之以政，齊之以刑，民免而無恥；道之以德，齊之以禮，有恥且格」（為政）。

此卽大學「絜矩之道」理論所本。至實行之法，首務正名：

「子路曰：『衛君待子而為政，子將奚先？』子曰：『必也正名乎！』子路曰：『有是哉？子之迂也！奚其正？』子曰：『野哉由也！君子於其所不知，蓋闕如也。名不正，則言不順；言不順，則事不成；事不成，則禮樂不興；禮樂不興，則刑罰不中；刑罰不中，則民無所措手足』」（子路）。

「齊景公問政於孔子，孔子對曰：君君、臣臣、父父、子子。公曰：善哉！信如君不君，臣不臣，父不父，子不子，雖有粟，吾得而食諸？」（顏淵）。

「天下有道，則禮樂征伐，自天子出；天下無道，則禮樂征伐，自諸侯出」（季氏）。

正名定分，然後秩序乃能維持，治安方可確保；其後荀子發揮此義最切。然臣子失職，則君父懲之，至如君權如何產生？如何制衡？君職如何考核？如何轉移？孔子似未明言。歷代儒生，亦惟力誦孔聖，少有補充；於是君威日熾而不可制矣。論道言學，固不可求備於一人；而補苴罅漏，亦後人之責也。

孔子其他論政之說，譬如反戰爭、尙均平，亦歸於尙德：

「有國有家者，不患寡而患不均，不患貧而患不安。蓋均無貧，和無寡，安無傾」（季氏）。

「遠人不服，則修文德以來之；旣來之，則安之」（季氏）。

「衛靈公問陳（陣）於孔子，孔子對曰：『俎豆之事，則嘗聞之矣；軍旅之事，未之學也』。明日遂行」（衛靈）。

「子貢問政，子曰：足食，足兵，民信之矣。子貢曰：必不得已而去，於斯三者何先？曰：去兵。子貢曰：必不得已而去，於斯二者何先？曰：去食。自古皆有死，民無信不立」（顏淵）

此其理想，可謂高矣。

（三）心性主宰之顯示

孔子所重在人文，人文之表現爲道德，而道德之基礎則爲價值自覺。孔子上代宋人，屢爲司禮之官，故少卽諳禮。其時一般禮生，僅知儀文，孔子則欲明其理義。其少入太廟每事問（八佾），以此；日後之建立儒學理論，亦以此。

孔子旣致力於重建周文（「禮」），自必從禮之意義、禮之理據入手，此卽所謂「義」；「義」之訂定、義之基礎，則不在神權信仰，而在人類本有之道德理性、普遍自覺心；此卽所謂「仁」。故有「仁心」而後有「義理」，有「義理」而後有「禮文」；換言之，禮因義而合理，義因仁而建立。孔子以及後儒一切道德、教育、政治理論，均從此基本理念開展而出。故曰：

「君子於天下也，無適也，無莫也，義之與比」（里仁）。

「君子義以爲質，禮以行之」（衞靈）。

「苟志於仁矣，無惡也」（里仁）。

「惟仁者能好人，能惡人」（里仁）。

故居心能仁，乃有正確價值判斷，而其根源，純在一已意志，故曰：

「仁遠乎哉？我欲仁，斯仁至矣」（述而）。

「爲仁由己，而由人乎哉？」（顏淵）。

此種攝萬德於意志，以心性爲主宰之精神方向，遂爲後世儒學基幹。其實行之方，則在「克己復禮」（顏淵），行忠恕一貫之道（里仁）以「愛人」（顏淵）。邢昺疏云：「忠謂盡中心也……恕謂忖己度物也」；朱子云：「盡己之謂忠，推己之謂恕。」皆得其意。一切美德，皆以仁爲中心，由立己達己，而立人達人（雍也）；「居處恭，執事敬，與人忠」，則「雖之夷狄」（子路），亦能「四海之內，皆兄弟也」（顏淵）矣，由此推論，則欲望（自我滿足）原可統攝於道德（人我公私）之下，而非相斥相反；「仁」之眞義，卽在從一已意欲所在，以認識他人意欲所在，通和人我，以完成道德責任。其後孟子所謂好色、好貨、好勇，不害爲賢君（梁惠王下）；以及荀子以禮養欲之說，皆由此發展。

至若論語所言理想人格，則曰君子。君從尹從口，本指有位治民，出令以爲長者；漸亦以指有德之士，終則「德」之義行而「位」之義隱焉。論語之中多方描述君子者至多。時以德言，時以位言，或亦兼具二義。蓋孔子理想，以爲有德者固當有位，有位者亦必當有德，內聖外王，無有二致也。至君子之義，以至其他論孝論學論端，諸書言之已多，茲亦不贅。

總之，由「仁心」以成德，由「道德」表現「人文」，是卽論語孔子之所謂道，精義甚多，實爲人類文化之寶；而純粹知識地位，未獲承認；知識規律，未有論定；雖曰：「工欲善其事，必先利其器」（衛靈），終與希臘古哲異趣。且「爲仁由己」、「欲仁斯至」，心性主宰固顯；然自凡至聖，其間有無過程？過程如何？孔子皆未明言，遂有後來程朱、陸王尊德性與道問學之爭。樊遲請學稼，孔子曰：「吾不如老農」，請學爲圃，曰：「吾不如老圃」；樊遲出，孔子曰：小人哉，樊須也。上好禮，則民莫敢不敬；上好義，則民莫敢不服；上好信，則民莫敢不用情。夫如是，則四方之民，襁負其子而至矣，焉用稼（子路）。孔子之世，貴族政治尙存，未盡沒落；所謂君子，大抵有位臨民，而以自養，則其不與民爭利，喩義而使四方歸往，固本分所宜，亦孔子立說本意；後世君子既已不必有「位」，又惟知以官宦爲鵠，上焉者，致君澤民；下焉者，保家食祿；自學優登仕而外，不知有他，亦不能爲他；於是「五穀不分，四體不勤」（微子），輕視勞動，其來久矣！至若政權如何成立？如何轉移？君權如何賦予？如何制衡？君職如何考核？如何監督？凡此諸端，補充有待；亦誦法孔子稱道論語者之所宜知也。

第八章　孟子

一、撰者與源流

史記孟荀列傳云：「孟軻，鄒人也；受業子思之門人，道既通，游事齊宣王，宣王不能用；適梁，梁惠王不果所言，則見以爲迂遠而濶於事情。當是之時……天下方務於合縱連衡，以攻伐爲賢，而孟軻乃述唐虞三代之德，是以所如者不合。退而與萬章之徒，序詩書，述仲尼之意，作孟子七篇。」東漢趙岐孟子題辭亦云：「孟子……恥沒世而無聞焉；是故垂憲言以詒後人……於是退而論集所與高弟弟子公孫丑、萬章之徒難疑答問，又自撰其法度之言，著書七篇。」是則孟子一書，軻所自撰，而公孫丑、萬章等弟子助成之。故書中記二人之問最多，且皆直書其名。清儒崔述則疑二子追述，而非孟軻自撰；蓋七篇之中，稱時君皆舉其謚：如梁惠王、襄王、齊宣王、滕定公、文公、魯平公、鄒穆公皆然，諸君不應皆先孟子而卒，一也。書中於孟子門人，多稱曰子、如樂正子、公都子、陳子、徐子、屋廬子等，倘孟子自著，不當如此；二也。又所記孟子自言或答問之語，皆稱「孟子曰」；果爲自著，不必如此。故或公孫丑、萬章追加、追改，而二人仍不以「子」稱。至崔氏所稱書中往往有可議者，如「決汝漢，排淮泗而注之江」「伊尹五就湯，五就桀」之類，皆未合事理；果孟子自著，不應疏略如是；朱子則謂「孟子疑自著書，故首尾文字一體，無些小瑕疵，不是自下手，焉得如此好」（朱子語類）云云，則「孔孟聖賢，必當盡善」之念，早横胸中，雖明辨善疑者，亦往往不免也。

漢志孟子十一篇，卽多趙岐所謂「外書四篇：性善辯、文說、孝經、爲政；其文不能弘深，不與內篇相似，似非孟子本眞，後世依放而托也。」按四篇之名，或作性善、辯文、說孝經、爲政；疑未能定（詳見焦循孟子正義），然既屬僞作，亦不必深究矣。漢文帝時，與論語、孝經、爾雅，同置博士（趙岐題辭），故禮記王制篇制爵祿、關市等文，多取諸孟子（禮記正義引盧植說），其後罷傳記博士（大抵武帝建元五年時），孟子仍列諸子儒家。晚唐以來，孟子地位日高，王安石土地新法，以孟子爲本；二程兄弟，表彰尤力，蓋以孟子言心論性，辨析深微，足抗瞿曇之學；而凌轢漢唐，菲薄訓詁，復先秦孔孟之學，以抗佛老，亦宋明理學諸家之共同職志也。至朱熹取孟子，配論語、學、庸而成四書，於是十三經中，亦有孟子矣。

孟子注今存者以趙岐章句爲最古，疏則題宋孫奭撰，然宋史本傳，司馬光涑水記聞，皆不云奭注孟子，朱子語類亦謂邵武士人假託，陋劣實甚。朱子四書集注出，舊注遂微。至淸焦循本趙注而爲正義，會萃衆說，成數十萬言，亦間有發明義理，蓋近王船山、戴東原所謂人欲天理無二之說，而與宋儒言絕欲存理有異者也。

二、孟子與儒學

孟荀並稱，皆紹繼孔學，光大儒門，而中古以來，儒者尊崇孟氏，過於蘭陵，遂有亞聖之目，攷其原因，殆有數端：

一　孔子以仁爲萬德之本，然此「仁心」如何証立？孔子未有提出充份論據。孟子則以四端之說，性善之論，証明合理之價値判斷，爲人類普遍之良知良能；不由外鑠，不假他求（告子上）；內歸一心，外備萬物。孔門心性之學，由是大張。

二　孔子論政，謂正名定分，使君君臣臣父父子子，然如最高權力之君，孰監督之？孰制裁之？政權應否轉移？能否轉移？如何轉移？又如君之得位不正，如何處理？此實傳統儒家政治哲學主要缺漏。孟子民本之說，謂民貴君輕（盡心下），以民心向背，釋天命歸離，指出君者，民托以治四境之內（梁惠王），故得乎丘民而爲天子（盡心下），而殘賊一夫，臣民可誅而去之（梁惠王下、萬章下），此類理論，雖與近世民主憲政理想，尚有距離；然已能解決孔子遺留問題之一部；獨惜孟子而後，少有能於此處再作宣揚、發展者。至明末清初，黃宗羲明夷待訪錄頗議君權，然亦一現曇花，至清末而始再著。另一方面，秦漢以還，君權日熾，至明清而極，儒學政治理論之漏洞，亦與時俱增。治平之說，仁義之論，充其量只能爲第二層（宰輔）之制衡，對君主威權，無能措手。漢儒以陰陽五行符命之說，指出政權轉移，實有可能，而君權天授，天亦奪之。此說冀以神權衡制君權，反墮迷信；孔孟荀人本精神，既大爲減退；復授野心作僞者以惑世誣民之柄。漢魏以後，更遂束手。加以唐宗宋祖，誘彀英雄；明帝清君，羈屈秀乂，於是二千年來，讀書明達，國之精英，其幸者不過伴食虎狼之君，而冀伊周之業；其下者則庸庸祿蠹，寄食農工而已。士子所能至者，不過宰輔，然與世襲君主，終隔鴻溝。疑問君權，立成大逆。取代政權者，反或屬貴戚，或爲胡族，或由市井無賴，亡命之徒；及天下亂而復定，儒者又進而輔翼之，歌頌之矣！是以老莊之徒，謂竊國大盜，並聖人之名，而亦竊之；近世論者，亦病傳統儒生，不過君主之具，阿媚取容，無補世艱，不伸民氣，非無故也。然孟子終不失爲孔子之有力補充者，亦於此可見。

㈢ 孔子生春秋之末，創建儒學，除稍遇南方隱士之譏而外，時無抗手；孟子則楊朱墨翟，盈於天下，蘇張之徒，亦各肆其說（盡心下、滕文公下），故觝排百家，扞衛儒學，光大孔子之教。此所以仲尼之後，儒學宗師，必推孟氏也。

㈣ 孔門後期弟子，曾參最得孔子成熟完整思想之傳；子思繼之，而傳於孟子。故就學統言，亦爲孔子之紹繼者。

㈤ 孟子服膺仲尼，謂聖之時者，賢於夷、齊、伊尹、柳下惠（公孫丑上、萬章下），故以學孔自任（公孫丑上）；是則亞聖之名，恰如其分。

三、性善論——四端說

太古之民，飢食渴飲，繁殖幼兒，率性而爲，不知惡善，本與禽獸無別。及社會漸成，智慧日進，其普遍潛存之價值良知，亦漸發展，而道德人倫以起。然是非善惡，判斷之力，根源何在？孟子則謂人性四端，乃爲善根，釋以今語，卽人自「生物性」而外，復有人所同然而獨具之「人性」（自覺心、良知）也，希哲亞里士多德所謂人性精粹（Essence of man qûa man）亦卽指此。孟子就人心之直接安悅處証立惻隱、是非、羞惡、辭讓四端（公孫丑上，告子上），謂人不獨乍見孺子入井，有不忍之心，卽於異類，亦往往能展同情之念。故戰國之君，爭地以戰，殺人盈野，爭城以戰，殺人盈城（離婁上），可謂忍矣；而齊宣王猶有以羊易牛，不忍見哀鳴觳觫，无罪就死（梁惠王上），至若嗟來之食，君子不食；蹴與之羹，乞人不屑；所謂「無受爾汝」、「无欲穿窬」之心，皆就日用常情立証（盡心下）。故人有四端，猶有四體（公孫丑上），四體之修短豐瘠雖殊，形用則一；人之爲善大小有異，可以爲善則同，故曰：堯舜聖人，「有爲者亦若是」（滕文公上）也。

告子篇中，多孟子論性之言，其啓端數章，則與告子論性之辯也。條析如次：

一　告子杞柳桮棬之喻，疑性善爲矯揉，卽荀子性僞之說，所謂埏殖斲木之喻也。然仁義本出人心善端，順之以成德；非如戕賊杞柳而以爲桮棬者也。從告子之言，則「天下之人，皆以仁義爲害性（違反人性）而不肯爲」（朱注）矣。（善出於性）

二　湍水之喻，告子疑善既順性而成，惡亦順性而致，性本無所謂善與不善，猶水之無分西東。但水之或西或東，視其上下而定；故人皆必有惻隱羞惡辭讓是非之心，猶水之必就下，由是有順逆之判，

善惡之辨，是則告子湍水之喻，亦未得之也。（無善惡之分則無價值判斷）

三　告子稱「生之謂性」，自然「生物之性」也，孟子以犬牛人類爲說，各物之特性也。人之特性卽在理義，與犬牛殊科，故言人性自必指其理義之心，知善能善之性。二子定義不同，立論自異。然孟子由白羽、白雪、白玉之「白」（共相），以論犬、牛、人類各別之「性」（特性）先共後別，實有邏輯過失，覩下「義外之辯」自明，不必爲賢者諱，而曲爲之解也。（性之定義）

四　義內義外之辯，告子謂己弟則愛之，秦人之弟則不愛，愛弟，足以悅我之心，猶甘食、愛色，亦由我心悅而出，愛己之弟，不愛秦人之弟，其權在我，故曰仁內，見彼年長，不論彼爲楚人之長，抑己之尊長，我均以長者之禮敬之，所悅者爲「年長」，而年長在彼而不在我，猶某物爲白，而我以白稱之，白在己身之外也。故曰義外。

孟子則指出白馬之「白」，無異於白人之「白」；馬之「長」則異於人之「長」。故人之年長者則敬之，馬之年長，馬齒徒增者則不敬，故敬與不敬，亦由內心權衡；猶嗜秦人之炙，覺其味美，嗜己之炙，亦覺甘旨；審辨美味，由己心出。倘無我心之衡量，則物之味亦無所謂美與不美，人之年亦無所謂長與不長，敬與不敬矣。故仁義皆內而非外也。（仁義皆出內心）

告子之論，至此盡屈，而孟子心性主宰之義亦於此透顯。至孟季子謂鄉人長伯兄一歲，所敬者兄，酌酒則先奉鄉人，故謂義在外。公都子以問孟子，孟子則釋以敬叔過於敬弟，然弟爲尸（祭祀所主，以象祖考之神）則先敬弟，以其在位故也。是以平常之敬在兄，斯須之敬在鄉人。卽如冬則飲溫湯，夏則飲寒水，湯水雖在外，而酌量時宜之心，仍在內也。一切價值判斷，均由內心，是孟子學說之精義也。

四、修養論——擴充四端、存養善性

人既獨具道德本能，則居仁由義，以滿足此一本能，其所致喜樂，亦禽獸之所不能有。故曰理義悅心，猶芻豢悅口，而人之所欲，有甚於生，人之所惡，有甚於死，是皆人性本然，賢者能勿喪之而已。故所謂君子、聖人，即能節其人獸同然之「欲」，遂其人所獨具之「性」（善性）者也，故曰：「體有貴賤，有大小，無以小害大，無以賤害貴，養其小者爲小人，養其大者爲大人」（告子上），「小體」者，同然之欲，「大體」者，自覺之心，苟能擴充四端，存其大體，則若火燃泉達，修其天爵，而人爵從之矣。及其致也，塞浩氣於天地（由强烈正義感形成精神力量，足使冒險犯難，建不朽之德業），備萬物於一心（出盡心上，意謂萬物皆以道德自覺心衡量之，駕馭之，則萬物皆役於心，而非心役於物），大人之事，於是備矣。倘自暴自棄，茅塞本心，則平旦之氣，既漸漸亡（「平旦之氣」，又稱「夜氣」，孟子以喻良知）；牛山美材，亦成濯濯（告子上），猶自去四體，必致親戚叛之矣（公孫丑下）。

至於擴充之方，則在以「志」統「氣」，養性存心；蓋人類行爲，既可主於心意，亦可動乎情緒，然當以志（自覺之心，理知）率氣（情緒），以氣率行，故曰：

「志壹則動氣，氣壹則動志」。

「夫志，氣之帥也；氣，體之充也；夫志，至焉，氣次焉；故曰：持其志，毋暴其氣」（公孫丑上）。

此猶希哲柏拉圖分人心功能爲三：理性爲君，猶馭車之人；情氣爲臣，猶車之馴馬；欲望爲民，猶車之悍馬，主佐合德，毋悖上下之序也（Republic, Phaedrus），而養心之道，莫善於寡欲（盡心下），而「以仁存心，以禮存心」（離婁下）。「盡」人之「良心」，則「知」天所賦予人之「性」，則「知天」道所在；故存心養性，卽所以事天（盡心上），原始信仰之人格天，至此遂純爲義理天，能如是，則「上下與天地同流」（盡心）矣。

五、政治論——民本、仁政、王道

孔子以重建西周文化制度爲職志；修春秋，亦以尊王攘夷爲宗旨，故無政權轉移之理論。孟子之時，周室極衰，兼併日盛，天下漸有統一趨向，孟子乃提出新政權之原則與理想，卽新政權之能成立，能統一，應在「不嗜殺人」（梁惠王上），不「率獸食人」（梁惠王下），實行仁政王道，而獲得民心，於是「得道多助」、「天下順之」矣（公孫丑上），此亦根據孔子以來之德治觀念而發展者。

（一）民本觀念

「三代之得天下也，以仁，其失天下也，以不仁；國之所以廢興存亡者亦然」（離婁上）。

「泰誓曰：天視自我民視，天聽自我民聽，此之謂也。」（萬章上）

「民爲貴，社稷次之，君爲輕。是故得乎丘民而爲天子，得夫天子爲諸侯，得乎諸侯爲大夫」（盡心下）。

「齊宣王問曰：湯放桀、武王伐紂，有諸？孟子對曰：於傳有之。曰：臣弒其君可乎？曰：賊仁者謂之賊，賊義者謂之殘，殘賊之人謂之一夫；聞誅一夫紂矣，未聞弒君也」（梁惠王下）。

「孟子謂齊宣王曰：王之臣，有托其妻子於其友而之楚遊者，比其反也，則凍餒其妻子，則如之何？王曰：棄之。曰：士師不能治士，則如之何？王曰：已之。曰：四境之內不治，則如之何？王顧左右而言他」（梁惠王下）。

（二）仁政王道

孟子提出「以不忍人之心，行不忍人之政，治天下可運之掌上」；「保民而王，莫之能禦也」；「仁者無敵」（皆梁惠王上）。「三代之得天下也以仁，其失天下也以不仁；國之所以廢興存亡者亦然」（離婁上）。一類理論，使孔子主張之「仁」，除德性意義外，尚有效用意義。分言之，尚有下述要點：

一　行仁政之時機——當代。

「當今之時，萬乘之國行仁政，民之悅之，猶解倒懸也，故事半古之人，功必倍之，惟此時爲然」（公孫丑上）。

二　行仁政之效果——萬衆歸心、仁者無敵。

三　仁政王道之內容——富民、敎民、尊賢。

「明君制民之產，必使仰足以事父母，俯足以育妻子，樂歲終身飽，凶年免於死亡，然後驅之爲善」（梁惠王上）。

「所欲，與之聚之；所惡，勿施爾也」（離婁上）。

「飽食暖衣，逸居而無教，則近於禽獸。」（藤文公上）又：「尊賢使能，俊傑在位，則天下之士，皆悅而願立於其朝矣」（公孫丑上）。

此類萬古常新之政治理論，在當時君權漸熾、權詐成風之世，可謂衆濁獨清、難能可貴者；而亦成爲傳統中國政治觀念之主幹。

第九章　荀　子

一、荀子與儒學

先秦儒家，孔孟荀爲三大宗師。孔子言「仁」，指出去私存公，通和人我之價值自覺心，爲萬德之本。孟子言倡性善之說，輔翼仲尼，謂開展理義，擴充四端，可致外王內聖。故儒家道德哲學，至孟子而大體建立。

但「人性」原有兩義：一則「自然之性」，人獸同然，無分惡善，善惡之判乃由導節放縱；一則「自覺之性」，卽人所同然而獨具之價值判斷能力。孟子所謂性善，亞里士多德所謂「Essence of Man qua Man」，卽指後者而言。但人性除四端而外，兼有動物本能，此一事實，無可否認。孟子於此既未詳論，後儒不免懷疑，非難儒家者，亦多一藉口。於是荀子乃有性惡之論，以補其闕。

人性有惡，遂必化性起僞，隆禮尊經，故漢代羣經傳授，多自荀子出。後世陸王之學，主明心見性，先立其大者，乃直承孟子之傳；而程朱一派，主格物窮理，作爲入聖階梯，則荀子學統也。然自表面觀之，宋明諸儒，無不抑荀而尊孟；蓋昧於訓詁，誤以爲荀子所云：「人之性惡，其善者僞也」之

「僞」，爲眞僞之僞，遂羣起掊擊也。

二、荀子書與荀學概要

荀子三十二篇，主要爲荀子手著，以勸學、非十二子、天論、樂論、解蔽、正名、禮論、性惡諸篇爲最要。大小戴禮記中，即多采荀子之言。然荀子書多古義奧詞，非注釋不能通解。舊注惟唐楊倞一家，清人所注有謝墉、盧文弨集解本，而以王先謙荀子集解最善。今人整理國故，尤多良法，荀子書遂益見條理矣。

荀學綱要，表解如後：

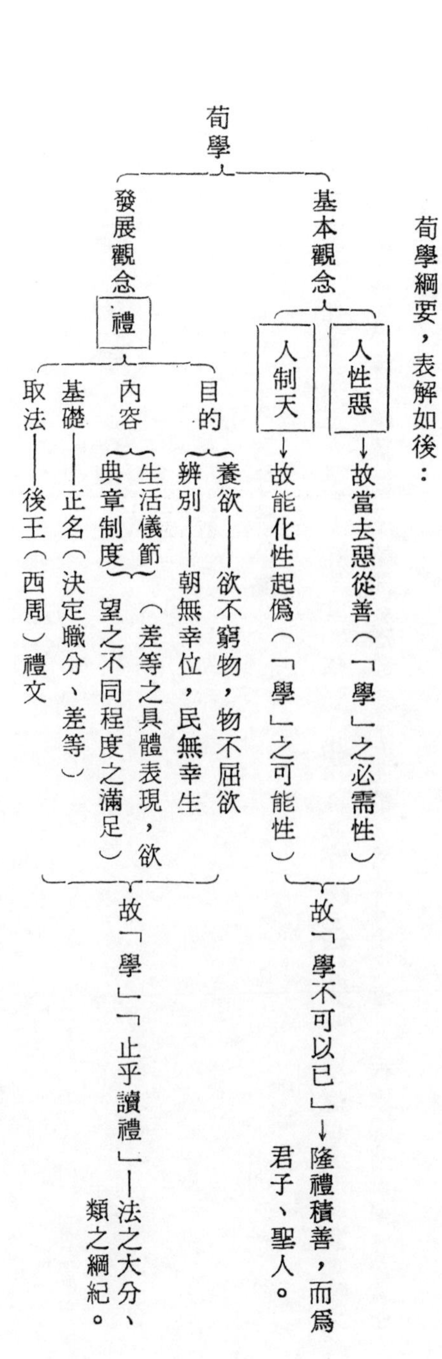

三、「性惡」與「化性起偽」

荀子所謂「性」，乃指人生而有之飢思食、渴思飲、寒思煖、勞思息、堯舜與桀紂所同之「本能」（見性惡、榮辱、王霸諸篇），本無所謂惡；但從之順之，無所節制，「求而無度量分界，則不能不爭，爭則亂，亂則窮」（禮論）；求欲而致亂窮，此其所以為惡也。故性惡篇曰：

「人之性惡，其善者偽也。今人之性，生而有好利焉，順是，故爭奪生而辭讓亡焉；生而有疾惡焉，順是，故殘賊生而忠信亡焉；生而有耳目之欲，又好聲色焉，順是，故淫亂生而禮義文理亡焉。然則從人之性，順人之情，必出於爭奪，合於犯分亂理，而歸於暴。」又曰：「妻子具而孝衰於親，嗜欲得而信衰於友，爵祿盈而忠衰於君。」此其言人性之惡，可謂明矣。其後韓非之學，蓋亦順流而作者也。至若孟荀二子論「性」，則基本取義不同，亦無怪乎其枘鑿矣。

人性既惡，從之順之，又既不可，是以須「化性起偽」。故曰：

「性也者，吾所不能為也，然而可化也」（儒效）。

「聖人積思慮，習偽故，以生禮義而起法度。」

「聖人之所以異而過衆者，偽也」（性惡）。

「心慮而能為之動，謂之『偽』；慮積焉，能習焉，而後成，謂之『偽』。」

「可學而能，可事而成之在人者，謂之『偽』」（正名）。

故人之才性相懸至近，可以爲堯舜，可以爲桀跖，在後天學養而已（修身、榮辱）。故曰：「性者，本始材樸也；僞者，文理隆盛也。無性則僞之無所加，無僞則性不能自美，性僞合然後成聖人之名，一天下之功，於是就也」（禮論）。

由是觀之，「僞」之爲義，實「人爲」而非「欺詐」；「後人昧於訓詁，誤以爲眞僞之僞，遂譁然掊擊，謂卿蔑視禮義；是非惟未覩其全書，卽性惡一篇，自篇首二句外，亦未竟讀矣！」（四庫提要）。

四、天論

化性起僞，在於人能制天。故天論篇開宗明義，卽逕指天爲無意識之自然，有其客觀規律：「天行有常，不爲堯存，不爲桀亡；應之以治則吉，應之以亂則凶……故水旱未至而飢，寒暑未薄（迫也）而疾，祆怪未至而凶。受時與治世同，而殃禍與治世異，不可以怨天，其道然也。」又曰：「天有常道矣，地有常數矣。」

常道常數者，今之所謂自然律也。

又曰：「明於天人之分，則可謂至人矣。」

故以「星墜木鳴」一類變異，歸之於天，存而不論；人之職分，則在「官天地，役萬物」；故曰：「治亂天邪？曰：日月星辰瑞曆，是禹桀之所同也；禹以治，桀以亂，治亂非天也。」

「夫日月之有蝕，風雨之不時，怪星之倘見，是無世不常有之。上明而政平，則是雖竝世起，無傷也；上闇而政險，則是雖無一至者，無益也。」

是以國衰亂政者，亦人謀之不臧而已。曰：

「物之已至者，人祆則可畏也。楛耕傷稼，耘耨失薉，政險失民，田薉稼惡，糴貴民飢，道路有死人，夫是之謂人祆。政令不明，舉錯不時，本事不理，夫是之謂人祆。禮義不修，內外無別，男女亂淫，父子相疑，上下乖離，寇難竝至，夫是之謂人祆。」

故應天之時，用地之利，以去除人祆（人爲災害），則爲治之道也。

其末段之言，尤見暢厲：

「大天而思之，孰與物畜而制之？從天而頌之，孰與制天命而用之？望時而待之，孰與應時而使之？因物而多之，孰與騁能而化之？思物而物之，孰與理物而勿失之也？願於物之所以生，孰與有物之所以成？」

是故莊周之學，由荀子觀之，「蔽於天而不知人」，「由天謂之道盡因矣」（解蔽）；老子亦「有見於屈，無見於伸」；「有屈而無伸，則貴賤不分」（天論）。是則荀子所貴，亦伸人道以制天命而已。

五、禮論

人性有惡，旣屬「天行」，人之價値，卽在起僞化性，以「人文」制天行。禮者，則人文之表現也。荀子以「禮」爲一切典章制度、道德儀節之總名，故主隆禮。蓋好利多欲，實人情之必不可免；而天下害生縱欲，欲多物寡，而爭亂以起。但過度禁制，則又伐性戕情，不可以爲治，故必以禮養之、導之、節之，使社會得以維繫，百姓賴其安養；是「羣居和一」之道也。

禮以養欲，其表現方式則爲別，別之之道，首務「正名」。正名以辨分，使智愚有等，高下有序；朝無幸位，民無幸生，亦合羣致治之道也（詳見禮論、榮辱、王制諸篇）。

荀子重視禮文差等如此，故其評莊子之學，曰：「蔽於天而不知人」，「由天謂之道盡因矣」；評墨子則曰：「蔽於用而不知文」，「由用謂之道盡利矣」（解蔽）；「墨子有見於齊，無見於畸」，「有齊而無畸，則政令不施」（天論）；又曰：「不知一天下，建國家之權稱，上功用，大儉約而僈差等；曾不足以容辨異，縣君臣」（非十二子）。富國、樂論諸篇，亦深譏墨子節用非樂之失，蓋以此也。

六、學論

（一）學之效能——化性起僞

荀子首篇，其始卽曰：「學，不可以已；青，取之於藍，而青於藍；冰，水爲之，而寒於水……

木受繩則直，金就礪則利，君子博學而日參省乎己，則知明而行無過矣。」

大略篇曰：「君子之學如蛻，幡然遷之。」

「人之於文學（禮文之學）也，猶玉之於琢磨也。」

勸學篇曰：「干越夷貉之子，生而同聲，長而異俗，教使之然也。」

「吾嘗終日而思矣，不如須臾之學也……君子生非異也，善假於物也。」

儒效篇曰：「我欲賤而貴、愚而智、貧而富，可乎？曰：其唯學乎！」賤而貴者，謂由塗人而至舜禹也；貧而富者，謂學問之富也。起僞化性之效，其大如此，故曰：「學，不可以已」也。

（二）學之目的——聖人（「成人」）

勸學篇曰：「其義則始乎爲士，終乎爲聖人。」

禮論篇曰：「聖人者，道之極也；故學者，固學爲聖人也。」

解蔽篇曰：「學也者，固學止之也；惡乎止之？曰：止諸至足；曷謂至足？曰：聖王也；聖也者，盡倫者也；王也者，盡制者也；兩盡者，足以爲天下極矣。故學者以聖王爲師，案以聖王之制爲法，法其法以求其統類，以務象效其人。」

盡倫盡制，外王內聖之學也。此外儒效、性惡、非相、哀公諸篇，亦均以聖人爲人格修養之極致。故聖人者，積善隆禮之至，亦即勸學篇末所謂有「德操」而「能定」（中有所主）「能應」（外能應世）之「成人」；是學之正鵠也。

〔三〕學之方法

甲、為學態度

一　「積」

荀子謂積善成德，而神明自得，聖心乃備；復以蹞步千里，小流江海爲喻，以明爲善在積。「積善而全盡，謂之聖人」（儒效）。

二　「一」

「一」有貫一專一之義：君子結於一（勸學），專一而不二，所以成「積」，可以通於神明，參於天地（儒效）。「一」又有全備之義。故曰：「全之盡之，然後學者也。」此與孟子掘井九仞而不及泉，獨爲廢井之論同。孟子謂居仁由義，備大人之事；荀子謂積善全盡，謂之聖人；全也，備也，皆一之義也；及旣全且粹，中心能定，外物能應，謂之有德操之「成人」。成人者，孟子所謂大丈夫也。

三　「自得」

荀子謂神明自得，又曰：「及其致好之也，目好之五色，耳好之五聲，口好之五味，心利之有天下」（勸學）。此謂知之而能好之，樂之，然後能定能應，不爲外誘所移也。

孟子亦曰：「君子深造之以道，欲其自得之也；自得之則居之安，居之安則資之深，資之深則取之左右逢其源」（離婁下）。其理有同。

乙、親師、就士、擇處、隆禮

荀子謂人無師法，則隆（加强）其惡性：智則爲盜，勇則爲賊；有師法，則可以隆積（儒效）。故學者「必將擇賢師而事之」，「所聞者堯舜禹湯之道」（性惡），然後可以爲善。所謂賢師者，非記問博習之士；必尊師而憚，耆艾而信，論說而不陵不犯，知微而論，乃可以爲師（致士）。旣擇賢師，則須親近而敬事之。故曰：

「學之經（徑）莫速乎好其人」，「學莫便乎近其人」（勸學）。

又曰：「蓬生麻中，不扶而直；白沙在涅，與之俱黑……故君子居必擇鄉，遊必就士，所以防邪僻而近中正也」（勸學）。

此孔子所謂「里仁爲美」，「毋友不如己者」也。此外，荀子論尊師隆禮之散見各篇者，如：

「禮者所以正身也；師者所以正禮也。無禮何以正身？無師吾安知禮之爲是也？禮然而然，則是情安禮也；師云而云，則是知若師也；情安禮，智若師，則是聖人也」（修身）。

「言而不稱師謂之畔（叛），教而不稱師謂之倍（背）。」

「國將興，必貴師而重傳；貴師而重傳，則法度存。」

「匹夫不可以不愼取友，友者，所以相有也。道不同，何以相有也……以友觀人焉所疑？取友善人，不可不愼，是德之基也」（均見大略）。

「故隆禮，雖未明，法士也；不隆禮，雖察辯，散儒也」（勸學）。說均同此。

(八)、告問之道

禮學記曰：「善歌者使人繼其聲，善教者使人繼其學。」教學相長，故教亦學也。學者固應親師，教者亦當擇徒。故曰：

「君子也而好之，其人；其人也，而不教，不祥。非君子而好之，非其人也；非其人而教之，齎盜糧，借賊兵也」（大略）。

又曰：「故不問而告謂之傲，問一而告二謂之囋；傲，非也；囋，非也；君子如嚮矣。」

「問楛者，勿告也；告楛者，勿問也；說楛者，勿聽也；有爭氣者，勿與辯也。故必由其道至，然後接之；非其道，則避之；故禮恭而後可與言道之方，辭順而後可與言道之理，色從而後可與言道之致。故未可與言而言，謂之傲；可以言而不言，謂之隱；不觀氣色而言，謂之瞽。故君子不傲、不隱、不瞽，謹順其身」（勸學）。

此則告問之道也。

七、總　結

荀子與孔、孟爲儒學三大宗師，而以時、地、才性不同，主張自難無異，表列如后：

	個人氣質	人性觀	道德論	政治論	尊法前賢	義利觀
孔子	温厚中和	主性相近，習相遠。謂「仁遠乎哉，我欲仁，斯仁至矣。」故曰：「爲仁由己。」	言仁，配之以義禮，而行之以忠恕。	春秋之末，周室雖衰，猶爲共主，故曰：「爲政以德，譬如北辰，居其所而衆星共之。」	尊周公，稱堯舜，從周道。	罕言利。
孟子	高明雄健	主性（人性）善，謂仁義禮智非由外鑠，我固有之，故主擴充四端以成聖王。	並重仁（原理）義（原則），謂皆出人性。	戰國之初，列國爭雄，兼併日盛，戰禍日慘，故貴王賤霸；主以民爲本，行仁政王道，曰：「天下定於一」，「不嗜殺人者能一之」。	尊孔子，稱堯舜，法先王。	重義輕利，以利爲亂源。
荀子	謹飭細密	主性（生物性）惡，謂從性順情，必致爭奪亂窮之禍，故主化性起僞，積善成德，而爲聖王。	除仁義外，又隆禮尚智；老子書所謂「失仁而後義，失義而後禮，禮者忠信之薄而亂之首」，似即指孔孟荀主張之遞嬗而言。	戰國之末，中國漸趨統一，故王霸合言，主行禮治，以化民成俗，而致富强。	尊孔子，法後王，崇周禮。	主道德功利合一，故言禮樂之大用，尊儒之大效。

論辯態度	別家未興，故立說多描述而少辨爭。	楊朱墨翟之言，盈天下，故觝排異端，凌厲無假借。	儒道墨名法諸家交光互影，爭爲雄長，故對他家及儒學本身支派之得失短長，頗能客觀分析。
天道觀	以天爲運命之主宰（傳統觀念），不可究詰，故存而不論，唯重人事，有時亦爲義理之天。	以天爲主宰，又爲義理之天，故曰：存心養性，所以事天，盡心知性，所以知天。	以天爲自然之天，不必究詰，故曰騁修人治，可以參制天行。

荀子崇禮、尚智，其言王者法制，以及正名、解蔽諸篇之純粹知識理論，頗有補足孔孟趨向。但不見孔孟「心性主宰」之義，以「性」爲「自然之性」，以「僞」釋善，而不能圓滿解釋人之性既惡，何以又知制天？能制天？何以又取「化性起僞，積善隆禮」爲價值方向？故性惡篇末，終承認凡人有「可學爲君子之性」，是以有「起禮義，隆習僞」之聖人也。

禮論篇又屢謂喪葬之禮，本乎情性，乃人道之至文，其言曰：「凡生乎天地之間者，有血氣之屬則必有知，有知之屬莫不愛其類。今乎大鳥獸則失亡其羣匹，越月逾時，則必反鉛（巡），過故鄉，則必徘徊焉、鳴號焉、躑躅焉、踟躕焉，然後能去之也，小者是燕爵（雀），猶有啁噍之頃焉，然後能去之。故有血氣之屬莫知於人，故人之於其親也，至死無窮」（小戴禮三年問卽全本此文）。

此則明言高等動物，有愛其族類之「善性」矣。故荀子兩大基本觀念之間，卽有基本矛盾，韓退之謂孟子醇乎其醇，荀子大醇小疵，意在斯乎！

第十章 老子

一、老子與老子書問題

老子向稱道家之宗，而史記本傳所載，眞僞錯雜，條理混淆；老子之姓名、時代、事跡；老子書之時代、作者，無一不疑竇叢生，辨爭紛起。蓋傳文所述各項，既多恍惚猶疑之辭，後世論者，亦或信此而疑彼，或是甲而非乙，甚或奮其臆說，另創新解。試一爬梳，則治絲益棼。略舉其要如次：

史記老子傳文	疑竇
老子者，楚苦縣厲鄉曲仁里人也，姓李氏，名耳，字伯陽，謚曰聃。周守藏室之史也。	一、司馬貞史記索隱，作「名耳，字聃，姓李氏。」今本爲後人竄改，伯陽之號，出列仙傳，不可信。 二、老子史官，何以有謚號？「聃」亦不似謚。 三、小戴禮曾子問，亦有孔子稱引老聃之言。鄭玄注云：「老聃，古壽考者之號。」視爲不知姓名者。鄭玄不應未見史記此文。 四、古「李」、「老」音近，春秋無姓李，故或疑老子本姓老，後始變姓李。 五、或曰：老子不過泛名，猶今云「老先生」而已。

原文	按語
孔子適周，將問禮於老子……吾今日見老子，其猶龍邪？	一、曾子問所載老聃，甚謹於禮，與此處答孔子問者不類，與輕仁義薄禮智之道德經作者更異。 二、此處雜採莊子天道、天運、外物等篇寓言，本以輕抑儒家，不足考信。 三、論語無載問禮之事。
老子脩道德，其學以自隱無名爲務。居周久之，見周之衰，乃遂去。至關，關令尹喜曰：「子將隱矣，强爲我著書。」於是老子乃著上下篇，言道德之意五千餘言而去，莫知其所終。	一、此關未知爲何，若函谷關，則孔子之時未有。 二、令尹爲楚執政之官，非守關者，又非楚地，令字疑衍，周制僅有「關尹」之名。 三、後人或以「喜」爲名，姓「尹」，或曰姓關尹（莊子天下篇則關尹老聃相次）。
或曰：老萊子亦楚人也，著書十五篇，言道家之用，與孔子同時云。蓋老子百有六十餘歲，或言二百餘歲，以其修道而養壽也。自孔子死之後百二十九年，而史記周太史儋見秦獻公曰……或曰儋即老子，或曰非也。世莫知其然否。老子，隱君子也。	一、老子年壽，亦難確考。 二、儋見秦君在獻公十一年，先一年設函谷關，故西遊過關者，乃太史儋，非守官藏室史李耳。
老子之子名宗，宗爲魏將，封於段干。宗子注，注子宮，宮玄孫假，假仕於漢孝文帝，而假之子解，爲膠西王印太傅，因家於齊焉……李耳無爲自化，清靜自正。	一、魏列諸侯，在孔子卒後六十七年，宗若老子之子，則老子不能長於孔子；老子若長於孔子，則宗爲老子後人，而非其子。 二、解爲老子八世孫，而與孔子十三代孫安國同時，孔子世系既可信，則老子當少於孔子近百歲。 三、或疑宗爲太史儋子，儋則老聃之後。

近代學者，或以爲老子卽環淵（郭沫若說），卽詹何（錢穆說）；或以爲李耳爲歷史人物，戰國時老學首領，老聃則傳說人物，史記誤合爲一（馮友蘭說）；他如梁啓超、胡適、高亨、馬敍倫，清世之崔述、汪中、王念孫，明之宋濂，宋之葉適，皆有長篇論辨，廣徵博引，言之成理。而年代湮遠，文獻不足，考信爲難，蓋學術史之一大公案也。勞思光先生則主張五千言作者，爲道家之老聃；禮記所載，孔子所接者，則習禮之老聃；至周史官太史儋，則傳文世系所屬也（中國哲學史第四章）。勞師之書，精義絕多，富饒啓發；此說特其卓解之一耳。

老子書之時代，聚訟亦多。近賢所議，大抵見於古史辨第四冊。或云老聃可早，老子書則必晚出；或云老子書雖或晚出，主要思想則屬春秋之末，而非下至戰國。又或有主莊先老後，五千言晚於南華者。今按老子一書：

一　多用韻語。

二　爲格言體而非問答記言體。

三　用「於」而不用「于」。

四　有「偏將軍」、「上將軍」、「侯王」、「王公」、「萬乘之主」等語。

均不似春秋時言。但韻文散體，孰先孰後，本難斷言。文體、用語問題，可證其爲南方作品，而不必卽證其晚出。且五千言中，時雜有法、兵、縱橫家語，又往往叠見重出，則後人竄改補綴之迹顯然，不獨第三十一章「夫佳兵者不祥之器」之文，爲後人雜入也。

再按：

一　墨子非儒，孟子排楊墨，而皆無論老子之言；老子則輕仁義，不尚賢，絕聖棄智，絕巧棄利，在在與墨、孟相反，故當後於二子。

二　三十八章所云：「失道而後德，失德而後仁，失仁而後義，失義而後禮；禮者忠信之薄而亂之首，前識者道之華而愚之始。」以仁義禮智遞嬗，爲道（自然本體）德（各物自性）之一偏，則又似在孔孟荀相承之後，乃有此旁觀批判之言。

又按：

一　韓非子解老、喻老各篇，援老氏之言數十處，皆見今本道德經。可見韓非子前，今本已告完成。

二　荀子天論，有「老子有見於詘（屈），無見於信（伸）」之言，則老子之學，在荀子之時已顯。

三　莊周後學，本其師之意，以論析道術，其所引老聃之言「知其雄，守其雌，爲天下谿」之類，皆見經文；則老子精義，在莊子之前已備。

可見今本老子，當非一時一人之書，大抵戰國時人條錄道家傳誦格言，而以老聃之說爲主者也。考孟子之世，楊朱之言，與墨學並盛，故拒楊斥墨，孟子視爲職志（滕文公下）。莊子天下，荀子非十二子、天論、解蔽諸篇，則評論諸子，未及楊朱；惟莊子雜篇如寓言、徐無鬼等偶一及之。至韓非之世，儒墨並顯，而楊朱益無聞。呂氏春秋稱「陽生貴己」，淮南子稱「全生保眞，不以物累形，楊子之所立也，而孟子非之。」與孟子所稱「楊子取爲我，拔一毛而利天下，不爲也」（盡心上），憑此可見楊朱之說（今本列子雖有楊朱篇，然此書爲晉人之僞，不可據），大抵肯定個人生命情意之自我，爲唯一價値者。蓋各家爭鳴，競以藥世，而世亂益甚；盡人巧而國益弊，竭人智而民益勞；自有主全生貴己者出，泯棄集體規範，嗤笑人工作爲，而以皈依自然、保存自我爲道者；楊朱卽其人也。人人不拔一毛，人人不以己所謂利者利天下，則爭端自息：蓋强人從己，此天下之所以多事也。此理至老莊而益精，楊朱學說，收攝其中，遂成道家之從屬矣。此外，論語記載孔子所遇南方隱士，嗤笑徇務，避世自適者，亦均老莊之前導也。

二、老學概說

老子憫世之多亂，蓋由人之「有爲」。以個人言，奔競爭奪，不外名利聲色，權力財貨；不知「名與身孰親，身與貨孰多」（王弼注本第44章，以下倣此），未得則百計營謀，患其不就；已得則旣患其失，而又味同嚼蠟，冀求進一步之滿足矣。如此以形逐影，得者愈多，失者愈多，終至「多藏厚亡」（44），「金玉滿堂，莫之能守」（9）而已。故曰：「五色令人目盲，五音令人耳聾，五味令人口爽，馳騁田獵，令人心發狂，難得之貨，令人行妨」（12），上下成風，如飲狂藥，人多「行妨」，則刑政必多；政事旣多，則費用繁而賦稅苛，於是民生必困，而逐欲益甚，遂成惡性循環，此所謂「天下多忌諱而民彌貧；民多利器，國家滋昏；人多技巧，奇物滋起；法令滋彰，盜賊多有」（57），「其政察察，其民缺缺」（58）也。今日所謂工商業先進社會，皆老子理論之寫照也。實則陷阱滿途，進步非即幸福；慾壑難塡，繁榮豈必安樂？機巧愈增，詐僞愈甚，謂罪惡與文明，相持而長可也。所謂「大道廢，有仁義；智慧出，有大僞；六親不和有孝慈；國家昏亂有忠臣」（18）；一切儒墨諸家所倡之正面價值，以補弊起廢者，皆適足證明世之難救、法之無效而已。此所謂「樸散則爲器，聖人用之則爲官長」（28）也（此理莊子胠篋篇論之最暢）。故人類自雄予智，以人巧爲可珍，以天行爲可制，終必自尋煩惱而已。故曰：「禍莫大於不知足，咎莫大於欲得；故知足之足，常足矣」（46），是以人生之道，乃在認識自然力量之無可抗拒，自然秩序之圓滿完備，於是安依自然。「無爲故無敗，無執故無失」（64），「以輔萬物之自然而不敢爲」（64），然後乃能逍遙虛靜，觀賞萬象，而獲致眞正之心靈自由，此所謂「無爲而無不爲」，是老子之本旨也。

老子既以「屈人爲，伸自然」爲立說之基，故必因個人之渺小，贊嘆「道」之偉大；因萬象之遷流，稱說「道」之恒久（見下「道」「德」節）。道之所以大，乃在包羅萬象；道之所以久，乃在萬象遷流，由正而反，由反而正，往復不停，變化不已。故一切分歧差異，皆屬道之暫時局部表現，且皆相輔相成，具有相等價值。故曰：「有無相生，難易相成，長短相較，高下相傾，音聲相和，前後相隨」（2），「貴以賤爲本，高以下爲基」（39）。蓋世事禍福倚伏（58），正非人之所能預知窮詰，所能控制左右；且「大成若缺，其用不弊；大盈若沖，其用不窮。大直若屈，大巧若拙，大辯若訥」（45），人類知識之所覺察者，往往爲眞相之反；以虛幻、變遷之所謂價值，作爲奔競追求目標，此人類之所以愚昧可憐，迷執可笑也。

正反有無，既屬相等，而常人之情，大抵偏執正面價值，故老子多從反面立論，以戳破俗見：謂「柔弱勝剛强」（36、76、78），「無爲之有益」（43），爲王者必善爲下（66），蓋知正反互轉，物極則反，然後見大道之運行，此所謂「反者道之動」（40）也。能善知善用正反互待之道，「去甚，去奢，去泰」（29），儉嗇人力（59），安任自然，則「天道無親，常與善人」（79）矣。

此理用諸政治，則太平之道，在使民基本欲求，獲得適當滿足；自此而外，即不事鋪張，不作奢求。「不尚賢，使民不爭，不貴難得之貨，使民不爲盜；不見可欲，使民心不亂。是故聖人之治，虛其心，實其腹，弱其志，强其骨，常使民無知無欲。使夫知者不敢爲也；爲無爲，則無不治」（3），此所謂「我無爲而民自化」（57）也。八十章云：「小國寡民，使有什伯之器而不用，使民重死而不遠徙。雖有舟輿，無所乘之；雖有甲兵，無所陳之。使人復結繩而用之。甘其食，美其服，安其居，樂其俗。鄰國相望，雞犬之聲相聞。民至老死不相往來」。此老子之理想世界也。

三、老子之「道」與「德」

凡輕人智、抑人力者，必以超越之外在權威，爲價值根源；於是或歸命於上帝，一神宗教是也；或依順於天道，老莊之學屬之。其所謂「道」「德」，即形而上意義之「本體」與其「作用」也。

〔一〕道

老子之所謂「道」者，形成宇宙、維持萬有之母力也。此力偉大微妙，非人智所能盡窺，非語文所能盡描；萬物循之而生、而成、而變；此力健行不息，周行不竭，故勉强名之曰「道」；道之外無物，至大無外，故又稱曰「大」：

「有物混成，先天地生；寂兮寥兮，獨立而不改，周行而不殆，可以爲天下母。吾不知其名，字之曰『道』，强爲之名曰『大』」（25）。

此道長育萬物，而子母未嘗相離，故萬物皆此道之表現，此道亦唯從萬物可見。知此道則知萬物，知萬物則知此道。故曰：

「道之爲物，惟恍惟惚。惚兮恍兮，其中有象；恍兮惚兮，其中有物；寂兮寥兮，其中有精；其精甚眞，其中有信。自古及今，其名不去，以閱衆甫。吾何以知衆甫之狀哉？以此」（21）。

衆甫者，萬物萬象也。此道生養萬物，包孕萬物，虛而廣容，妙而難識，故又名之曰「玄牝」「谷神」（6）也。道爲萬物之始，亦萬物之總原理，故名曰「一」（39）；萬物遷逝流轉，唯道不變，故又稱爲「常」（16）。道又爲萬物本質，故又名之曰「樸」（31）。皆「道」之別名也。

然「道」也者，本非人智之所能及，强爲之名，以言語形容之者，欲人之明曉耳；故不得已而用「恍惚」、「窈冥」之辭，以名此「無名之樸」；但又恐人以其爲可名也，故開端卽曰：「道可道，非常道；名可名，非常名」（1），其理在此。

由是觀之，儒道二家，以至諸子九流，皆稱其所奉最高眞理爲道，而界說各殊；質言之，儒者之所謂「道」，指人所獨具、獨能之「人文化成之道」；老莊之「道」，則稱人與萬物所共遵、共有之「自然總原理」。其詞則同，內涵則異，是亦足證語言文字，不足以窮情盡意矣。

(二) 德

老子之所謂德，乃道之本性、作用，亦萬物(人)之本性、作用；德者得也，謂其所得於自然者也。道者本體，德者作用；無本體，作用無由生；無作用，本體無由見；二而一，一而二；故並稱曰：「道德」；分而稱之，則曰「道」、曰「德」。老子書無性字，德卽天地萬物之性也。此義莊子釋之最切。隅舉老氏之言如次：

「道生之，德畜之」(51)，謂萬物之生，乃出宇宙之母力(道)，而萬物之發育滋長變化，乃見此母力之作用(德)也。

「含德之厚，比於赤子」(55)。謂人工愈少，則本性愈全也。

「常德不離，復歸於嬰兒」(28)。謂人生修養之極，常能保其自然，如「嬰兒之未孩」也。

「失道而後德，失德而後仁，失仁而後義，失義而後禮。禮者忠信之薄而亂之首，前識者道之華而愚之始」(38)，謂本體不明(失道)，然後唯知其作用(德)，及作用之「全」亦不明，乃惟知其一偏。仁義禮智，皆道德之一偏，而每下愈況，卒不免於亂。此亦老氏之徒之所以譏儒墨名法諸家者也。

第十一章 莊子

一、莊子書與莊學精神

老子懷疑文化價值之論，至莊周而益暢；道家之言，亦至莊子書而大備。漢志著錄莊子五十二篇，而漢初以來，術崇黃老，政雖無爲，欲以致治，故莊學未昌。魏晉以來，世積衰亂，而莊學以盛。五十二篇之中，或言多詭誕，或類占夢書，或似山海經，故注者往往以意去取（陸德明經典釋文序錄）。向秀注二十六篇，郭象注三十三篇，最爲有名。蓋推演莊學而大暢玄風者也。今本卽以三十三篇爲定。計內篇七：逍遙遊、齊物論、養生主、人間世、德充符、大宗師、應帝王是也；題目皆足括全篇之意。外篇十五：秋水、胠篋等篇屬之；雜篇十一：天下等篇屬之；多以篇首文句爲題，無有意義。或謂內篇最近莊學，其他則後人闡發、依附之作云。清人集解以郭慶藩最備，王先謙本亦通行。

道家基本精神在於證立一絕對自由之情意眞我。莊子內篇對此有明確理論，其脈絡如下：

一 道乃宇宙之母力，萬物之所共由，故無處不在。

二 故凡存在之事物皆有其道之表現（理趣）——卽所謂「德」，德者，各物之性能也。

三　因此，不必以此例彼，故必破一切分別，顯現逍遙自在之境界，然後眞正自我由是而現。

二、道之遍在

知北遊：「東郭子問於莊子曰：『所謂道，烏乎在？』莊子曰：『無所不在。』東郭子曰：『期而後可。』莊子曰：『在螻蟻。』曰：『何其下邪？』曰：『在梯稗。』曰：『何其愈下邪？』曰：『在瓦甓。』曰：『何其愈甚邪？』曰：『在屎溺。』東郭子不應。」

此所謂道無乎不在。河海雖殊，其水則一（秋水）。萬物從人觀之，雖有貴賤高下，自道觀之，皆有道在。若以此例彼，妄事比較，强求齊一，反傷自然。

應帝王：「南海之帝爲儵，北海之帝爲忽，中央之帝爲渾沌。儵與忽時相與過乎渾沌之地，渾沌待之甚善。儵與忽謀報渾沌之德，曰：『人皆有七竅，以視、聽、食、息；此獨無有。』嘗試鑿之。日鑿一竅；七日而渾沌死。」

此則老氏「爲者敗之，執者失之」之理也。人智人力，既適召煩惱，故必順應自然，勿事有爲。

秋水：「何謂天？何謂人？北海若曰：牛馬四足，是謂天；落馬首，穿牛鼻，是謂人。故曰：無以人滅天，無以故滅命，無以德殉名；謹守而勿失，是謂反其眞。」

此所謂勿以人爲滅天然，勿以人功滅自然之成果，勿因人之所謂榮譽，而害自然之性也。寥寥三語，盡包道家之精義矣。

三、形軀價值之否定

莊子以爲在吾人常識中，以「身」即「我」，爲一大迷執；故泯除一切人爲差別、相對觀念而服從自然、返眞歸朴，在乎認識形軀之非眞我。蓋一切之經驗存在，皆互相流轉，互相制約；形軀亦然，故無主宰性之可言。形軀之生滅由無量數條件決定，形軀本身只屬暫時存在，爲一事象而已。其論證爲：

甲、破生死：（天地與我並生）

大宗師：「夫大塊載我以形，勞我以生，佚我以老，息我以死。故善吾生者，乃所以善吾死也。」形軀不過爲載「我」之空殼；生老病死，亦如晝夜四季之流轉；故生不足悅，死不足禍，皆必經之坦塗也（秋水）。故齊物論云：「予惡乎知悅生之非惑耶？予惡乎知惡死之非弱喪而不知其歸耶？」

又：「麗之姬，艾封人之子也，晉國之始得之也，涕泣沾襟；及其至於王所，與王同筐牀，食芻豢，而後悔其泣也。予惡乎知夫死者不悔其初之蘄生耶？」

又：「夢飲酒者旦而哭泣，夢哭泣者旦而田獵，方其夢也，不知其夢也；夢之中，又占其夢焉。覺而後知其夢也，且有大覺，而後知此其大夢也。」

此戡破生死，而後天地與我並生之論也。

乙、通人我：（萬物與我為一）

死生固應齊一，人與萬物，自道觀之，實無貴賤。生而爲人爲物，純出偶然；造物者初無成心，故以人類爲貴，以智慧爲高，乃爲愚而不祥。齊物論云：「昔者，莊周爲蝴蝶，栩栩然蝴蝶也，自喻適志與，不知周也；俄而覺，則蘧蘧然周也，不知周之夢爲蝴蝶歟？蝴蝶之夢爲周歟？周與蝴蝶，則必有分矣；此之謂物化。」

德充符：「自其異者視之，肝膽楚越也；自其同者視之，萬物皆一也。」

大宗師：「寖假（假設漸漸）而化予之左臂以爲雞，予因求時夜；寖假而化予之右臂以爲彈，予因求鴞炙；寖假而化予之尻以爲輪，以神爲馬，予因以乘之，豈更駕哉？且夫得者時也，失者順也，安時而處順，哀樂不能入也，此古之所謂懸解也。」

故安天時，順自然，則得失不攖其心，煩惱盡去，如解倒懸之苦矣。又云：

「今之大冶鑄金，金踴躍曰：『我必且爲鏌鋣（寶劍）！』大冶必以爲不祥之金。今一犯人形，而曰：『人耳！人耳！』夫造化者，必以爲不祥之人。今一以天地爲大鑪，以造化爲大冶，惡乎往而不可哉！」

四、知識價值之懷疑

莊子以爲一切人類理論，皆基於若干條件：如某一組之人類文化基礎、語文能力、時地環境……等等，而亦必受此若干條件之限制、影響。人之思考能力、語文工具、活動空間，以至人所能認識之事物，皆各各有限，而又遷流不息，故由此而構成之人類知識，亦必有限而浮移，無眞正價值。「計人之所知，不若其所不知；其生之時，不若未生之時」（秋水）；此所謂「吾生也有涯，而知也無涯也」；倘以「有涯隨無涯」（養生主），以「以其至小，求窮其至大之域」，則必「迷亂而不能自得」矣（秋水）！此所以運人有限之智，窮思究慮，以定至細之倪，窮至大之域，適爲達者所笑而已。齊物論云：「道隱於小成，言隱於榮華。故有儒墨之是非，以是其所是，而非其所非。欲是其所非，而非其所是，則莫若以明。」此謂「道」至廣大，人各得一偏，而又各執所成以爲道，雖持之有故，言之華辯，而大道反而不見。且世間所謂是非，本無定準，相對而生；理論系統一旦建立，卽有封閉，不能察見此一系統之是非標準以外之是非標準。卽如南面而立，則東海在左，而西域在右；倘轉而北向，則東海在右，而西域在左矣！至道之「明」，卽在超越一切方向、觀點限制，周流六虛，以逍遙觀賞，然後見事理之全，大道之眞；然後知妄想分別之不必也。此意與佛法甚近，是以魏晉談玄，爲齊梁事佛之階也。齊物論又云：

「物無非彼，物無非是；自彼則不見，自知則知之。故曰：彼出於是，是亦因彼；『彼是方生』之說也。雖然，方生方死，方死方生；方可方不可，方不可方可；因是因非，因非因是；是以聖人不由，而照之於天，亦由是也。是亦彼也，彼亦是也；彼亦一是非，此亦一是非；果且有彼是乎哉？果且無彼是乎哉？彼是莫得其偶，謂之道樞。樞始得其環中，以應無窮。是亦一無窮，非亦一無窮也。」

此謂由「彼」觀之，則事物皆著「彼觀點」之色彩，有其是非優劣之判；但由「是」觀之，則同一組事物，又皆著「是觀點」之色彩，另有其是非優劣矣。「彼」「是」兩方，既不互知，更不互諒，此天下之所以多爭也。實則各種理論系統，雖若互相排斥，不能相容，而實交替消長。某一時期，甲理論似爲絕對眞理，而不旋踵間，又爲昔之視爲邪說異端之乙理論所代矣。故是非相生，循環不絕；俗人則捲入漩渦，因「此是彼非」而爭，以「方是方非」而困。其實從永恒之大道觀之，一切理論，均卽成卽滅，卽滅卽成。達者明此，故處於是非循環之中樞，以不變觀賞萬變，不譴是非，與世俗處，乃能逍遙自得也。一切辯論，由是觀之，亦無意義可言矣（齊物論）。

五、法律道德價值之懷疑

世人以爲道德判斷，可以顯現自覺；亦卽眞正自我主宰，透過成德功夫而顯現，而以認知作爲工具。苟能爲聖爲賢，則形軀雖滅，德範永存。然莊子認爲形軀固幻，知識旣假，甚至道德亦不能顯現眞我。蓋重德性之基本目的，在消滅罪惡，然道德與罪惡，實共存共榮：任何德性法律，只能防止或制裁某階段之罪惡，而高一層之罪惡，不但不爲道德、法律所滅，反假借德、法，以至其他社會建構、成就更高罪惡。舉例言之：夾萬所以防鼠竊，而巨偸並夾萬而亦竊之，則重門巨鎖，適足爲大盜藏贓之用；堅壁嚴警，所以衞銀行，而大奸巨慝，反藉銀行以豪奪小民血汗，法外逍遙；推而論之，則一切商業詐欺，政治篡奪，皆大盜也；而契據軍警，道德法律，以至千秋功罪，輿論是非，均反爲大盜利用，以保其所竊。「竊鉤者誅，竊國者爲諸侯」，其例多矣！其來久矣！胠篋篇云：

「昔者，齊國鄰邑相望……方二千餘里，闔四境之內，所以立宗廟社稷，治邑、屋、州、閭、鄉、曲者，曷嘗不法聖人哉？然而田成子一旦殺齊君而盜其國，所盜者豈獨其國邪？並與其聖智之法而盜之！故田成子有乎盜賊之名，而身處堯舜之安；小國不敢非，大國不敢誅，十二世有齊國；則是不乃竊齊國，並與其聖智之法，而守其盜賊之身乎！」

故尊君守法，本以安民，而「龍逢斬，比干剖，萇弘胣，子胥靡」，以至岳飛、于謙，袁崇煥之誅，鐵鉉、孝孺之戮，皆所謂聖法爲之毒也。胠篋篇又云：

「盜跖之徒，問於跖曰：『盜亦有道乎？』跖曰：『何適而無有道邪？夫妄意室中之藏，聖也；入先，勇也；出後，義也；知可否，知也；分均，仁也；五者不備而成大盜者，天下未之有也』。由是觀之，善人不得聖人之道不立，跖不得聖人之道不行；天下之善人少而不善人多，則聖人之利天下也少而害天下也多，故曰脣竭則齒寒，魯酒薄而邯鄲圍（禮者忠信之薄而亂之首），聖人生而大盜起；掊擊聖人，縱舍盜賊，而天下始治矣。……　八已死，則大盜不起，天下平而無故矣。聖人不死，大盜不止，雖重聖人而治天下，則是重利盜跖也。

「爲之斗斛以量之，則並與斗斛而竊之；爲之權衡以稱之，則並與權衡而竊之；爲之符璽以信之，則並與符璽而盜之；爲之仁義以矯之，則並與仁義而竊之。何以知其然耶？彼竊鉤者誅，竊國者爲諸侯；諸侯之門，仁義存焉，則是非竊仁義聖知耶？故逐於大盜，揭諸侯，竊仁義，並斗斛權衡符璽之利者，雖有軒冕之賞弗能勸，斧鉞之威不能禁，此重利盜跖而使不可禁者，是乃聖人之過也。……故絕聖棄智，大盜乃止；擲玉毀珠，小盜不起；焚符破璽，而民朴鄙；掊斗折衡，而民不爭；殫殘天下之聖法，而民始可以論議。」

此雖或莊周後學之言，而本老莊，譏儒者政治哲學之失（只能作第二層之制衡，無法防止及制裁最高權力層之作惡），以至一切法律、制度、道德、倫理之窮，可謂鞭辟入裏。

六、逍遙觀賞之真正自由

莊子書中，戡破俗見之要義，略如上述。至若秋水雖非內篇，其中精語固多，足與前引諸說，互相發明：

「夫物，量無窮，時無止，分無常，終始無故。是故大知觀於遠近，故小而不寡，大而不多，知量無窮。證曏今故，故遙而不悶，掇而不跂，知時無止。察乎盈虛，故得而不喜，失而不憂，知分之無常也。明乎坦塗，故生而不說，死而不禍，知終始之不可故也。」「以道觀之，物無貴賤；以物觀之，自貴而相賤；以俗觀之，貴賤不在己；以差觀之，因其所大而大之，則萬物莫不大，因其所小而小之，則萬物莫不小。知天地之爲稊米也，知豪末之爲丘山也，則差數覩矣。」如是，知一切差別，本無眞正意義，「五帝之所連，三王之所爭，仁人之所憂，任士之所勞，」不過「盡此」而已，乃能不攖其心，不勞其神，「死生無變於己，而況利害之端乎」（齊物論）。此理既明，而後莊子之正面論證可知；逍遙遊一篇所言是也。

逍遙遊者，內篇之首也，文字恢詭，想象超奇，而以「至人無爲，乃能無待，故逍遙遊於無窮」爲歸。蓋積厚水則可負大舟；而覆杯水則可浮芥草，置杯則沈。積厚風則可負大翼，故北冥鯤化爲鵬，其徙南冥，水擊三千里，摶扶搖之風而上九萬里；至蜩鳩飛集榆枋，時或不至；斥鴳騰躍，數仞而下，翱翔蓬蒿之間，所飛者低，所待亦小，然亦已盡其性。故「理有至分，物有定極，各足稱事，其濟一也」（郭注），是則小大雖差，各任其性，同爲有待：鵾鵬固大於斥鴳，然非溟海不足以運其身，非扶搖不足以負其翼，其所待亦益大矣。世以彭祖爲壽，殤子爲夭，然比之朝菌不知晦朔，大椿以八千歲爲秋，則喜壽悲夭，亦煩惱自尋耳！故「物各有性，性各有極」；小智小年，固不及大智大年，而「放於自得之場，則物任其性，事稱其能，各當其分，逍遙一也；豈容勝負於其間哉！」（郭注）。故知效一官，行比一鄉，德合一君，知（能）徵一國，世之所謂賢能傑出者，亦各足其所足而已。至人能通此理，故乘天地之正（自然之道），御陰陽風雨晦明六氣之變（不離不即，觀賞萬變），無所待而遊於無窮，乃得逍遙之眞樂，猶勝於列子御風而行之尙有待於風矣。

莊子此篇，文理超妙，故世說新語文學篇云：

「莊子逍遙遊，舊是難處，諸名賢所可鑽味，而不能拔理於向郭之外。支道林在白馬寺中，將馮太常共語，因及逍遙。支卓然標新理於二家之表，立異義於衆賢外，皆是諸名賢尋味之所不得，後遂用支理。」

按支道林逍遙論云：

「夫逍遙者，明至人之心也。莊生建言大道，而寄指鵬鴳。鵬以營生之路曠，故失適於體外；鴳以在近而笑遠，有矜伐於心內。至人乘天正而高興，遊無窮於放浪，物物而不物於物，則遙然不我得。玄感不爲，不疾而速，則逍然靡不適，此所以爲逍遙也。若夫有欲，當其所足，足於所足，快然有似天眞，猶飢者一飽，渴者一盈，豈忘蒸嘗於糗糧，絕觴爵於醪醴哉！苟非至足，豈所以逍遙乎！」

支遁高僧，以佛釋莊，故能標異；實則向郭所注，已得莊生逍遙之精義矣。

總而言之，莊子所主眞正自我，乃爲情意主體，在絕對逍遙之下，靜賞一切存在境趣。故莊子之道，不能成就任何道德、法律制度，亦不建立任何知識規律，而唯能成就藝術；觀我國詩文書畫音樂，其中涵映道家情調之富，可以見矣。天下篇云：

「芴漠無形，變化無常。死歟？生歟？天地並歟？神明往歟？芒乎何之？忽乎何適？萬物畢羅，莫足以歸（此謂萬象森羅，變逝無常；人生之後，靈魂何往？人生歸宿，究竟何在也）。古之道術，有在於是者。莊周聞其風而悅之。以謬悠之說，荒唐之言，無端崖之詞，時恣縱而不儻，不以觭見之也。以天下爲沈濁，不可與莊語；以『卮言』爲曼衍，以『重言』爲眞，以『寓言』爲廣（此謂莊子以大背常情之說，廣大無邊之言，無頭緒可尋之辭，任意談論，隨機發意，不以一端自顯。以人多迷執，莊正之語無效，故以變化無定之語，驅遣前人之言，以及寄托虛構之辭，開拓他人心意也）。獨與天地精神往來，而不敖倪於萬物（謂契合自然，而不鄙棄萬物，亦不衡量，改造萬物也）。不譴是非，以與世俗處（謂和光同塵以處世也）……上於造物者遊，而下與外死生，無終始者爲友」。

觀此，可以知莊子之自處而勸世之道矣。胡應麟少室山房筆叢云：「莊周文章絕奇，而理致玄眇；

讀之，未有不手舞足蹈，心曠神怡者。故古今才士，亡弗（無不）沈冥其說」。信然。

七、老莊學說簡評

老莊學說，理深詞妙，原其要歸，不外以「自然」爲至善至足，以「人爲」爲自擾自煩；故崇天抑人，順應無爲。老子猶有禍福之念，陰謀之言；莊子則一生死，齊物我，輕德性，薄認知；道家精義，至莊子而遂盡暢。然柔弱剛強，本均大道之用，過度強調「反」道，則又構成迷執，非人生之至道也。

道家言無以人滅天，其言甚辯；然天人以何而分？巧利繁華，開物成務，是否亦人自然之欲？天人究竟是否可分？在在均成疑問。蓋倡仁言義，固由民情不美；道德律法，固時爲大盜所假；而「絕仁棄義」，是否卽「民復孝慈」？「掊斗折衡」，是否民爭卽息？由是言之，咽哽因食，未可廢食因咽；「亡羊」不善，但「補牢」何嘗是惡？從老莊之言，順任自然，則必曲全苟免，不譴是非，一切文化價值，無由建立，自然災害，無由抗拒，則束手待亡而已，又何情意自我之可保乎？荀子所謂「老子有見於詘，無見於信」，「有詘而無信，則貴賤不分」（天論）；「莊子蔽於天而不知人」、「由天謂之道盡因矣」（解蔽），可謂的評。然則老莊之道，蓋熱中奔競者之清涼劑，而亦鄉愿疲軟者之毒藥也。

第十二章　墨　子

一、墨與墨子

墨之一名，有兩說焉：墨子之姓，一也。孫詒讓墨子傳略云：「墨子名翟，姓墨氏。」此向來之說也。近人江瑔讀子巵言，則謂「墨」者道術之名，非墨子之姓，列舉八證，其要者如：

一　九流諸家，皆以學術宗旨爲家名，墨家不當獨以姓氏。

二　周秦時恐無「墨」之一姓。

三　孟韓二子，皆常單稱「墨」，古無單舉人之姓者。

四　書中多稱「子墨子」，唐宋以前，無冠「子」於姓者。

其說甚辯。然古人稱謂，殊不一律，不能盡以例求也。馮友蘭、錢穆諸先生則謂墨家起於平民，生勤死薄，肌膚腁黑，同於黥墨囚徒，故人以譏之，墨者亦以自任也。

史記述墨子事甚簡，僅於孟荀傳末，附綴姓名，尙不能定其時代，以故後人聚訟紛紜，莫衷一是。據近代孫詒讓、梁啓超、錢穆諸先生所考，墨子當是魯人，生孔子卒後（B.C. 479），卒孟子生前

（B.C. 372），蓋亦壽考人也。倡兼愛、交利、節用、非攻諸說，善守禦，嘗止公輸般助楚攻宋。其徒禽滑釐等，皆摩頂放踵，利天下爲之，可使赴湯蹈刃而不辭。以是盛行一時，以巨子爲首領，言信行果，當世抗衡儒家，後代衍成游俠，蓋亦晚周之顯學也。

漢志著錄墨子書七十二篇，蓋墨子及其後學之論說總集也。今存五十三，其餘或亡，或僅存篇目。分類如次：

一　首七篇（導論）：親士、修身、所染、法儀、七患、辭過、三辯。

二　次廿四篇（前期墨學大綱）：尚賢、尚同、兼愛、非攻、天志、非命（各上中下）、節用（上中）、非樂（上）、非儒、節葬、明鬼（皆下）。

　　各篇多以「子墨子言曰」開始，每題三篇，蓋墨子卒後，相里氏、相夫氏、鄧陵氏三派弟子，記錄取舍所異也。

三　次六篇（墨經，又稱墨辯）：經上下、經說上下、大取、小取。後期墨家之作，以邏輯、科學知識爲主，宗教意味淨盡。經上下本分上下層，旁行讀之，其後誤合爲直行，遂與經說不配。

四　次五篇（墨子傳略，體同論語）：耕柱、貴義、公孟、魯問、公輸。

五　末十一篇(防禦技術)：備城門、備高臨、備梯、備水、備突、備穴、備蛾傅、迎敵祠、旗幟、號令、襍守。

二、墨學概要

墨學之興，蓋出兩端：

〔一〕儒學之反動

墨子魯人，嘗學於儒者，「以爲其禮煩擾而不說，厚葬靡財而貧民，久服傷生而害事，故背周道而用夏政」（淮南子要略）。蓋大禹治水，沐雨櫛風，過門不入，刻苦救世，乃墨者之楷模也。

〔二〕時世之需要

墨學興於平民，重功利，尙實用，崇節儉，是其自然性格；故墨子價値標準，自歸於效率利用。以飢寒勞三者爲「民之巨患」（非樂），「諸加費不加於民利者，聖王弗爲」（節用中）。魯問篇云：

「子墨子曰：凡入國，必擇務而從事焉：

國家昏亂，則語之尙賢、尙同；

國家貧，則語之節用、節葬；

國家憙音湛湎，則語之非樂、非命；

國家淫僻無禮，則語之尊天、事鬼；

國家務奪侵凌，則語之兼愛、非攻。」

此十端者，足以概墨學之要矣。

墨子主「兼」以易「別」，謂愛人利人者，人亦愛之利之。儒者主推愛，謂親親而仁民，仁民而愛物；則必有未能愛物，不如惟務仁民；未能仁民，不如只行親親，甚至損親以益己者；行兼愛則無此弊，而歸本於交相利。攻伐爭戰，非獨不義，往往所得不若所喪，敗固不幸，勝亦慘悲；循環報復，兩皆不利，故有非攻之說。後此孟子所遇宋牼，欲說秦楚罷兵，亦以不利爲言，蓋近墨子者也。兼愛、非攻，基礎在於交相利，而根據在於「順天之意」。墨子以天爲人格神，兼養萬物，溥利萬物，故人當上體天心，上同天志，以行兼愛。且一人一義，十人十義，至不利於團體；故必以賞罰爲工具，使人上同而不下比：百姓同於官長，官長同於國君、天子，最後上同於天，而構成、維持整個社會秩序。故總而言之，墨學者，以功利主義爲始，而以權威主義爲歸者也。

墨子又以爲天以兼愛爲志，人與萬物命運，則決諸鬼神，故主明鬼。此與薄葬自有矛盾，昔人已論之矣。墨子亦主尚賢，而儒者「賢賢」「親親」之間，時或不能並容；墨子則以義（利於天下）爲親，甚至尊之爲天子。

三、儒墨之異與墨學之蔽

儒墨並稱顯學，而取舍相反不同（韓非子顯學篇，本書一六五頁），墨子非儒下篇以（一）繁飾禮樂，久喪僞哀；（二）立命緩貧，背本棄事譏儒者；又以儒者主法古，循而不作；但所謂古者，皆嘗新矣；於是「法古者」卽「法創新者」、卽「法不法古者」、卽「法小人」矣。此外，又廣譏孔子個人之僞善、陰詐。公孟篇記墨子告弟子程繁之言曰：

「儒之道足以喪天下者四政焉：

「儒以天爲不明，以鬼爲不神；天鬼不悅，此足以喪天下；

「又厚葬久喪，重爲棺椁，多爲衣裳，送死若徙，三年哭泣，扶後起，杖後行，耳無聞，目無見，此足以喪天下；

「又弦歌鼓舞，習爲聲樂，此足以喪天下；

「又以命爲有，貧富壽夭，治亂安危，有極矣，不可損益也。爲上者行之，必不聽治矣；爲下者行之，必不從事矣。此足以喪天下。」今試表解儒墨之異如次：

基本觀念	儒	墨
天道鬼神	存而不論，宗教趣味至爲淡泊，重人事而置鬼神，價値觀念，植根於心性主宰。	尊天事鬼，宗教意味濃厚，價値觀念，表現於功利（事鬼神在於利人），歸本於權威（天爲最高權威，鬼神爲次高權威）。
義利	義（是非善惡之判）由仁（心性主宰）出，故重義（道德價値）輕利（功效、收益），結果德性價値明朗，而工具、效率不講，一切經濟行爲、知識規律，屈壓於「德性」之下，形成重道輕器之文化傳統。	義由利出，故一切文化價値，皆以工具意義作衡量，由「蔽於用」而「不知文」，一切表面功用不顯著之文化活動，如禮文、音樂等，皆視爲奢費。由於觀察人性不深，其功效意義亦流於浮淺（「功效」非盡一時可見，表面可見），結果掩蓋文化活動全面（所謂「由用謂之道盡利矣」）。

命運	以「命」爲有，承認成敗得失，壽夭窮通，有其客觀限制，而人生之義乃在「盡人事以安天命」。	崇天志，明鬼神，但又反對命定觀念，強調人爲之功，足使懦夫立志，而觀察人生，總欠全面。
愛人	愛由一心開展而出，故推親及疏，有差等分別。	愛由天志普遍及物，故愛無差等，兼以易別。
差別	雖不如道家之強調特殊，否定軌範，而亦承認差別，故以「辨分差等」爲治國之「禮文」；且「君子和而不同」，故其精神爲「個人主義」與「集體主義」之折衷。	以「尚同」統制差別，不知「物之不齊，物之情也」，結果「有見於齊無見於畸」，而汨沒個性。

基本理念既異，故儒者重音樂以輔禮教，厚葬久喪以表親情，尊周道以行禮文；墨家則非樂、薄葬，而用夏政之刻苦也。

自來論墨學者，如莊子天下篇云：

「不侈於後世，不靡於萬物，不暉於數度（謂不事奢費，不務虛榮也），以繩墨自矯，而備世之急，古之道術，有在於是者。墨翟禽滑釐聞其風而悅之，爲之大過，已之大順（謂應爲者爲之太急，應止者又止之太甚也），作爲非樂，命之曰節用。……墨子獨生不歌，死不服，桐棺三寸而無椁，以爲法式。以此教人，恐不愛人；以此自行，固不愛己。未敗墨子道。雖然，歌，而非歌；哭，而非哭；樂，而非樂；是果類乎？（謂此是否近於人情也）其生也勤，其死也薄，其道大觳（太苦也），使人憂，使人悲，其行難爲也，恐其不可以爲聖人之道：反天下之心，天下不堪；墨子雖能獨任，奈天下何？離於天下，其去王也遠矣！……雖然，墨子眞天下之好也！將求之不得也！雖枯槁不舍也。才士也夫！」

莊學重全生保眞，故稱墨子之熱心救世，而惜其違反人情，刻苦太過也。三辯篇載弟子程繁之問，曰：「夫子曰：『聖王不爲樂』；此譬之猶馬駕而不稅，弓張而不弛，無乃有血氣者之所不能至耶？」則及門高弟，亦早疑之矣。又如荀子云：

「墨子蔽於用而不知文」「由用謂之道盡利矣」（解蔽）。

「墨子有見於齊，無見於畸（差別）」「有齊而無畸，則政令不施」（天論）。

「不知壹天下、建國家之權稱；尙功用，大儉約而僈差等；曾不足以容辨異、縣君臣」（非十二子）。

蓋荀子以「禮文」爲治國之錘秤，以辨別職能，衡量貢獻，而致羣居和一，故病墨子惟見公平之「量」，不見其質，不知差別，故無以致治也。此外，禮論之譏薄葬，富國之論節用，樂論之評非樂，亦均足見荀墨二家立場之異。

總而言之，墨子熱心救世，刻苦自勵，亦生民之卓偉者也。而物性人情，剖析未深；言妙遠則遜於老莊，論切實則未及孔孟；以功利指導人生，以天志解釋功利；而天之意義，不過原始之人格神；於是下愚則病其刻苦，上智則並輕其樸拙；儒學則議其「無父」，法家則攻其「犯禁」；然則秦漢以後，陵遲衰微，非無故矣。於是傳誦既稀，注釋亦渺，闕文錯簡，校正爲難；古字奧詞，通解不易。至晉之魯勝，注墨辯六篇，不傳。唐韓愈嘗一倡其學，謂孔必用墨，墨必用孔，而世亦莫之應。宋鄭樵通志，有前十三篇樂臺注，亦亡。墨子本文，唯藉收於道藏而存。千載沈淪，誠可歎也。乾嘉考證大興，學者以注經餘緒，校釋諸子。注墨之書，畢沅導其先路，至清末瑞安孫詒讓出，作墨子閒詁，擇善從長，允爲佳本。民初以來，思想發展，梁任公等卓樹風聲，治墨學者一時甚盛。然則典籍廢興，亦有命在也。

第十三章　公孫龍子與名家

一、名學與名家

名學者，先秦諸子之共有論說工具，猶印度之「因明」，西洋之「邏輯」，皆辯證推理之術也。孔子曰：「必也正名乎！名不正則言不順，言不順則事不成，事不成則禮樂不興，禮樂不興則民無所措手足。」孟子善辯，而辯術未講。荀子有正名、解蔽諸篇，頗及知識規律、論說通則；然其本旨，蓋在正名辨分，以隆禮合羣。故儒家以名學爲具，而以政教德化爲歸者也。老子首章，謂「名可名，非常名」；莊周思玄辭妙，而以言遣言，薄賤辯議，以用「名」爲不得已。故道家以「名」證「名」之相對，「名」之迷執，而以復返無名，逍遙無待爲歸者也。墨子謂言有「三表」，三表者，衡評言說之三大標準也：上，本之於古者聖王之事，此以歷史爲準也；下，原察百姓耳目之實，此以常識爲準也；發爲刑政，觀其中國家百姓人民之利，而定其用，此以效驗爲準者也。故墨子名學，亦歸本於功利，非以純粹推理辯證爲宗旨者也。

至墨辯六篇，其中多涉邏輯推理與知識論問題，較之荀子正名之說，既有過之；方諸同時希哲思想水準，亦無不及（勞思光教授中國哲學史上卷頁二五三）。其所抗衡者，多惠施、公孫龍諸子之言，即當時所謂「辯者」，後世所稱「名家」者是也。

胡適之中國哲學史，力譏漢志九流王官之說，謂古無名學之家，蓋諸子均有名學之術，故名家不成一家之言。實則名家之所以成家，即在其基本立場，乃探索邏輯思考、形上學、知識論諸問題，而非如他家之以政治、道德、倫理價值爲歸者。故謂漢志諸子略評論名家得失之言爲皮相陋誤則可，謂別「名家」爲九流之一爲不當，則未可也。

名家著作，今存尹文子一篇，鄧析二篇，皆同漢志著錄，然亦均後人僞作。漢志公孫龍子十四篇，今存其六。隋志名家無此書，殆即入於道家之「守白論」也（公孫龍子迹府篇）。惠施無著作傳世，據以研究者，唯賴莊子天下篇。

鄧析鄭大夫，與子產同時，常難子產法政而助民訟獄，子產戮之（見呂氏春秋），左傳則謂鄭駟歂殺鄧析而用其竹刑（法律草案，見定公九年）。惠施相傳爲宋人，既卒，莊子歎曰：吾無與言矣（徐无鬼篇）。嘗爲魏惠王制法，而民善之（見呂氏春秋審應覽不屈）。故近人馮友蘭謂二人皆法律專家，辯析文字於定義條例之中，乃其所長，故曰刑名云云。刑又通作形，謂辨析事物之「名」與「形」也。

荀子評惠施鄧析之學，謂其「不法先王，不是禮義，而好治怪說，玩琦辭；甚察而不惠，辯而無用，多事而寡功；不可以爲治綱紀」（非十二子篇）。又曰：「山淵平，天地比，齊秦襲，鉤有須（嫗有鬚？）卵有毛，是說之難持者也；而惠施鄧析能之；然而君子不貴者，非禮義之中也」（不苟篇）。解蔽篇則謂「惠子蔽於辭而不知實」，「由辭謂之道盡論矣」。蓋荀子重禮文，護常識，故以名相辨析爲無用之學也。

莊子天下篇云：「惠施多方，其書五車，其道舛駁，其言也不中……桓團公孫龍，辯者之徒，飾人之心，易人之意，勝人之口，不能服人之心……以反人爲實，而欲以勝人爲名，是以與衆不適也。」蓋莊子之學，以適意爲宗，以辯議爲末也。

大抵名家之學，常用文字歧義以爲論辯，剖析精微；而背離常識既遠，常不免流於詭辯。且中國心靈趨向，重道德內省實踐，而輕名義分析確立，是以先秦而後，其學寖微，然在中國哲學思想發展史上，實有其一定地位。

二、名家學說概觀

名家立說，大抵可分二組，所謂「堅白」、「同異」之辯是也。「離堅白」之學，以公孫龍子爲代表，蓋抽離「性質」於個別事物之中，視爲獨立存在者也。「合同異」之學，以惠施爲代表，蓋明一切物性，一切標準，皆爲相對；故同異無定，大小無常，均在永恒流變之中。是二派者，蓋均古代思想之異葩也。

（一）合同異

莊子德充符篇：「自其異者視之，肝膽吳越也；自其同者視之，萬物皆一也。」齊物論：「天地與我並生，萬物與我爲一。」故常識以爲不同之一切事物，從其共相觀之，無一不同。惠施合同異之說，蓋與莊子契合。天下篇述其十事：

一　至大無外謂之大一，至小無內謂之小一——毫末（不）足以定至細之倪，天地（不）足以窮至大之域（秋水）。

二　无厚，不可積也；其大千里（平面唯有兩向度）。

三　天與地卑，山與澤平。

（秋水）：因其所大而大之，則萬物莫不大；因其所小而小之，則萬物莫不小。

四　日方中方睨，物方生方死。

（郭象莊子大宗師注）：「天地萬物，無時不移者也」。

莊子齊物論：「方生方死，方死方生」。

五　「大同」而與「小同」異，此之謂「小同異」；萬物畢同畢異，此之謂「大同異」。

六　南方无窮而有窮。

（此由至大無外觀點）。

七　今日適越而昔來。

（此由時間遷移觀點，近詭辯）。

八　連環可解也。

（此由物方成方毀觀點）。

九　我知天下之中央，燕之北越之南是也。

（天下無方，故所在爲中；循環無端，故所在爲始）。

十　氾愛萬物，天地一體也。

（此惠施之所以近於道家者也）。

此外，天下篇所舉天下辯者之言二十一事，其近「合同異」者如次：

一　卵有毛（泯時間變化）

二　郢有天下（泯空間差異）

三　犬可以爲羊（「名」爲假立）

四　馬有卵（泯時）

五　丁子（蝦蟆）有尾（泯時）

六　山出口（山本無名，名出人口）

七　龜長於蛇（泯長短）

八　白狗黑（泯色）

（二）離堅白

天下辯者之言，依天下篇所舉，其近「離堅白」者爲：

一　火不熱——熱在人感，火無熱與不熱。

二　輪不輾地——輾地者輪之一點，不可以概全輪。

三　目不見——「見」由「能視之目」與「可視之物」合成，非盡由目。

四　指不至，至不絕——「概念」不在經驗世界，而足以表現某一概念之物無窮。

五　矩不方，規不可以爲圓——方圓皆普遍之概念，「規」「矩」皆特殊之事物，特殊不可以概括普遍。矩非卽方，規非卽圓。

六　鑿不圍枘——「孔」與穿孔之「枘」，二者口徑必不密合。

七　飛鳥之影未嘗動也——動者鳥體；所投之影，爲無限相繼而非相續者，故作無限分割，則相繼之無數鳥影，必一一作靜止之呈現。

八　鏃矢之疾而有不行不止之時——鏃矢雖動，倘作無限分割，則必至任一「區限」之內，鏃矢全無「位移」，故爲「不行」；但此無數區限，實相續而非相繼，故爲「不止」。

九　狗非犬——幼則爲狗，長則爲犬，稱狗則未爲犬，稱犬則非復狗。

十　黃馬驪牛三——大抵亦概念分離之意，故不爲二。

十一　孤駒未嘗有母——有母之時，不爲孤駒；一旦稱爲孤駒，則與「有母」不相容。

十三　一尺之棰，日取其半，萬世不竭——無限平分。

三、公孫龍子

「離堅白」論之宗師，則公孫龍子也。條述其說如次：

（一）**指物論**——言「概念」與「個別事物」、「類」與「分子」之異，故「人類」非「一人」，而「一人」必屬「人類」。

（二）**通變論**——此篇詞意玄晦，今未能明，不敢強解。

（三）**堅白論**——此篇從感覺分析概念之不同，曰：「堅、白、石，三可乎？曰：不可；曰：二，可乎？曰：可。曰：何哉？曰：無堅得白，其舉也二；無白得堅，其舉也二……視不得其所堅，而得其所白者，無堅也；拊不得其所白，而得其所堅也，無白也。」此謂目手異任，不能相代，故「堅」「白」二概念宜分離。

（四）**白馬論**——公孫龍子跡府篇云：「龍之所以爲名者，乃以白馬之論。」白馬論云：「白馬非馬。馬者所以命形也，白者所以命色也，命色者非命形也，故曰白馬非馬。」

今試以邏輯常識解之，名詞（**term**）所表之概念（**concept**）有外延（**extension**）有內涵（內包 **intension**）。內涵者，概念中所含之一切屬性也。如曰「人」，則四肢五官、言語理性，皆其內涵也。外延者，概念所得而應用之範圍也。如曰「人」，則古往今來，東洋西海，舉凡圓顱方趾之屬，皆得而稱之曰人矣。居於同一系統中之概念，其內涵豐而外延狹者，曰下位概念（species），反之則曰上位概念（genus）；如荀子正名篇所謂共名、別名、大共名、小別名者是也。以此言之，則馬為白馬之上位概念，為共名；白馬為馬之下位概念，為別名；如以「動物」為共名，則馬為別名，白馬為小別名，如此類推。故「馬」與「白馬」二詞，內涵外延均異，「白馬」之內涵為「白」與「馬」，「馬」之內涵只為「馬」；「白馬」之外延只為白馬，「馬」則兼包一切種色，青驄驪駒，均可求致，故曰「白馬」非「馬」；乃概念之分析也。是以公孫龍子之意，謂「白馬『不等於』馬」，但所用者，乃一含混之「非」字，於是似為「白馬『不為』馬」，或「白馬『不屬於』馬」矣。當日之所以驚世動俗者，此也。

今依白馬論本文，析述如後：

一　「白馬非馬可乎……故曰白馬非馬。」

此謂「馬」所以表「形」，「白」所以表「色」；色概念與形概念不同，故「白馬非馬」。

二　「有白馬，不可謂無馬也……是白馬之非馬，審矣。」

問者以有白馬卽有馬，疑「白馬非馬」之說（白馬不為馬？）論主答以求致結果不同，證「白馬非馬」（「白馬」不等於「馬」），蓋：

若：白馬＝馬

則∴求白馬＝求馬

但：求白馬，黃黑馬不可應。

　　求馬，黃黑馬皆可應。

由結果之異可知：求白馬 ≠ 求馬

故：白馬 ≠ 馬　　（歸謬法）

（又按此節一問一答，港大中國文選別出「所求不異……何也」一節爲問者之詞，大誤。此論主自問自解之語。）

三　「以馬之有色爲非馬……故曰白馬非馬。」問者以「天下非有無色之馬」，若「白馬非馬」，則黃黑馬亦均非馬，以至任何色之馬，均非馬，如此，則天下無馬矣。

論主謂如不命色，則「馬」之一詞已足，不必曰「白馬」；既曰「白馬」，則「白」與「馬」二概念相涉而成，既非復「白」，亦非復「馬」矣。

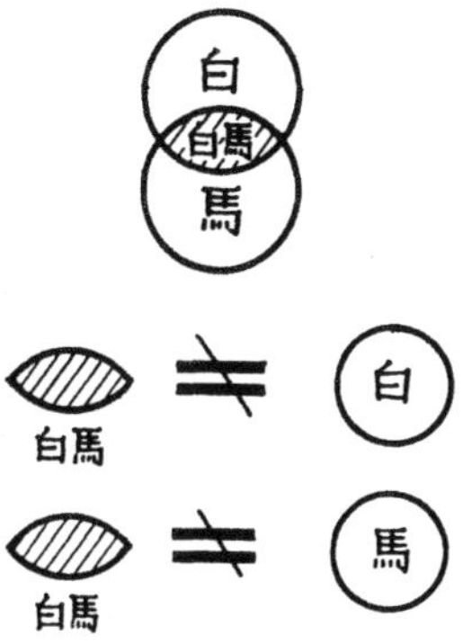

白　白馬　馬

白 ≠ 白馬

馬 ≠ 白馬

又按：一般解此者，往往以下列算式表示：

因：　白馬＝白＋馬

而：白＋馬≠馬

故：　白馬≠馬

但「白馬」實非「白」「馬」相加：「相加」則白者皆爲馬，馬皆爲白色矣。「白馬」爲「白」之一種表現，「馬」之一種形式，故「白馬」爲「白」與「馬」之相涉而已。明此，然後下文之困難可滅。

四

「馬未與白爲馬……此天下之悖言亂詞也。」

問者以「白馬」爲「白」與「馬」之相合，其中有「白」亦有「馬」；「白馬」之中，既有「馬」在，即不可云「白馬非馬」（按：前列算式，適墜問者所疑之中。）

論主答以「白馬」固爲「白」與「馬」之相與，但非全部相加相合（見上頁圖解），故「白馬」並不涵攝全部之「馬」，故「白馬」與「馬」，內涵外延均殊，故「白馬非馬」。

即如：有白馬≠有黃馬　（①）

但問者主張：有白馬＝有馬　（②）

如此，則：有黃馬≠有馬　（代②入①）

即：黃馬非馬

但問者又反對：白馬非馬

故謂問者之說，自相矛盾，猶飛者入池，而同屬一組之棺槨異處也。

五

「有白馬不可謂無馬者……故曰「白馬非馬。」」

問者謂馬之有無，不論白不白，只論馬不馬；若「白馬」以至任何毛色之馬皆非馬，則唯有「馬馬」方爲「馬」矣。

論主謂單言「白」，則不定白者何物；但既言「白馬」，則「白」定於「馬」，不可忘之不論矣。又重提去取論證，以證「白馬非馬」。

總之，此篇文字，雖未乍觀可明，議論亦非艱深；但知「非」之辭義，爲「不等於」可矣。

第十四章　韓非子

一、導言

法家之書，管子、商君書，皆後人僞托，史漢皆著錄申子，不傳。韓非五十五篇則全存至今。唐以前本稱韓子，後以避混韓愈之稱，遂改今名。據史記老莊申韓列傳李斯傳，則韓非子一書中雖或有後人之言，而孤憤，五蠹，內外儲說，說林，說難，顯學等，均其自著。

韓非之書，明暢痛切，比譬富贍，而心性論、知識論、宇宙觀、形而上學等均少涉及，立言雖多，不外明主富强之術而已。方之十五六世紀間義大利政論家馬基維利（**N. Machiavville** 著有君主論），其人其學，均甚近似焉。然則崇固權勢，以維君主利益，蓋韓學之唯一價值觀念所在也。

二、韓非子思想概觀

〔一〕性惡與唯物論觀念

六反：「父母之於子也，產男則相賀，產女則殺之。此俱出父母之懷衽，然男子相賀，女子殺之者，慮其後便計之長利也，故父母之於子也，猶用計算之心相待也，況無父子之澤者乎？」

外儲說左上：「人爲嬰兒也，父母養之簡，子長而怨，子盛壯成人，其供養薄，父母怒而誚之。子父至親也，而或誚或怨者，皆挾相爲而不周於爲己也。」

備內：「人主之患在於信人，信人則制於人……夫以妻之近與子之親，猶不可信，則其餘無可信者矣。」

五蠹：「古者丈夫不耕，草木之實足食也；婦人不織，禽獸之皮足衣也。不事力而養足，人民少而財多，故民不爭，是以厚賞不行，重罰不用，而民自治。今人有五子不爲多，子又有五子，大父未死而有二十五孫；是以人民衆而財寡，事力勞而供養薄，故民爭；雖倍賞罰而不免於亂。」

〔二〕貴法治，賤仁德

顯學：「力多則人朝，力寡則朝於人，故明君務力。夫嚴家無悍虜，而慈母有敗兒，吾以此知威勢之可以禁暴，而德厚之不足以止亂也，夫聖人之治國，不恃人之爲善也，而用其不得爲非也：恃人之爲善也，境內不什數；用人不得爲非，一國可使齊。爲治者用衆而舍寡，故不務德而務法。」

人經：「凡治天下，必因人情；人情有好惡，故賞罰可用。」

六反：「法之爲道，前苦而長利；仁之爲道，偸樂而後窮。聖人權其輕重，出其大利，故用法之相忍，而棄仁人之相憐也。」

〔三〕輕民智

顯學：「民智之不可用，猶嬰兒之心也……嬰兒不知犯其所小苦致其所大利也。今上急耕田墾草以厚民產也，而以上爲酷；修刑重罰以爲禁邪也，而以上爲嚴；徵賦錢粟以實倉庫，且以救饑饉備軍旅也，而以上爲貪；境內必知介而無私解（民皆知兵而不敢私鬪也），並力疾鬪所以禽虜也，而以上爲暴；此四者，所以治安也，而民不知悅也……夫民智之不足用亦明矣。故舉士而求賢智，爲政而期適民，皆亂之端，未可以爲治也。」

五蠹：「明主之國，無書簡之文，以法爲教；無先王之語，以吏爲師；無私劍之捍，以斬首爲勇。」

（四）不崇古，反儒墨

五蠹：「聖人不期脩古，不法常可；論世之事，因爲之備。」

顯學：「言先王之仁義，無益於治；明吾法度，必吾賞罰者，亦國之脂澤粉黛也。故明主急其助而緩其頌，故不道仁義。」

顯學：「世之顯學，儒墨也；儒之所至，孔丘也；墨之所至，墨翟也……孔墨之後，儒分爲八，墨離爲三；取舍相反不同，而皆自謂眞孔墨。孔墨不可復生，將誰使定世之學乎？孔子墨子俱道堯舜，而取舍不同，皆自謂眞堯舜；堯舜不復生，將誰使定儒墨之誠乎？殷周七百餘歲，虞夏二千餘歲，而不能定儒墨之眞；今乃欲審堯舜之道於三千歲之前，意者其不可必乎！無參驗而必之者，愚也；弗能必而據之者，誣也；故明據先王，必定堯舜者，非愚則誣也。愚誣之學，雜反之行，明主弗受也。」

五蠹：「儒以文亂法，俠以武犯禁。」

〔五〕君人南面之術

憑勢——權位自固
用術——形名參同
行法——信賞必罰

愼到言尚勢，以爲賢智未足服衆，而勢位可以屈賢，故身不肖而威令行者，得助於衆也。韓非廣其說，謂聖哲之君，百世無一；憑勢任法，則中材之君，亦可致治。故勢位者，人主之筋力爪牙，不可一去之也（見難勢、人主、功名諸篇）。

二柄篇云：「明主之所導制其臣者，二柄而已矣。二柄者，刑德也。殺戮之謂刑，慶賞之謂德。爲人臣者畏誅罰而利慶賞，故人主用其刑德，則羣臣畏其威而歸其利矣。」故明主秉要執本，以闇見疵，形名參同，聽言而求其當，任身而責其功，所謂「因任授官，循名責實，操生殺之柄，課羣臣之能」者，蓋人主所操術也。

綜核名實，繼之以信賞必罰，重一姦之罪而止境內之邪，報一人之功而勸境內之衆，憲令著於官府，刑罰必於民心；賞存乎愼法，而罰加乎姦令者，此所謂法也。法莫如顯，而術不欲見，不可一無；皆帝王之具也（見定法篇）。

三、韓學淵源與簡評

韓非子不僅爲春秋以來，言法術者之集成人物，其於前此各派重要思想，亦有承受、影響之迹：

來源	原有思想		韓非子思想
荀子	性惡	→	性惡
	隆禮	→	尚法
	師法	→	以吏爲師
墨子	尚同	→	統一思想
	天志	→	以君爲天
老子	無爲之靜觀智慧	→	無爲自安
	無不爲之超越自由心境	→	無不爲以馭下
前期法家	愼到：勢	→	憑勢
	申不害：術	→	用術
	商鞅：法	→	行法

韓子之書，多言統治技術，哲學意味殊少。夫令行而禁止，法出而姦息，輔禮以刑，蓋爲治者所必講也。秦自孝公以迄始皇，信法切，守法嚴，風行雷厲，國以富强。蠶食鯨吞，遂畢六王而一四海，則法家治效，可謂既捷且著矣！然而揭竿斬木，亡不旋踵者，何哉？喜易見之功，輕難知之效，尊主而卑臣賤民，非眞不殊貴賤，一斷於法，如今之所謂法治精神也；賤教化，去仁愛，使士無報禮之思，民有偕亡之恨，於是政權之舟，載而復覆矣。

老子謂太上不知有之，其次親而譽之，其次畏之，最下則侮之，至若民不畏死，則刑罰不足以鎮其意，殺戮不足以威其心，所謂律法憲令者，等同具文，於是起而侮之者衆矣。太史公曰：「法令者治之具，而非制治淸濁之源也。」故法者可用於天下，而不足以用天下；可以行一時之計，而不可長用也。

漢志云：「法家者流……信賞必罰，以輔禮制。易曰『先王以明罰飭法』，此其所長也。及刻者爲之，則無教化，去仁愛，專任刑法，而欲以致治；至於殘害至親，傷恩薄厚。」可謂的評。

第十五章 秦漢之際

一、諸子學之衰微

秦王政廿六年（B. C. 221）統一中國，以法家之術，統治海內。書同文字，罷其不與秦文合者。三十四年（B. C. 213）用李斯之議，止私學，禁法古：

一 史記非秦記，皆燒之；

二 非博士官所職，天下敢有藏詩書百家者，悉詣守、尉雜燒之；

三 有敢偶語詩書、棄市；

四 以古非今者，族；

五 吏見知不舉者，與同罪；

六 令下三十日不燒，黥爲城旦；

七 所不去者，醫藥、卜筮、種樹之書；

八 若有欲學法令，以吏爲師。

次年，侯生盧生等以求仙藥不驗，逃去；始皇怒坑儒生四百六十餘人。後六年（B. C. 206）劉邦先入咸陽，僅收簿冊，項羽隨至，屠燒宮室，所過殘破。高祖五年（B. C. 202）滅羽，其後大將侯王或叛，干戈未息，學術不遑。天下易卜而外，他書未行。惠帝四年（B. C. 191）始除挾書之律。至文帝時，諸子傳說漸出，淮南、河間，崇獎斯文，學術漸盛。武帝建元五年（B. C. 136）用董仲舒對策，輕諸子傳記之學，獨以五經置博士，於是政教學術，一尊之局遂定。是趙甌北所謂「人情猶狃於故見，天意已另換新局」（廿二史劄記），則由分而合，固不僅政治爲然也。

秦漢一統之局，古來所無，晚周以來數百載之動搖秩序，包括政經制度，社會軌範，價值標準，至是均告重建。當前政局，雖或未盡如諸家構想；而內聖外王，又舍此無他。政府組織既趨龐大，君主威權日甚，君臣、君民之間，距離日遠，處士橫議，再無大用，於是由「面說」而「上書」，由「縱橫」而「辭賦」，士人心力，轉萃於此。加以秦皇滅典，漢武崇儒，其迹雖殊，用心則一：蓋思想自由，不利於統制；以吏爲師，則禮樂政教，皆自官出。思想既定一尊，則異流別派，皆不得不盤屈其下，或變形，或混合；而百家爭長，壁壘分明之局遂不復見。又秦項焚書，典籍蕩然；易卜陰陽之書，神仙不死之術，獨行數十年，五行生剋之宇宙間架，災異機祥之觀念，遂均深入人心；道家受其曲解，而道教以起；儒家受其滲透，而孔孟心性理論衰微，至宋明而始復振。韓非之世，墨學猶顯，而法家用事，游俠必禁，至漢遂絕。法家本僅君主統制之術，禮樂文教，開物成務，非其所長，武昭以後，歷代致治者，莫不雜用王霸。由是觀之，則諸家至秦漢以來，皆有蛻變而無發展，其迹其故，可以知矣。

二、秦滅古學與漢崇黃老

(一)始皇焚滅古學原因

一 秦本僻處西陲，不與中邦文教，襄公之後，徙居岐豐，漸與諸國往來。而文公十三年，始有史以紀事(史記本紀)；則其文化之落後可知。其後客卿之用，不過助其富强，實無裨於學術。秦旣素不知學，則於詩書百家語，自無所愛。

二 秦用法治而强，而法家之言，惟以尊君權，重近功，以爲憲令而外，皆可廢絕。此類論調，自荀卿，商君已然，至韓非李斯而極。焚書之酷，不過此種刻急思想之表現而已。

三 東周以迄秦，列國紛爭，禍亂垂數百載，至是一統；驕滿之餘，乃益貴今賤古，以三代之事爲不足盡法，三代之書爲不足盡存矣。

四 懲封建制度所致列國分峙之局，尾大不掉之失，乃改行郡縣，中央集權，冀復西周盛時，民力農工，士習律法，政教官師合一，「禮樂征伐自天子出」之局。

五 深恨當時拘陋之儒，不通時變，惟知道仁義、稱先王，於朝廷措施，心非巷議，不利政本。至若怪異功利小儒，以神仙之說蠱惑朝野，取悅祖龍，易老聃長生久視之道，爲海上不死之方，則雖無焚坑，亦將自隳滅，而況批鱗一怒，玉石俱焚耶！

(二)漢初崇黃老之故

漢初承秦之弊，學術未遑，公卿皆武力功臣，多惟知以馬上得天下。文帝雖好儒士，而外藩入主，恭儉恬退。竇后更好黃老，不喜儒術。蓋晚周以來，戰禍日亟，秦一天下，內興功作，外攘夷狄，天下殘亡，海內愁怨，至此已數百載，寧靜休息，無爲而治，實乃上下之共同期求；於是黃老爲盛。戰國時，有黃帝書出，漢書藝文志著錄黃帝四經四篇，黃帝銘六篇，黃帝君臣十篇，注云：「起六國時，與老子相似也」。雜黃帝五十八篇注云：「六國時賢者所作」。蓋道家後人，言無爲而治之術，而上托黃帝者也。所謂黃老之治，即：「不尙繁華，淸簡無爲，君臣自正」之治術（史記申韓列傳注）；無爲而無不爲，以冀「功成事遂，百姓皆謂我自然」也。蕭（何）規曹（參）隨，皆以除秦煩苛，與民休息爲依歸，而百姓歌曰：「載其淸靜，民以寧一」。惠帝呂后之世，民務稼穡，衣食滋殖，天下晏然，文帝復以恭儉化民，其效益著；是以朝野上下，樂而行之，行而安之，以爲古今至道，無踰於此；且以老莊喜言大道，故名曰「道家」也。其時君如文景，宮闈如竇后，宗室如劉德，將相如曹參陳平，名臣如張良，汲黯，鄭當時，直不疑，處士如蓋公（曹參傳），黃子（司馬遷傳）等，皆崇黃老。景武之際，黃老漸退，而儒術方滋，二家優劣之論漸起；而司馬談論六家要指，猶以五家爲形用，道德爲神體，蓋以此也。

三、漢武崇儒與思想一尊

放任無爲，終不可以有所建立；且國力漸蘇，則廢萎者尙不忘起，何況壯夫？故自亦不復安於無爲。而自惠及景，五十餘年，制度未立，綱紀不張；止亂治邪，自必裁之以律法，而申韓之言用。然律法也者，爲治之具，終非制治清濁之源；技術成分多，而哲理意味少也。於是開物成務，安上治民之道，遂成時代要求。加以武帝少年英發，卽用王臧、趙綰輩，制詔賢良對策，魏其、武安爲相，大隆儒術，博士公孫弘，亦以布衣爲相。元光元年(B. C. 134)復詔賢良，稱美三王，慕譽堯舜，鄙薄嬴秦，恰與始皇李斯之言相反，而亦當時之共同心理也。董仲舒天人三策，言宇宙之秩序，聖天之合一，百家之歸統，深契孝武，遂開儒學獨尊之局；而董生所援以入儒之陰陽五行之說，災異誣妄之談，亦以是而益盛。

(一)儒學獨尊原因

一　秦漢大統一之局，文化趨勢，不尙分而尙合，不尙並立而尙一尊，故周末以來顯學，必有定於一尊者；

二　秦以用法而强，亦以任法而弊，是法不可爲長治之根本。墨學早衰。黃老利放任休息，而不利於干涉；不足以有爲。儒學則以建設文化爲鵠的，尊仁義，尙秩序，重差等，最便治國；

三　儒者祖述六藝，而六藝本非一人一家之學，諸子思想，蓋均有萌芽於此者，莊子所謂古之道術無乎不在者是也。其包涵旣廣，其彈性亦富，儒家游文六藝之中，其包涵、融滙之力，自較他家爲大，故儒者六藝之學，雖定一尊，他家思想，仍得潛存，此亦儒學優於別派之處；

四　儒學之取途廣，用物弘，故言心性、言典制、言訓詁，皆可自附，不若他宗之狹，故其推尊也易；

五　三代古籍之存而不失，諸子書之散而復聚，皆以儒者之力爲多，卽秦漢大一統後，制禮作樂必賴儒者，以其博古通今，理論記載，最爲詳備也。

（二）儒學一尊之影響

一　一尊既定，思想界遂少競爭，趨於凝滯。且兩漢經學之盛，祿利之途然也（漢書儒林傳序）。此與晚周大哲慕道之誠，愛智之趣，一由衷出，而無所外誘者，懸若天淵；形之思想，亦遠不如春秋戰國之生意蓬勃，元氣淋漓。魏晉以來，喜思想者易入佛老，此學術之一大變也。

二　兩漢儒學，既出君相提倡，而其提倡動機當難盡出大公；光武以下，尤欲牢籠儒生，以護君統，於是逢君之私，以固寵邀恩者遂多。故漢儒雖大抵服膺經訓，躬身孝弟力田，甚至輔君澤民，力圖通經致用，但亦只在帝政之下言匡濟，以補苴罅漏而已；不能發揮孟子民貴之義，進而開民治之弘基，立百代之大法。三綱之說，尤助長君權，而失孔孟人倫相對責任之義。雖昭帝時眭孟推春秋以釋災異，請漢帝退自封百里，以讓有德匹夫爲天子；宣帝時，蓋寬饒引韓氏易傳，謂五帝官天下，三王家天下，四時之運，功成者退，不得其人則不居其位，本經說天下爲公之義，上書皇帝，請其禪位有德，殺身不悔（漢書列傳四十五，四十七）；然亦麟角鳳毛。而公孫弘，桓榮，以治經干祿之徒，則比比皆是，此亦儒學之所以貌盛而實則漸衰者也。

三　漢世儒生保有古籍，闡釋經義，固功不可沒；然其治經，大抵以煩瑣之考據訓詁爲務，上不究天道（萬化之源），次不察於羣化（禮法政治諸問題），復不稽於物理（物質知識規律與應用）。孔子之言仁心，孟子之主民貴，荀子之倡戡天，皆儒學精義，而亦不見弘揚，於是儒學之全體大用，一無所窺，惟遂末舍本，作書蠹生活而已，又焉能不閉塞聰明，錮絕智慧也哉！

第十六章　董仲舒、王充

一、漢代思想與陰陽五行

漢儒思想特色，以陰陽五行之原始宇宙論，代替孔孟以來之心性理論，作爲價值觀念基礎，以解釋歷史、世道，指示人生；而所衣披者，仍爲孔孟衣冠。於是天下後世，爲之大惑。蓋自秦楚二火之刦，「天下唯有易卜，未有他書」（漢書劉向傳）；而「騶衍之徒，論著終始五德之運，及秦帝，而齊人奏之；故始皇采用之」，而燕齊方士，張大其術，於是「怪迂阿諛苟合之徒自此興，不可勝數」（史記封禪書）。漢初數十年間，卜筮陰陽之說，極見盛行，影響漢代以至後世二千年間之思想。

史記孟荀列傳：「騶衍睹有國者益淫侈，不能尙德……深觀陰陽消息，而作怪迂之變，終始大聖之篇，十萬餘言……稱引天地剖判以來，五德轉移，治各有宜，而符應若茲」。蓋衍以五行運轉，構成宇宙秩序，解釋朝代推移、天象、人事之興替。五行爲一切事物、現象之原素及基本分類，其間有一必然之循環代換關係；騶子以此解釋完整世界，鼓勵有德，而預言眞命天子，蓋亦戰國中期以來，天下趨向「定」「一」之思想表現也。此外又有大九洲之說，謂中國名赤縣神州，居天下八十一分之一，小九洲與大九洲之間，各有瀛海環之云云；此亦齊地濱於大海，故多神奇想象之說，富天下宇宙觀念；而與三晉法術之邦，重國家、尙功利者不同。

其後齊又有騶奭，采衍迂大之說而益雕琢之。故齊人頌曰：「談天衍，雕龍奭」。秦既一統，此類學說遂興而迎合始皇，解釋秦之應運。呂氏春秋有始覽，謂帝王將興，天必先見祥於下民，故：

黃帝——黃——土
夏禹——靑——木
商湯——白——金
周文——赤——火

秦代周，故以水爲德，以十月爲正月，色尙黑，數用六（史記秦始皇本紀）。漢高祖惠帝時，仍定爲水德，文帝時，賈誼等擬改建土德，至武帝太初元年（B. C. 104）然後告成，色尙黃，數用五，曆法則采「三統說」，行夏之時，以寅月爲歲首（詳見顧頡剛五德終始說下的政治和歷史）。其後劉向父子，又立五行相生之終始說，圖解如下：

王莽篡漢，光武代新（改火德），皆用五行學說爲據，展衍糾纏，各有統系，亦各有去取。今日觀之，古

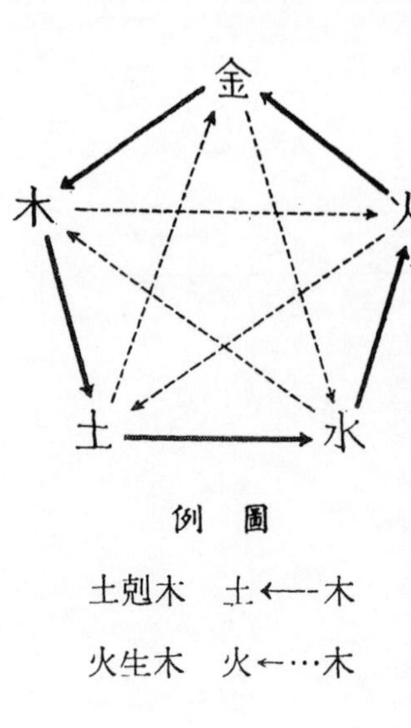

例圖

人觀察宇宙，工具未備，觀察草率，運以臆說，遂成簡樸之宇宙間架觀念；復以此宇宙論爲基礎，建立價值標準，以解釋歷史，指導人生，甚至衡制君權；此其爲說，固迂謬難明；其用心自亦可解也。

儒家經典中，尙書洪範首見五行之說。此篇近人劉節謂爲戰國作品。篇中言水、火、木、金、土之性、味，似爲極素樸之自然物質基本分類，無神秘意義。至「敬用五事」、「念用庶徵」兩疇，則頗有天人相應之旨：

天象	時雨若	時暘若	時燠若	時寒若	時風若	休徵
君德	肅	乂	哲	謀	聖	↑ 五事 ↓
	恭	從	明	聰	睿	
	貌	言	視	聽	思	
	不恭	不從	不明	不聰	不睿	
	狂	僭	豫	急	蒙	
天象	恒雨若	恒暘若	恒燠若	恒寒若	恒風若	咎徵

君德善惡，而庶徵應之，此亦漢儒信仰之前導也。漢書劉向傳：「向見尙書洪範，箕子爲武王陳五

行陰陽休咎之應，向乃集上古以來，歷春秋六國至秦漢，符瑞災異之記，推迹行事，連傳禍福，著其占驗，比類相從，各有條目，凡十一篇，號曰洪範五行傳」。漢書五行志亦云：「景武之世，董仲舒治公羊春秋，始推陰陽，爲儒者宗；宣元以後，劉向治穀梁春秋，數其禍福，傳以洪範」。董劉皆號一代大儒，而其學如此，以視孟子盡心知性，知性知天之義，相去固遠；方之荀卿修人制天之論，亦大殊趣。

禮記月令，亦謂一年四時，各有盛德：春木、夏火、秋金、冬水；據淮南子，季夏之月則爲土。如此，天子每月所居定處，所衣定色，所食定味，行政方針，亦有一定，以應天時。天時有變，則風雨不調，農稼荒失，民有飢疫，丞相以至天子，當負其罪。正朔曆法，爲天道之數理表現，自漢以來，尤關政本，故謂燮理陰陽，三公之責；而漢志亦以助人君，順陰陽爲儒家之長。此即以宇宙結構爲人生價值基礎，而遠離孔孟心性傳統者也。

哀平之際，讖緯流行，讖者，詭爲謎語，預決吉凶；緯者，經之支流，旁及術數；本秦漢以來儒生依附經說，推闡己見，後亦神化附會，托諸孔子，加以妖妄怪異，遂與讖合一。

讖緯本亦象數之一，有物則有象，物象之間關係，往往可以數字、比率表示，古希臘之畢達哥拉斯（Pythagoras）學派，亦屬此類。其用意在探索宇宙結構數理，加以預測、運用；而觀察不確，各逞臆說，以訛傳訛，遂成複雜而幼稚之迷信，糾繞紛紜，不可紀極矣。其時羣經皆有緯，其名多不可解：

易　緯：稽覽圖、乾鑿度、坤靈圖、通卦驗、是類謀、辨終備。

書　緯：璇璣鈐、考靈耀、刑德收、帝命驗、運期授。

詩　緯：推度災、記歷樞、含神霧。

禮　緯：含文嘉、稽命徵、斗威儀。

樂　緯：動聲儀、稽耀嘉、叶圖徵。

孝經緯：援神契、鉤命決。

春秋緯：演孔圖、元命包、文耀鉤、運斗樞、感精符、合誠圖、考異郵、保乾圖、漢含孳、佑助期、握誠圖、潛潭巴、說題辭（見後漢書卷一一二樊英傳注）。

光武恢復漢室，尚斤斤以赤伏符爲天命，至正五經章句，皆命從讖；於是以陰陽穿鑿、圖緯附會，以說理徵信之風益烈。其間雖有桓譚、王充、張衡等力斥其妄，而終不可易俗。東漢末，鄭康成號大儒，而尊用緯書，賊理罔人，此儒學之不得不衰也。

總而言之，漢世一統，國祚綿長，文化精神，亦以是而尚綜合，務包攬；一切已知未知，均納入一巨大系統。馬揚之辭賦，子長之史記，皆爲此種精神之表現。陰陽五行之說，亦復如此。於是一切政治、倫理，以至曆算、音樂、醫藥，均用陰陽家言，勢力垂二千年，至晚淸以來，迷霧始漸淸廓，亦云久矣。

二、董仲舒天人相應之學

漢書卷五十六本傳云：「自武帝初立，魏其武安侯爲相，而隆儒矣。及仲舒對策，推明孔氏，抑黜百家，立學校之官，州郡舉茂材、孝廉，皆自仲舒發之」。董生之學，以「天人相應」爲旨歸，以原始宇宙論作爲價値基礎。天爲大宇宙，人爲小宇宙，其結構原理、感應、意志，一一相同；人之是非成敗，吉凶禍福，天一一察知，時降警告，亦一一予以獎懲。故人必法天，然後致治。董生佐膠西易王治國，以春秋災異之變，推陰陽所以錯行，故求雨，閉諸陽（閉南門、禁舉火）縱諸陰（開北門、灑水），其止雨則反是。行之一國，未嘗不得所欲云（漢書本傳），劉向稱其王佐之才賢於伊呂，蓋二子皆援陰陽五行迷信之學入儒，而爲漢代正統思想者也。今據賢良三策及春秋繁露，條述其學如下：

一　「天」爲最高主宰，有意志有創造：

「道之大原出於天，天不變，道亦不變」（對策三）。

「天者羣物之祖也，故偏覆包函而無所殊，建日月風雨以和之，經陰陽寒暑以成之（對策三）。

「天之道，以三時生成，以一時喪死；死之者謂百物枯落也，喪之者謂陰氣悲哀也，天亦有喜怒之氣，哀樂之心，與人相副，以類合之」（陰陽義）

二　人之形軀生命，由天主宰，與天配合：

「人有三百六十節，偶天之數也；形體骨肉，偶地之厚也；上有耳目聰明，日月之象也；體有空竅理脈，川谷之象也；心有哀樂喜怒，神氣之類也；觀人之體，一何高物之甚，而類於天也」（人副天數）。

「身猶天也，數與之相參，故命與之相連也。天以終歲之數，成人之身，故小節三百六十六，副日數也；大節十二，副月數也；內有五臟，副五行數也；外有四肢，副四時也；乍視乍瞑，副晝夜也；乍剛乍柔，副冬夏也；乍哀乍樂，副陰陽也；心有計慮，副度數也；行有倫理，副天地也」（人副天數）。

三

人之倫理道德，亦與天相配，而為羣物之最貴者：

「人受命於天，固超然異於羣生，入有父子兄弟之親，出有君臣上下之誼，會聚相遇，則有耆老長幼之施，粲然有文以相接，驩然有恩以相愛，此人之所以貴也。生五穀以食之，桑麻以衣之，六畜以養之，服牛乘馬，圈豹檻虎，是其得天之靈之貴於物也」（賢良對策三）。

「人之誠，有貪有仁，仁貪之氣，兩在於身。身之名取諸天，天兩有陰陽之施，人亦兩有貪仁之性」（深察名號）。

「天之大經，一陰一陽；人之大經，一情一性；性生於陽，情生於陰；陽氣仁，陰氣鄙。曰性善者，見其陽也，曰性惡者，見其陰也」（深察名號）。

「故性比於禾，善比於米，米出禾中，而禾未可全為米也；善出性中，而性未可全為善也」（深察名號）。

「性待漸於教訓，而後能為善；善，教誨之所然也，非質樸之所能至也」（實性）。

董子殆欲調和融合孟荀，而於孟子天命之心性，荀子自然之性，均未了悟，故反流於庸見也。

四　倫理既由於天，故社會國家綱紀之成，亦當配天，君權天授，以符瑞爲徵，亦由天所主宰、監察，而警惡獎善：

「古之造文者，三畫而連其中，謂之『王』；三畫者，天地與人也，而連其中者，通其道也。取天地與人之中，以爲貫，而參通之，非王者孰能當是？是故王者唯天之施，施其時而成之，法其命而循之諸人」（王道通三）。

漢末許愼說文，亦本此說釋「王」字，可見漢儒通說矣。又云：

「天之所大奉使之王者，必有非人力所能致而自至者，此受命之符也。天下之人，同心歸之，若歸父母，故天瑞應誠而至……及至後世淫佚衰微，不能統理羣生，諸侯背畔，殘賊良民，以爭壤土，廢德教而化刑罰，刑罰不中，則生邪氣，邪氣積於下，怨惡畜於上，上下不和，則陰陽繆戾而妖孽生矣。此災異所緣而起也」（對策一）。

「春秋之中，視前世已行之事，以觀天人相與之際，甚可畏也。國家將有失道之敗，而天廼先出災害以譴告之；不知自省，又出怪異以警懼之；尙不知變，而傷敗乃至。以此見天心之仁愛人君，而欲止其亂也。自非大亡道之世者，天盡欲扶持而全安之，事在强勉而已矣」（對策一）。

「天地之物，有不常之變者謂之異，小者謂之災，災常先至，而異乃隨之。災者，天之譴也；異者，天之威也。譴之而不知，乃畏之以威。詩曰：『畏天之威』，殆此謂也。凡災異之本，盡生於國家之失。國家之失，乃始萌芽，而天出災害以譴告之；譴告之而不知變，乃見怪異以驚駭之；驚駭之尚不知畏恐，其殃咎乃至。以此見天意之仁，而不欲陷人也」(必仁且智)。

「人下長萬物，上參天地，故其治亂之故，動靜順逆之氣，乃損益陰陽之化，而搖蕩四海之內……世治而民私，志平而氣正，則天地之化精，而萬物之美起，世亂而民乖，志僻而氣逆，則天地之化傷，而氣生災害起」(天地陰陽)。

此所謂天人相應也，天道當仁，王者之政亦當如之。故曰：

「王者欲有所爲，宜求其端於天，天道之大者在陰陽，陽爲德，陰爲刑，刑主殺而德主生，是故陽常居大夏，而以生育養長爲事；陰常居大冬，而積於空虛不用之處，以此見天之任德而不任刑也……王者承天意以從事，故任德教而不任刑。刑者，不可任以治世，猶陰之不可任以成歲也；爲政而任刑，不順於天，故先王莫之肯爲也」(對策一)。

「春者，天之所以生也；仁者，君之所以愛也；夏者，天之所以長也；德者，君之所以養也；霜者，天之所以殺也；刑者，君之所以罰也，由此言之，天人之徵，古今之道也」(對策三)。

方之孔孟之說，爲政以德，而德本於心，政本在民，而民之好惡，卽爲天視天聽；則董子之論，可謂大開倒車，復陷於原始迷信矣。

此外，董子不與民爭利之說，蓋儒者一貫主張，而亦植基於天人相應之說，其言曰：

「夫天亦有所分予：予之齒者去其角，傅其翼者兩其足，是所受大者不得取小也。古之所予祿者，不食於力，不動於末（商）……夫已受大，又取小，天不能足，而況人乎？此民之所以囂囂苦不足也……富者奢侈羨溢，貧者窮急愁苦，窮急愁苦而上不救，則民不樂生，民不樂生，當不避死，安能避罪？此刑罰所以繁，而姦邪終不可勝者也。故受祿之家，食祿而已，不與民爭業，然後利可均布，而民可家足。此上天之理，而亦大古之道，天子之所宜法以爲制，大夫之所當循以爲行也」（對策三）。

故主限制、禁止貴族豪强之土地兼併、與民爭利，是亦禮記大學末段之意也。

五　其他主張：

董子又有仁義相反相成之說，曰：

「仁之法在愛人，不在愛我；義之法在正我，不在正人。我不自正，雖能正人，弗予爲義；人不被其愛，雖厚自愛，不予爲仁」（仁義法）。

此則班志諸子略末節之論所從出也。又主改正朔，易服色：

「制度文采，玄黃之飾，所以明尊卑，異貴賤，而勸有德也，故春秋受命，所先制者，改正朔，易服色，所以應天也，然則宮室旌旗之制，有法而然者也」（對策三）。

至若罷黜百家，獨崇儒術，亦從天人相應觀念出發，蓋天地皆爲統一之體也：

「春秋大一統者，天地之常經，古今之通誼也。今師異道，人異論，百家殊方，指意不同；是以上亡以持一統，法制數變；下不知所守，臣愚以爲：諸不在六藝之科，孔子之術者，皆絕其道，勿使並進；邪辟之說滅息，然後統紀可一，法度可明，民知所從矣」（對策三）。

此與始皇李斯之論，可謂同出一轍矣。

三、王　充

漢武以來，儒術稱盛，而經生所講，不出兩途：或務訓詁，不知大義；或雜讖緯，溺於迷信；辟儒惑儒，遍於天下。其間有人焉，「正虛妄，審向背；懷疑之論，分析百端；有所發擿，不避上聖」（章太炎語）誠可以振漢儒之恥矣，則王充是也。

充生東漢前葉，著譏俗節義、政務諸書，皆主實務；而論衡八十五篇，尤見其學。劉知幾史通云：「儒者之書，博而寡要，得其糟粕，失其精華；而流俗鄙人，貴遠賤近，轉滋牴牾，故王充論衡生焉」（自敍篇）。論衡亦云：

「傷僞書俗文，多不實誠，故爲論衡之書」。

「論衡者，論之平也」（自紀篇）。

「論衡者，所以銓輕重之言，立眞僞之平，非苟調文飾詞，爲奇偉之觀也」。

「論衡之造也，起衆書並失實，虛妄之言，勝眞美也」（對作篇）。

故論衡篇以十數，主旨亦在「疾虛妄」（佚文篇），力抗董仲舒劉向以來崇古信妄之風而已。舉其要義如后：

（一）尚實證推理，駁鬼神生知

論衡既以務實去妄爲旨，故謂「事莫明於有效，論莫定於有證」（薄葬），每立一論，必「略舉較（皎）著，以定實驗」（遭虎）。故墨子明鬼，歷舉古人之事以證，充則謂其惟以「耳目」論是非，不以「心意」推原眞僞，故信虛幻之象，而不能「詮訂於內」，故主明鬼（薄葬）；倘能「以心原物」，則知人爲萬物之一，物死不爲鬼，人亦不能爲鬼。且人有血脈，故有精氣，故有生命；死則血脈竭、精氣滅、形體朽，不能爲有知有爲之鬼矣。又自天地開闢以來，死者億萬；倘人死爲鬼，則道路之上，宜一步一鬼矣。故凡天地之間有鬼，非人死精神爲之，皆人思念存想所致而已。天下非有無體獨存之精也（論死、訂鬼、死僞三篇）。

由是觀之，則聖人亦非神。「聖賢者，道德知能之號；神者，眇茫恍惚無形之實」，故「聖者不神，神者不聖」。是以「儒者論聖人，以爲前知千歲，後知萬世；有獨見之明，獨聽之聰；事來則名，不學自知，不問自曉」，皆爲虛妄（實知）。然則漢儒之化孔子爲宗教偶像，亦可謂非愚則誣矣。

（二）以「機械論」駁「目的論」

上世以來，民智漸啓，漸知人貴於物，然所以貴者何在？則觀點或異。孟子承孔子而論心性，謂人之異於禽獸者幾希，庶人去之，君子存之；荀子則以人參於天地，蓋在化性起僞，以制天行。漢儒自董生以還，則大抵反義理之天爲宗教主宰：天之於人，猶父之於子；天地變異，莫非警誡，一風一雨，皆有用意。充則遠宗荀、老，近察自然，謂天道無爲，而萬物自生；生、長、成、藏，皆物性自然，非必有關於四季。故物有生性未極者，則秋而不死矣。是以「天地合氣，則物自生」，既生人畜，亦生五穀絲麻；物之相勝，乃由筋力勇怯之殊。故人食畜、衣麻，而亦爲虎狼所食，與五行實無關係（見自然、物勢篇）。是故由充觀之，一切災變感應之說，皆「浮華虛僞」之詞，宜加「證定」（自紀）者矣。

〔三〕人性與命運說

論衡本性、率性篇歷論古來人性諸說，而主人性有善有惡，猶人才之有高下。故孟子性善，中人以上者；荀卿性惡，中人以下者；揚雄善惡混，則中人也。善者自善，惡者亦可率勉，蓋天道有眞僞；眞者固與天相應，僞者人知加巧，亦與眞者無異云云。此則務爲調停之說，憑俗見以立論，未能洞知孟荀論性之異也。

此處所謂眞者與天相應，及其論命運前定之說，皆未能拔於時見；是亦論衡之所以未能盡醇，非獨文字煩蕪而已也。充以爲禍福之來，全關遭遇，非由善惡（福虛、禍虛、幸偶、命祿諸篇）；而個人命運，往往取決於一國之盛衰治亂，故國命勝人命（命義）。如上諸說，本有其理；然充謂人之命可於骨相見之（骨相）；命不可勉，時不可力（命祿）；以至世治非賢聖之功，衰亂非無道所致；國當衰亂，賢聖不能盛；時當治，惡人不能亂；世之治亂，在時不在政；國之安危，在數不在教（治期）；此則輕人爲而任命定，遠儒而近道矣。至若宣漢篇歷舉當代符瑞，則可謂授敵以柄也。然則「聖賢之言，上下多相違；其文多相伐者」（問孔），亦仲任之所不能免矣。

（四）不崇古，尊鴻儒

齊世篇謂上世治者，聖人也；下世治者，亦聖人也；聖人之德，前後不殊，帝王治世，百代同道；然述事者往往高古而卑今，貴所聞而賤所見，近有奇而辯不稱，今有異而筆不見；實則「實德化則周不能過漢，論符瑞則漢勝於周；度土境則周狹於漢」，而儒者獨謂周多聖人，遂致「稱聖太隆，使聖卓而無迹；稱治太盛，使太平絕而無續」（宣漢）。此誠卓論。使孟堅從之，可以不作古今人表矣。

漢世利祿在經，於是傳註一經一章，動輒百數十萬言。守信師法，而不知古今（效力）。故「知古而不知今，謂之盲瞽；知今而不知古，謂之陸沉」（謝短）。孔子之門，講習五經，五經皆習，乃可稱爲博文，故俗人不及儒生，儒生不及通人，通人不及文人，而鴻儒最爲超奇（超奇）。所謂鴻儒者，著書表文，論說古今者也。

（五）文論

論衡既崇實之書，其論文辭，亦主實用，故文之優劣，不在多寡，而在是否爲世之用。述作既在用世，故文詞則務其昭察易曉，不以深覆爲才鴻；立意則務其卓正，不以順俗類古爲務，自紀篇辯之詳矣。此外，又有「九虛三增」諸篇，說明經書諸子，皆有誇張美飾之言，倘以「載諸竹帛，皆賢聖所傳，無不然之事」（書虛），則惑矣。

第十七章　魏晉玄學

一、導　言

道家思想，至莊周而極；韓非解老，用老學爲權術，而道家之變形以啓。老莊所言眞正生命，表現於自我情意之逍遙自由，危難當前，無所容心，故柱下有「善攝生」之說，而南華以「養生主」名篇。但愛惜形軀，既屬强烈本能，而老氏冷腸，莊生玩世，更使惰者益軟，怠者更疲。輕薄德性，倦厭知識，於是人生價值，惟有觀賞藝術，享受形軀生命二途，加以東漢晚世，禍亂相尋，於是侈陳哀樂、脫逸禮教之文學，服食求仙、煉丹修仙之道教，一時大盛。道教也者，蓋融合上古以來多種原始信仰、燕齊方士神仙不死之說，附會曲解老莊而成教者也。

道教而外，玄談放誕之生活方式，亦爲道家之變形。老莊之學，本均輕蔑文化秩序，以顯情意之超越自由，無拘無繫。漢末以來，士人刺激於世亂，厭棄乎名教，乃有鄙聖滅禮，縱欲佯狂，以快適情意者。魏晉以還，禍亂未已，於是「嗤笑徇務之志，崇盛忘機之談」（文心明詩），遂成時代思潮。

玄談之士，其說雖多，皆以「觀賞」爲基本精神：觀賞生命，乃有品評人物之「才性」一派，觀賞妙理，乃有談有論無之「玄理」一派。然玄談之士之視此類思維、論說，亦作為生活情趣之一部，態度絕非嚴肅；並不能掌握任何實際規律，亦不冀建立任何完整理論體系；故其正面成就甚少，最大作用，乃在佛教發展，導其先路。

佛教宗派既多，教義亦繁，然基本理路，不外將萬有化為感受、情意對象（苦），然後全盤擊碎（虛幻）；即就此虛幻處，顯現眞如（捨離世界之佛性）。故萬有情意化、及破拘繫以顯自由，乃為佛道二家相接之處；是以佛教入華，亦先以研求名理，與玄談之士相接，而展開影響。釋道安云：「斯邦人老莊教行，與方等經（方，廣也，等，階段也，謂普及利鈍衆生，引小乘歸大乘之經典也）兼忘相似，故因風易行也」。近人鍾泰謂玄學「上奪漢儒守經之席，下作齊梁事佛之階；在當時則禮法之罪人，在後世則象教之功臣。」然則隋唐佛學極盛，玄學遂微，非無故也。（參看本書二〇三頁）

二、玄談興起背景

（一）漢學之誣亂荒落與理論風氣之興盛

自武帝立五經博士，設弟子員，勸以官祿，數百年間，其業寖盛。一經說至百餘萬言，大師衆至千餘人，蓋祿利之途使然（漢書儒林傳贊）。其於實際學理，並無發明；破碎支離，舍本逐末。「幼童守一藝，白首而後能言，安其所習，毀所不見，終以自蔽」（漢書藝文志六藝略）。哀平之際，圖讖大興，傅會六經，而成緯書。王莽、光武皆加利用，以欺惑愚衆，鞏固統治。雖先後有桓譚、張衡等發其僞謬，終不能抑。帝王用之而不疑，學者從之而顯達；雖以高密鄭君、一代大師，亦多引緯說，故孔融力言其妄（隨園隨筆），王粲斥其難喻（舊唐書元行冲傳），虞翻亦指其所法五經，違義不少（三國志）。蓋漢興以來數百載，訓詁考據之學，已漸遭厭倦，學者轉尚說理。士之善談論者，輒獲盛名：如郭泰（太）、謝甄、苻融輩是也。益以「桓靈之間，君道秕僻，朝綱日陵」（後漢書儒林傳）；及魏武用刑名，曹丕尚通達，利祿之門既易，經術更趨衰微。魚豢魏略儒宗傳序：

「從初平之元（獻帝初）至建安之末，天下分崩，人懷苟且，綱紀既衰，儒學尤甚……正始中，有詔議圜丘，普延學士，是時郎官及司徒，領吏二萬餘人，雖復分布在京師者，尚且萬人，又是時朝堂公卿以下四百餘人，其能操筆者，未有十人，多皆相從飽食而退。嗟乎！學業沈隕乃至於此！」

又漢末州郡割據，羣雄逐鹿，需才孔亟、不拘一格，而戰國縱橫之風復起。魏武求才三令，用人唯才，不問品德：

「今天下尚未定，此特求賢之急時也，若必廉士而後可用，則齊桓何以霸世？今天下得無有被褐懷玉，而釣於渭濱者乎？又得無盜嫂、受金而未遇、無知者乎？二三子其佐明揚仄陋，唯才是舉，吾得而用之。」

「夫有行之士，未必能進取；進取之士，未必能有行也。陳平豈篤行？蘇秦豈守信耶？而陳平定漢業，蘇秦濟弱燕；由此言之，事有偏短，豈可廢乎？有司明此義，則士無遺滯，官無廢業矣。」

「昔伊摯、傅說，出於賤人；管仲、桓公賊也，皆用之以興。蕭何、曹參，縣吏也；韓信、陳平，負汚辱之名，有見笑之恥，卒能成就王業，聲著千載。吳起貪將，殺妻自信，散金求官，母死不歸；然在魏，秦人不敢東向，在楚，三晉不敢南謀。今天下得無有至德之人，放在民間；及果勇不顧，臨敵力戰，若文俗之吏，高才異質，或堪爲將守，負汚辱之名，見笑之恥，或不仁不孝，而有治國用兵之術，其各舉所知，勿有所遺」。

是亦當時覇者之共同措施也。於是懷才之士，固競求自試；無才者亦不復以德爲重；社會風氣，遂大改變。儒學一尊、名敎經世之局，亦告全毁。思想界遂又在混亂、懷疑中尋覓歸宿，而論辨之風大盛。如魏廢帝高貴（鄕）公曹髦，屢幸太學，問博士庾俊等以鄭（玄）王（肅）異同，以至鄭注與孔子之語矛盾處，帝堯之明聖有可疑處，而博士不能對。他如何（晏）王（弼）之論「儒道異同」，紀瞻顧榮之論「太極天地」，嵇康與向秀之論難「養生」、與張遼叔之論難「自然好學」、與時人之論難「宅無吉凶」，以及世說新語所載：荀粲、傅嘏之論「玄理」，王衍、裴頠之論「有無」，阮瞻、樂廣之論「鬼」說「夢」，孫盛、殷浩之論「易」，皆爲有名論辨。及渡江而後，玄談對象又及於佛理矣。

（二）世局之黑暗與老莊佛學之衍盛

漢末學風，既由訓詁轉向義理，而講論義理，何以入於老莊？蓋道家之術，在漢世本爲一大副流，及漢末「黨錮之禍，海內塗炭二十餘年，諸所蔓衍，皆天下善士」（後漢書黨錮傳），及袁紹盡誅宦官；而黃巾、州牧爲亂天下；三國魏晉，亂未有已、劉石亂華，神州更陷魚爛；干戈所至，枕尸動以十萬計。士人既遭大劫，見宦海險惡，權勢名位既足殺身，道德學問又不可恃；於是灰心世事，明哲保身，以務曲全。蒼生痛苦，人命危賤，長夜漫漫，復旦難待，欲化成而無方，欲毀生則可惜，於是和光同塵、不譴是非以處世俗之老莊思想，以至由超世而厭世、由忘我而無我、以萬有爲幻、以萬法爲妄、捨離世累，而脫苦得樂之佛學，遂發揮其安撫、麻醉作用，而告大盛。此與漢初致虛守靜、與民休息、恬淡無爲、而終以致治爲鵠的之「黃老之術」，固自異趣：蓋黃帝終爲郅治之代表，而漆園乃隱逸之宗師也。漢初言「黃老」，而魏晉稱「莊老」，其故可知矣。

三、玄談內容——「才性」與「玄理」

玄談者，談老莊也，而亦及於周易，謂之「三玄」。玄者，幽遠也，思辨所及，超越感官物象，玩索宇宙本體，人生原理，故謂之玄學。周易精神，在開物成務，健行不息，本與老莊殊趣；但以其在經典之中，最富形而上學意味；其相反相成，物極必反觀念，亦與道家相通。加以莊生之言，荒唐譎怪，老氏周易，詞簡義深，文字彈性至大，穿鑿比附，實非困難。此所以魏晉玄談，以老莊爲主，而亦牽入周易也。

老莊精神，既在逍遙觀賞，則觀賞「道體」者，可以辯論「有」「無」，此所謂「玄理」一派也；觀賞「人物」者，可以鑑識剛柔，此所謂「才性」一派也。

談玄理者，在魏之正始，則有何（晏）王（弼），鳩合儒道，繼之而嵇康阮籍，嗤蔑禮法；向秀郭象，推闡逍遙；王衍樂廣，宅心事外；皆莊周之徒也。初以「無」爲本體，向、郭、裴頠，則說爲「有」。於是崇有貴無，論辯大起，終則皆收攝於佛理。文心雕龍所云：「滯有者全繫於形用，貴無者專守於寂寥，……動極神源，其般若之絕境乎」（論說篇）。可謂簡而要矣。

道家要義，一在言「道」之大，玩索之者爲「玄理」一派；一在言凡「存在」皆有「理趣」，可觀可賞，而不必比較、無可改造，此則「才性」一派近之。「才性」與「心性」不同，後者重視普遍，強調軌範；前者承認特殊，重在觀賞。漢行郡縣察舉，本重品藻，許靖許劭兄弟，有汝南月旦之評；曹魏陳羣，倡九品官人之法；於是才性之學，遂隨評鑑而大盛。由實際品第，進而研究品第之理，人物之性，其觀賞萬人品性，亦與觀賞萬有態度相同，劉劭人物志，則此派之代表也。

又魏晉以還，論辯成風，此標新義，則彼出攻難，既申酬對，更著篇章。片言賞會，則舉世稱奇；一語警策，則千秋同響。故又有析「名理」爲一支，別立於才性玄理二派之外者。然其析名辯實，不過作爲研求「才性」、「玄理」玩賞之具而已。故玄談內容，仍以才性、玄理二者，爲兩大主題也。

四、主要人物

甲：玄理之學

一　何晏（平叔、193？—249）魏人。論語集解（今全）道論無名篇（今皆殘缺）。以爲「天地萬物皆以無爲爲本。無也者，開物成務，無往而不存者也」（晉書王衍傳）。蓋天地萬物皆變，而不變之最後本體——「道」，應爲無形、無質、無名、無限制之抽象實體，故勉強名之曰「無」，此則以老子之無，作爲儒學化成原動力。又說老子與聖人同（世說新語引文學敍錄），論語集解，常以道家之言釋經，以期鳩合儒道，而提高老子地位。

二 王弼（輔嗣、226—249）魏人。老子注、周易注（經上經下）、周易略例、老子指略（佚）、論語釋疑（佚）。以爲聖人體無，無又不可以訓，故言必及有：老莊未免於有，恆訓其所不足（何劭王弼傳、世說新語），意在調和孔老，與何晏同。言易屏棄漢人象數之學，主舍象言理，注老子則將正反相成，有無互待之原意，改變成以「無」爲道之本體，此一本體，乃爲一切「存在」之屬性完全抽除後，無形、無名，不具任何性質，不可言說之抽象觀念，亦與平叔無異，此可作爲魏晉人對老子之了解，所謂「貴無」一派者是也。其稍異者，何以爲聖人無喜怒哀樂，王則以爲聖人之五情，當同常人。

三 阮籍（嗣宗、216—263）魏晉間人。有大人先生傳，蔑名教，棄繩墨；達莊論，申「天地與我並生，萬物與我爲一」之理。至通易論、樂論，則尚有儒者之言。

四 嵇康（叔夜、223—262）魏晉間人。有明膽論，主才性相離；養生論，主寡欲養生；聲無哀樂論，駁禮記樂記及毛詩大序之說，謂聲有美醜而無哀樂，哀樂在人之心；又有釋私論，難自然好學論，皆輕名教而任自然，蓋兩漢儒學之反動也。

五 向秀（子期、227？—277）西晉人。

六　郭象（子玄、252？—312）西晉人。

據晉書二人本傳，秀先注莊，秋水、至樂二篇，未成，卒，郭擴充之。或曰竊向注爲己作，而改注馬蹄一篇。向注佚文散見列子注中，而二人文義大抵相同，屬崇有一派，而反「無」能生「有」之論。提出物各自造，造物無主，萬物自生自化、自然而然、物各自足；雖千變萬化，終不歸於無。故人生亦宜安份自得，而守天理之自然。此見莊子正面論證（物各自足，故宜逍遙觀賞，而不必以此例彼），但對莊子反面論證（破形軀，破認知，破德性），則無深切了解。

七　顧榮（彥先），紀瞻（思遠），皆由吳入晉，赴洛途中，共論易太極（晉書紀瞻傳），顧以爲先有太極(體)，後有天地，紀則謂體用不離，從天地(用)而見太極(體)，無先後之序也。

八　王衍（夷甫、256—311）西晉人，史載其美姿儀，善談論，自比子貢，聲名籍甚，每提玉柄麈尾，劇言老莊，領袖士林，而矜高浮誕之風以盛。

九　樂廣（？—304）西晉人。史載其善談論，每以約言析理以饜人之心，又善名理，通公孫龍子，政壇重望，而玄談之風益盛。世與王衍並稱。

十　裴頠（逸民、267—300）西晉人。疾王何以來，以至王衍樂廣虛無之說，作崇有論。以道既能生萬有，卽不可云「無」；萬有藉道而生，道藉萬有而見；故萬有相互作用，而表現宇宙秩序，世界法則，亦卽表現道，故萬有並非虛幻，而爲眞實存在。當世攻難交至，而博辯不屈。

十一　韓康伯、東晉人、注周易繫辭、說卦、亦將易理老莊化。故四庫提要謂闡明義理，使易不雜術數者，王韓之功；祖尙虛無，使易入於老莊，則是其過。

乙：才性之學

一　傅嘏鍾會（皆魏人）三國志本傳：「傅嘏常論才性同異，鍾會集而論之」又注：「嘏旣達治好正，而有淸理識要，好論才性，原本精微，尠能及之。司隸校尉鍾會年最少，嘏以明智交會」。

世說新語：「鍾會撰四本論始畢，甚欲使嵇公一見。置懷旣定，畏其難，懷不敢出，於戶外遙擲，便回急走。」劉孝標注云：「四本者：言才性同、才性異、才性合、才性離。尙書傅嘏論同，中書令李丰論異，侍郎鍾會論合，屯騎校尉王廣論離。」

二　劉劭（孔才、魏人）所撰人物志大抵揉合儒、陰陽之說，而基本態度在於觀賞鑑識；蓋實道家之言也。

九徵篇云：「人物之本，出乎情性，情性之理，甚微而玄……凡有血氣者、莫不含元一以爲質，稟陰陽以立性，本五行而著形。苟有形質，猶可卽而求之」。此漢人之學也。

又云：「明白之士，達動之機，而暗於玄慮；玄慮之人，識靜之原，而困於速捷。」

體別篇云：「夫學所以成材也；恕、所以推情也；偏材之性，不可移轉矣。雖教之以學，材成而隨之以失；雖訓之以恕，推情各從其心。

此强調特殊性，故「恕」不可能；强調「局限性」，故「學」不可能；崇自然而輕人爲，道家之學也。其所觀賞之處，則在九徵，九徵者：神精筋骨氣色儀容言，皆可意會而不可言詮，蓋藝術而非科學也。又以人之流業，可分爲十二：

清節家　伎倆
法家　智意
術家　文章
國體　儒學
器能　口辯
臧否　雄傑

而前四者最高，可見推崇法術之意。然此十二材皆人臣之任，主德則總達衆材，而不以事自任者也。主道立，則十二材各得其任（皆見流業篇），此亦以道德爲衆學之宗，以刑名爲道德之用者也。

丙：其他

一　言法術刑名而歸本道家，——傅玄（西晉）袁維（晉）
二　非法術論——蔣濟、桓範、杜恕（皆魏晉間人）
三　非君論（反對政府君主及其他權威形式）——鮑敬言（說見葛洪抱朴子）

四 非老莊論——孫盛（晉）攻老、王坦之（晉）排莊

五 非佛——何承天（370—447劉宋人）達性論，依易傳，及人死神滅之說，駁生死輪迴及因果報應之說。

范縝（450—515？）梁人。神滅論言形神不離、俱有俱滅，故無鬼神、無靈魂。

六 順情縱欲論——列子楊朱篇（晉人僞作，張湛註）由極端悲觀厭世而主輕名賤法，肆性縱欲。

七 陰陽占驗——管輅（魏）郭璞（晉）。

五、評論

據顏氏家訓，梁代清談之習仍盛，武帝簡文親講三玄，於是上下成風。然所論時涉儒釋道三家異同，又以公開講辯，代私人討論；蓋受佛教各宗論辯方式之影響，而大異於前代者也。

後人痛論魏晉清談誤國者多矣。蓋清談不外老莊，嗤笑徇務之志，崇盛忘機之談，蓋窮深極微，而不可以入化成之道者也。當世神州魚爛，而士大夫沈溺玄虛，「世極迍邅，而辭意夷泰」；宜乎後人之譏矣。故石勒將殺王衍，衍大悔曰：「吾曹雖不如古人，若向不祖浮虛，戮力以匡天下，猶可不至今日！」可謂其言也善矣。又如桓溫北征，登平乘樓，眺望中原嘆曰：「遂使神州陸沉，百年丘墟，王夷甫諸人不得不任其責」（晉書）。范寧謂「王弼何晏二人之罪，甚於桀紂」；卞壼謂：「悖亂傷教，中朝傾覆，實由於此」。凡此諸論，雖似過苛，終非無故。是以葛洪抱朴子疾謬篇，干寶晉紀

總論，皆譏斥當世狂誕浪蕩之風，而淸顧炎武日知錄，亦痛心疾首而抨擊之也。晉書儒林傳序云：「有晉始自中朝，迄於江左，莫不崇飾華競，祖述玄虛；擯闕里之典經，習正始之餘論；指禮法爲流俗，目縱誕以淸高；遂使憲章廢弛，名教頹毀；五胡乘間而競逐，二京繼踵以淪胥；運極道消，可爲長歎息者矣。」蓋老氏已近冷腸，漆園更屬玩世，皆不免仁心微薄。魏晉以來，詩文名士及以隱逸鳴高者，大抵皆受老莊影響。此輩於人類，無同體之愛；於社會，無改善之勇氣；無有熱誠，唯知潔已自私而已。薄仁而流於冷酷，薄義而流於虛誑，薄禮而流於散蕩；士風頹放，不足以領導社會，幹濟有爲，其弊實甚（熊十力先生意）；此亦老莊之所以爲毒世也。

第十八章　中土佛法概說

甲、前論

一、佛教興起背景

自古以來，印度宗教、哲學恒不可分；以內省思維爲手段，以解脫痛苦爲目的。其釋物之言，固極怪誕；析心之論，則常涉精微。

古印度文化，可分數期：

（一）吠陀時期

阿利安族自中亞移居印度西北信度河上游，開展文化，時爲西元前二千年頃，理具吠陀（Rig-veda「讚誦明論」之意）即此時產物，由自然現象之神格化，而探索獨一、最高主宰，終則以宇宙爲巨人，萬有皆其一體，即所謂「大梵天」是也。

〔二〕淨行書時期

西元前千四年頃，族民漸東遷至恒河平原，廣建國家，故又稱「中央時期」。世襲之四姓制度漸生：婆羅門（教士）剎帝利（王族）吠舍（平民）首陀羅（賤民）是也。賤民禁入宗教，萬世抑沉；至若自稱大梵天之裔，永居傳道事天之職者，則婆羅門也。婆羅門本「淨行」之義，四吠陀（讚誦、祭祀、歌詠、禳災四明論）均有附屬散文，稱淨行書（Brahmana），以一切皆從「梵」出，復歸於「梵」。此外，業報輪迴之說，亦於此時興起。

〔三〕奧義書時期

「淨行書」卷末有奧義書（Upanisad），蓋「弟子侍坐，以得師心傳」之意，又稱吠檀多（Vedanta），意爲吠陀之終；蓋由吠陀而淨行書，而奧義書，「梵」之神秘意義，由此排除。自我心理本色漸告顯現，「梵我不二」之說於是確立，後世哲學諸派系，皆從此出，蓋劃時代之典籍也。其後思想發展，哲人輩出，而婆羅門之專擅腐敗，亦與時俱著，遂有正統、異流諸派出現。

〔四〕哲學勃興時期

西元前一千年頃，阿利安族奄及全印，中央摩揭陀國尤盛，文教昌隆，諸派並起。有正統六派：維護吠陀傳統：即數論、瑜伽、勝論、正理、彌曼差、吠檀多是也；有異流三派：順世之教，重物質，順人情，求今生之樂利；耆那之教，重苦行，求解脫；佛教亦於此際興起，不苦不樂，從容中道，求一心之明覺，其後遂成印度宗教、哲學之主流。

二、佛教基本精神與佛陀名義

佛教初起，原爲反婆羅門傳統之革命思想：否定權威，否定禮儀，否定外在神力，否定階級差等，皆與古來傳統相背；而立教基本精神，則仍與傳統相符，即「如何離苦」是也。佛教之前，吠陀强調神力，奧義書重梵我合一，以至彌曼差之解說神通，吠檀多之由小我以返大我，數論之離自我以復神我，皆先假定一人以外之宇宙本體；而以我之心靈，歸向此本體，作爲解脫離苦之道。佛教則以一己自覺心（後來所謂「佛性」、「如來藏」、「眞常心」）之豁醒，作爲離苦之不二法門；將一切存在，化爲情意感受對象（此與中國道家相近，故魏晉玄談，爲齊梁尊佛之階），强調其苦（「有漏皆苦」），然後予以擊破（「諸行無常」，「諸法無我」，萬有萬法，俱爲虛幻），由此顯示一心之寧靜自由（「涅槃寂靜」），亦由此而証悟解脫（此與老莊之觀賞逍遙，不遣是非與世俗處，又自異趣）。佛教理論，自小乘發展而爲大乘，由「自了自覺，渡脫苦海」，而「覺他渡他，同登彼岸」；而基本精神，仍在捨離世累（勞思光師之說）。故佛法與孔孟儒學，同爲强調一己之自覺心，而一則發用於否定世界，以求解脫，一則表現於肯定世界而務化成，是故中唐宋明以來，韓（愈）李（翺）、周、張、二程、朱、陸以至陳白沙、王陽明諸哲，雖思辨方式，深受佛法影響；而觝排禪教，揚斥佛老，仍爲一貫首務，即以此也。近賢或謂宋明理學爲儒表佛裏，固有見地；然理學核心，究在尊心性、美人倫，終與佛氏有異也。

佛教既重明覺，其最能明覺者則稱佛陀（Buddha），又作浮圖、浮屠，略之為「佛」，皆音譯也（佛，今作唇齒音f-，古則凡唇齒音皆讀雙唇音，「佛」亦讀如「勃」b-）。「佛陀」意為「覺者」，其義有三：

一　自覺＜覺察煩惱，破「事障」。
　　　　　覺知事理，破「理障」。

二　覺他——大雄無畏，勇猛精進，使人亦覺悟。

三　覺行圓滿——自覺、覺他，皆圓滿無缺。

唯能自覺者稱「阿羅漢」（不生惡濁世界也）；復能覺他，但未圓滿者稱「菩薩」（菩提薩陲，「覺悟」之「有情」也）；能覺行圓滿，乃稱「佛陀」，亦稱「如來」（悟如實之道，來成正覺也）。佛教精義，謂一切衆生，皆有佛性，皆能成佛；而釋迦牟尼，則成佛之楷模，亦佛徒之萬世師表也。

釋迦牟尼（Sakya—muni）「能仁」族之「寂默賢人」）亦為一尊稱。本姓瞿曇（喬達摩 Gautama「地上最勝」也），生西元前五六五年，為中印度淨飯王太子，幼敏慧勇健，感衆生苦痛，毅然敝屣尊榮，入山求道，以窮人生究竟（時年十九，一作廿九）；歷數年，終於十二月初八日（後稱臘八節），成就正覺，時年三十（一說卅五），自後遊行說法，轉法輪以悟衆生，渡化四衆。「四衆」者，比丘、比丘尼、（出家男女弟子）、優婆塞、優婆夷（在家男女弟子）是也。西元前四八五，年八十，遂入滅（稱為「涅槃」又譯「泥洹」，意為「圓寂」，謂眞善美備，而煩惱盡滅也）。

三、佛教基本義理

印度文化傳統，宗教哲學混一，佛法亦然；名相既繁，教義亦廣。至其基本義理，殆如下述：

（一）教理之根據，印證佛法之總標準——「四法印」

一　諸行無常——一切意志、欲望活動，皆忽起忽滅，起伏無常。

二　諸法無我——一切意識內容，均由無量數因素而成毀，遷變無常，故均無眞正主宰性，均不能自我作主。

三　有漏皆苦——有需求，即不圓滿，即有苦痛（「三法印」之說則無此項）。

四　涅槃寂靜——戡破生死煩惱，則欲海寂靜，再無苦濤。

（二）佛法總綱——「四聖諦」

一　苦（迷果）——有情衆生，一切皆苦
二　集（迷因）——過去之「業」，爲現在之苦因
　　現在之「業」，爲將來之苦因 ｝「世間」。

三　滅（悟果）——苦除樂得，解脫世累
四　道（悟因）——修戒定慧三學，行八正道之類，以滅苦得樂 ｝「出世間」。

（三）衆生之描述——「苦諦」

有情衆生，分爲三界六道，四聖六凡，而植物不在其列，蓋佛教以世界爲情意感受對象也。

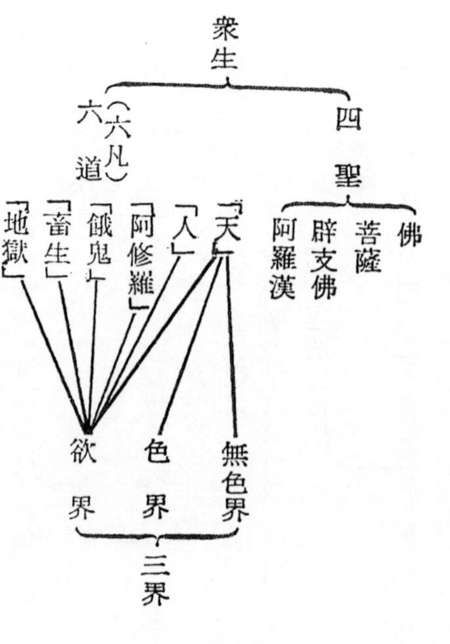

天，梵名提婆，本爲「諸神」之義。佛教襲用傳統名義，而漸變之而爲修養境界之稱。蓋三界六道，皆相流轉，視一心之修養何如。其後中土禪宗所謂：一念迷卽墮地獄，一念覺卽成佛，則「宗教喩示」淨盡，而直指佛法精旨者也。衆生活動於「器世間」，無非是苦，地獄之最苦甚。人亦有所謂八苦——生、老、病、死、愛別離、怨憎會、求不得、五蘊熾盛是也。超凡入聖，其苦漸減；完全離苦得樂者，則爲「佛」之境界。

〔四〕世間之因——「集」諦

由小乘至大乘諸家，解說世界緣起者，其說甚繁，要之不外表示無創造主、無目標、無計劃；世界痛苦無常，萬象皆在成、住、壞、空四劫變動之中；而苦界生起次序，卽所謂「十二因緣」：

三世十二因緣

- 過去因
  - 無明——一念昏惑，煩惱始基
  - 行——造作諸業，或善或惡
- 現在果
  - 識——生命本體，包孕衆業
  - 名色——生命形式
  - 六入——六根，感受之器（眼耳鼻舌身意）
  - 觸——「六根」接觸「六境」（色聲香味觸法）
  - 受——所起感受
- 現在因
  - 愛——有愛戀
  - 取——有欲取，於是廣造身口意諸業
  - 有——此生作諸業，爲他生有漏之因
- 未來果
  - 生——由此生而他生，又造五蘊之身
  - 老死——生之必然結果

← 還觀（論理次序有無明，乃有行；有行，乃有識）

→ 往觀（由人生之最苦現象起觀，究其原由）

自奧義書以來，以至各派哲學，多有類似系統，而佛教十二因緣之說，最爲整齊，亦最富心理分析。煩惱既爲心意所造，則心下澄明，煩惱亦能了斷。此義至中土禪宗而大明。

（五）世界之捨離——「滅」諦與「道」諦

轉迷開悟——理——解
離苦得樂——道——行 } ↓涅槃（常、樂、我、淨境界）

（六）基本方法

一　皈三寶——以「佛」爲目標，以「法」爲軌則，以「僧」爲傳持。

二　通三藏——經：佛所說教也。
律：佛徒所守所戒。
論：經律之闡發。

三　修三學——戒：諸惡莫作，衆善奉行，以防身口意三業。由此而能定。
定：攝心靜慮。由此而得慧。
慧：破惑證眞。由此而解脫。

四　滅三毒——貪：迷於幻妄物事，力攝而無厭。
瞋：拂於逆情物事，怒恨而忿害。
痴：心性闇昧，迷於事理，卽所謂「無明」也，一切煩惱，由此而生。

五　六　度——布施、持戒、忍辱、精進（戒）、禪定（定）、智慧（慧—音譯般若）。

六　八正道——正語（除口惡）、正業（除身惡）、正命（以正事謀生）——戒
正念，正定——定
正見，正思惟，正精進——慧

四、天竺佛法之發展

釋迦既逝，弟子大迦葉代領其徒，會誦衆聞，集結佛說爲四阿含經（萬法歸趨也）、八十誦律及諸論，三藏俱備。其後百餘年有阿育王，六百餘年有迦膩色迦王（西元二世紀），護法最力。因佛教之本身優點，佛徒之先後努力，於是教被全印，其間佛典結集共有四次，南傳者爲巴利文字，北布者則爲梵文（今則梵文多散佚，惟漢文佛典最富，巴利、西藏文次之）。其時佛法弘布既廣，支派衍生日衆，由「上座」「大衆」兩部，分成二十餘部，皆後世所謂小乘也。

小乘（**Hinayana**）大乘（**Mahayana**）蓋以發展而分。乘者，運載行人，捨離苦海也。今日東南亞各地佛教，多爲小乘；北方中日諸地，則屬大乘；然小乘教徒，亦非如大乘所謂心量狹隘，唯知自度，故宜稱「部派佛教」；大乘佛教從小乘發展，但經典來源，多無可徵，故有「大乘經非佛說」之論。實則覺行圓滿，卽爲佛陀；非必釋迦而後稱佛也。

一般所云大小乘之別，殆如下表：

	小乘	大乘
經	如四阿含，稱「聲聞藏」。	如法華、華嚴、解深密，稱「菩薩藏」。
論	如俱舍論、成實論。	如中觀論、起信論。

理	本印度傳統「依業輪迴」之說，一切成住壞空、生老病死，皆無始以來業力所轉，此生所思所作一切諸業，亦加於生命本體以運轉於無窮，以「法印」爲教理根據。	漸輕「業力」而重「心性」，以一切物事，皆眞如本體，以菩提（明悟）妙心爲教理根據。
行	主於自度。	以度他爲自度。
果	阿羅漢，辟支佛。	菩薩，佛。

最先發展大乘思想者，爲一世紀時之馬鳴，二世紀時，龍樹繼之，大昌「般若中觀」之學（般若，智慧也；中觀，不墮於任一偏見也），造中論、十二門論；弟子提婆造百論，其義以爲世界之變幻，固屬虛妄；心象之生滅，亦非眞常；蓋萬物成毀，由於億萬因緣，一切諸法均有時地約制，故均非實有，皆不可迷妄執著（此義與莊子最近）。最後眞理（所謂「諸法實相」），無可言說，無可擬議，既非「有」非「無」，故姑且以假立之名，稱之曰「空」。故一切言說，闡明大「空」之義者，亦不過「夢中說夢，以言遣言」而已。其後三論、天台諸宗，即由此發展。此一理論系統，稱爲「法性宗」或「空宗」。

龍樹又有弟子龍智，弘持眞言密教，於是大乘顯（以文字言說明顯教化）密（以秘密眞言冥妙傳持）皆行於世。四世紀時，無著、世親兄弟，據解深密經，瑜伽師地論，造攝大乘論、唯識三十論、十地經論等，發揮「妙有」之理。而護法、戒賢等張之：謂「萬法唯識」——一切山河大地，思慮辨別，皆由第八識含藏之無數「種子」，現行而起。蓋佛家有八識之說，識者，了解辨別之心也：

（內）所依六根	對　（外）所緣六塵	所生六識
眼根	色	眼識（視覺）
耳根	聲	耳識（聽覺）
鼻根	香	鼻識（嗅覺）
舌根	味	舌識（味覺）
身根	觸	身識（觸覺）
意根	法	意識（思慮分別）

第六識爲向外起滅無常之思量；其向內思量恒常不斷，則爲第七「末那識」之作用。「末那」亦卽「意」，爲「我執」（迷執於自我）、「法執」（迷執於現象，迷執於理論）之根本。而一切諸法之根本，則爲第八「阿賴耶」識，意卽「藏識」，謂一切事物根源種子，莫不含藏其中也。所謂「萬法唯識」，卽一切含生有情之類，無始以來，各自具有八識，以至無生、無情之山河大地，亦不外此八心識之所變現，乃能被了解，被辨別，故曰「三界唯心」。此其大意也。

龍樹空宗，說一「言亡慮絕」之超越本體，但何以有山河大地之物象？何以有審辨思量之心理？窮其緣起，乃由第八識含藏一切種子，統貫三世（過去、現在，未來），變現萬物，故空宗多言「色卽是空」（有形萬物，因緣所生，非本來實有），有宗所重「空卽是色」（宇宙萬物雖無實性，因緣關係則爲實有，本體亦唯在事象中顯現。）論主妙有，故稱「法相宗」，亦曰「有宗」。瑜伽（與理相應也）唯識之學，於是與般若中觀之學並峙。

佛滅後一千一百年頃，卽中國隋唐之際，爲天竺佛教全盛時期，君主（如戒日王）崇信，宗匠輩出。清辯、智光，弘龍樹之教；護法、戒賢，昌唯識之學；而均以摩揭陀之那難陀寺爲說法中心，「大空」「妙有」，爭爲雄長，四方俊乂，咸集論辯；玄奘東行，卽治學此地，而躬與其盛焉。

其後，重儀式咒語、神秘經驗之眞言密教代盛，婆羅門教亦漸復興，吸收佛理，曰印度教，化流日廣。西元一二〇三年，伊斯蘭教徒攻入印度，毀寺碎像，戮殺僧徒，佛法大衰，而南傳南洋之小乘，北播中、日之大乘，皆甚昌盛。尤其隋唐之際，八宗並興，教理弘揚；方之天竺，有出藍之致焉。

乙、本　論

五、佛法入華概說

佛法自漢世入華，歷魏晉南北朝而隆盛，迄至隋唐，乃達峯巓。唐宋以來，則學士文人，雅賞禪風；利器鈍根，同弘淨土。考其由傳入而興盛之因，殆如下述：

（一）基本原因

一　中國傳統儒道之學，均非宗教；靈魂身後，避而不談；六合以外，存而不論。佛家則三界六道之宇宙秩序，既較陰陽五行之說爲豐富近情；心性主宰，形上哲理，又不在孔孟老莊之下；又有心理分析，以至三生因果，報應輪迴之說，更使上智下愚，俯首傾耳；是故二千年間，佛法乃得與儒道之學，三分中國心靈。

二　佛教教義，與佛徒說法，均富寬和、平等、寧靜、恬淡精神，雖其基本目的，在捨離世累，與人文化成之孔孟傳統不同，而與國人心靈，實多契合。且自入華以來，未嘗挾外力以自重，亦無文化種族優越，居高臨下之感，是故二千年來與中土儒、道以至其他信仰，雖非全無衝突，而大抵所趨，融合調和，並行不悖。

（二）入華背景

一　漢儒說經，餖飣瑣屑；義理大端，避而不談；

二　陰陽方士，鑿談術數，圖讖緯書之學，天人感應之說，足以欺罔下愚，不足以饜啓上智；

三　張騫、班超以來，中土西域，交通漸盛；

四　漢末以還，世積衰亂，宗教慰安，需求殷切；

五　五胡亂華，夷漢雜居，文化交流，與日俱盛；

六　西域天竺，高僧踵來，航海梯山，播道情切。

〔三〕初入中土

佛法初傳中土，始自何時，已難確考，其時知者極少，載籍殘缺，徵信不易；傳說附會，更不足據。譬如「永平求法說」謂東漢明帝夜夢金人，既知爲佛，乃以蔡愔、秦景、王遵爲使，遇竺法蘭，攝摩騰，乃以白馬負經而至洛陽，因有白馬寺，傳四十二章經云云。此說漏洞殊多，四十二章經，亦甚可疑。近賢梁任公、湯用彤諸先生，辨之已衆。然漢代佛法，純爲祠祀形式之一，重輪迴報應，省欲去奢，奉佛爲神，與道教方術合流。特殊學說，未爲時知。重要僧徒，有安淸（世高）、支讖等。

漢魏之際，淸談漸盛，梵經譯出較多，佛教漸脫離方術，契合老莊，高談淸淨無爲之玄理。高僧有支謙，康僧會等，均出西域。又有魏人朱士行，入道爲沙門，西行至于闐，傳寫胡本梵經（放光般若），是爲漢人出家之始，亦西行求法之第一人。士行又以老莊之理，闡明般若，於是佛理漸行，非復齋戒祭祀之教矣。

六、始盛期

佛法至兩晉而漸盛，由傳譯時期漸入弘通時期。考其原因，蓋有數端：

一　漢魏以來，經術陵夷，思想解放，偏安而後，大暢玄風；而于法蘭、竺叔蘭、帛法祖、康僧淵、竺道潛（法深）、支遁（道林）等，以般若妙理，闡發老莊（參看本書莊子章逍遙觀賞一節），卓美深微，名士傾服，談空說有，遂成時嗜。

二　胡漢雜居，華夷界限漸泯，佛法雖出西土，亦得流布中原，胡主護法，尤盡心力。

三　劉石亂華，殺戮酷慘，龜茲高僧佛圖澄入洛行化，憫恤蒼生，以方術導引胡主，以報應警戒人心，於是或出家以避亂，或禮佛以求福。三十九年之中，宗徒近萬，建寺近千，佛法廣被，翕然向化。由佛圖澄而有道安，而有鳩摩羅什、慧遠。此四大士者，重感化，組團契，深義學，勤注譯；後世推稱龍象，當時仰為泰斗；高僧輩出，天下向風。

（一）道安、慧遠、羅什

道安（三一二—三八五）不通梵文，而深契佛理，條分縷析，蔚為論宗，又編集經目，制定行儀，樹立制度。觀當時沙門，多隨師姓：師由印至，則曰「竺」；由安息至，則曰「安」；由康居至，則曰「康」，由月氏至，則曰「支」；以為師莫如佛；四河入海，不復河名，四姓（婆羅門、剎帝利、吠舍、首陀羅）出家，同稱「釋」氏（增一阿含經），嗣後為佛教永式。道俗風從，望聞西域，遂有「彌天」之號，弟子甚多，而以廬山慧遠（三三四—四一七）最著。

慧遠與居士劉遺民、雷次宗、宗炳等，共期西方淨土，修持念佛法門，使上智下愚，皆能悟道，勤苦修行，戒律嚴謹，中唐以後乃有共結白蓮社、陶（潛）謝（靈運）皆嘗加入之說。遠公又遠派弟子求法西域，迎佛陀跋陀羅（義為「覺賢」），天竺高僧，學承「有宗」；與羅什論法於長安，意見未合，什公門人攻之，乃南下）、譯達摩多羅禪經，又譯華嚴經，為大乘有宗要籍。而不拜王者，不通權貴，高風亮節，為世宗尚焉。其時大涅槃經尚未譯出，中土未有「涅槃常住」（佛性永在）之說，遠公著法性論，闡發其義，鳩摩羅什見之，歎爲暗與理合。

其時南方佛教中心，既在廬山，北方則龜茲高僧鳩摩羅什（三四四—四一三），自涼州卓錫（居處也）長安，後秦姚興尊爲國師，主持佛教，大開譯場，襄譯高僧近千，其中般若、金剛、法華、維摩詰、阿彌陀、梵網諸「經」、十誦「律」、成實、大智度、中、百、十二門等「論」，影響後來之傳戒開宗，既深且遠。嘗論繙譯佛典之難，謂「改梵爲秦，失其藻蔚，雖得大意，殊隔文體；有似嚼飯與人，非徒失味，乃令嘔噦」，然其學深才茂，終爲舊譯泰斗，（新譯則推玄奘。什公所弘，多屬中觀一系；玄奘則重瑜伽。後先輝映，並稱大師），門下弟子號稱三千，散佈大江南北，三論、成實、涅槃等宗，皆從此出，而道生、道融、僧肇、僧叡，稱關內四聖焉。什公與慧遠雖未謀面，而音問常通，互致推重。論者謂廬山佛教，如深秋枯木，旨趣閑寂，長安佛教，如春花盛開，生氣勃發，蓋紀實也。其時護法君王，首推姚興，晉書謂興既托意佛道，公卿以下，莫不欽附，沙門自遠而至者五千餘人，坐禪者千數，州郡化之，事佛者十室而九，可以見矣。

什公卒後，僧肇最稱高慧，著般若無知論、不眞空論、物不遷論，又有答劉遺民書，皆佛理要籍，其旨在辨佛道殊異，以「般若」（佛智慧）爲萬法根本，爲唯一「實在」。佛法至此，又入一新階段。不幸早逝，誠可惜也。其後胡人入主既久，體國經野，漸尙儒術。北方法教稍衰，又有北魏太武帝毀法，高僧名士，相繼南渡，自後南北佛學，風氣有殊，南精義理，北重行持，蓋由風土民性致之也。

〔二〕求法譯經運動

佛學入華，初期所譯，率無原本，蓋北印諸國類皆師師相傳，無本可寫，佛典漢譯，惟憑闇誦，失眞程度既大，爭議難明遂多，於是西行求法之熱潮以啓。而雪山焰地，寒暑懸殊；絕漠流沙，一生九死；齎志以歿，事蹟無聞者，不知凡幾！志節之偉，慕道之誠，可以風也。其去而能歸者，大抵熱心飽學僧人，堅忍恒毅，類能知我所缺，引彼之長以歸。

姚秦弘始初（西元四世紀末五世紀初），法顯奉詔求經，自長安出發，由陸路入印，歷三十餘國，十二年後，由獅子國（錫蘭）泛海經爪哇，在青州（山東）登陸，至晉京建業。佛法遂廣及江南。顯又著佛國記，記天竺諸地風土。印度向無信史，斯作尤爲史家所珍。

梵經既屢入中夏，繙譯之審擇覆勘，遂大勝從前。譯事進行，亦視前精密，非復一二胡僧、一二信士之對譯，而爲大規模之譯場組織。東晉廬山般若臺，建業道場寺，姚秦長安逍遙園，元魏洛陽永寧寺，北齊鄴都天平寺，北涼姑臧閑豫宮，劉宋祇洹寺，蕭梁華林園（皆在建業），以及後此隋大興之善寺，洛陽之上林園，李唐長安弘福寺，慈恩寺，玉華宮，薦福寺等，最稱有名。譯事分工亦密，有譯主、筆受、度語、證梵、潤文、證義、總勘等。譯場助手，通常卽譯主之弟子，往往要籍譯出，新宗遂立，積厚流光，遂有隋唐佛學之全盛。至繙譯方針，道安則主直譯求信，力排「格義」（以老莊之義，比附佛理而說明之也）；羅什則主於意而不盡拘於辭；慧遠則兼重文質，致信而並求雅達；亦踵事增華，後出轉精之理也。

〔三〕**道生與頓悟之義**

中土禪宗，至慧能而立；佛門心學，以禪宗而昌；所謂頓悟見性，蓋佛法之最高義也。禪門法統，有達摩初祖以至弘忍五祖、慧能六祖之說。而中土頓悟之義，實興於東晉支道林，謂菩薩修養至於「七地」（十階段之中之第七），卽有「頓悟」能力。然自初地至七地，七地至十地，仍有階段，猶屬「漸修」，故稱「小頓悟」。至道生乃主「大頓悟」說，而名士謝靈運申之，實禪宗之先導也。

道生（？—四三四）在建業時，據法顯攜來之六卷泥洹（涅槃）經，倡「善不受報」（「覺悟」乃衆生所同具之「佛性」爲之主宰；世俗善行，並非卽能轉迷成覺）、「頓悟成佛」、「一闡提人（惰不信佛者），亦具佛性」諸義。其時全本涅槃經未傳，人皆疑此邪說，譏忿而擯斥之，其後北涼曇無讖所譯「大本涅槃經」至京（時元嘉五、六年間、四二八—四二九），果如道生所說，衆乃大服，足見生公之洞入幽微，孤明先發矣。生公之意，以爲衆生皆本有佛性，是故迷固自迷，悟須自悟；了無障蔽，方得爲「悟」。故「漸修」也者，亦未脫迷境，程度雖殊，皆未至「悟」，故其迷則一；故實無「階段」可言。衆生皆具佛性（菩提）；倘不見佛性，則菩提爲煩惱；旣見佛性，則煩惱爲菩提，當下卽証涅槃（參看二三五——二三六頁）。此類理論，中唐以後，禪門常言，而生公之意，已與之契合矣。謝靈運辨宗論，卽闡明此義，而與慧觀之漸悟論相抗者也。

〔四〕**南方佛法**

南朝諸帝大抵奉佛弘法，建寺造像，旣以禮佛功德，冀求福田，時亦裁汰冒濫，以利統治。宋文梁武父子，尤善教理，蕭衍三度捨身同泰寺。捨身之儀，本源天竺，君王捨身入寺供服用，並捐財帛，而羣臣集資奉贖，以充寺產者也。王族、大臣奉佛亦多敬虔，齊竟陵王蕭子良，領袖名流，護法尤力，當時士大夫多與僧侶往來，談玄說法，亦魏晉之遺風也。

宋文帝立四學，「儒」雷次宗，「玄」何尚之，皆從慧遠遊。釋慧琳才學秀異，與決政事，號爲黑衣宰相，是爲沙門參政之始。慧琳著白黑論，入室操戈，譏佛教以來生福樂誘民，永開利競之俗；以無常苦僞論世，反增渴戀之心；至如建寺造像，糜費民財，結侶聚徒，聲勢日大，均非國家之福云云。於是朝野譁然，文帝、何承天等則甚賞之。同時道恒釋駿論亦謂當世僧徒，行多違法，坐食百姓，是執法者之所深疾，有國者之所大患云。

東晉末，桓玄下令沙汰僧侶，謂避役逋逃之民，集於寺廟，邑衆游食之羣，境積不羈之衆，即塵滓佛教，亦害政傷治，此以「政治經濟利益」反佛者也。宋末，道士顧歡作夷夏論，以華風戎俗善惡之比，定道佛二教優劣；他如何承天答宗少文書，以及西晉道士王浮所作化胡經，皆以「我族中心、華夷之別」反佛者也。東晉阮脩、阮瞻，素不信鬼；庾闡謂神不更受形，自後「神」「形」之爭雜作。宋何承天作達性論，謂形斃神散，猶春榮秋落，不更受形，此與南齊范縝神滅論，謂刀沒而利不存，形亡而神不在，心神既無，佛自無有，則皆以「神滅」反佛者也。歷代儒生道士排佛，以至三武一宗滅法，多從上述三端立論，對抗佛氏之捨離世法，蔑棄人倫，是皆佛法入華之反動也。（參看二二三、二二三九頁）

陳代干戈擾亂，而帝室奉法，尚如梁武舊規。天竺高僧眞諦三藏，繙譯攝大乘論、唯識論、俱舍論等，爲玄奘先驅，於是無著世親妙有之學，大弘中土，又譯馬鳴所造「大乘起信論」。此論後人多疑假托，而論眞如緣起，强調萬法現於心性，蓋中土佛學發展之要籍也。

（五）北地佛法

黃河流域諸地，姚秦據關中，尊羅什；北涼占隴西，奉曇無讖；主持譯經，影響廣遠。其後關中破亂，法事衰頹，拓跋氏入主中原，有道士寇謙之，依傍佛典，造作道經，强化組織，運用圖讖曆數長生仙化之術，自稱應運天師，輔佐北方「太平眞君」，繼承千古道統以致治，司徒崔浩深契之，甚得太武帝信任，乃有滅佛之意。

太平眞君七年（四四六），帝至長安，見佛寺有兵器，窟室有婦女，乃怒誅闔寺，藉沒寺產；且用崔浩之奏，廢寺焚經，毀像殺僧。太子晃緩宣詔書，先使遠近預聞，其禍稍減。其後浩誅（四五〇），太子死（四五一），帝弒（四五二），禁漸寬弛。晃子文成帝即位，用涼州沙門師賢，曇曜，復興佛法，山西大同雲崗石窟，涼州鳴沙石窟，均此時之傑構也。孝文漢化，善玄佛之學。宣武帝永平元年（五〇八），天竺菩提流支，勒那摩提至洛，同時各自繙譯十地經論，遂有地論宗。其後歷二人弟子道寵、慧光，乃分相州南北二派，唐代極盛之華嚴宗，即其流衍也。

北地朝野奉佛甚篤，而重在建功德，求福田，窮土木以造寺像，而與南方尚義理者異。蓋干戈紛擾，民不聊生；上智下愚，同祈福蔭。其遇可悲，其情可憫，亦不得遽以迷信誕妄斥之矣。

北魏既分東西，南北交通漸多，學術交流亦盛，北周重經術，建制度，寵衛元嵩，道士張賓，又厭佛道紛爭，武帝建德三年（五七四），詔廢寺觀四萬餘所，充王侯第宅，僧侶數百萬，還爲軍民，與太武帝、唐武宗滅佛，共稱「三武之禍」焉。佛徒之劫，固由王侯好尙、儒道排斥，有以致之；然傳播既盛，流弊亦衆，甚且貪婪自恣，浮圖竟爲貿易之場；蕩檢踰閑，淨土翻作誨淫之地；托名三寶，游手寄生；動機不純，又不僅迷信而已。加以叢林幽深，藏奸匿宄，謀亂者又往往挾宗教之力，煽惑民衆；是以歷代帝王，雖加宏奬；而管轄節制，亦不忽視，蓋以此也。

武帝又立通道觀，取釋老名人爲學士，弘闡二教。然北方高僧，多有南遷，曇遷靖嵩，習攝論於江南，下開法相宗；智者大師，立教天台，開法華宗；其著者也。及北周之末，丞相楊堅用事，佛教又盛。

大抵南北佛法之異，北偏於敎，南重於理。言敎則死生事大，篤信爲先；入主出奴，事所必至。言理則本體虛無，可涉老莊；救世勸善，無殊儒道；故辯爭雖烈，常趨調和，未嘗如北人之信敎認眞，因敎爭而毀滅也。南北對立，至隋唐而結束；文化交流，亦至隋唐而華實並茂。大乘八宗，異葩耀采，中土佛法，遂入全盛時期。

七、全盛期

（一）隋唐佛教發展概述

佛教經典至南北朝末，已譯出一四二〇部，三七四五卷，居今日大藏經（又稱「一切經」），卽佛典之總稱，今有一九一六部，八四一六卷）之泰半矣。而經典既多，隨經論重點所在，與乎僧徒之時、地、識見互殊，宗派更衆；深微教義，發揮益見透闢，遂有隋唐佛教之全盛。大乘八宗，風靡神州，而天台、華嚴、禪宗，最富中國色彩。

隋文帝篤信佛教。開皇元年，下詔復興佛法，京師及各大都邑，以官費鈔藏全部佛經，「大藏經」之名始此。十年，詔聽臣僚士庶隨意出家，天下僧侶多至五十萬。二十年，詔有毀佛像者，以大逆不道論。次年（仁壽元年），詔天下名藩，興建靈塔，分送舍利奉藏諸郡，以官庫金錢建像繕經，大度僧尼將三十萬。煬帝嗣位，亦皈依佛教，置翻經館及翻經學士，嘗迎請天台宗智者大師智顗，設千僧會，自受菩薩戒。又極尊三論宗嘉祥大師吉藏。於是全國風從，佛教大盛。

李唐代興，二百九十年間，爲佛教發皇時期。然開國之初，高祖不喜僧道，武德九年（六二六），下詔淘汰，京城三寺二觀，諸州各一。謂僧道之徒，妄自尊高，苟避徭役，造作妖訛，交通豪猾，招徠隱匿，誘納奸邪，故淘汰之。太宗則以唐室托源李耳，因極崇道教，而於佛教亦未損殘。

貞觀十九年（六四五），僧玄奘孑然一身，遠赴天竺，留學十七年，獲梵本經典六百五十七部歸來，太宗特於弘福寺設立譯場，主持弘法。高宗時，繼續尊崇，移主譯事於慈恩寺，數十年間，譯經六十七部，一千三百四十七卷。弟子窺基繼之，大弘唯識之學，成立法相宗，世稱慈恩大師。

武后崇佛，極力弘法。高僧義淨，於高宗咸亨二年（六七一），自海道至天竺，亦於證聖元年

（六九五）攜經回。玄宗時雖曾淘汰伲　」，而民間信仰已堅。開元時，天竺僧人善無畏、金剛智、不空等先後自陸海二道來華，傳布眞言密教，於是密宗又盛。據唐六典，開元中，天下寺總五千三百五十八所，五分之三爲僧，五分之二爲尼，掌於禮部；而佛經整理，亦以此時爲最備，其目錄卽後世稱爲「開元錄」（釋智昇撰）也。自後肅、代、德、順諸帝，佛教愈盛。憲宗曾命人迎佛骨於鳳翔，留宮中三日，以求福祉。朝臣韓愈上表極諫，被貶潮州。退之懷疑因果報應，又謂佛教來自夷狄，不宜崇奉；且古之治心者，將以有爲（禮記大學），佛氏則欲治其心，而滅棄天常，違背倫理（原道）。然佛教方盛，影響不大。憲宗以後，穆、敬、文諸帝，皆奉佛教，至武宗而後有滅法之舉。

武宗自幼不喜佛法，及卽位，師事道士趙歸眞，習長生符籙之術。歸眞乘寵，常排毀佛教非中國之教，蠹害生靈。宰相李德裕亦輔成其說。會昌四年（八四四）八月，制曰：「朕聞三代以前，未嘗言佛，漢魏以後，象教（佛教爲形象以教人，故名）寖興。是由季時傳此異俗，因緣染習，蔓衍滋事，以至蠹耗國風而漸不覺，誘惑人意而衆益迷。洎於九州山原，兩京城闕，僧徒日廣，佛寺日崇；勞人力於土木之功，奪人利於金寶之飾，遺君親於師資之際，違配偶於戒律之間；壞法害人，無逾此道！且一夫不田，有受其害者；一婦不蠶，有受其寒者；今天下僧尼不可勝數，皆待農而食，待蠶而衣；寺宇招提（梵語，四方寺院也），莫知紀極，皆雲構藻飾，僭擬官居。晉宋齊梁，物力凋瘵，風俗澆詐，莫不由是而致也。況我高祖太宗，以武定禍亂，以文理華夏，執此二柄，足以經邦；豈可以區區西方之教，與我抗衡哉！貞觀開元，亦嘗釐革，剗除不盡，流衍轉滋。朕博覽前言，旁求輿議，弊之

可革，斷在不疑……中外誠臣協予全意，條疏至當，宜在必行，懲千古之蠹源，成百王之典法，濟人利衆，予何讓焉！」（舊唐書）

次年七月，壞佛寺僧舍四萬四千六百餘所，長安洛陽留四寺，每寺留僧三十人，各州一所，分三等：上留二十人，中留十人，下留五人。其餘僧尼二十六萬五百人皆令還俗，收膏腴上田數千萬頃，廢諸寺鐘磬銅像，委鹽鐵使鑄錢，鐵像委本州鑄爲農具，珍寶器物付度支，寺材以葺公府建築，僧尼所養奴婢收爲兩稅戶者十五萬人。其時政治頗有起色，於此頗有關係。然佛教在華，已告根深蒂固，消滅不易，其勢亦不得不復。會昌六年（八四六），武宗崩，憲宗子光王怡以皇太叔嗣位，君臣務反會昌之政，敕復佛教，重度僧尼。懿宗事佛益篤，施捨無度，政治日壞；然而佛教亦不能恢復前此之盛況矣。

（二）玄奘（五九六—六六四）

玄奘，東漢太丘長陳寔之後也。生隋文帝開皇十六年，幼敏悟好學。大業初出家，既長，博精內典，尤深攝大乘論、俱舍論等「有」部經典。而徧謁名師，宗途既異；考之佛典，亦或顯或隱，莫知所從；乃誓遊四方，詢問所惑，以繼法顯之志；並取十地經論，冀釋所疑，即今之瑜伽師地論也。於是結侶陳表，有詔不許：蓋其時東突厥與唐對峙，形勢日急也。諸人咸退，玄奘不屈，以孤遊萬里，西路艱險，乃以人間衆苦，自試其心，堪任不退，乃毅然雜飢民隊中西行（釋慧立大慈恩寺三藏法師傳，羅香林先生舊唐書僧玄奘傳講疏，本節資料多據二篇），時貞觀元年也，路線大略如圖示：

貞觀五年（六三一），抵中印度摩揭陀，入那爛陀寺，從法相系統（有宗）無著、世親、護法之嫡傳戒賢大師學地論等要籍。又五年，復遍遊天竺各地數十國，訪求餘師，學瑜伽、因明之學於勝軍論師。其時法性（空宗）大師師子光，亦在那爛陀寺，講中論、百論，破瑜伽義。玄奘兼通空、有之義，以梵文作會宗論三千頌（頌，梵語短篇韻文，總括經義者也），會合空有二宗，一時翕服。

貞觀十六年，摩揭陀戒日王開大會於曲女城，五印度十八國主，大小乘高僧數千餘人，外道二千餘人，以玄奘為論主，破諸異見，立大乘義，備受尊禮。蓋其時唐平突厥，西域賓服，天可汗聲威，遠及天竺；加以玄奘學術深醇，志行高潔，乃

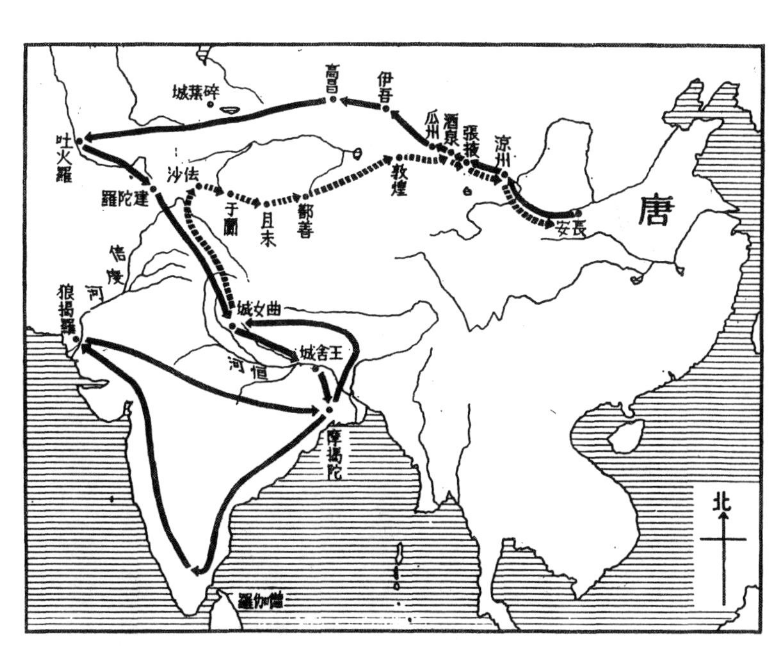

玄奘西行求法路線圖

能成中印文化交流之不朽人物也。

貞觀十九年（六四五）正月，玄奘返抵長安，攜回佛教各部要籍六百五十七部，太宗大悅，遣使郊迎卓錫弘福寺四年，主持譯經。二十二年（六四八）十月，大慈恩寺落成，勅迎住持，繼續翻譯。又十年移西明寺，復移玉華宮。六年卒，僧臘五十六，世壽六十九。

玄奘譯經十九年，成七十五部，一千三百四十一卷，包括方等、華嚴、解深密、般若（六百卷）等經；瑜伽師地論，顯揚聖教論，阿毗達摩論，攝大乘論，唯識三十論，百法明門等論；菩薩戒本等律。或創爲全譯，或勘正羅什舊本、而重新譯述，皆偉業也。八識規矩頌，則其代表著作。既寂，弟子圓測、窺基，光大其教，亦稱慈恩宗，蓋法相唯識之學也。中唐以前，爲各宗之最盛者。

八、隋唐以來中土佛教重要宗派

佛法入華，初本無分宗派；西晉以後，譯經漸多，據依既殊，門戶漸立，各本所重，以化衆生。隋唐以來，重要者有小乘二宗，大乘八宗；此外，攝論宗融入法相，涅槃宗入於天台，地論宗歸於華嚴。各宗義理精微，典籍繁富，非淺學如撰者之所能窺，但略述大端，如貧子之說金而已。

小乘 ⎧ 成實宗（空）
　　 ⎩ 俱舍宗（有）

大乘
- 三論宗（空）
- 天台（法華）宗（空）
- 法相（唯識）宗（有）　}教下三家
- 華嚴宗（有）
- 律宗（有）
- 密宗（眞言宗）
- 淨土宗（蓮宗）（有）
- 禪宗——教外別傳

（一）成實宗

依羅什所譯成實論立宗，「成」就佛理「實」義也。以「色」「心」二法，俱屬空無，故本四諦發揮「人空」（「我」並非眞實）、「法空」（一切現象、理論亦無實性）之理。爲小乘空宗之最勝義，至唐乃微。

（二）俱舍宗

依眞諦所譯世親俱舍論立宗。「俱舍」譯音，「對法藏」之意。以一切萬法，皆起於「業感」，「我」雖空幻，「法」則實有。本之以知「苦」，斷「集」，證「滅」，修「道」，以達涅槃。係小乘有宗之最高發展，唐初甚盛，後融攝於法相宗。

（三）三論宗

羅什弟子僧肇等，本龍樹中觀論（中論）、十二門論、提婆百論，旁采大智度論，發揮「法性本空」之義。隋唐時，嘉祥大師吉藏弘揚其學，其後本宗勝義，收攝於天台宗。

（四）天台宗

北齊慧文因中論，大智度論而悟「一心三觀」「三諦圓融」之理。三諦者：空、假、中也。宇宙萬象，皆由無數內「因」外「緣」交織而生，互依互制而存，故皆無自主自足之性，故因緣之理，實不可思議，不可言說，故曰「空」（普遍）；萬法雖空，而爲設施言說，夢中說夢之便，不得不各各假立名目，作爲勉强分類，是之謂「假」（特殊）；但「假」而無「空」，則無由生成；「空」如無「假」，則無由表現；故萬法之最後本體——「法性」，非空非假，亦空亦假；無任何條件限制，亦超越一切言語、思慮，不墮於一切對待關係（如生滅，常斷，同異……）之任何一邊，故名曰「中」。龍樹空宗之學，大意如此。慧文則更以三諦互不相離，言「中」同時卽假定有「空」「假」，言「空」、「假」亦然，故三諦互具互融，永不孤起，故曰「**三諦圓融**」。且言「空」，所以破迷執於「假有」，言「中」，所以破迷執於「空無」，於是世人又以「中」爲最後實在；不知最後本體，言忘慮絕，不可思議，勉强名之曰「中」，則「中」亦是「假立」之名，亦受言語思慮限制。故三諦皆可從一心觀之：以之爲「空」，則「空」固是「空」，「假」名亦是空幻，「中」道亦非實有；以之爲「假」，則「假」固是「假」，「空」「中」亦是假名；以之爲「中」，則事事物物，皆足以顯示法性，皆足以表現「中道」，故曰「**一心三觀**」。此理歷慧思至智顗，在陳隋之間，稱智者大師，立教天台山，遂益光大，又稱法華宗。以妙法蓮華經爲正依，以大般若經、大涅槃經爲扶疏，有「諸法實相」「一念三千」諸說：謂萬法（現象）皆「眞如」本性（心性）之顯示，故三千世界（森羅萬象），一念可通；成佛墮獄，皆一念爲之主。佛法心性主宰眞義，至此大顯，「業力」限制減低，論者謂頗受孔孟心性理論影響，與華嚴宗同爲華化佛教，蓋以此也。

智顗弟子灌頂（章安大師）輯師敎爲法華玄義、法華文句、摩訶止觀三大部，自後承傳不衰，迄至於今。

（五）法相宗

此宗屬天竺妙有一系，依楞伽、華嚴、解深密等六經，瑜伽師地，顯揚聖敎，攝大乘，百法明門等十一論立宗，以明諸「法」外「相」（現象）故名。又以一切萬法唯「心識」所造，故又稱「唯識宗」。陳時，眞諦三藏已譯法相經論，其敎未行，唐初玄奘西遊歸國，揉合諸大論師之學爲成唯識論，傳弟子圓測、窺基（慈恩大師），於是其學大盛。要在論八識之「能變」與「所變」，有「種子現行」「阿賴耶緣起」「五位百法」諸說，以冀變迷爲悟，轉識成智。理深詞繁，通解不易。其後華嚴（法相一系之華化），禪宗（經論名相之澈底遮撥）勃興；加以會昌法難，論疏失散，其學遂微。淸末民初，典籍漸自日本取回。以其分析現象、心理，深微周密，頗爲學者所喜，謂絕不遜於西學云。

（六）華嚴宗

依華嚴經立敎，故名。晉末，佛陀跋陀羅譯此經六十卷，隋開皇十三年，終南山杜順和尚（亦稱和上，「親教師」之意」）依之立華嚴法界觀，爲此宗初祖。歷智儼（二祖）傳賢首大師法藏（三祖），著述弘富，大振宗風。弟子慧苑另立異說。至中唐，淸涼國師澄觀（四祖），發揮賢首本義，圭峯大師宗密（五祖）繼之，兼揚禪風。後歷唐武宗、後周世宗二次教難，法運遂頹。

本宗教理，承法相唯識一系而擴大之，爲地論宗之發展。而經論義理，每多新創，富中土色彩，與天台並稱。大要如下：

甲、法界緣起

宇宙萬象森羅，一一互爲緣起（因此一現象，乃有萬千其他現象；亦因萬千其他現象，乃有此現象），如天珠帝網：每一珠映現其他千萬珠，亦映現於其他千萬珠中。萬法同由因緣生，皆爲一心之顯發，故最高之「普遍」，映示於每一「特殊」；此之謂「性海圓融」。

乙、四法界

四法界者，眞如實相之四種表現也。一曰事法界（現象）：指宇宙諸法千態萬狀，波瀾河海，面目不同。二曰理法界（本體）：萬法之理，其實同一（眞如），譬如河海波瀾，面目雖殊，同爲一水。三曰理事無礙法界：理爲事之憑依，事爲理之表現，理體事象，不一不異，相融相卽。四曰事事無礙法界：多如塵沙之宇宙萬法，既均同一理體表現，故異而實同，相融相攝。本宗於此，又立「十玄門」以釋之。

此外，又有三性同異，六相圓融諸說，皆在說明本體（理）與現象（事）、現象（事）與現象（事），不相衝突，皆出於一心，亦皆還一心之中，以顯心（佛）之境界，無所滯礙，無所不通。

〔七〕律宗

戒律與經論共稱三藏，本各宗共持，而他宗立教，皆講教理；此宗獨以秉持戒律行持爲主。要義不外諸惡莫作（止），衆善奉行（行）。天竺戒律，傳於中國，弘布最廣者爲四分律。隋唐大乘興盛，消極戒律漸不適用。唐初終南山道宣律師，以大乘教義釋四分律，使「行」「解」相應，遂成專宗，亦稱南山宗。陵遲於元明，而復興於淸初。古心、三昧、見月諸師踵起，傳戒於江蘇寶華山，爲南北各大叢林之所共遵。

〔八〕密宗（眞言宗）

以大日如來秘密眞言持咒爲宗，精髓在曼荼羅（佛像教壇之圖），行身、口、意三密，以爲加持之力，最富神秘意味。唐玄宗時，天竺善無畏、金剛智、不空，來華弘揚其教，稱開元三大士。蘇悉地經、金剛頂經、大日經等密典三大部，全數譯出，昌盛一時。會昌以後大衰，宋明更微。不空弟子惠果阿闍黎（傳教師也），傳日僧空海、弘法於日，稱東密；同時印度蓮花生上師，奠喇嘛教於西藏（喇嘛，無上高僧也），稱藏密；傳流至近世。

〔九〕淨土宗

此宗立教，因「信」仰而發「願」，因志願而修「行」，以此三者爲資糧，而稱名、觀像、默想，一心不亂，以念阿彌陀佛，而乃得其助往生淸淨安樂之西方佛土。故此宗兼仗他力，與佛教其他宗派主於自力者不同。平易簡捷，亦使上智下愚，均受吸引。

東晉時，廬山慧遠，開念佛法門，發願往生，稱「慧遠流」。唐初光明大師善導，承梁曇鸞、其師道綽之後，以無量壽經（魏康僧鎧譯）觀無量壽經（宋彊良耶舍譯）阿彌陀經（鳩摩羅什譯）往生論（菩提流支譯）立淨土之教，稱「善導流」。中唐慈愍三藏慧日，留印歸來，主念佛之說，爲「慈愍流」。其後風靡全國，與禪宗共歷宋元明淸諸代不衰。

（十）禪宗

此宗本禪那立教，故名。梵語禪那，本爲靜慮思惟，專注一境之意，徐徐入定，不使散亂，一旦豁然貫通，即可明心見性。釋迦菩提樹下，夜覩明星，成最正覺，即其端倪也。此本三學六度之一，而實萬行之根，本各宗所共修者也，謂之如來禪。六朝時，南天竺菩提達摩來華，入北魏，專倡不立文字，直指心性之禪法，謂之祖師禪，至慧能（亦作惠能）而禪宗大成。蓋佛教義理之密、名相之繁，至唯識、華嚴而極；而精密之語文、理論，與超理性之經驗、感悟之間，距離益廣；理障不除，煩惱不盡。加以華嚴、天台，强調心性，證立眞常，其勢必至絕對肯定心性；以心性之外，別無眞如，一切語文、經典，皆爲次要；甚至倘妨碍佛性之發現，則一切語文、經典，皆在屛棄之列；業力輪迴，更無意義。天竺佛法，至此貌盡神留，而成最純粹之中國佛教。

按大梵天問佛決疑經載：「梵王至靈山，以金色波羅花獻佛，捨身爲床座，請佛說法。世尊登座，拈花示衆，默然無言。一時百萬人天悉皆罔措；獨金色頭陀（頭陀，抖擻煩惱，離諸滯着也）破顏微笑。世尊曰：吾有正法眼藏，涅槃妙心，實相無相，微妙法門，不立文字，教外別傳，咐囑摩訶迦葉」。佛徒以此爲禪門之始，自後祖祖相傳，心心相印（印證此一超理而頓悟之心態也），法源無二，至達摩爲二十八祖，即中土初祖云云。

梁武帝普通七年（五二六）九月，達摩渡海至粤，武帝使使迎至金陵，問答之間，話未投機，師遂渡江至魏，止於嵩山少林寺，傳法於二祖慧可（四八七——五九三），再傳三祖僧璨，四祖道信（五八〇——六五一），五祖弘忍（六〇二——六七五），稱黃梅大師，時當唐高宗之世，座下徒衆甚盛，而神秀、慧能最高。

神秀（六〇六——六七五）姓李氏，汴州人，少學經史，博綜多聞，既師弘忍，以樵汲自役，忍亦深加器重，謂懸解圓照，無先秀者。

慧能（六三八——七一三）姓盧氏，南海人，貞觀十二年生，三歲喪父，鬻薪奉母。一日，聞人誦金剛經，問所由來，遂詣蘄州黃梅山之東禪院，謁弘忍，服勞於杵臼之間，稱盧居士。一日，弘忍集弟子七百餘人，敕各述一偈，若語意冥符，則衣法皆付。上座神秀，學通內外，衆所崇仰，咸共推之，乃於廊壁書偈云：

「身是菩提樹，心如明鏡臺；
時時勤拂拭，莫使惹塵埃。」

盧居士聞人誦之，以爲有此念在，已非悟覺。至夜，自執燭，倩江州別駕張日用爲書偈於其側云：

「菩提本無樹，明鏡亦非臺；

本來無一物，何處惹塵埃？」

蓋謂「樹」「鏡」以至一切名相、理念，皆爲比喻假設；倘執着於此，則不能無滯礙矣。禪門南頓北漸之別，自此乃見。

及後弘忍知之，遂密付衣法，去而隱於南方漁村數年。儀鳳元年，年卅九，至南海法性寺落髮受戒。翌年，歸故鄉曹溪寶林寺，弘禪法，門人錄記其教，稱爲壇經。而神秀在北，深爲武后所尊，屢以其薦，詔迎慧能至京，而固辭不起，謂恐北人鄙其形陋，而不重法，又先師謂其有緣嶺南。開元二年寂，年七十六，稱爲六祖，爲禪宗南派之始（以上生平，見六祖壇經行由品）。門下高弟四十餘人，而行思（？——七四〇）、懷讓（六七七——七四四）、神會最著。

開元中，兩京之間，皆宗神秀，亦號六祖。曹溪頓旨，沈廢荆吳；嵩嶽漸教，盛行秦洛。神會乃設無遮大會（公開而無所遮阻之會也）於大雲寺，論定法統，大昌頓教，世稱荷澤大師焉。自是北宗衰歇，南派日盛，遂成禪宗正統。而自慧能以後，廣傳弟子，徧施法雨，稱師而不稱祖。其後衍成五家七派，可見傳承之盛矣。

- 曹溪慧能
  - 南岳懷讓——馬祖道一——百丈懷海（七二〇——八一四）
    - 溈仰宗
    - 臨濟宗
      - 黃龍派
      - 楊岐派
  - 青原行思——石頭希遷
    - 曹洞宗
    - 雲門宗
    - 法眼宗

自百丈禪師制定淸規，開自給自立之叢林農禪先河，承傳組織更固。會昌滅法，禪宗以不賴經典，影響獨微。自宋以後，曹洞、臨濟二宗最盛，近世南北各大叢林，猶多臨濟子孫。

禪宗之教，以爲諸佛妙理，非關文字，教理爲思辨之物，而非當下本體；名相愈繁，理論愈密，則迷途不反，距離彼岸更遠。一切佛典，無非說明超脫生死，解除煩惱之理；此理如月，初生甚微，明眼先覩，乃以指示之，以導愚暗，愚人不曉，反以指爲月。故一切經論，不過爲指，今人以爲經典卽佛理，是以研經雖苦，而眞月不見也。實則心源無色無相，禪境惟有親驗，任何符號，均不足以表達。故須不落言詮，方能見性成佛，此蓋由天竺佛學以言遣言，進而不立文字，以行代言者也。

禪宗以爲衆生與佛，原同此心；空寂眞常，本爾淸淨；只以無始以來，翳於妄想，背覺合塵，以是迷惑，流轉生死。故世尊自云：「我本意唯爲一大事因緣，故出現於世。」一大事者，普渡衆生出生死海而登彼岸也；故迷迷相續，是爲衆生，悟悟一如，是爲謂佛；佛與衆生，不過迷覺之別，眞心本覺，不有增添，譬之浪子回家，但獲本有，已爲至足。是以修無所修，證無所證（意本宋永明壽禪師宗鏡錄）。蓋人心卽萬有本體，迷覺皆由心自造，故淨土地獄，皆在人之心中。終日靜坐、誦經、禮佛、修行、布施，倘其心執着，則並不成佛；反之，一念淸淨，一念覺悟，當下卽證菩提，卽成正覺。

禪宗寶筏，共推六祖壇經，其言曰：

「識自本心，見自本性。」

「自性若悟，衆生是佛；自性若迷，佛是衆生。」

「當知愚人智人，佛性本無差別；只緣迷覺不同，所以有愚有智。」

「我心自有佛，自佛是眞佛；自若無佛心，何處求眞佛？」

「凡夫卽佛，煩惱卽菩提。前念迷卽凡夫，後念悟卽佛；前念著境卽煩惱，後念離境卽菩提。」

「於念念中，自見本性淸靜，自修自行，自成佛道。」

其後歷代祖師，尤其臨濟一派，亦重機鋒話頭，甚至當頭棒喝，藉參所謂禪門公案，以點迷成悟，如景德傳燈錄載：

問：如何是禪？　師答曰：「碌磚」

如何是道？　「木頭」

那個是佛心？　「牆壁瓦礫」

如何是西來意？　「問取露柱」

如何是佛？　「乾矢（屎）橛」

蓋瞿曇立教，本在戡破迷執，捨離煩惱；倘迷信於觀念學理，拘束於言語名詞，則妄想分別之弊，尤甚於未聞佛法；至如禮拜釋尊，崇奉經典，則屈於權威，亦不能發見心性，是求佛而反離佛矣。故或一語半詞，本無意義，著令參之，累月窮年，思路困絕，驀地一念囘光，霎時妄心別識，泡破粉碎，甚或棒擊而喝叱之，卽所以截斷思流，若警鐘之悟人也。

九、五代以迄近世中土佛教發展

五代五十餘年間，王朝交迭，戰亂頻仍，寺廢經散，大小各宗，莫不衰息；獨禪宗不主文字，深居林壑，盛況未減。而吳越錢氏，累代尊佛，宋初諸宗復興，鏐俶二君大有功焉。

後周世宗性不好佛，顯德二年（九五五），詔禁私度僧尼，廢無敕額寺院，毀銅像鐘鐸以鑄錢，世稱「一宗之厄」，時去會昌教難，凡一百十年，於是佛教更微。

尋趙宋代興，厲行護法，自太祖以迄眞宗，盛譯經典，大開梵學，五竺沙門，競集闕下，而四明尊者，力振天台；五家七宗，大弘禪教；子璿、淨源，復興華嚴；允堪、元照，再昌律宗。而諸家學者，類多兼弘淨土。渡江而後，禪宗最盛，高僧輩出，迄元不衰。

明太祖嘗爲皇覺寺僧，振揚佛法，而元代以來之喇嘛教，傳播仍盛，及其末葉，袾宏、德清、智旭等學者輩出，或唱禪淨一致，或說性相會融，或論儒佛無殊，而一以淨土爲師。

滿清未入關時，夙信喇嘛，奉爲國教。爾後入主中夏，累代護法，與元明無殊。然世祖以下，諸帝於佛道，嚴加約束，蓋亦爲統治之便也。乾嘉以後，凌夷不振，洪楊革命，寺宇經典，同罹刧火，加以佛教內部，□趨腐敗，流品旣雜，精義不彰，是以盛淸以來，漸見式微。然自道咸以還，西學漸入，影響所及，哲理之學又昌，高僧居士，著有學績，如釋太虛，歐陽竟無，其最著者也。各地佛學機關，紛紛成立。光緒之末，敦煌發現唐人寫經，刺激研究，更新機運，其在今世歟！

十、佛教在中國之影響

（一）哲理方面

佛教自漢世入華，至今已二千載。以發展言：始則以佛爲神，習祠祀養生之術；繼則依附老莊，參與玄談；既而法性之學旣昌，談空說無，遂與道家異趣。其後妙有之理，扇揚中土，與空宗爭長，二者皆由小乘而大乘，「法性唯空」與「法相唯識」相激相盪，共趨於肯定「眞常唯心」；此心圓滿明覺，乃唯一主宰；明心見性，乃不二法門。以傳法言：始則西域高僧，來華宣教；次則天竺龍象，弘法神州；繼則中土佛徒，求經印度；終則華裔沙門，自創宗派。國人接受佛法：始則漢化經典，明暢易誦；次則判教開宗，選擇弘揚。隋唐之際，八宗並盛，其後發展流播則異。大抵戒律行持，理論不豐；眞言密教，近於神幻；唯識華嚴，精密繁瑣，非樂簡易者所喜窮；論師經疏，又易絕難續；唯淨土慰安旣易，修持不難；天台涵攝三論，肯定佛性，而教理淸晰，包容廣遠，足與孔孟心性之學抗衡；禪宗自六祖惠能以後，理論完備，其立教精義，在點明見性成佛之旨，不立文字，不執言說，甚至毁經訶佛，完全擺脫印度傳統業務觀念，簡易超妙，千載以來，醉者獨多。禪、淨、天台，承傳不替，非無因也。

然諸宗修持方式、解釋證悟理論雖異，其基本立場，仍承天竺「捨離世累」之傳統，雖以大雄無畏之菩薩宏願，不捨衆生，世法與出世法不離；然不過引絜衆生，同登彼岸而已，非謂肯定此岸也。

故華嚴、天台、以至禪宗，雖爲中國佛教，雖屬肯定心性，但與老莊之逍遙觀賞，既有不同；與儒學之人文化成，更爲枘鑿。而「儒門淡薄，收拾不住，皆歸釋氏」（張方平答王安石語）；釋氏之捨離世累，擺脫倫常，遂爲儒教社會之大敵。對抗性之宋明理學，由此而生。自中唐韓愈、李翺以來，至於宋明儒者，雖深受佛氏思辨方式影響，而仍攘斥瞿曇，不遺餘力。觀宋儒釋大學三綱領，類於「佛陀」之義，論知「止」而「定」「靜」，饒修養之趣；中庸論「誠」，可爲形上價值根本，則學庸推尊，非無因矣。至若程頤明道先生行狀，論大程之學，實亦儒佛之基本分判也。其言曰：

「盡性至命，必本於孝悌，窮神知化，由通於禮樂。」

此謂人生眞正價值，以至純粹哲理思辨，應以建設文化、表現倫理爲歸也。又云：

「道之不明，異端害之也。昔之害近而易知，今之害深而難辨；昔之惑人也，乘其迷暗；今之入人也，因其高明。自謂窮神知化，而不足以開物成務；言爲無不周徧，實則外於倫理；窮深極微，而不可以入堯舜之道。天下之學，非淺陋固滯，則必入於此。」

此謂佛老之害，甚於楊墨；而捨離世累之學，不足以救夷狄交侵之世也。又如王陽明傳習錄云：

「佛氏不著相（不執迷世界），其實著相；吾儒著相，其實不著相。佛怕父子累，卻逃了父子；怕君臣累，卻逃了君臣；怕夫婦累，卻逃了夫婦；都是著相，便須逃避。吾儒有個父子，還他以『仁』；有個君臣，還他以『義』；有個夫婦，還他以『別』；何曾著了父子君臣夫婦的相？」

此謂儒學精神，以道德處理人倫，勝似佛家不欲正視現實，乃以現實爲虛幻，以逃避爲解脫也。

儒佛基本差異在此。至若山河大地之談、生死壽夭之解、得失窮通之說，則佛學終富吸引，非諸儒所能抗也。

然基本立場雖相水火，思辨方式，則影響顯然。天竺佛學，本有一闡提永不成佛之說，而仲尼論仁，則曰：「仁遠乎哉？我欲仁，斯仁至矣。」又曰：「爲仁由己。」孟子云：「人皆可以爲堯舜。」孔子又曰：「己欲立而立人，己欲達而達人。」胸襟氣度，高下判然。於是中國佛徒，乃發展大乘理論，强調一切衆生，皆有佛性，皆可成佛；而普渡衆生，卽爲自了之完成。又中唐以來，禪宗南派最盛，其不立文字，明心見性之學，影響宋明理學甚大，尤以陸王一派爲然。象山之學，主「發明本心」，「心之體甚大，若能盡我之心，便與天同；爲學只是理會此。」「不識一字，亦可堂堂地做個人」，「學苟知本，則六經皆我注腳。」陽明之學，謂心卽良知，卽天理；聖人之道，吾性自足，苟能致吾良知，則可爲聖爲賢。觀此，則與禪宗論道，可謂塗轍若一矣。

至如佛學因明解析之術，自玄奘窺基兩大師後，未有吸收而光大之者；名理之學，以是暗而不昌，以視西洋邏輯推理，頗感瞠乎其後，是亦可惜矣。

（二）語文文學方面

漢晉隋唐八百載間，盛譯佛典，其中觀念、事物，往往非中土所本有，於是搜尋語源，窮究字義，以廣造新語：如「無明」「法界」「衆生」「因緣」「果報」「眞如」「世界」「意識」是也。未便譯意者，則又模擬梵音，漸變成詞：如「菩薩」「佛陀」「涅槃」「般若」「瑜伽」「剎那」是也。又求觀念淸晰，繙譯之際，力避中土固有名詞，以免淆混；於是漢語運用，更趨精練、準確，詞彙擴大，內容更見豐富，遂開創造之途。此其一。

佛典文體，與周秦以來典籍殊異，少用虛字，亦寡駢詞麗句；禪宗說教，尤見素樸。此於中國傳統文體，實屬別開生面。宋明語錄，以至近世之語體文字，皆由此啓發。此其二。

佛敎經論組織嚴密，層次井然，頗與諸子異趣。六朝以後，立說抒論者，大抵䚡理分明，不可謂非佛典之功。劉勰文心，思精體大，卽其一例。此其三。

繙譯名詞，每摹其音，聲韻之學遂昌。譬如由梵文之三聲，知漢語之四調（平上去入）；由梵文之「體文」「聲勢」，知漢語之反切是也。雖其音之成，本出天然；而其法之明，實由繙譯。曹植首唱梵音佛唄，聲韻抑揚，作太子頌、睒頌，新音妙製，扇動一時。同時李登撰聲類十卷，爲韻書之祖。至南齊永明間，沈（約）、謝（朓）、周（顒）、王（融）諸君，推揚四聲，標示八病；雖仲偉詩品，病其襞積；而大匠誨人，規矩是遵。齊梁以下，若唐詩、宋詞、元明劇曲，以至律賦、聯語，雖在中材，所製莫不諧婉鏗鏘，蓋講明聲律之功也。此其四。

佛理廣流，高僧每多能文，文士亦多玩賞禪趣。支道林、謝靈運、陶潛、王維、蘇軾、趙孟頫，其最著者也。他如變文佛曲，本以布敎，而雜劇、傳奇、彈詞，由此而興。通俗文學之價值，往往不在正統詩文之下焉。此其五。

（三）其他

自漢迄唐，中國與西北、西南諸佛國，交通日繁，諸地文化，遂隨佛法以入中土，譬如：

地理方面：僧侶梯山航海，爲道奔馳；紀錄見聞，卽成寶典。法顯佛國記、玄奘大唐西域記，其尤也。

天文曆算方面：開元時，僧一行作大衍曆，甚稱精密。

醫藥方面：如催眠、按摩等術。

建築雕塑方面：如牌樓、暈瀚之法、彩繪、彩塑之術，流傳至今。甘肅敦煌莫高窟，山西雲崗、天龍，河南龍門等處石窟，或以文物勝，或以氣魄勝，或以技術勝，皆爲我國文化之寶。東至朝鮮、日本，皆受影響。

第十九章　宋明理學

一、釋「理學」、「宋學」、「道學」

理學爲宋明學術思想主流，又稱宋學，又稱道學，其實一也。

（一）理學

論語無理字，而宋儒不厭言理。易繫傳：「易簡而天下之理得。」說卦傳：「聖人之作易，將一順性命之理。」坤文言傳：「君子黃中通理。」頗言理字。至宋代乃有理學之名，如黃東發日鈔云：「讀本朝諸儒理學書。」其時儒者，應用理字至爲廣泛：在宇宙論（形而上學）則言理氣，在心性論則言性理，在人生哲學則言存理去欲。理之一詞，擴大無窮，一如老子之「道」，西哲之"The Absolute"之類也。清儒李畏吾（威）言：「宋儒乃把理字，做個大布袋，精粗巨細，無不納入其中。」

朱子則云：

「道是統名，理是細目。」

「理是那文理。」

「理是道字裏面許多理脈。」

「理各有條理界瓣。」

蓋所以名爲理學者，謂其以研究天人身心性命之理爲主。研究修身，必及於心性，故又稱性理學；而自周濂溪以下，以迄程頤、朱熹，均欲以宇宙論或形而上學爲根據，而建立人生哲學；陸象山、王陽明一派，則直承孟子，以心性論爲道德哲學基點。其所論宇宙理氣、理欲、心性等，無非理字，故名之曰理學。

（二）**道學**

「道」本儒者常言。論語云：「志於道」、「君子學以致其道」、「君子學道則愛人」。中庸云：「率性之謂道，修道之謂教」；又曰：「道也者，不可須臾離也，可離非道也」。然均無「道學」之名。南宋韓侂胄創「道學」之名，以攻朱子。故葉水心（適）奏疏云：「小人殘害忠良，率有指目。近又倡爲『道學』之名，陳丙倡之，陳賈和之。」以爲學者辯護。元托克托宋史，創道學傳，與「儒林」分塗，周程朱張、楊時、黃幹等二十三人入焉。其後理學遂亦稱道學，蓋以「理」者，亦「道」也。

（三）**宋學**

宋學之名，諒起於淸世。四庫提要云：「自東京以後，垂二千年，要其歸宿，不外漢學與宋學。」曾國藩云：

「當乾隆中葉，海內魁儒畸士，崇尚鴻博，繁稱博證，考覈一字，累數千言不能休，別立幟志，名曰漢學，深擯有宋諸子義理之說，以爲不足復存。」（歐陽生文集序）

又曰：

「自朱子表彰周張二程，以爲上接孔孟之傳，後世君相師儒篤守其說，莫之或易。乾隆中，弘儒輩起，訓詁博辨，度踰昔賢，別立徽志，號曰漢學；擯有宋五子之術，以謂不得獨尊；而篤信五子者，亦屏棄漢學，以爲破碎害道，斷斷焉而未有已。」（聖哲畫像記）

蓋清初大儒，力矯晚明王學末流空疏之弊，如顧亭林云：「古今安得別有所謂理學者？經學卽理學也。自有舍經學以言理學者，而邪說以起。」然清初理學大儒，如孫奇逢、陸隴其輩，皆砥礪名節，卓然有立；其時漢學壁壘猶未森嚴，二派大師，著作談論，往往出入漢宋，及後清初經世致用之學風，漸漸變而爲乾嘉之考據訓詁。吳派大師惠棟出，旗幟頗明；再傳弟子江藩著漢學師承記、宋學淵源記，嚴漢宋之分，爭端乃起。漢謂宋空疏，而宋詆漢破碎。江藩謂「濂洛關閩之學，不究禮樂之源，獨標性命之旨。義疏諸書，束置高閣；視同糟粕，棄等弁髦！蓋率履則有餘，考鏡則不足也。」方東樹則著漢學商兌，力事反攻，謂閻（若璩）胡（渭）以迄諸家之書，不出訓詁考據，名物制度，棄本求末，於聖人躬行求仁，修齊治平之學，一概抹煞，名爲治經，實則亂經。戴東原（震）復自理論立場，攻理學之蔽；原善、孟子字義疏證二書力斥宋儒舍欲言理，無異以理殺人。二派之爭，由是益烈，卽所謂漢宋學之爭是也。（參看頁二八四——二八五）

二、理學產生之背景

〔一〕經學之反動

漢唐二代，經學爲盛。而章句注疏之學，偏重詮釋故訓，考索名物，已有偏重書本之嫌。且經生喜炫奇好博，箋注日多，繁瑣寡要，所謂博士賣驢，書券三紙，未有驢字是也。又唐人所疏，例不破注，卽有紕謬，亦必曲解回護，糾纏敷衍，徒亂人意；去孔孟尊德性，化民俗之學風日遠。有識之士，漸不屑爲。於是或求之於老釋，以窮性命之道；或舍棄訓詁，專研義理，於是乃有理學。

〔二〕釋道之刺激

魏晉以來，佛學漸盛，隋唐之世，諸宗並興，哲理深微，好學深思之士，或多向慕。而道教日趨發達，亦頗有持之有故、言之成理之學說系統，以與儒佛爭雄。然道教旣屬虛幻，老莊之學，在超越無爲，觀賞萬象；釋氏經典，則在解脫世累，寂滅捨離；二者皆與儒學「開物成務」之根本精神，大異其趣（觀明道先生行狀批判二氏之論可知）。故釋道之盛，一方面以其教理及論證方式，影響儒學（如禪宗之於陸王心學）；一方面刺激儒者之反抗，返求性命之道於孔孟六經之中，於是新儒學（理學）遂告產生；而大學中庸諸書，以至所謂危微精一之「堯舜心傳」，漸受尊崇，亦以此也。

〔三〕世局之影響

自中唐以後，夷狄交侵，武人跋扈，士大夫無恥，宋旣得國，懲前代之失，偃武修文，尊禮士子；公卿賢相，亦以興學右文爲任，學術思想，隨之發展。加以北宋以來，外患日亟，大儒懍於興亡之義，乃倡篤實修己之學，以冀養成君子，治平國家，理學遂以勃興。

三、理學之先導與發展

宋明理學先導，論者謂可溯於唐之韓愈、李翺。韓退之以道統自任，觝排異端，攘斥佛老；雖其原道、原性諸篇，所論未暢，而道統心性、正心誠意諸端，宋明學者所樂道者，皆昌黎啓之。又揚孟抑荀，亦與宋明諸子視孟子爲寶典者同。

李翺復性書三篇，所論益深。其言曰：

「人之所以爲聖人者，性也；人之所以惑其性者，情也。喜怒哀懼愛惡欲七者，皆情之所爲也。情既昏，性斯匿矣。非性之過也：七者循環而交來，故性不能充也。水之渾也，其流不清；火之煙也，其光不明；非水火清明之過也。沙不渾，流斯清矣；煙不鬱，光斯明矣；情不作，性斯充矣。」

故主復性滅情。此與佛家所言，衆生圓覺靈明之本心（佛性，如來藏，眞常心，眞如），多爲無明煩惱所蔽、故不發露者，其迹有同。然論証方式雖同，基本精神則異：蓋佛爲捨離，儒則化成也。論者謂李翺及後世宋明之學爲「儒表佛裏」，實未盡然。

至宋世理學先導，則首推胡瑗、孫復、石介三人。宋元學案全祖望敍錄云：

「宋世學術之盛，安定、泰山爲其先河；程、朱二先生皆以爲然。安定沈潛，泰山高明；安定篤實，泰山剛健；各得其性禀之所近；要其力肩斯道之傳，則一也……小程子入太學，安定方居師席，一見異之，講堂之所得，不已盛哉！」

又曰：

「泰山之與安定，同學十年，而所造多有不同：安定，冬日之日也；泰山，夏日之日也。」

黃百家引黃震日鈔云：

「宋興八十年，安定胡先生，泰山孫先生，徂徠石先生，始以師道明正學；繼而濂洛興矣。故理學雖至伊洛而精，實自三先生始。」

蓋胡瑗立學湖州，分經義治事二齋，使各就其志，爲宋儒喜言經世之始。孫復作春秋尊王發微，爲宋明學者重綱紀名份之始。石介作怪說、中國論，譏斥佛老，爲宋學黜二氏始。其後大儒並興；有所謂北宋五子：周、張、邵、二程子是也。或以地域而分，則有濂、洛、關、閩、浙東、江西諸派：

濂——道州周敦頤茂叔——濂溪。

洛——洛陽｛程顥伯淳——明道。程頤正叔——伊川。｝

關——關中張載子厚——橫渠。

閩——徽州婺源朱熹元晦（僑居於閩）——晦庵、紫陽、考亭。

浙東事功派——｛呂祖謙（東萊）葉　適（水心）陳　亮（龍川）｝以政治經濟爲中心，重尚書周禮，故朱陸以浙東爲舍本逐末，浙東以朱陸爲棄實就虛。

江西心學——陸九淵（象山）兄弟。

周敦頤著通書、太極圖說，仍未擺脫漢儒以來，以原始宇宙論爲基礎而建立價值哲學之傳統。其太極圖說謂無極而太極，太極動而生陽，靜而生陰，是爲兩儀，復生五行，實受道教影響；蓋其圖實出宋初道士陳摶也。南宋朱陸之爭，此亦一端。通書以一形而上學意義之「誠」爲「五常之本，百行之原」，乃開物成務之原動力，則與中庸理論系統爲近。宋元學案敍錄云：「濂溪之門，二程子少嘗游焉。其後伊洛所得，實不由於濂溪。」故小程子之尊禮濂溪，實不如其敬安定也。

張載著正蒙、西銘、東銘、理窟等，其學純於濂溪，而雜於二程。陰陽、氣化之說，仍予經驗界（現象界）以神秘解釋，常多奇誕可怪之說；而論人生修養，以克己爲變化氣質工夫，此則孔孟心性論儒學正統之曙光已露矣。然其說每患晦澀迂曲，故伊川謂其「有苦心極力之象，而無寬裕溫和之氣」也。

邵雍著先天易、皇極經世，羼入道教神秘不經之說甚多，論者謂爲象數派，爲宋世理學之別支焉。

四、二程

宋世理學，至明道伊川，而大奠規模。二程兄弟，俱師濂溪、友康節、而戚橫渠，舊稱洛學。大程子著識仁篇，定性書；小程子著四箴，顏子所好何學論，而二人語錄則共入二程全書，其中亦間有未標明誰人之語者。但二人氣質個性，既有不同；爲學主張，亦多歧異。以個性論：明道寬弘和易，伊川謹嚴果毅。朱子云：「明道宏大，伊川親切，大程子當識其明快中和處，小程夫子當識其初年之嚴毅，晚又濟以寬平處。」明道亦嘗自言：「異日能使人尊嚴師道者，吾弟也；若接引後學，隨人才而成就之，則予不得讓焉。」以學說論：則明道遠承孟子，下開陸王；伊川則數傳至於朱熹，而程朱一派之學統以定。是理學朱陸二派之異，已於程氏兄弟見其端倪矣。

明道重「德性自覺」之認識，故曰：「學者須先識仁」；「識得此理，以誠敬存之而已，不須防檢，不須窮索」（識仁篇）。又云：「只心便是天，盡之便知性，知性便知天，當處便認取，更不可外求」、「窮理盡性以至於命，三事一時並了，原無次序。不可將窮理作知之事。」故其證悟之說，近於禪宗頓悟，而下啓陸象山、王陽明「擴充良知卽可成德，而六經皆我注腳」、「若能盡我之心，便與天同」之說。伊川論成德工夫，則曰：「涵養須用敬，進學在致知」、「天下之物，皆可以理照；有物必有則，一物須有一理」、「須是今日格一件，明日格一件，習之既多，然後脫然有貫通處。」此卽朱子大學補傳（頁二六二）理論所本也。然格天下之物以致知，此知識只爲客觀之工具，爲善爲惡，視意志方向而定。換言之，「德性」足以決定「知識」之用途，而「知識」不能決定「德性」高下，是以程朱一派，主「道問學」以求「尊德性」，本身實有理論困難，陸王謂其說破碎支離，本末顚倒，蓋爲此也。

至二程之共同立場，則攘斥佛老是也。程伊川「明道先生行狀」云：

「先生之學：自十五六時，聞汝南周茂叔論道，遂厭科舉之業，慨然有求道之志；未知其要。泛濫於諸家，（全句衍）出入於老釋者幾十年；反求諸六經而後得之。明於庶物，察於人倫，知：盡性至命，必本於孝悌；窮神知化，由通於禮樂。辨異端似是之非，開百代未明之惑；秦漢以下，未有臻斯理也！謂孟子沒而聖學不傳，以興起斯文爲己任。其言曰：道之不明，異端害之也。昔之害近而易知，今之害深而難辨；昔之惑人也，乘其迷暗；今之入人也，因其高明；自謂之窮神知化，而不足以開物成務；言爲無不周徧，實則外於倫理；窮深極微，而不可以入堯舜之道；天下之學，非淺陋固滯，則必入於此。自道之不明也，邪誕妖異之說競起，塗生民之耳目，溺天下於汙濁；雖高才明智，膠於見聞，醉生夢死，不自覺也。是皆正路之榛蕪，聖門之蔽塞，闢之而後可以入道。」

理學之所以爲「新儒學」，於此可見。蓋儒學精神，在開物成務，造就文化；佛道立場，則在「捨離」、「觀賞」，故宋明理學大儒，雖論說、思辨方式，常受二家影响；而基本立場，仍在排佛老，薄漢唐，而復先秦孔孟之舊也。（參閱頁二五六、二五八、二六五）

五、朱熹與朱陸之爭

（一）朱子宇宙論

朱子綜合周濂溪之太極說，與程伊川之理氣二元論，參以邵康節之象數，張横渠之氣，而構成其形而上學宇宙論系統。

朱子以「太極」爲宇宙本體，超越時空限制，其作用則爲「理」「氣」，太極動而生陽，靜而生陰，陰陽二氣交感，化生萬物。萬物各有其理，「理是人物同得於天者」，「惟其理有許多，故物有許多」。而萬物之所以分殊，蓋以其所稟之氣，有清濁偏正之異也。一事物之理，即其最完全之狀態，而太極則爲「宇宙萬物之理」之總和也。

二）朱子人生哲學

朱子之人生哲學，亦參酌濂溪、橫渠、伊川諸人之說而成，謂人既萬物之一，則亦「理與氣合」而成。「理」卽人「本然之性」，卽所謂「道心惟微」，卽成聖之動力；「氣」卽人「氣質之性」，有清有濁，清者助其爲聖，濁者抑其爲凡；故曰：「人心惟危」。此一氣質之性如清，則感應外物，發而爲善「情」；如爲濁，則發而爲惡「情」。故性卽「太極」，卽心之「本體」；「情」卽心之「作用」，故曰「心統性情」也。

人之「本然」之性，無有不善，其所以有不善者，則氣質昏濁致之。昏濁之氣質，卽所謂「人欲」也。希聖希賢之道，不外「變化氣質」，故曰：「存天理，絕人欲」。而其爲學之方，主在「窮理」與「居敬」。「居敬」卽中庸所謂「尊德性」，孟子所謂「存心養性」；窮理卽中庸所謂「道問學」，大學所謂「致知格物」也。「居敬」卽「行」，「窮理」卽「知」；知與行常相須：如「目無足不行，足無目不見」。故「論先後，知爲先，論輕重，行爲重」。此一修養爲學理論系統，亦本乎伊川，參之程門諸子之說而成者也。故黃梨洲云：「涵養須用敬，進學在致知，此伊川正鵠也。攷亭守而不失。其議論雖多，要不出此二言」。可謂有見。朱子云：「上而無極、太極，下而至於一草一木一昆虫之微，各亦有理。一書不讀，則缺了一書道理；一事不窮，則缺了一事道理；一物不格，則缺了一物道理；須著逐一件與他理會過」。此與大學補傳並觀，則可知其直承伊川，而廣注羣籍之故矣。

由上觀之，宋元學案稱朱子「致廣大，盡精微，綜羅百代」；宋史道學傳引黃幹云：「道之正統，待人而後傳。自周以來，任傳道之責者，不過數人；而其能傳斯道，章章較著者，一二人而止耳。由孔子而後，曾子子思繼其微，至孟子而始著。由孟子而後，周程張子繼其絕，至熹而始著。」所論雖非盡當，而其力躋朱子于道統正傳，實以其能集大成之故也。

〔三〕朱陸之爭

北宋五子之學，至南宋朱熹而集大成。影响後世垂數百年。全祖望宋元學案敍錄云：「楊文靖公（龜山楊時）四傳（伊川——龜山——羅豫章——李延平——朱子）而得朱子，致廣大，盡精微，綜羅百代矣！江西之學（陸象山），浙東永嘉之學（葉水心），非不岸然，而終不能諱其偏。然善讀朱子書者，正當徧求諸家，以收去短集長之益。若墨守而屏棄一切焉，則非朱子之學也。」然朱陸異同，實宋世學術一大公案，茲簡述如后：

朱子論學，上承伊川「涵養須用敬，進學在致知」之說，主泛觀博覽，而歸之約；同時陸氏兄弟（九淵與次兄九齡，長兄九韶）則以「發明本心」，此卽是學。故朱以陸爲疏簡，陸以朱爲支離。當時東萊呂祖謙，欲歸一異同，而定其所適從，乃於孝宗淳熙二年（一一七五），約會二家於江西廣信之鵝湖，陸氏兄弟舟中先自討論畢，復齋（九齡）詩云：

孩提知愛長知欽　古聖相傳只此心　（惻隱辭讓之心，爲永恒價値根源）
大抵有基方築室　未聞無址忽成岑　（以道德自覺爲基，方能建設人文）

留情傳注翻榛塞　著意精微轉陸沉　（充廣知識，不能保證通豁良知）
珍重友朋勤琢切　須知至樂在於今

象山和之云：

墟墓興哀宗廟欽　斯人千古不磨心
涓流積至滄溟水　拳石崇成太華岑　（擴充四端，可以充塞天地）
易簡工夫終久大　支離事業竟浮沉　（以理在心，則簡明確當；以理在物，則破碎支離）
欲知自下升高處　眞僞先須辨自今

其後朱子和詩云：

德義風流夙所欽　別離三載更關心
偶扶藜杖出寒谷　又枉籃輿度遠岑
舊學商量加邃密　新知培養轉深沉　（荀子「眞積力久則入」之意）
卻愁說到無言處　不信人間有古今

此處顯示「德性」與「知識」之地位與關係、成德工夫之程序，是乃朱陸論爭之主題（參考本書頁二六〇至二六二）。黃梨洲云：「象山之學，以尊德性爲宗，謂先立其大者，而後天之與我者，不爲小者所奪；夫苟本體不明，而徒致力於外索，是無源之水也。同時紫陽之學，則以道問學爲主，謂格物窮理，乃吾人入聖之階梯。夫苟信心自是，而惟從事於覃思，是師心之自用也」。其詳析二家之異，可謂精到。

此外，朱陸又有太極圖說之爭：陸九韶（梭山）謂太極圖說與通書不類，通書只言太極，不言無極，故疑太極圖說，非周子所爲，或其學未成時所作。朱子不以爲然。往還二書之後，梭山以朱子求勝不求益，乃不復致辯；象山則以爲道一而已，不可不明於天下後世，乃繼續論辯，書凡七通。蓋朱子以無極爲本體，太極爲用，皆萬化根本也；陸子則主心卽理，一心爲萬象根源，亦卽萬有本體，故太極卽體卽用，不必復立無極也。而朱子卒主各尊所聞，各行所知，無望於同而止。

六、陳獻章

自南宋迄明初，理學諸儒，多習朱子成說，未能反身體會，有所發明。象山心學，至白沙而始振，至姚江而大成；陸王「心理」之學，遂與程朱「性理」爲二。

陳獻章，字公甫，廣東新會白沙里人，生明宣宗宣德三年（一四二八），卒孝宗弘治十三年（一五〇〇），年七十有三。

年二十七從吳與弼（康齋）受程朱之學，未知入處。比歸白沙，絕意科舉，築陽春台，靜坐杜門，專求用力之方。於是舍彼之繁，求吾之約，久之然後見吾此心之體，隱然呈露，常若有物，日用酬應，隨意自如，如馬銜轡勒，於是渙然自信。曰：「作聖之功，其在茲乎」。有學於己者，亦輒以靜坐教之（復趙提學書）。

成化二年（一四六六），復游太學，祭酒邢讓試和楊龜山（時）「此日不再得」詩，見白沙之作，驚曰：「即龜山不如也！」颺言於朝，以爲眞儒復出，於是名動京師。

白沙以爲「人具七尺之軀，除了此心此理，便無可貴，渾是一包膿血，裹一大塊骨頭。飢能食，渴能飲，能著衣服，能行淫欲，貧賤而思富貴，富貴而貪權勢；忿而爭，憂而悲，窮則濫，樂則淫。凡百所爲，一信血氣，老死而後已，則命之曰禽獸可也」（禽獸說）。

故所貴在此心此理：「終日乾乾，只是收拾此理而已。此理干涉至大，無內外，無終始，無一處不到，無一息不運。會此，則天地我立，萬化我出，而宇宙在我矣！得此欛柄入手，更有何事？往古來今，四方上下，都一齊穿紐，一齊收拾；隨時隨處，無不是這個充塞。色色信他本來，何用爾腳勞手攘」（與林緝熙書）。

是以能會此理，「纔覺，便我大而物小，物盡而我無盡。」故「人爭一個覺」也（與何時矩書）。由是觀之，「善學者，主於靜以觀動之所本，察於用以觀體之所存」（語錄）。故曰：「爲學須從靜中養出個端倪來，方可商量處」（與賀克恭書）。

白沙以爲靜坐既久，便能見心體，乃能「體認物理，稽諸聖訓，各有頭緒來歷，如水之有源委」矣（復趙提學書）。是以論學爲文，常用靜坐、惺惺、調息等語。程朱一派，遂加「禪子」之稱，蓋白沙以「廓然若無，感而遂應」，釋「聖賢之心」（與謝元吉書），作爲本體也。由此言之，白沙之學，蓋上承象山，下開姚江者也。

七、王守仁

陽明之學，其初亦宗考亭，循序格物，雖屢病其猶未悔。然「物理」「吾心」，終判爲二，無所得入。於是出入佛老，終不能立命安心。其後居夷處困，忍性動心。忽中夜大悟格致之旨，始知聖人之道，吾性自足，向之求理於心外者，誤也。故凡所謂善惡之機，眞妄之辨，「吾心之良知，乃唯一體察之主。苟致吾心之良知於事事物物，則事事物物皆得其理，此所謂「心卽理」也。故有詩云：

無聲無臭獨知時（知善知惡之心性主宰）

此是乾坤萬有基（物理不外吾心）

舍卻自家無盡藏（以良知爲未足）

沿門托缽效貧兒（外吾心而求物理）

此卽姚江之所以判於紫陽，而亦陸王心學之眞諦也。條述如後：

（一）心卽良知，卽萬有本體

「天命之性，粹然至善，其靈昭不昧者，此其至善之發見，是乃明德之本體，而卽所謂良知者也」（大學問）。

「性無不善，故知無不良。良知卽是未發之中，卽是廓然大公、寂然不動之本體；人人之所同具者也」（答陸元靜書）。

「人者天地萬物之心也，心者天地萬物之主也。心卽天；言心，則天地萬物皆擧之矣」（答李明德書）。

（二）**良知卽天理**（**心卽理**）

「心卽理也，此心無物欲之蔽，卽是天理，不須外面添一分」（傳習錄，答徐愛問）。

「無心外之理，無心外之物」（同右）。

「良知只是個『是非之心』，是非只是個『好惡』，只好惡就盡了是非，只是非就盡了萬事萬變」（傳習錄，錢德洪記）。

故萬事萬物之「存在」而「有意義」，卽因其涵攝於「心」中，此心爲「道德自覺心」，而道德自覺，乃唯一價値根源，此卽孔孟心性理論眞正精神所在，亦儒學之基本立場，而與佛學同樣强調心性主宰（佛性、眞如、如來藏），但發用於捨離世累，解脫無餘者大異。故曰：

「佛氏不著相，其實著相（拘滯迷執於現實也）；吾儒著相，其實不著相。佛怕父子累，卻逃了父子；怕君臣累，卻逃了君臣；怕夫婦累，卻逃了夫婦；都是着相，便須逃避。吾儒有個父子，還他以仁；有個君臣，還他以義；有個夫婦，還他以別；何曾着父子君臣夫婦的相」（傳習錄，黃修易記）。

（三）**良知之開展發用**（**致良知、知行合一**）

「致吾心良知之天理於事事物物，則事事物物皆得其理矣。致吾心之良知者，『致知』也；事事物物皆得其理者，『格物』也；是合心與理而爲一者也」（傳習錄）。

故格物致知之義，非如程朱所謂充廣知識。陽明之意，以今語釋之，卽：

格物——在「意念所在之事事物物」中求「正」（格，正也）

致知——擴充、貫徹「良知」

誠意——純化意志，使意念「眞實無妄」

正心——使心之本體（本無不正）顯現

故陽明取消「認知活動」之獨立意義，而以「價值自覺」統攝一切，故「良知」卽「知」，「致良知」卽「行」，其工夫條理雖有先後次序可言，而其體唯一，實無先後次序可分（見大學問，傳習錄）；故曰「知行合一」，蓋以「兩字說一工夫」也。故曰：

「知之眞切篤實處便是行（否則妄想），
行之明覺精察處便是知（否則冥行）；
知行工夫必不可離（否則體用分離）」（答顧東橋書）。

「知是行的主意，行是知的工夫（主意工夫不可分離）；
知是行之始，行是知之成（始終爲一事，本末爲一物）。
若會得時，只說一個知，已自有行在；只說一個行，已自有知在」（傳習錄，答徐愛問）。

（四）朱王哲學根本之異

一　「知」之義——朱說爲事事物物之理，蓋共同本體（天理）之用；王說爲心，知善知惡，是即本體，而非知識之知。

二　「理」所在——朱說天下之物（人爲物之一），莫不各有其理（性即理）；王說無心外之物，無心外之理（心即理）。

三　成德工夫：朱　熹：格物→致知→誠意→正心……→平天下

王守仁：格物＝致知＝誠意＝正心……＝平天下　｝致良知之完整意義

四　朱說可注意處：一、以知識爲「知」，雖未必大學本義，亦非盡孔孟之意，然力反魏晉談玄、隋唐說佛，以至心學貶抑認知之弊。二、理既在物，向外尋理，由其道，將生科學方法，而非藉內向直感。

五　王說可注意處：一、强調心性主宰，則孔孟眞義，儒學基本精神，均得豁顯。二、心外無物，「認知」更無地位，即「工具性」亦不顯，造成「方法」之不講求，强化重道輕器、重德輕知之偏蔽。

二子之異，於解釋「大學」最足表見。按朱子大學章句，勇於改移，富宋人之風。其中移動段節三，改字一，刪字四，補傳一百三十四字。實則原文既非必改而後可通，則朱子所爲，甚非學者所宜。至若陽明先生以致良知釋致知，則八目之序，當以致知爲始；倘謂格致誠正修齊治平，圓融一事，則何不以「正心」爲教、以「誠意」爲教、而必以「致知」爲教乎？實則二子所言，各爲其本身理論體系，非必與大學原意相同；不過「聖經賢傳」，傳統權威之重，使大哲如二子者，亦不免依附之耳。

大學本文	朱熹（大學章句）	王守仁（大學問）
明明德	明德者，人之所得乎天，而虛靈不昧，以具衆理而應萬事者也。但爲氣稟所拘，人欲所蔽，則有時而昏。然其本體之明，則有未嘗息者，故學者當因其所發，而遂明之，以復其初也。（本）	明德者，以天地萬物爲一體之仁心，故大人之學，即在去私欲之蔽，以自明其明德，復其天地萬物一體之本然，而非能於本體之外，有所增益。（立體）
親（新）民	既自明其明德，又當推以及人，使之亦有以去其舊染之污也。（末）	所以明其明德（達用）。故明明德，親民，實爲一事，如本末之原爲一體。
格物	格，至也；物，事也（心外）。窮至事物之理，欲其極處無不到也。	格，正也；物，意所在之事（無心外之物。正其不正，以歸於正）。

致知
知，猶識也，推極吾之知識，欲其所知無不盡也。 大學補傳云：「閒嘗竊取程子之意以補之曰：所謂致知在格物者，言欲致吾之知，在卽物而窮其理也。蓋人心之靈，莫不有知；而天下之物，莫不有理。惟於理有未窮，故其知有不盡也。是以大學始教，必使學者卽凡天下之物，莫不因其已知之理而益窮之，以求至乎其極。至於用力之久，而一旦豁然貫通焉，則衆物之表裏精粗無不到，而吾心之全體大用無不明矣。此謂物格，此謂知之至也。」
實現良知之價值判斷，而不自欺（致，至也，致吾心之良知）。 格、致、誠、正、修，雖皆有其名，其實只是一事（致）。 身、心、意、知、物，雖各有其所，其實只是一物（良知）。 故致知並非充廣知識。

由上觀之，朱說之漏洞在：充廣知識，是否卽有助於純化意志？舉例言之，醫者修養「仁術」，是否卽能有「仁心」？王說之疑問在：知識地位不能安立，知識規律未有確定，則成德工夫，何所憑而開展？

大學格致之義，原文既欠明確，古來解者紛如（見唐君毅先生中國哲學原論卷上），而朱王二子之說最著。此外，司馬光以「扞格物欲」釋格物，近儒熊十力先生以羣經釋「格」，皆從「量度」之義，故格物者，卽以道德心衡量、運用事物也。論至明暢。

（五）姚江心學之餘波——四句教

自孔孟至陽明，儒學發展步步走向德性之肯定，內歸一心，外包萬物，爲極純粹之道德哲學。表現於生活中，卽形成重德精神，只承認善惡問題之意義，而貶抑其他問題之獨立性，以鍛鍊意志，明朗自覺，爲唯一之學；對思想規律、事物規律，皆不細究；造成輕視知識，强調意念之人生態度。

陽明高弟講學久，門徒盛者，首推龍溪（王畿）。其天泉證道記，載陽明卒前一年，起征思田，龍溪與緒山（錢德洪）論學，德洪舉陽明教言曰：

「無善無惡心之體（離用講體，則心之體無所謂善惡）

有善有惡意之動
知善知惡是良知
爲善去惡是格物」（既發用，乃有所謂善惡）

以爲不可移易。龍溪則以此說支離，並非究竟：蓋心意知物雖各有其所，而只是一物，皆爲心（主體）之顯現，而非對象（客體）；故就其未發用講，皆無善惡可言。故曰：

「心是無善惡之心
意是無善惡之意

知是無善惡之知

物是無善惡之物」

於是相與質於陽明，則答謂教法原有二種；四有之說，隨人指點，無有疵病；龍溪之說，則本爲利根人設，若只懸空思想本體，不在良知上實用爲善去惡工夫，則一切事爲，俱不着實，養成虛寂，其病非小，不可不早說破云云。

然自陽明許爲利根，龍溪之學大行，而卒歸於四無：

「心是無心之心（「心」是「非對象性之心」之「本體心」）

意是無意之意

知是無知之知

物是無物之物」

故心意知物皆爲本體，心外既無理，善惡亦皆爲幻，故曰：

惡固本無，善亦不可得而有也。

於是善惡主宰之「儒心」，遂變爲是非雙忘之「佛心」矣。致良知三字遂無着落，「直把良知作佛性看」（明儒學案師說），是超驗之自覺，非化成之主體，可謂入室操戈，趨於禪學矣。末流之弊，如顏山農、何心隱、李卓吾，變本加厲：慕頓悟，貪躁進，憚操持；謂「酒色財氣，不礙菩提」，非復名教所能羈絡，遂入於狂禪，非復陽明面目矣。黃梨洲謂龍溪「啓瞿曇之祕而歸之師，蓋躋陽明而爲禪」，亦以此也。故龍溪之學，精采一面不出陽明，流弊則知性既不安立，德性亦不貫澈，入於捨離觀賞。故以爲儒佛老氏，三教無別（王畿三教堂記）。此種變化，實無發展意義。

明末劉宗周（蕺山）出，力排龍溪，謂四句教姚江未言，佛氏捨離世累，無惡可去，無善可爲，止餘眞空性地，顯悟眞覺。儒者則不離世法，若云無善無惡，適爲濟惡津梁，故倡誠意之說。主於實踐，弟子梨洲承之。然心性論活力至此亦衰，再無進展矣。

八、理學得失總論

吾國自秦漢一統，學術定於一尊，思想無新發展。儒家則孔孟心性之論，蘭陵制天之說，沒而不彰，餖飣訓詁，不足以開啓局面；道家則疲軟怠惰，不足以語於人文化成。是以漢魏六朝以還，士風日薄，無承擔之精神，乏開展之氣魄。加以佛教流行，輪迴報應，深入人心；牽孑遺以遁寂，慰瘡痍以超生；於是上智下愚，莫不宗祀法王，皈心淨土；屈伏於神權，沈淪於鬼趣，僥倖於宿定，望報於他生。千載以來，高士則寄興清幽，托懷沖淡；中人則感懷榮悴，悲歡得失；下者則庸庸祿蠹，惟知諂君欺民而已。天行乾健，自強不息，開物成務之民族精神，於是萎靡不振。貞觀武略，度越千秋，而文治尚詞華，經術務注疏，皆無裨於世務。安史以後，夷狄交侵，晚唐五代，神州益亂，人心益漓，中華文化精神，不絕如縷。於是理學諸儒振起，薄唐祧漢，輕訓詁而上追先秦孔孟義理，以四書代五經，力抗佛老；以伸張人性，顯貴人倫，而歸本於心性。蓋儒佛皆以心性爲基，佛則發用於捨離寂滅，儒則表現於生生不息，人文化成。故論者或謂宋儒「儒表佛裏」，實未足說明理學之基本精神也。

所可惜者，宋明儒者願力雖弘，而見地未寬；氣魄雖大，而規模不廣。終不免偏枯空寂，而與禪門同病。蓋宋明儒者，惟尊孔、孟，諸子異見，概從擯斥，蘭陵性惡之說，制天之議，知識之論，甚至孟子民貴君輕，政權轉移之說，亦皆棄遺。又不能擺脫佛老影响，以求知爲存心養性之害（程子見謝上蔡讀史，竟斥爲玩物喪志，蓋謂讀史使人悲喜，而喪其持養之靜心也）。於是先秦諸子「一段活潑潑地精神」，遂成「死板枯寂」（熊十力先生語）。儒學重德輕知之弊，遂益擴大；姚江心學，卽其例也。陽明先生一代鉅儒，學問功業，廣大顯赫，非區區書生可比；然承學之士，皆趨於禪；二程朱子，則更無顯著事功可言。蓋宋明儒者，所以自修而敎人者，只在修身立本；不知本不離末，體不離用，身不離世；倘惟習靜冥坐，懸想本體，必致一物不知，一事不能，一切開物成務，創制易俗之學，皆不得顯。陳同甫、葉水心之倡功利，以至顏習齋之重實行，皆其反動也。於是學者士人，國之精英，或上流而無用，或下流而無恥（梁任公語），皆不足以領導羣倫，振衰起敝；絕人欲以存天理之說，更屬矯枉過正，適足以造成僞君子。民族活力，更趨式微，是理學之弊也（此節本熊十力先生意）。

第二十章 歷代經學

一、概說

六經本先王之陳迹，而大備於周；方其盛時，以史掌之；其學在官，施之於教，發之爲政，此所謂「古之道術無乎不在」也。及周衰，官守放廢，六藝散於天下，「其明而在數度者，舊法世傳之史，尚多有之；其在於詩書禮樂者，鄒魯之士，搢紳先生，多能明之」。「其數散於天下，而設於中國者，百家之學，時或稱而道之」（皆見莊子天下篇），此漢志之所以有諸子皆出於王官之說也。孔子兼綜六藝，以教弟子；儒學宗風，於茲卓樹。後世以尊儒之故，遂以「經」名六藝；而「經」之爲義，亦自「編綴簡冊」而爲「恆久至道，不刊鴻敎」矣。七十子之後，孟荀繼起，各有述作，輔翼孔門，後世遂有聖「經」賢「傳」之目；而經學者，則研究經傳之學也。

自漢迄淸，經學屢變，大抵所趨，殆如下述：

一 西漢——今文經獨尊期。

二　西漢末至東漢中——今古文經分爭期。

三　東漢中至唐——古文經盛行期（鄭王之爭——南北並立——南學統北——經學漸衰）。

四　宋、元、明——理學盛而經學衰期。

五　清——傳統經學返照期（乾嘉考證學——漢宋學之爭——今文經學復盛）。

二、秦與漢初

秦以法治而致富强，自商君時，已目詩書禮樂爲六蝨；韓非顯學，亦以儒術爲五蠹之一；及始皇統一天下，三十四年，置酒咸陽宮，博士淳于越所議異趣；丞相李斯乃上言，請史官非秦紀皆燒之；非博士官所職，天下敢有藏詩書百家語者，悉詣守尉雜燒之；偶語詩書者棄市；所不去者：醫藥、卜筮、種樹之書；若有學法令者，以吏爲師。始皇可其議。遂焚書以愚百姓，以天下無以古非今。翌年，又坑諸生四百六十餘人於咸陽，諸生亦皆誦法孔子者也。然其在朝廷，猶有藏書之府。及楚漢相爭，高祖入關，蕭何但知收秦廷之律令冊籍，以具知天下戶口多少、形勢强弱，未遑詩書。及項羽引兵西屠咸陽，燒秦宮室，三月不滅，於是秘府之書，又隨而俱燼。重以高祖出於市井，不好文儒；以爲馬上得之，安事詩書？故漢初挾書之令，猶未除也。天下易卜而外，未有他書；於是書缺簡脫，禮崩樂壞。是故秦漢之際，可謂中國文化之一大刼也。（見前第十五章「秦漢之際」）

及孝惠四年，始除挾書之律；文景繼之，漸開獻書之路；然二帝實好黃老申韓；優禮儒者，虛應而已。逮乎孝武，乃建藏書之策，設寫書之官，置五經博士，於是天下衆書漸出，而儒者亦復以其業，行於朝野之間矣。考其時經籍及儒學復出之途，殆有三端：一曰傳自故老：如叔孫通之定朝儀，北平侯張蒼之制曆譜、獻左氏，伏生之傳尚書，浮丘伯之傳魯詩是也；諸子在秦，或爲博士，或作御史，或屬儒生，其講誦六藝，於秦火之前；傳授羣經，則在秦火之後；雖顯晦各殊，其功一也。二曰發自孔壁：秦法峻急，於是乃有藏前人經籍於閒壁之中者，舊記魯恭王壞孔子故宅以爲宮，而得古文經傳於壞壁之中者是也。三曰得自民間：河間獻王修學好古，從民得善書，必賜金帛，爲好寫與之，而留其眞；此外，散篇逸文，亦往往發於民間，而獻於官府，六藝由是散而復集。而師承既異，得地復殊，重以文字讀音解說之別，於是辯說紛爭，亦由是而起矣。

三、今古文之爭

漢武帝既立五經博士，其後昭、宣踵武，廣增博士弟子員，宣元之際，乃有十四博士，所傳經籍，皆以當代通行之隸書寫成，故曰「今文」。其後枝葉蕃滋，說數字之經，至若千萬言，煩重破碎，不足以饜學者之心，而今古文之爭以起。「古文」者，籀書、大篆之類，先秦通行之書體也。自秦併天下，書同文字，又造隸書以趨約易，體乃大變。故司馬遷史記謂秦撥去古文，許愼說文解字謂古文由此絕矣。漢世羣經之出，其傳於故老者，如伏生之書，三家之詩，魯高堂生之禮，齊胡毋生、趙董仲舒之春秋，皆今文也。至若孔壁之藏，張蒼之獻，河間獻王之所得，皆古文也。惟古文初出，知者甚少，藏於祕府，伏而未發，時師傳讀，大抵今文；惟民間有古文費氏易。故在西漢之初，未嘗別立今文之名，史漢儒林傳，僅敍孔氏有古文尙書，孔安國以今文讀之而已。及成帝之時，陳發祕藏，命光祿大夫劉向校理舊文，於是古文始顯，然博士學官，皆爲今文，故爭論未起；當時學者，亦各就所傳而爲之說而已。及劉歆校祕書，見古文春秋左傳，大好之，引傳解經，轉相發明，而章句義理皆備。乃進而欲建立左傳、毛詩、逸禮、古文尙書於學官，哀帝令歆與五經博士講論其義，諸博士或不肯置對；歆乃移書太常博士，責讓甚切：謂今文諸經，乃秦火殘闕，老師記誦，多非本眞；祕府所藏，乃古人之舊，反不得立。詆諸人抱殘守闕，黨同妬眞。諸儒皆怨恨，謂歆竄改舊章，非毀先王所立。及平帝之時，王莽由持政而篡位。莽好古文，又重歆，乃申其議；東漢嗣興，又廢，然古文之學旣明，治者遂多；較之今文經籍，其字句、篇章、解說、以至學統、宗派，皆有不同，爭論遂烈。雖東漢學官，仍依西京，古文諸家，迄未得立；而賈（逵）馬（融）之徒，贊揚古文，風靡一時，古文經學，遂漸有積薪之勢矣。是故東漢名儒，如鄭衆、賈逵、桓譚、杜林、馬融輩，聲名籍籍，皆古文學家。鄭玄混合今古，但仍近古文。今文家則自何休而外，殆少有足與古文大師抗衡者矣。

又近人新說，謂古文乃春秋戰國東方文字，秦併天下，廢六國文字之不與秦合者，以是人漸不識東方文字，乃以其形似，稱曰科斗文云。

經	今文	古文
詩	魯：浮邱伯——申培＊ 齊：轅固生＊ 韓：韓嬰＊	毛詩（漢書儒林傳藝文志載毛萇傳毛亨，亨爲河間獻王博士，自謂子夏所傳）
書	伏勝 ─ 歐陽高＊ 　　　 ─ 夏侯勝（大）＊ 　　　 ─ 夏侯建（小）＊	古文尚書（漢志謂孔安國得孔壁古文尚書，以考伏生所傳多十六篇）
禮	高堂生……后蒼 ─ 戴德（大）＊ 　　　　　　　 ─ 戴聖（小）＊ 　　　　　　　 ─ 慶普＊？	逸禮：得於孔壁，多今文（十七篇）三十九篇 周官：河間獻王得之，劉歆校於秘閣，得之，遂著於錄。
易	田何…… ─ 施讎＊ 　　　　 ─ 孟喜＊……京房＊ 　　　　 ─ 梁邱賀＊？	費（直）氏 高（相）氏（皆見漢書儒林傳）
春秋	（公羊）胡母子都 　　　　董仲舒…… ─ 嚴彭祖＊ 　　　　　　　　　 ─ 顏安樂＊ （穀梁）瑕丘江公——申培	左氏春秋：漢初北平侯張蒼獻之（漢書儒林傳，說文解字序） 鄒氏（漢志：無師） 夾氏（漢志：未有書）

【註】＊一、今文經十四博士（一說去梁邱易，一說去慶氏禮）

二、漢書儒林傳藝文志所記，今文家皆不信（見康有爲新學僞經考）

今古文經學比較表

	今文學	古文學
一	崇奉孔子，尊爲受命之素王，集政教哲文於一身而託古改制。	崇奉周公，尊孔子爲先師，以孔子爲史家，信而好古，述而不作。
二	六經皆孔子所作，而偏重春秋之微言大義（公羊）。	以六經爲古代史料，而偏重周禮。
三	六經皆爲教典，其次序由淺而深，爲詩書禮樂易春秋（見董仲舒春秋繁露，史記儒林傳序）。	六經皆史，其次序由古而今，爲易書詩禮樂春秋（見漢志六藝略，儒林傳）。
四	爲經學派，以研求微言大義爲目的，流弊爲牽强附會。	爲史學派，以研求訓詁名物爲目的，流弊在貴古賤今，繁瑣寡要。
五	盛於西漢，皆立學官，經之傳授多可考。	盛於東漢，西漢時行於民間，經之傳授不甚可考。
六	斥古文經傳爲劉歆僞造。	斥今文經傳爲秦火殘缺之餘。
七	今存儀禮、公羊、穀梁、小戴禮記、大戴禮記、韓詩外傳。	今存毛詩、周禮、左傳。

八	信緯書，以爲孔子微言大義，間有存者。	斥緯書誣妄。
九	懷疑說文解字。	篤信說文，奉爲文字學之聖典；金、甲骨文字，以爲不足信。

漢代今古文之爭表

次第	時期	人物		爭議	結果
		今	古		
一	西漢哀帝建平元壽間（公元前六—一）	太常博士孔先、龔勝、師丹、公孫祿	劉歆	劉歆求建古文尚書、逸禮、左氏春秋、毛詩於學官，諸博士極力反對。	古文經傳不得立
二	東漢光武帝建武間（公元二五—五五）	范升	韓歆、許淑、陳元	爭立古文費氏易、左氏春秋。	左傳立學官，旋廢，然古文學漸代今文而興。
三	東漢章帝建初元年—四年（公元七六—七九）	李育	賈逵	以左傳（古）、公羊互難。	無
四	東漢桓靈間（公元一四七—一八二）	何休 羊弼	鄭玄	何休作春秋公羊解詁，與其師羊弼追述李育意，以難左、穀二傳，作公羊墨守、左氏膏肓、穀梁廢疾，鄭玄乃作發墨守、鍼膏肓、起廢疾以抗之。	無

四、兩漢經學其他問題

除今古文外，漢儒說經，復有齊學魯學之異，師法家法之分，與官學私學之不同。

齊魯學者，魯爲孔子講學之邦，流風遺化，濡漸固深；而齊有稷下，亦學者所集，孟荀大賢，皆嘗往游。是故漢代傳經之儒，多出二地；一經之學，數家競爽，其初字音不同，由於方言；復以文化風俗影响，其後遂衍爲異說。大抵齊尙恢奇，喜言天人之理；魯多迂謹，謹守典章之遺。此其異也。

師法者，經說之源所從出；家法者，經說之流所從受；故前漢多言師法，後漢多言家法。如詩有齊魯韓，此爲師法；魯詩有韋氏學，又有張、唐、褚氏之學，此家法也。又如禮有大小戴慶氏之學，此又師法也；小戴復有橋、楊氏之學，此則家法矣。其弊則篤守家法師法，入主出奴，非人是己，於本經眞義，反置不問也。

官學私學者，以是否立於學官而別。故官學設博士，立弟子；私學自相傳授而已。西漢之世，官學大昌，位愈高者，徒衆愈盛。東漢中葉以前，情況亦同。及至季世，凡東西兩京官學，盛極一時者，皆趨衰微，私學代興。重以鄭玄晚出，網羅衆家，以古文學爲主，參以今文，混亂家法，於是鄭學大昌，博士之學，遂一蹶而不復振矣。

兩漢經學之異，今古文特其一端，西漢承秦火之後，經師所重，首在傳授整理，貴得本眞，是以口授手鈔，特重師法；又簡重帛貴，傳寫不易，故多專守一經，罕能兼顧；甚且或雅或頌，合治一經，或則一經分爲數派；於是師法而外，復有家法，範圍愈狹，門戶愈歧。東京則物質文明既有進步，又有西漢之學爲其基礎，晚季規模弘大之學者，往往博通羣籍，如許愼號稱「五經無雙」，馬融鄭玄偏注羣經，鄭氏甚至混亂師法，打破今古文界限。此不同者一也。

西漢儒者重分章斷句，離經辨志，且多專注一經，故著述種類篇章，均屬有限。東漢大儒則幾莫不著述等身，文詞弘富，且由大義轉而求其文字訓詁，名物考據，故長在博綜，短在繁瑣。漢志六藝略所言，殆卽指此弊也。此不同者二也。

五、魏晉南北朝之經學

（一）鄭學興盛

兩漢經學之盛，初皆本在官學，掌之博士，而授諸太學生；及桓靈之間，黨錮禍起，太學首當其衝，官學之徒，一時幾盡，其高名善士，多坐流廢，或隱居鄉里，閉門授徒，學乃不在朝而在野，敎乃不在官而在師。先是鄭玄亦坐黨錮，敎授不輟，及黨禁旣解，玄年已近六十，最爲大師，弟子數千，遠方來學，如細流之赴大海；京師謂爲「經神」，王粲謂「世稱伊洛以東，淮海以北，康成一人而已；咸言先儒多闕，鄭氏道備」。故漢魏之際，鄭學風靡天下，魏晉朝賢，卽辨論時事，亦多援引鄭氏經注，其盛可知矣。

〔二〕鄭王之爭

魏王肅思奪鄭氏之席，所撰尙書、詩、論語、三禮、左氏解，及編審其父朗所作易傳，皆力與鄭異。以托姻司馬氏（其女爲晉武帝母）故，皆列學官；及至晉世，其學益尊。武帝置博士十九人，傳各家傳注之學，亦最重王肅；晉初郊廟之禮，皆用肅說，不用鄭義；於是，今文經學旣微，而鄭王之爭又起；然子雍以後進而思攘袂，恐不相勝，乃僞造孔子家語、孔叢子，以爲聖證論之根據。則欲蓋彌彰，實貽譏於後世矣。

〔三〕魏晉經學特色

此外王弼何晏，以老莊玄虛之說解易，杜預撰春秋經傳集解，范寧爲穀梁集解，皆多存舊說；不主一家，博洽通貫，不爲兩漢專門家法所律。此亦經學之一大變也。

〔四〕北朝經學

自典午南渡，河北淪於五胡，而衣冠世族，留仕北庭者，仍大有人在；故雖烽火漫天，而弦歌不廢。諸國博士之所掌，學官之所立，史雖不詳，然如後趙之寫石經，前秦之禁老莊，則知宗風所尙，猶在漢學；玄虛之術，無由而染。其後南學北學之多異其趣，已肇端於此矣。

〔五〕南北經學之異

五胡亂華而後，南北分立，經學亦然。大體而論，鄭學行於北方，徐遵明最稱碩學；而魏晉以來，深染玄風之經學，則盛於江左，卽所謂「南學」者是也。其經傳好尙，頗有異同，略如下表：

經	河洛	江左
周易	鄭玄（康成）	王弼（輔嗣）
尚書	鄭玄（康成）	孔安國（僞）
左傳	服虔（子愼）	杜預（元凱）
詩	毛（公）傳	毛傳
禮	鄭（玄）注	鄭注

大抵南方水土和柔，並尚玄談之習，其學多華；北方山川雄厚，善守質樸之俗，其學多實；華故侈生新意，實故率由舊章，此其大較也。其後隋唐經學，以南掩北，故北史（李延壽）、隋書（魏徵等）之儒林傳，皆謂「南人約簡，得其英華；北學深蕪，窮其枝葉」；而篤守漢學如江藩者流，則力反此說，蓋以此也。然南朝經學師承，雖南史所敍，簡於北史，而授受之迹，亦昭然可以考溯。世之崇漢學者，因南學不純守漢儒家法，遂謂唐人偏重南學，爲貴賤倒置，大惑不解；實亦未爲持平之論也。（參看南北朝佛法一節）

〔六〕南北經學之同

當時南北經學，雖趣尚互殊，而諸儒治經之法，大抵相同。漢人注經，以本經爲主，所爲傳注，皆以解經；魏晉以來，則多以經注爲申駁對象，卽自成一家者，亦或集前人之注，間有折衷；或不依舊注，務求新異，是故「傳注」之體日微，而「義疏」之體漸盛；可謂名爲經學，實則注學也。

六、唐、宋、元、明之經學

（一）隋唐經學

隋唐之世，思想則佛學昌明，詞章則詩文並盛，加以傳注之學，東京極盛，實難爲繼；才俊之士，多舍此從彼，是故隋唐經學，雖貌若尊崇，實已退居閏位矣。

隋唐以北統南，經學則以南掩北。蓋南朝文采，常非北地可及，北學抱殘守闕，其蔽則膠滯不通。故唐陸德明經典釋文，以及稍後之五經正義，皆以南學爲主；且五經正義，皆傳述而非創造，鄭玄書、易，服虔左傳，南北朝時均無義疏，此亦正義少用鄭服之因也。

五經正義依據之本，孔穎達序分述甚明：

經	注	疏
周易	王弼（繫辭則韓康伯）	無所主
尚書	孔安國	劉焯、劉炫（周隋間人）
詩	毛公傳，鄭玄箋	劉焯、劉炫
禮記	鄭玄	皇侃、熊安生
左傳	杜預集解	劉炫、沈文阿義疏

其繼五經正義而作者，有：

賈公彥：周禮義疏／儀禮義疏＼宗鄭玄注。

楊士勛：穀梁傳疏──宗范寧注。

徐　彥：公羊傳疏──宗何休注。

諸經義疏，得失參見，然既定於一尊，科舉必讀，又糾纏於前人傳注唾餘，苟有難通，寧言經誤，於是其學日陋；有識之士，厭不屑爲。而淸儒崇漢，既薄魏晉以來經說，因唐人義疏多主魏晉，是以往往詆之，則亦未爲公允也。

九經義疏之外，陸德明經典釋文，本於南學，以音注爲主，而解釋經義，甚稱精博；又有李鼎祚周易集解，集三十餘家大成，存古之功，亦與陸書並偉。唐代經學，如此而已。

(二) 宋代經學

宋初經學，大都仍唐之舊，邢昺重定孝經、論語、爾雅三疏，亦守唐人正義之法。而三書所主，一魏（何晏論語集解）、一晉（爾雅郭璞注）、一唐（唐玄宗孝經御注）。別有孟子疏，乃邵武士人假託爲孫奭所著，語氣敷衍，不足稱道。故宋初經學，唐之經學而已。

其後諸儒漸思立異，學者解經，互出己意，不守陳義，不囿一家；視注疏爲土苴，以新奇爲高妙，甚至讀易未識卦爻，已謂十翼非孔子之言；讀禮未知篇數，已謂周官戰國之書；讀春秋未知十二公，已謂三傳可束高閣；循守注疏，謂之腐儒，穿鑿臆說，謂之精義（司馬光語）。觀此，可知當時風尚所趨矣。於是傳統經學衰微，而性理之學漸盛，所謂理學者，亦廣義之經學也。

宋代經學之書，或折衷故訓，或獨抒議論，或廣事綜合，或以古諷今；既異漢唐，亦殊道學；極駁雜之觀，亦極品彙之盛矣。論者謂宋人治經，特徵有二：一曰「疑經」，於以見宋人懷疑求是之精神（如朱子疑古文尚書之僞，趙汝楳疑十翼非孔子之作，歐陽修、蘇轍致疑詩序，程大昌謂南不爲風）。一曰「改經」，於以見宋人主觀魯莽（如趙汝楳之改易，王柏之任意刪併尚書篇章，鄭樵詩傳、詩辯妄之全削小序，而以己意爲序，程子更定禮記大學，朱子復以己意而分經傳，復作大學補傳）。可謂得失互見矣。

（三）元明經學

自十三世紀中葉（宋理宗年間）以來，朱學盛行，治經者仰爲泰山北斗，傳統經學，沈微幾絕。元儒經學之書，雖亦不廢漢唐，而依人成學，鮮所心得。明以八股取士，洪武年間，訂定官學程式，永樂中，頒行五經大全之類，不過輯錄元人成篇，因陋就簡，倉卒而成，徒廢財帛，無益後生。永樂以後，且以「大全」取士，四方秀艾，困於帖括，以講章爲經學，以類書爲策府，其上者醉於姚江之學，流弊則束書不觀，游談無根，高談性命之旨；其下者庸庸祿蠹，不知經子爲何物。明人之空疏拙陋，可謂甚矣。其間或有可取者，皆不可以舉業求之也。經學至此，可謂衰微極矣。

七、清初經學

清世經學復興，不在官學而在私學。先是明季遺儒，懲空談心性之足以亡國，思以徵實之學挽救末俗，雖無救宗邦之危，實開清學風氣之始。其間聞望最隆者，北則孫奇逢、李顒、顏元；南則顧炎武、黃宗羲、王夫之；孫、李猶純爲理學；顏氏所重，在於實行，其於經學，所言不多。惟黃、顧、王三氏，乃合經學理學爲一，而啓後世漢宋兼采之派。

崑山顧亭林，力攻理學之輕「認知」與「經世」，曰：「今之君子，聚賓客門人數十百人，與之言心言性，舍『多學而識』以求『一貫』之方，置『四海困窮』不言，而終日講『危微精一』，我弗能知也」（答友人論學書）。又曰：「古今安得別有所謂理學者？經學卽理學也；自有舍經學而言理學者，而邪說以起；不知舍經學，則其所謂理學者，禪學也」（全祖望亭林先生神道碑引）。故其自少至老，無一刻離書，著有音學五書、天下郡國利病書等，遂爲一代宗師。其治學階模，影响後世者，殆有數端：

一　曰貴創。其論著作，謂必古人所未及就，後世之不可無，而後爲之；其條記所得而爲日知錄，或知古人先彼而有，則亦削去之。

二　曰博證。四庫提要謂其「學有本原，博贍而能貫通，每一事必詳其始末，參以證佐，而後筆之於書，故引據浩繁，而牴牾者少。」

三　曰致用。與人書曰：「凡文之不關六經之指，當世之務者，一切不爲。」

餘姚黃梨洲，少受學於劉蕺山（宗周），純然王學也。中年以後，方向一變。嘗言「明人講學，襲語錄糟粕，不以六經爲根柢，束書而從事於游談，更滋流弊，故學者必先窮經，然拘執經術，不適於用，欲免迂儒，必兼讀史。」又曰：「讀書不多，無以證理之變化；多而不求於心，則爲俗學。」故其教人說經，則宗漢儒，立身則宗宋學。其易學象數論，授書隨筆，影响閻胡；明夷待訪錄，深斥君主專制之弊，而明儒學案則我國學術思想史專書之祖。其子百家，弟子萬斯同，紹述其學，而浙東史學，於以繼盛。

衡陽王船山，學無師承，而戛戛獨造。明亡後遁跡深山，不與世接，是以其書久而始章。王氏力詆姚江，推尚張載正蒙，爲之注焉。其中「天理卽在人欲之中，無人欲則天理亦無從發現」一語，軼元超宋，而下啓戴震、劉獻廷、譚嗣同之學。

稍後有閻若璩、胡渭之流，漢宋雜治；而皆與顧黃相涉。閻氏古文尚書疏證一書，引經據古，一一陳其矛盾，使古文尚書之僞，大白於世。四庫提要譽其考證之學，未之或先；戴震稱其善讀書，能識字句之正背面。胡渭禹貢錐指，精於地理；其易圖明辨，則辨定世傳之河圖洛書，不過修鍊術數二家旁分易學支流，非作易之根柢；於是讖緯、陳摶、邵雍以來，附會謬妄之說，由是廓淸。可謂經學之功臣矣。

八、乾嘉樸學

淸代考證之學，極盛於乾隆、嘉慶，亦稱樸學。樸者，徵實也，謂其有別於宋明談心論性空疏之學也。蓋自淸初諸大師盛倡講求經世致用之學以來，一時學者，因研讀古籍，本有從事詮釋故訓、考索名物之需要。而清室爲鞏固治權，屢興大獄，以摧抑士氣；一面以整理文化面目，網羅山林隱逸，使從事大規模書籍之編撰（如明史，古今圖書集成，康熙字典，性理大全，四庫全書，淵鑑類函等）。康雍以來學者，由此或則勞精疲神於編纂校勘之役，更無餘暇講求經世；或則寄情於考據之學，以免禍全身；於是清初以來，「爲致用而學問」之風，一變而爲「爲學問而學問」，樸學遂進入全盛時期。

全盛時期之學術中心，在東南吳（惠棟）皖（戴震）二派。惠之於戴，本在師友之間，兩派後學，亦交相師友，本無門戶之別，所以名爲二派者，在其治學方法與根本精神之不同。

元和惠氏，三世經學，棟之祖周惕、父士奇，咸有著述，稱爲儒宗。棟受家學，益弘其業，著有九經古義，易漢學，周易述等。論者謂漢學之絕者千有五百年，至是粲然復章。同時與棟友善者，則有沈彤，特精於禮；王鳴盛治尚書、周禮；錢大昕博通羣經，尤精音學。棟弟子著者，則有江聲、余蕭客；而江藩受學於余，著漢學師承記，推棟爲斯學正統。於是「漢學」之壁壘遂立。

惠氏之學，以博聞強記爲入門，以尊漢守家法爲究竟，推尊漢儒，與經並立。凡漢人所說者，雖陰陽災變不經之論，亦奉爲圭臬，不敢或違。至阮元輯學海堂經解，乃集其大成。清學之名爲漢學者，此也。其弊則信古過篤，膠固盲從，褊狹不能容異己。於是清初大師之懷疑、批判精神，不可復見，故其成就，遠遜於皖派之學也。

休寧戴震（東原），受學於婺源江永（愼修），自少卽有懷疑精神，其學一空依傍，實事求是，主由聲音文字以求訓詁，訓詁以尋義理，故不主一家，無徵不信，必反復參證而後安。以故胸中所得，皆破出傳注重圍。其言曰：「學者當不以人蔽己，不以己自蔽；不爲一時之名，亦不期後世之名。」又曰：「學有三難：淹博難，識斷難，精審難；三者僕誠不足以與於其間，其私自持及爲書之大概，端在乎是。」又曰：「知十而皆非眞，不若知一之爲眞知也」。此數語者，足以代表皖派之精神。而清代樸學，所以卓然有立者，亦以此也。

東原最精小學曆算，著書極多，如聲韻考、聲類表、方言疏証、爾雅文字考、直隸河渠書等。四庫提要天算類全出其手。晚年得意之作，曰孟子字義疏證，上承王船山「天理卽在人欲」之說，力斥程朱舍欲言理，以理殺人之蔽。此蓋跳出考證範圍，而樹一哲學體系矣。（參看頁二九一）

戴門後學，名家甚衆。金壇段玉裁，著說文解字注、六書音韵表，爲許氏功臣。高郵王念孫，著讀書雜志、廣雅疏証；子引之著經義述聞、經傳釋詞，皆博引前人之說，而時加糾正。故戴段二王之學，可謂漢唐經學之諍臣矣。學術是非所在，雖段之尊師，引之之親父，亦不苟同。此皖學之可貴也。故以方東樹之力排漢學，猶稱高郵王氏經義述聞，足令鄭朱俛首，漢唐以來，未有其比；可以知矣。此外有紀昀、劉台拱、焦循、朱駿聲、孔廣森、盧文弨、郝懿行，皆皖派之傳也。清末大師俞樾、孫詒讓皆出王氏，而章炳麟爲殿軍焉。

九、漢宋學之爭

乾隆之世，惠戴崛起，漢幟大張。紀昀、畢沅、阮元輩，復處貴要，傾心崇尙，學者承流向風，各有建樹者不可數計，疇昔以理學鳴者，頗無顏色。時有桐城方苞，尊宋學，好古文，力肩道統，始與漢學相輕。苞亦頗言三禮，同鄉姚範亦校覈羣籍，尚不惑于空談；而錢大昕譏方氏所謂古文義法，不過世俗選本之古文，法且不知，義於何有，詆爲不讀書之甚者。漢學師承記亦載方苞以古禮之義難江永，永從容答之，苞負氣不服，永哂之而已。姚鼐初欲從戴震學，而震謝之，且致規勸，謂其所從事者藝而非道，由是諸方諸姚均不平，鼐遂屢持論，詆漢學破碎；其弟子方東樹，復著漢學商兌，徧詆閻胡惠戴之學，謂諸家之書，不出訓詁名物，於孔孟躬行求仁，修齊治平之學，一概抹煞；棄本由末，名爲治經，實則亂經；復斥漢學家言易之矯誣；言古禮之莫衷一是。其所譏評，實頗中漢學之弊。於是漢宋之爭，乃如水火矣。然鼐之甥馬宗槤及子瑞辰，猶從戴氏弟子游，且戴段之學雖風靡一世，而不能悉投衆嗜，故誦習古文者卒不衰。及後阮元著性命古訓，陳澧著漢儒通義，謂漢儒亦言理學，朱子非不讀書，頗欲調和漢宋，鳩合鄭朱，而漢宋之爭漸息。（參看頁二四五）

咸同間，曾國藩功業名位，震耀一時，而極尊桐城，尚理學，尤服膺姚鼐。聖哲畫象記以姬傳並配周孔，而自居私淑。於是依草附木者遂衆。然成就不高，以視漢學，實遠謝焉。

十、今文經學之復盛

樸學之盛在於乾嘉，道咸以後，漸趨衰微，而今文經學代之而興，推其原因，殆有數端：

一　樸學以矯宋明心性空論而興，然矯枉過正，不究心性，排擊哲理。江藩謂濂洛關閩之學，「不究禮樂之源，獨標性命之旨」；不知禮樂之源，卽在心性天命；假心無所主，則焉有禮樂、禮用禮樂哉？且乾嘉考據，以漢學爲名，而於漢人通經致用精神，一無承繼。惠戴以後，英華更竭，破碎支離，不成系統。其言名物，則明堂、車制，原物不存，聚訟難決；言喪服、井田、封建，則自古已世有損益，羣書枘鑿，難可折衷；言易宗漢，其矯誣穿鑿，復與伊閩洛書無殊。樸學以倡「實」而盛。亦以不能徵「實」而衰。此其一。

二　漢學家敎人以尊古善疑，則當時諸人共信者，固在可疑；而反宋明以復東漢，其勢更必自後漢（古文）而復於前漢（今文），節節復古，卽以更新，於是今文經學復盛。此其二。

三　考証學興，本由避觸時忌，聊以自藏。嘉道以還，積威日弛，外患日亟，有識之士，漸知考証之無補世艱，於是重微言大義之今文經學，以及先秦諸子義理之學，遂先後代之而興矣。此其三。

四　海禁既開，西學復告輸入，始則工藝交通，次則政制哲理，學者耳目一新，恍然自失，對內厭棄之情，遂日漸激烈。此其四。

五　樸學發祥，本在江浙，太平天國之役，文物蕩然，學人蓬轉，更無餘裕以自振其業，且目覩時艱，亦漸奮志事功，不復以考証爲尚矣。此其五。

清代今文經學，常州武進莊存與爲其先導。莊氏博通六藝，尤喜公羊家言（西漢今文十四博士，其說皆亡，惟存公羊何休學而已），爲「春秋正辭」一書，不斤斤於名物訓詁，而重微言大義；然「毛詩說」、「周官說」諸作，猶用古文經說。其同鄉後進劉逢祿繼起，著「公羊何氏釋例」，推原左氏、穀梁之得失，而力申張三世，通三統，絀周王魯，受命改制之類「非常異義可怪之論」；又撰左氏春秋考証，謂此書乃記事之史，非解經之傳，凡解經之處乃劉歆僞造。段玉裁外孫龔自珍，受業劉氏，作五經大義終始論，皆以三世之論通之，又往往引公羊義譏切時政。仁和邵懿辰，撰禮經通論，謂儀禮十七篇爲完書，古文逸禮五十九篇乃劉歆僞造。邵陽魏源，作「兩漢經師今古文家法考」，謂西漢之學勝於東漢，古文學興而西漢博士之家法亡；又作「詩古微」，斥毛詩而宗三家，力攻詩序美刺之說；又作「書古微」，謂東晉晚出之古文尚書乃梅賾僞造；卽東漢馬鄭之古文說，亦非西漢孔安國之舊云。若乃借經術以作政論，則龔魏之所同也。

蜀中經師廖平，受業於湘潭王闓運，其言往往怪誕不經；而南海康有爲紹述之，遂集今文經學大成。蓋前此諸人，不過各取一經爲局部研究，旣而尋其系統，則周禮、左傳、毛詩、逸禮諸經傳，概出現於西漢末，其傳授端緒，俱不可深考，同爲劉歆所爭立；故眞則俱眞，僞則俱僞。於是重提兩漢今古文之舊案，爲此者則康有爲也。

有爲著書曰「新學僞經考」，謂上述諸經皆劉歆僞作，而當世誦法許鄭，自號漢學，實爲新莽時之學也。其論點有四：

一　西漢經學無所謂古文，凡古文乃劉歆之僞。

二　秦焚書未厄及六經，十四博士所傳，皆孔門足本，並無殘缺。

三　孔子時所用字，卽秦漢間篆書，卽以「文」論，亦無今古之目。

四　劉歆爲掩作僞之跡，故羼亂中秘古籍，爲佐莽篡漢，故先湮亂孔子之微言大義。

又作「孔子改制考」，謂孔子謀改造社會，恆託古義，是以堯舜之盛德大業，不過構自孔子理想，他如老子之託黃帝，墨子之託大禹，許行之託神農，亦莫不然。又作「大同書」，借禮運大同之文，而言其理想社會，頗類柏拉圖之理想國焉。（參看頁二九一）

有爲之學，雖病主觀武斷，然其教人研治古書，在求古人創法立制精意，於是談心論性之宋學，章句訓詁之漢學，皆爲唾棄，一也；羣經既多爲劉歆僞作，眞經亦孔子託古改制之作，於是數千年來經學之權威地位，爲之動搖，孔子亦與諸子平等；加以西學東漸，思想日趨自由，傳統經學，遂再蹶而不可復振矣。

總而言之，清代經學，始於反明季王學，次則抗宋元朱學，繼而東漢古文經學，大盛一時，末葉乃有西漢今文經學之復振。此所以梁任公先生謂有清一代學術，如倒捲之復古也。今則羣經義理，入於哲學；六藝詞華，歸於文學；考據訓詁，則語言文字之學也；亦可謂還我本來矣。

第二十一章　清代哲學述要

一、概　論

有明中葉以後，姚江心學，風靡一時，末流則無根游談，空疏狂放。高者脫略事業，沈溺佛老；卑者挾妓呼盧，僥倖苟利，以謹綱常爲頭巾，以重實務爲迂腐。論者謂明社之覆，在士大夫之無用無恥，非虛言也。其時有識之士，疾首痛心，力矯姚江之弊，故黃宗羲、孫奇逢、李顒，鳩合王朱；顧炎武、王夫之，則黜明尊宋。及閻胡開乾嘉之風，理學名儒，則堅守程朱壁壘，漢宋之爭，熾烈一時。然考證囿於訓詁，性理拘於洛閩，以言思想，未有創新。道咸以來，世變既殷，而今文公羊之學盛；改制託古，以期趨新致用，諸子學之研究，亦復盛行。良由澎湃西潮，洶湧激蕩，我國思想學術，遂入於空前巨變之中。由反省而創新，寓更生於適變，其在今世乎！

茲舉述重要思想家如次：

陳　確（一六〇四——一六七七）與梨洲同學蕺山之門，倡天無私覆，物自枯榮（葬論），可謂蘭陵嗣響；又主躬行實踐，謂知不如行，以救空疏之弊；大學辨一文，尤力貶大學經傳之位，朱子補傳之非。故梨洲稱其言發自得，無倚傍，無瞻顧，可謂理學之別傳矣。

黃宗羲（一六一〇—一六九五）中歲以前，斥馬阮，抗清室，而大廈終傾。於是潛心著述。明夷待訪錄，攻擊君制，痛言專制敲剝，荼毒無窮；所謂法制，不過一家之法，非天下之法，均深中元明以來大弊。又論讀史以明流變，免迂儒，方合陽明眞旨。此書乾隆間列爲禁書，光緒時革命黨人祕密散發，風行一時。

方以智（一六一一—一六七一）少結豪俠，組織復社，佐桂王；及明亡，隱於禪林，博學多識，著作亦富。其物理小識，謂物盈天地，物先於理，以抗陸王佛氏宇宙卽心、心外無物之說。通雅一書，則多自然科學理論。

顧炎武（一六一三—一六八二）力抗異族，齎志以歿。日知錄、天下郡國利病書，頗多社會經濟理論。其學崇實証，尙實用，力主博學於文，約之以禮；其後乾嘉之學，則僅得「博文」之一偏，知實證而未能實用者矣。中葉以後，曾國藩、包世臣、龔自珍等，乃力倡經世約禮，以救其偏。

王夫之（一六一九—一六九二）哲思深弘，著述繁富，力主道不離器，無象外之道(周易外傳)，而萬物相成相濟（正蒙注）。又謂天理不外人欲，不可舍欲言理，此皆力排程朱陸王之病者也。

唐甄（一六三〇—一七〇四）潛書力斥君非，闡揚人格平等，藏富於民之論。

顏元（一六三五—一七〇四）初宗程朱，後主實學，實習實行；門人李塨繼之，反對宋明以來理學儒者靜坐誦讀，空談性命之病，謂正其誼以謀其利，明其道以計其功，方免空寂迂腐；後世稱爲顏李學派。

戴　震（一七二四—一七七七）皖學大師，而孟子字義疏証，謂道乃實體實事，剖析事物，其理乃得，理非先於氣，非在于心，故宋儒以理殺人，尤酷於法。故治人之道，在體情遂欲，以行忠恕，凡此諸端，皆逸乎考據之外矣。

洪亮吉（一七四六—一八〇九）經學藝文，卓冠一時；當乾嘉盛衰轉捩之際，深悉民病，卷施閣甲集意言二十篇中，亦多深闢之論。謂天無意志，故強食弱肉，天不能阻之云云。

龔自珍（一七九二—一八四一）生漸衰之世，痛條例桎梏，痞窒人才，是以憂憤、思慮、作爲、廉恥之心，皆屈而不舒，而貧富不勻，實亂之始，故力主變革。又謂道、學、治，三而實一，故經子皆史。而其議事發論，亦重分析遷革也。

魏　源（一七九四—一八五七）從劉逢祿學公羊春秋，與定盦同屬今文經派，躬歷鴉片之役，故主師夷長技以制夷。其哲學思想，具見默觚一書，謂知從行得，宜重實事實理，此亦藥時之學也。

康有爲（一八五八—一九二七）少從朱次琦遊，實受廖平影響，總結林（則徐）、龔、魏等人變法維新，託古改制主張，又吸收西方進化、民約、議會、社會主義思想，以釋公羊三世、禮運大同之說（孔子改制考，大同書）。謂古文經周禮、逸禮、左傳、毛詩，皆劉歆僞造（新學僞經考）。震動一時，躬與戊戌變法。雖入民國始卒，亦可謂清學之殿軍矣。

二、曾國藩（一八一一——一八七二）

滌生之學，初爲翰林詞賦，肆力文章。既仕於京，與唐鑑（鏡海）游，遂以朱子之書爲日課，究心宋明諸賢語錄，於是伊川考亭之學，遂爲其思想歸宗。頗薄陸王，謂即物窮理，然後明物我之分殊，然後復吾人之理性；若從陸王之說，則吾心虛懸，與物了不相涉矣（見答劉孟容書，書學案小識後，順性命之理論）。

滌生從朱子格物窮理之說，讀書既多，博覽乾嘉訓詁之作，遂知考據爲不可廢，宋人注經之時涉疏妄；於是務爲調停漢宋，張姚鼐「義理爲質，附以文詞，歸以考據，三者皆學問之途，不可偏廢」之論（歐陽生文集序，聖哲畫象記）。前此戴震與方希原書，則以理義、制數爲尚，以文章爲末，是亦才性所偏，故有抑揚之論也。

及太平軍興，滌生督辦團練，以傳統文化爲纛，奮與之抗。其學更廣施於政務經濟，即所謂「禮」也。嚴復譯孟德斯鳩法意十九卷十七章按語，引滌生之言曰：

> 「古之學者，無所謂經世之術也，學『禮』焉而已。周禮一經，自體國經野，以至酒漿、巫卜、蟲魚、天鳥，各有專官，察其纖悉。杜氏春秋釋例，歎邱明之發凡，仲尼之權衡萬變，大率秉周舊典。故曰：『周禮盡在魯矣』。唐杜佑通典，言禮居其大半，得先王經世遺意。宋張子朱子，益崇闡之。清代巨儒輩出，顧氏以扶植禮教爲己任，江愼修纂禮書綱目，洪織畢舉。而秦氏（蕙田）修

五禮通考，自天文、地理、軍政、官制，都萃其中，旁綜九流，細破無內，惜其食貨稍缺。嘗欲集鹽、漕、賦、稅，別爲一編，附於秦書之後。非廣己於不可畔岸之域，先聖制禮之體，其無所不賅，固如是也。」

聖哲畫象記亦謂「先王之道，所謂修己治人，經緯萬彙者何歸乎？亦曰『禮』而已矣」。又盛推顧亭林、秦蕙田，皆卽此意。蓋禮者，典章文化之總名；義理以明其道，考據以察其迹，詞章以達其文；是亦足見傳統文化精神之大矣。由是觀之，滌生之學，初事於詞章，繼本於義理，繼采於考據，終滙融三者，而發之於事功。聖哲畫象記采古今賢哲三十二人，分爲八組，歸之義理、考據、詞章三門，具見其用心所在；而盛推諸葛亮、陸贄，蓋亦時勢、處境、事功與國藩相類，是以相惜惺惺也。曾氏又分古文爲四象八體，與此篇並觀，亦可見其好包綜，務整齊，蓋與朱熹同其性尚矣。

聖哲畫象記末段，貶佛氏報應因果之說。蓋「利而行之」，終與「安而行之」有別，故建德樹功，爲學治事，或名或不名，或傳與否，皆有「命」在；而人生價值，則在盡其在我，求心之所安，「義」之所宜；此其陳義甚高，亦傳統儒學之精神也。（參看第七章論語第四節）

第二十二章　道教述要

一、源起

我國三代之際，巫、祝、史主神鬼之事。「巫」象捧玉（甲骨文），又謂以舞降神之女（說文）；「祝」，主贊禮致告；「史」則紀錄。大抵天地之變，老病之苦以及生死之無常，形軀之戀惜，蓋古今人情之所同繫。長生久視，變化超凡，遂爲自來共慕。戰國之世，方士朋興，自王侯以至庶人，常受誘引；符籙禁咒之術、燒煉不死之道，深入人心。自齊之威、宣，燕之昭王以至秦皇、漢武、劉向、王莽，皆墮彀中；後漢尤烈。各種原始迷信、占卜讖緯、陰陽五行之法，漸告合流，遂成道教。蓋我國各大宗教之唯一出自本土者也。

道教之所以依附老莊，蓋亦有因。漢初以來，黃老爲盛；漆園柱下，朝野共認爲無上微妙之法。而五千經文，簡古玄奧，既便穿鑿；叶韵偶對，又利記誦；至若南華寓言，譎怪荒唐，尤易附會；神仙方士，遂張皇「谷神不死」、「入火不熱」之說，冠以「眞人」、「天師」之名，以重其言；於是朝野從風，「方」士遂一變而爲「道」士矣。

桓靈之際，有于吉太平經，備尸解、身神、功過、辟穀之說，實道教之最早經典也，是爲「太平道」。張角倡亂，卽以此愚惑羣衆。後世稱道士曰黃冠，卽黃巾之遺也。同時張陵初遊太學，晚習長生，從者甚衆，稱「五斗米道」。徒衆病則飲符水，書名三通，祈禱山、地、水官。子衡爲嗣師，孫魯爲孫師，初從劉焉，後據漢中，以鬼道教民，號「天師道」。至若禁酒戒殺，撫養流民，則太平天師二道之所同也。其時世積亂離，人心無依，是以從者日衆。又象教入華，至是亦漸發展，二教相輔而行，互相利用，皆爲方術之一。及後宗徒漸衆，爭端乃起。道士遂有老君西遊、化胡成佛之說，貶瞿曇爲天尊之徒，以自重其教也。

二、興盛

鍊丹服食之說，至漢晉間魏伯陽參同契、西晉葛洪抱朴子而成系統。二書皆論外丹（燒丹砂鉛汞爲金）內丹（調和人身陰陽），以講精、氣、神之協和，而延命益壽。稚川復益以積善倫理之教。「丹鼎」一派理論，至是奠定。

道教最大目的，在羽化長生，講現世之最大功利，一切鍊丹吐納，不過爲此。然古來道士，無有不亡，服食求仙，又虛無難期，登仙羽化，多爲藥誤，於是爭取信徒，遂須別求善法。北魏太武帝時，道士寇謙之少修張魯之術，服食無效，乃修道嵩山十年，自謂老君授天師之位，以代江西道統。除三張僞法，又造雲中音誦新科之誡二十卷（414），集齋醮科儀大成。太武崇信甚切，遂成國教。而佛教太武法難，亦由此起。實則寇書頗採佛教軌範，其後道士剽佛典以造僞經者甚多，南朝陸修靜、陶弘景，其著者也。

隋代並崇佛道，而李唐立國，援重李耳，尊爲始祖玄元皇帝。玄宗開道舉，以老莊列文爲四子眞經，以道士女冠隸於宗正，等同皇親；以高祖太高中睿五帝陪祀老子。歷朝公主、妃嬪多入道爲金仙、玉眞；名臣賀知章，名士葉法善、孫思邈、李德裕等，皆奉道教。武宗會昌滅佛，卽用德裕及趙歸眞言。然唐末高駢，旣以道教作亂，太、高、憲、敬、武諸宗，亦服丹而死，則唐室與道教之互相利用，亦益害參見矣。

唐末杜光庭，後周陳摶，皆道教名宿。宋代崇道，別造趙玄朗爲教祖。眞、徽二宗，信仰尤切。眞宗寵林靈素，上江西張天師尊號，天禧三年（一〇一九），錄成道藏二十五類，一三二三部，三千七百餘卷尤多於釋典。徽宗改佛號大覺金仙，自稱教主道君皇帝。南渡以還，猶有朱熹注參同契，眞德秀崇道教，可以知其時之風氣矣。

南宋末，金王嚞（中孚）號重陽子，倡全眞教，不婚娶，貶江西天師道爲火居道士。弟子譚處端、邱處機、馬鈺等七人，最能光大其教。元世祖尊信處機，號爲長春眞人，使轄天下教事。於是道士專橫跋扈。至憲宗時佛道始再分掌，而道士每與佛爭多詞窮，自供除道德經外，餘俱捏合僞作，於是自五千言外，盡告焚燬。

明帝歷代奉道甚至，置官管之，明初張三丰最有名。佛道之爭，亦漸平息，相安相容矣。

清代雖亦崇奉，而於張天師，但許稱正一眞人，由二品降爲五品，不許朝覲，只令禮部引見。乾隆四年禁其傳度，道教益衰。惟民間信仰者仍多，超度祈禳亦道士營生之方也。今則民智更啓，道教益形沒落矣。

三、宗派、信仰與經典

（一）道教宗派

道教宗派甚多，天師道有江西龍虎山張派，蓋張魯子盛移此，以劍、印、都功籙三寶，世代相承，至今張恩溥爲道陵六十三代孫。又有寇謙之派。元代以後，道教主流爲南北二大系統，南曰正一教，主符籙科教，兼及義理；北曰全眞教，主服食鍊養，重在實修。

此外，又有茅山道，不婚，由漢初三茅君起，陶弘景嘗立館江蘇丹陽句容之茅山。湖北武當山則奉眞武玄天上帝，以煉丹驅邪爲能，明張三丰即武當道之祖師也。禪宗叢林制度既立，道教亦受其影响，北平白雲觀，爲全眞教大本山，制度全仿佛教叢林，亦以清規爲生活公約。

（二）道教信仰

道教信仰駁雜而矛盾：言「丹鼎」者主服食導引，肉身羽化，仗「自力」以成仙，謂人身爲宇宙縮形，五臟神鬼，莫不靈奇；信「符籙」者感通身外鬼神，又若依仗「力他」。一般而言，道教屬泛神信仰，而以元始天尊爲首，一炁化三清，爲天、靈、神三寶君。又有文昌帝君司文，城隍守土，酆都神司地獄，灶君、門神、關帝、王靈官、呂祖，亦各有職司。

煉丹之術，以抱朴子所載爲大宗，燒丹砂成水銀，積變復成丹砂，是爲一轉。服之三年得仙，如是九轉，服之三日得仙；然魏晉以還，服食而死者不可勝數。此外又有行氣（胎息吐納）之術，導引（按摩柔軟操）之法，皆所以求長生者也。

所煉之丹，以硫化汞爲主，加以雄黃、礬石、牡礪、滑石等，化合常產砒素，微量使人顏容姣好，稍多卽可致命。行氣導引之術，則實爲健身之法也。

〔三〕道教經典

道教經典，總稱道藏，亦分三藏：

一　洞眞部——教化大乘，由天寶君所啓。

二　洞元部——教化中乘，由靈寶君所啓。

三　洞神部——教化下乘，由神寶君所啓。

每藏各分十二部。又有太眞部、太平部、太清部、正一部。近代白雲觀所藏，共五四八五卷。

第二十三章　中國基督教發展概畧

一、基督教早期傳入之說

(1) 聖多馬傳道中國，與保羅傳道西方同時，殉道於印度東部，時爲主後六十八年，約當東漢明帝永平年間（見賈立言基督教史綱頁345引馬拉巴教會迦爾底亞（Chaldean）祈禱書說，及羅金聲東方教會史頁81）。

(2) 巴多羅買傳道中國，而多馬至印度（見董健吾譯中國基督教四大危急時期，及王治心中國基督教史綱）。

(3) 敍利亞教士東漢時傳入，帶回蠶絲技法（李文彬中國史略頁157—158）。

(4) 三國東吳赤烏年間（二三八——二五一）傳入（王治心中國基督教史綱頁26引明劉子高詩集、李九功愼思錄，均言洪武年間，江西盧陵有大鐵十字架一座出土，上有赤烏年號，上有聯云：「四海慶安瀾，鐵柱寶光留十字；萬民懷大澤，金鑪香篆藹千秋」）。

(5) 五世紀初已傳入中國：據羽克（Huc）基督教中國傳道史載四一一—四一五年時，塞琉細亞

（Seleucia）大主教，已將中、印分別劃分爲教區。

但以上各說均無確証，存疑可也。至如「路得改教始末」謂東漢馬援征交趾時，基督教已入中國；「燕京開教略」有三國時關羽奉基督教之說，太無根據，更不可信。

二、第一期——唐之景教

唐代景教與祆教、摩尼教，均由西域傳入，當時號爲三夷教。

所謂景教，卽基督教之聶思脫利派（Nestorian Christianity），其創始人爲聶思脫利（Nestorius），敍利亞人。五世紀（四二八）時，爲東羅馬君士坦丁堡大主教，以倡耶穌基督爲二位二性友誼結合之說，反對當時亞力山大學派稱馬利亞爲神之母、反對聖像、煉獄之說，於是不容于正統——教宗塞勒斯丁一世（Celestin I）、亞力山大主教濟利祿（Cyril）等，見逐於君主（東羅馬皇帝戴奧陶西二世 Theodosius II），偕其徒十七人至波斯，自後得薩贇皇朝之羽翼，隆盛一時。四九八年，脫離本流，自稱迦爾底（Chaldea）教會，或亞述（Assyria）教會。其主要教義爲：

(1) 聖母所生者非聖子：聖子與聖母之子僅爲倫理、友誼之結合，而非實質之同一。

(2) 聖母所生者耶穌之人體，非耶穌之神性；故不拜聖母馬利亞。

(3) 耶穌有二體：一爲有形可見之人，一爲無形不可見之聖者，所謂二位一體也；在世三十餘年之耶穌，爲立教聖人，爲盛神之器（Theophore），非卽聖子。

(4) 僅留十字架，不設聖像。

貞觀四年（六三〇），唐太宗平東突厥，西突厥聞風歸降，於是素爲突厥役屬、不通中國之西域諸邦，至此多遣使賀捷，推尊太宗爲天可汗，作爲國際和綏組織之首長。西亞與唐之關係既密，聶派教士亦得而至中國傳教，如新唐書西域傳載：「太宗厚慰（安息）使曰：『西突厥已降，商旅可行矣。』諸胡大悅」。

又如大秦景教流行中國碑云：「太宗文皇帝，光華啓運，明聖臨人。大秦國有上德曰阿羅本，占青雲而載眞經，望風律以馳艱險，貞觀九祀，至於長安。帝使宰臣房公玄齡，總仗西郊，賓迎入內，翻經書殿，問道禁闈，深知正眞，特令傳授」。可知景教之得以順利入華，實以東西突厥之降服，天可汗制度之建立，爲其要樞也。

貞觀九年（六三五），波斯人阿羅本（Alopen—或曰亞伯拉罕之音譯—日人佐伯好郎說；或曰阿羅卽阿拉，乃希臘語「神」之稱，亦有原本之意；或曰爲拉班 Rabban，長老之音譯），携聶教經典至長安，太宗使譯爲中文。

貞觀十二年（六三八）七月，詔曰：

「道無常名，聖無常體，隨方設教，密濟羣生，……詳其教旨，玄妙無爲；觀其元宗，生成立要。詞無繁說，理有忘筌，濟物利人，宜行天下。所司卽于京義寧坊造寺一所，度僧二十二人」（景教碑及唐會要卷四十九）。

其稱曰大秦景教者，以聶派本自敍利亞來，與該教發祥地之巴勒斯坦，同爲羅馬所治。大秦者，固羅馬在漢之稱也。其教入華，取名爲「景」，景者日光也，蓋取新約「眞光照世」之義。故曰：「眞常之道，妙而難名；功用昭彰，强稱景教」（景教碑）。李之藻亦云：「景者大也，炤也，光明也」。然其教堂則稱波斯寺，以阿羅本爲波斯人故。玄宗天寶四載九月，詔云：

「波斯經教，出自大秦，傳習而來，久行中國，爰初建寺，因以爲名；將欲示人，必循其本，其兩京波斯寺，宜改爲大秦寺，天下諸府郡置者亦準此」（唐會要卷四十九）。

始告正名。而自太宗以後，高、玄、肅、代、德諸帝，皆曾弘護；高宗時仍崇阿羅本爲鎭國大法主，幷詔諸州各置景寺，一時「法流十道，寺滿百城」（皆見景碑），頗見興盛。

武后繼位，夙右僧尼，而佛徒亦多忌景教，景教大德阿羅憾（Abraham）等乃集貲億萬，建大周頌德天樞於洛陽端門，弘麗奇偉，武氏大悅，遂得繼續發展。

玄宗開元年間，曾假興慶宮使景教僧侶講道，天寶初，命寧國等五王，親到景寺，設立壇場，幷陳列高祖、太宗、高宗、中宗、睿宗遺像，又嘗爲題牓額。

肅宗曾重建景寺於靈武等五郡，其時中興大臣郭子儀，與景僧伊斯友善，其子取名穆護，爲博士之意，亦當時聶派教士通稱；李白康老胡雛歌，亦有聶教意味。

代宗嘗于耶穌聖誕送香賜饌。德宗繼立，亦復優容；大秦景教流行中國碑，即於建中二年（七八一）建立，以紀其盛。此碑大抵于武宗會昌滅法時埋下保存，明熹宗天啓五年（一六二五）發現於西安郊外盩

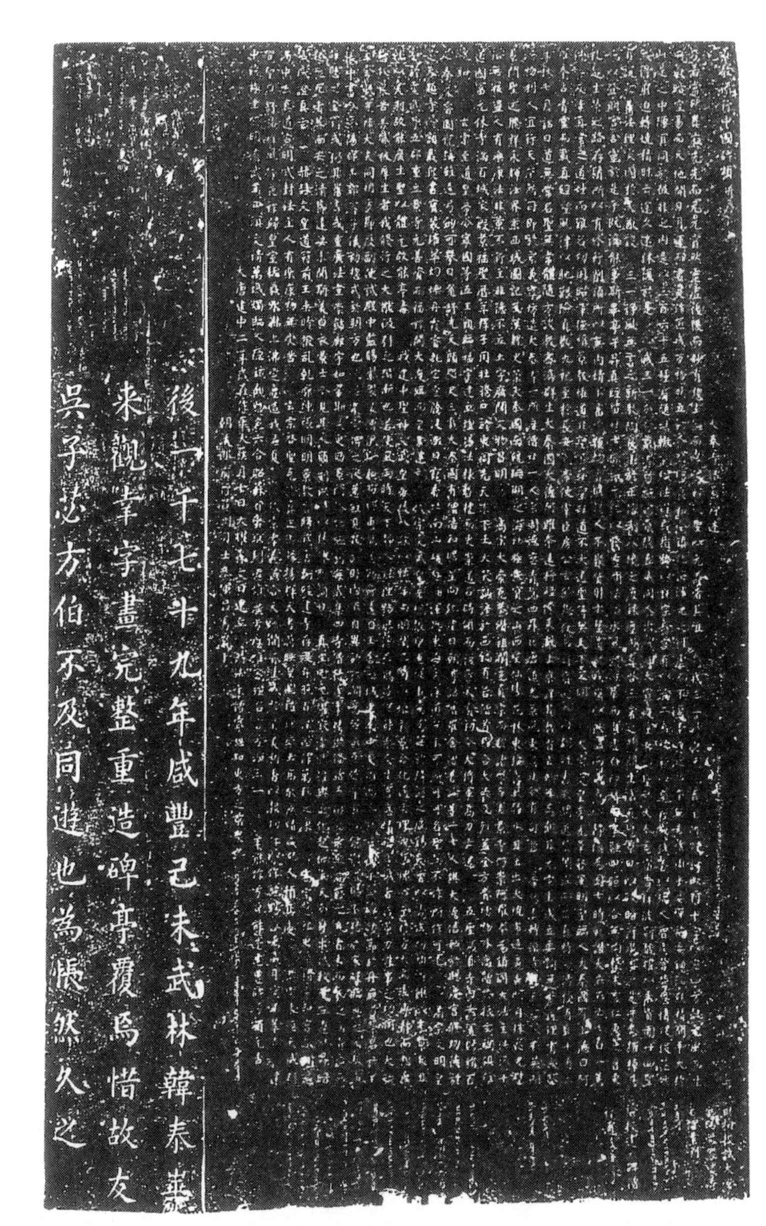

大秦景教流行中國碑

厔縣附近土中，碑高近丈，廣五尺；文高四尺七寸半，廣三尺五寸；厚尺餘。碑文32行，行62字，正文共1695字。上有十架，側有蓮花，文旁有天使，文下附四十餘字之敍利亞文，乃感恩祝福之語。意云：

「景教天祐，于希腊西曆一〇九二（A.D. 781），由先輩大主教合那耶所亞（Hanan Yeshuah）立此碑，以紀其祖先傳道於君王之前」。碑之左右兩側，錄景僧六十五人姓名，漢敍對照。

此碑發現後，學者多有研究，如清錢謙益之景教考，杭世駿之景教續考，錢大昕之潛研堂集金石文跋尾，王昶之金石萃編，意大利人艾儒略西學凡附錄大秦寺碑篇，皆專門考証。光緒時，敦煌石窟發現大秦景教三威蒙度讚，世尊布施論等，更多佐証。碑文題呂秀巖書，日人佐伯好郎以爲卽呂巖，卽道教之呂祖（洞賓）也（中國基督教之研究頁180—222）。羅香林先生則以爲呂祖全書中，如天徵、地眞、証仙、體道諸章，雖多與景教有關（又見李貞明景教碑後的中國基督教史料），但呂祖之父呂讓，於德宗貞元十六年（八〇〇）喪母時，仍屬年少未學，呂祖之生，當更在穆宗敬宗之際，故不可能爲呂秀巖（見呂祖與景教之關係——景風第十一期頁7，又唐元二代之景教頁135—152）。

根據碑文、三威蒙度讚、世尊布施論及其他遺物研究，與今日基督教所用名詞，比較如下：

	舊名	新名
經典	多惠聖王經	大衛王詩篇（達味王聖詠集）

經典	
阿思瞿利容經（伯希和謂「思」宜作「恩」）	福音書（Evangelion）
渾元經	創世記
傳化經	使徒行傳（宗徒大事錄）
寶路法王經	保羅書信（保祿書信）
牟世法王經	摩西出埃及記（梅瑟出谷記）
伊利耶經	以利亞書（列王紀上）
遏拂林經	以弗所書（厄弗所書）
啓眞經	啓示錄（默示錄）

名號	
彌師訶、彌施訶、迷師訶	彌賽亞
无元眞主（慈父）阿羅訶	天父耶和華自有永有
慈喜羔	神之羔羊
三一妙身	三位一體
娑殫、娑多那	撒但
景尊	基督

名號	三常	信望愛常存
	八境	八福
	瑜罕難	約翰（若望）
	明泰	馬太（瑪竇）
	盧伽	路加
	摩矩辭	馬可（馬爾谷）
	閻羅王	鬼王
	涼風	聖靈（聖神）
	毗羅都思	彼拉多
	飛仙	天使
	賀薩耶	何西阿（歐瑟亞）
教理	先先而无元，後後而妙有	上帝無始無終，昔在今在永在
	匠成萬物，然立初人	上帝創造天地萬物，最後造人
	室女誕聖	童貞馬利亞生耶穌

教理	
亭午昇眞	復活升天
七日一薦	七日禮拜
聖子端在父右座	耶穌在上帝右坐
三身同歸一體	三位一體
若左手佈施勿令右覺	馬太：六：3
有財物不須放置地上，有財物皆須向天堂上，必竟不壞不失	馬太：六：19
唯看飛鳥，亦不種不收，亦無倉窖可守	馬太：六：26
梁柱着自己眼裏，倒向餘人說言汝眼裏有物	馬太：七：4
經留廿七部	新約廿七篇*

【註】* 一說景教經典，不包括彼得後書、約翰二書、三書、猶大書、啓示錄五篇。

景教自入華以來，亦與其他外來宗教，同受中國傳統文化禮俗影响，漸多變易；如漸設圖像，准許主教以上人員結婚生子，是其例也。又更受佛教影响，故教士通稱爲僧，使徒、天使、聖者，皆稱法王，甚至稱天父爲佛，聖道爲法；其經文措辭用語，亦近似佛典。於是會昌滅佛，景教亦受牽連。

唐武宗會昌五年(八四五)，信道士趙歸眞及宰相李德裕議，以佛教僧尼衆多，寺院遍天下，耗蠹生靈，侵滅征稅，乃有禁毀佛寺，强迫還俗之舉；景教亦在禁廢之列，遂以陵替。考其衰滅之因，殆由：

(1) 過藉帝王護法之力，未能植根民間，故趙孟所貴，趙孟亦能賤之；會昌滅法，遂一蹶不振。

(2) 全憑外來教士宣道，既無培養本土傳教人才，建立中國景教；教士亦無深通漢文者。

(3) 受佛教影响太深，本身教義，反以不彰。

故嚴格論之，景教對當時文化，實無重大影响，惟唐書諸王傳載僧崇一愈玄宗之弟，由其法號，知爲景僧。杜環經行記亦云：「大秦善醫眼及痢，或未病先見，或開腦出蟲」。如此而已。

中土景教既禁，沿海邊境尚有存者。唐末黃巢陷廣州，屠戮外教教徒十餘萬，內地景教遂滅。至西北邊疆，歷宋至元初，尚有奉教者，觀馬哥孛羅遊記可見。而元人稱基督教，則曰也里可溫。

三、第二期——元之也里可溫

也里可溫者，元人稱基督徒之名也。元人設二品之崇福司（在從一品之宣政院——釋，從二品之集賢院——道之間）以轄之。而景教亦其中一派焉。

也里可溫一名，或曰爲阿拉伯語上帝之意（見羅香林唐元二代之景教頁23引陳垣「也里可溫考」第一章解詁）：

（Rekhabiun）亞拉伯語 —即—（Eloh）敍利亞語 —變音→（Arekhawiun）蒙古語

上帝

又或曰本爲蒙古語福分有緣之意，即拜上帝奉福音者（見王治心中國宗教史大綱頁169及余牧人謝頌羔「諸教的研究」附錄陳垣之「基督教入華史略」頁4）；然其幷包景教與天主教而言，則無可疑。

唐末以後，景教仍流傳于西北一帶，蒙古之克烈、乃蠻、汪古各部，以至畏吾兒（回紇、回鶻）族，均有信奉者。蒙古帝國崛興，各部親貴從征有功，景教亦隨而再盛。據馬哥孛羅行紀卷二第145章，且記蒙古力攻襄陽不下，賴景教徒所製發石大礮，每機同時可發各三百磅大石六十，無堅不摧，屏障遂失，乃下南京，迫臨安，而滅南宋云。

但蒙古風俗，本尚多妻，狂飲作樂，景教依附貴族，難免變質。信仰者全爲色目人，幷無漢族，又不植根民間，景教中心移達距華復遠，聖職人員缺乏，加以羅馬正統教（天主教）勢力擴展，故又衰微。波斯滅後，更告不振。

十三世紀末，元室定鼎中原，而天主教方濟各（法蘭西斯）會約翰孟高維諾（Giovanni da Monte Corvino）奉教宗尼古拉斯四世(Nicholas IV)命，經印來華（一二九四），得元帝詔許布教，建教堂二所于大都。一三〇七(元成宗元貞十一)年幷由教宗克尼孟五世(Clement V)立爲汗八里（燕京）大主教，轄主教七人，總司東方教務。布教三十年，領洗者數萬，然亦多爲蒙古人，加以佛道之排擠，與景教之傾軋，故孟氏歿後四十年，元亡明興，基督教影響力亦再趨衰。歷一百八十餘年而耶穌會教士復至。

四、第三期——明末清初之耶穌會

晚明萬曆年間，天主教徒因受新教刺激，及世界地理新發現之鼓勵，紛紛東來傳教，尤以耶穌會爲主。嘉靖時，耶穌會士聖舫濟（或譯沙勿略 St. Francis Xavier）因傳教日本，感其人崇敬中國文明，及懷疑基督教既爲唯一眞教，何以中土不知？乃興來華之念。其時中國嚴禁外人進入，嘉靖二十九年（一五五〇）抵廣東台山之上川島，屢謀潛進內陸未果，不幸飢寒交迫，一五五二年杪，病逝島上。其後各派教士數人，亦先後居此，至一五六〇年有范禮安（Valignani）者，亦止于澳門，乃建耶穌會堂於此，而有「中土磐石，何時可裂，以迎吾主」之歎。

一五八〇年，耶穌會派羅明堅（Ruggiers）、利瑪竇（Matteo Ricci）二人同到澳門，受命入華。不久羅氏回意，利氏則改換僧服，潛入肇慶（萬曆九年—一五八一），而基督教入華之第三時期開始。

利氏爲適應環境，減少阻力，以達傳道目的，乃先着僧服，繼則儒衣儒行，改字「西泰」，研究中國文化；又講授天文、地理、曆算之學，與士大夫往來，居肇慶天寧寺十年。移居韶州、南京、南昌等地。一六〇一年初至北京，進呈天主像、聖母像、天主經、十字架、報時鐘、萬國圖誌、西琴等物，及天地度數之法，奉獻神宗；帝激賞之，遂定居。自是講學傳道，名官鉅卿多人入信，而徐光啓、李之藻、楊庭筠，稱爲教中三傑，皆一時名士，而率先奉教，故從者如雲。

一六一〇年，利氏逝世，年五十七，詔賜殯葬。其時耶穌教會已遍設京、杭、南昌、韶州、肇慶等地，信徒千計（詳見艾儒略之大西利先生行蹟）。

利氏成功因素，殆有數端：

(1) 善交朝野學士名人，如敎中三傑等，爲聖道之器皿。

(2) 力硏漢學，融通儒理，尊敬孔孟，容納祀祖祭天，普獲尊敬優容。（然敎會內部反對，亦出於此，卒導致後來衰落）。

(3) 介紹最新西洋學術成就，使國人初知世界之大，奇物之巧；天文、曆算、輿地等學，亦開新局面，爲淸代戴震等之先導。

然利氏旣得帝皇顯宦崇信，敎會日臻發達，忌謗者亦隨而增多。利氏逝世後六年（一六一六——萬曆四十四年），乃有南京敎案，是爲中國正式非基督敎風潮之首。

南京敎案之導因，乃由當時天主敎尙未遍及民間，衞道之士，向目之爲異端。利氏旣逝，南京禮部侍郞沈㴶上三疏，參奏「遠夷」，以破壞倫常（不祀祖），陰謀不軌（聚會衆），變亂道統（改天曆），爲諸敎士罪，一時和之者甚多。華南、北各地，排敎風潮遂起，朝廷卒爲所動。一六一六年，下令禁敎，逐西敎士回國，於是王豐肅、謝務祿、龐廸我、熊三拔等，退居澳門，一時牽連甚衆，有受罪而死者，而中國天主敎三大柱石之徐、李、楊等人，或具疏答辯，或藏匿敎士，或奔走斡旋，以挽危局。一六二四年，敎案平息，王豐肅易名高一志，謝務祿易名曾德昭，再潛入內地傳敎，而龐廸我、熊三拔二人，則逝於澳門。

一六二三年（熹宗天啓三年），德人湯若望(Johannes Adam Schall von Bell)來華，不久卽受重用，爲欽天監正。蓋晚明倭寇旣盛，流賊猖獗，加以滿淸崛起，遼事危急，而當時官兵素質旣壞，器械不精，國家財政，又復支絀，是以西洋教士如畢方濟（Franciscus Sambiaso）等，崇禎十二年上疏，所倡明曆法以昭大統，辦礦脈以裕軍需，通西商以官海利，購西銃以資戰守諸策，遂爲明室所重也。當時教士，亦以是得自由傳教，信徒增加甚速。熹宗皇后崇禎帝以至皇族諸人，奉教受洗者，多至百四十餘人。崇禎既崩，湯若望留守北京，畢方濟則活動南明，桂王大臣如瞿式耜（多馬Thomas）、丁魁楚（路加Lukas）、龐天壽等人，以至永曆太后（烈納Helena）、馬太后（馬利亞Maria）、王皇后（亞納Anna）、太子慈烜（當安Constantinus），皆受洗奉教。甚至派教士卜彌格（Michael Boym，波蘭人）攜永曆后致教皇因諾曾五世（Innocent X）之諭文（永曆四年十一月十四日，一六五一）及龐天壽書信，求援羅馬。適教皇逝世，亞歷山大第七（Alexander VII）嗣位，復書回華，太后及龐天壽已逝，桂王播遷雲南，卜氏遂流離安南，次年病死。此外，安文思、利類思二教士，亦曾爲張獻忠修曆。

一六四四年，清世祖順治既定都北京，以湯若望精曆算製礮，復加重用，御題「欽崇天道」匾額。其後聖祖康熙亦有天主堂題詩：

「森森萬象眼輪中，須識由來是化工；體一何終而何始？位三非寂亦非空。

地堂久爲初人閉，天路新憑聖子通；除卻異端無忌憚，眞儒若個不欽崇！」

當時廷臣，亦多與交通聲氣。康熙七年（一六六九），比利時人南懷仁（Ferdinand Verbiest）繼湯若望任欽天監，極受信任；三藩之亂時，其所製大礮，著有功勳。嫉者雖多，而謙卑恭和，居北京三十載，一六八八年去世。此外，法人張誠（Gerbillon）、白晉（Bouvet）、杜德美（Petrus Jartroux）、馮秉正（Joseph F. Moyra de Maillac）、德瑪諾（Romanus Hinderer）、湯尚賢（Petrus Vincentius du Tartre）、德人恩理格（Christianus Herdtricht）、閔明我（Philippo M. Grimaldi）、雷孝思（Joannes Baptist Regis）、費隱（Xaverius Fhrenbertus Fridelli）等，或任侍講（數理醫化）、或任顧問（巡邊測量）、或任外務（尼布楚條約）；天主教傳道事業，亦因以頗得進展。此外，名畫家吳歷，五十一歲始學道澳門，爲神甫二十餘年；閩人羅文藻，被立爲主教，亦盛事也。

然清初以來，天主教在華波折亦多。順治末年（一六六一），已黜欽天監員楊光先，以湯若望用西法修曆，謂係暗竊正朔之權，乃上疏奏劾，復撰闢邪論，攻擊西洋曆法、耶穌會士、以至所傳教門，不遺餘力。且謂其教教徒遍布，一旦謀爲不軌，禍不忍言。會順治去世，康熙少年嗣位，輔政大臣鰲拜等，乃於康熙三年秋，收押湯若望、南懷仁等，幷判湯氏以肢解之刑，各省教士及官吏奉教者，亦將治罪。而方定案時（康熙四年春）傳有大地震，案乃解，湯氏出獄未幾去世。康熙專政後，據教士自辯之疏，平反寃獄，治楊光先等誣告之罪。自是歷康、雍、乾三朝，耶穌會士皆任欽天監之職，其較著者，除湯若望、南懷仁外，尙有戴進賢（Ignaz Kögler）、嚴嘉樂（Slaviczek）、鮑友管（Antoine Gogeisl）、劉松齡（Augustin de Hallerstein）、洪若翰（Jean de Fontaney）、宋君榮（Antoine Gaubil）等，末二人爲法人，前數人均爲葡人。康熙用西教士，蓋亦有外禦强俄，內防漢族之意也。

康熙三年（一六六四）時，傳道廣及十一省，教友十一萬四千二百人。除耶穌會外，尙有方濟各會（Franciscans）、道明會（Dominicans），但當時在華規模成就，均遠較耶穌會爲小。三會之間，由於創造主譯詞之爭議，中國傳統祭祖祀孔問題，大起紛爭，後竟擴大爲歐洲宗教文化界之爭議，與及清廷與教皇之衝突，前後超逾百年（一六三五至一七四二），卒至禁教，史稱「禮儀之爭」。

利瑪竇入華傳道，力效華風，融和儒學，所著天主實義，甚至融會六經上帝之說。徐光啓等甚欽贊之，故以天主、天、上帝幷稱，皆爲拉丁文 Deus 之譯義。而天主一詞之用，實自羅明堅始。又以祭祖祀孔，本爲中國文化習俗，非祀邪神拜偶像可比，然亦有以爲違犯誡命，理當嚴禁者。一六一〇年，利氏去世，繼任人龍華民（Nicolo Longobardi）聯合熊三拔（Sabbatino de Ursis）等，力倡禁用「天」及「上帝」，以其不能代表"Deus"，甚至「天主」「靈魂」一類之詞，均不可用，而代以譯音。但歷任視察員及多數教士，均右利氏遺志。然耶穌會內部論爭漸息，道明、方濟各二會又繼續大力攻擊，認爲妥協不當，紛爭日烈，乃上訴教庭。

一七〇四年冬，教宗克尼孟十一世（Clement XI）發表通諭，大抵融和二端，祭祖祀孔，許參加而不許主禮行禮，又派多羅主教（Megr. Carlo Tommaso Maillard de Tournon）、嘉樂主教（Carlo Ambrosius Mezzabarba Patriarch of Alexandria）先後來華，指導教士，幷與清廷交涉。但二人不諳漢語，更不諳中國文化風俗，乃貿然判定尊孔祀祖爲異端，不許通融，康熙大怒，衝突既烈，教難遂迭起。一七四二年，教宗本篤十四世（Benedict XIV）再發一通諭，重申禁令，幷不許再爭論禮儀問題。而康、雍、乾三朝，亦屢令禁教，藉沒教產，惟北京教士，通天文曆算者可留。一七七三年（乾隆三十八年），教宗克尼孟十四世（Clement XIV）解散耶穌會；他派會士不諳漢學者，亦多疑利氏諸人著作，含有異端，不欲刊行，教務遂一蹶不振。一七八三年，派法國遣使會（Lazarite）來華接替工作，終無發展。直至鴉片戰爭以後，方再積極展開工作。而禮儀問題，亦至近二百年後（一九三九年十二月八日），方由教宗庇護十二世（Pius XII）通令准許敬禮孔子及死亡親友，以其屬禮儀善舉，而非宗教敬禮也。（有關耶穌會教士之著作、貢獻，坊間史籍多有表述，茲不贅）。

五、第四期——馬禮遜以來之發展

新教來華傳道，以馬禮遜（Robert Morrison）為第一人，馬氏嘗從旅英華僑楊三德（或譯容三德）習中文，又自倫敦博物院得唯一漢譯聖經；自動請求英國倫敦傳道會（London Missionary Society）派遣來華傳教。其時中國海禁既嚴，東印度公司亦恐其來華傳教，影響商業，不許其乘船，馬氏乃自英經美來華。一八〇七（嘉慶十二）年九月抵廣州，以形格勢禁，佈道繙譯皆難。一八一二年，退居澳門，次年，米憐（William Milne）來助，其時澳門天主教影響頗大，不便亦多，而馬氏沈毅堅忍以赴。一八一四年，印刷工人蔡高受洗，是為中國新教徒之始。次年，馬、米二氏，成立恒表差會（Ultra-Ganges Mission. Society）於馬六甲，又次年，印刷工人梁發受洗，後并為宣教師，廣著傳道小冊，洪秀全即讀其勸世良言而有日後之拜上帝會，而太平天國革命以起。一八一八年馬氏成立英華書院于馬六甲，從事繙譯、印刷、傳道、教學等工作。此乃教會為華人辦學之始。次年譯成新約，其後又譯舊約及漢英大辭典，而東印度公司亦漸予助力。一八三四年馬氏去世，東來傳道廿五年，共有十人領洗。而自一旅北京、來往澳穗外，未能深入內地，然大輅椎輪，已奠新教立華之基。其間來華名教士，有麥都思（W. H. Medhurst)、郭實獵(K. F. A. Gutzlaff)、衞三畏(S. Wells Williams)、理雅各（James Legge）、楊格非(JohnGriffith)、丁韙良(W. A. P. Martin)等，而英國浸禮會之李提摩太（Timothy Richard）、創立內地會（China Inland Mission）之戴德生（Hudson Taylor）最有名。又有林樂知(Young John Allen)等廣譯科技、時聞；而李提摩太久在華北主賑災民，爲廣學會編輯，時以中文發表言論，影响甚大：如鄭觀應之盛世危言，康有爲之論疏是也。梁啓超、翁同龢、張蔭桓等，皆與交遊。一八三〇年，美國公理會（The American Board of Commissioners for Foreign Missions）派裨治文（E. G. Bridgeman）來穗，創辦英文報章，是爲中國有近代化報紙之始。此外，女子學校——如眞光（一八七二）、培道（一八八八）、英華女校（一九〇〇）——以及靑年會等，亦紛紛設立。一九〇七年，基督教人士在上海開會紀念馬禮遜來華一百周年，其時西教士已達三八三三人，信徒二十七萬餘，傳道總會六百三十二，可謂自來未有之盛矣。

然教會既多，流品漸雜，莠民教棍，勾結爲非，地方人民，飲恨側目，每有衝突，立成教案；殖民帝國乘機侵略，中國必蒙損失；加以基督教義，如不拜祖先、反對淫祀、主張男女平權、一夫一妻等，皆與民間習俗相違；又中國既衰，西教士日趨驕橫，民教遂成水火，猜忌日深；亦有不良教士，爲謀捐款及其他私利，誇張中國惡劣落後情狀，中外關係，益形險惡，卒有庚子（一九〇〇年）義和團之役。此自西人而言，固謂「拳匪之亂」；然亂之所起，教會人士亦難無咎。此次事變中，被害者天主教主教五人，修士四十八人，敎友一萬八千人；新敎敎士一百八十八人，敎友五千人。而八國聯軍入京，行同禽獸，中國官民受害者，更遠逾此數。實爲中國基督敎傳播史以至中外關係史之一大汚點。辛丑和約以後，中國受辱更深，敎會發展益速，然對不良敎徒亦漸知沙汰矣。

民國成立以後，民族思潮日漲，知識份子憤殖民帝國之無窮逼害，漸由不平等條約而遷怒敎會，非敎思潮與日俱增。民國十一年（一九二二）四月，世界基督敎學生同盟，假淸華大學開十一屆大會，三十餘國代表來會，而北大學生乘機發起反宗敎運動，尤以基督敎爲最大敵人，各地响應者甚多，主要指摘宗敎違反科學，基督敎爲殖民帝國利用、以痲醉被統治者，進行經濟、文化侵略，而破壞民族自尊自覺心，當時政界學界領袖，如胡漢民、蔡元培、汪精衞、陳獨秀、吳稚暉、朱執信、李石岑等，均右其說；張亦鏡、簡又文等，則爲文辯駁，指出基督敎之良善本質；而梁啓超、周作人等，則折衷調停。然經此風潮，民初以來之「敎會本色運動」，熱烈展開，西敎士影响減少，而國人自立、自治、自養、自傳、以至融合基督敎義與中華文化之「中華基督敎」漸告建設。此項運動，可溯源於一八八一年（光緒七年）山西席勝魔（子直）之福音堂，而大成于一九二七年（民十六），由美以美會、長老會、公理會等合組之中華基督敎會（Church of Christ in China），其他敎會亦紛紛聯合組成較合中國國情之敎會。如各地安立甘（Anglican）敎會合成中華聖公會，信義宗諸會合成中華信義會（Lutheran Church of China），浸禮宗會合成中華浸禮協會（China Baptist Convention），以及循道會等支派合成之中華衞理公會等。此外，各會之間，復有聯合組織，如中華基督敎協進會（The National Christian

Council）是。此卽與「教會本色運動」同時之「教會聯合運動」也。各地基督教學校，亦紛紛向中國教育部立案。天主教在庚子事變後，蓬勃發展，東來男女修會，增至近百，國別亦由西、葡、德、法、意增至各國均有。

抗日戰爭初期，全國天主教徒約有三百十八萬三千餘，望教者六十五萬餘（見楊森富中國基督教史頁280），新教教會據民二十四年（一九三五年）統計，爲數七千二百八十一，信徒五十餘萬（同書、頁271）。重要宗派有：

一　公理（綱紀愼）宗（Congregational Church）
二　信義（路德）宗（Lutheran Church）
三　循道（監理、衞理）宗（Methodist Church）
四　聖公（安立甘）宗（Anglican Church）
五　浸禮宗（Baptist Church）
六　長老宗（Presbyterian Church）

等等，蓋宗旨本同，惟行政制度、教義重點微異耳。此外，又有內地會（China Inland Mission）者，不限教派，不與他會競爭，惟以堅苦卓絕之精神，深入內地窮僻之地傳道。一八六五年戴德生（Hudson Taylor）創于華東。

基督教在中國發展事業，除宣教外，其他教育、醫藥、譯著諸端，成就亦多。如：

(1) 教育事業：教會遍設學校，大抵重視基督教義、英文、科學，一般建築宏大，設備完善，是以頗受社會重視。一九四九年之前，中國著名基督教大學有之江、金陵、協和、燕京、嶺南、華西、齊魯、東吳、滬江、聖約翰等。此外，美國退還庚子賠款，設立淸華大學；浸禮會亦以庚款設立山西大學，天主教則有輔仁大學等。其他中小學無數。對于造就社會人才，均有一定貢獻。

(2) 慈善事業：教會遍設醫院，而北平協和、上海仁濟、長沙湘雅等最有名；孤兒院、盲啞學校等甚多。齊魯、華西、聖約翰等大學，造就醫藥人才亦夥。淸末（一八七六—七八）李提摩太主賑山東、山西飢荒，康濟難民極多。

(3) 著作事業：如馬禮遜繙譯、英華書院出版之新舊約聖經，爲日後普及全國之「官話和合譯本」之基礎，又譯漢英字典。理雅各英譯五經。李提摩太主持廣學會，著萬國通史。丁韙良、林樂知等，捌辦中國聖教書會等，對推廣教義，傳播新知，均發揮重大作用。

然自一九四九年大陸政權易手而後，基督教在華工作絕大部份停頓，已有成績亦幾掃地以盡，僅餘台灣、香港、澳門及海外等地，爲基督教對華人傳播場所。而第四時期，亦告一段落矣。

總括淸末以來，天主教基督教對中國之影响，可分數端概述之：

(1) 平等自由思想：如提倡女子教育、婚姻自由、消滅纏足等。

(2) 民主思想。

(3) 介紹科學：如辦學、翻譯。

(4) 社會服務：如義學、孤兒院、醫院等。

然崇洋媚外之風，文化自卑之感，亦隨國勢陵夷、教會事務擴展而愈熾，故如何使基督信心與民族自信心共同培養、發展，使中國文化與基督教義結合，以深根固蒂，實現「在地若天」之崇高理想，實當前一大課題也。

第二十四章　中國伊斯蘭教發展述要

一、伊斯蘭教簡介

（一）名稱

名稱	（根據）
一　伊斯蘭教（Islam—和平順從）	譯音
二　天方教（阿拉伯古名天方）	地域
三　清眞教（清眞爲眞宰安拉之德）	教義
四　回回教（西北邊族，總稱回回，殆與維吾爾、回紇、回鶻等，皆一音之轉）	民族
五　穆罕默德教（Mohammedamism）	教祖

末名於伊斯蘭教爲不敬，不宜用：蓋穆聖所復興者，乃亞伯拉罕以來之古教，穆聖爲安拉之忠僕，非創教者也。又回回教簡稱回教，其名既欠準確，亦不足表現伊斯蘭教之普世性質。至若統稱西北邊疆兄弟民族爲回族，亦屬籠統；蓋彼等固多信仰伊斯蘭教，然血統、語言非一，實非一種民族也。

（二）成立

隋煬帝大業六年七月（西元六一〇年八月），伊斯蘭教成立於阿拉伯之麥加。穆氏弘教之旨，在抑止淫暴，改革世風；挫而益奮，再接再勵。唐高祖武德五年八月（西元六二二年），遷麥地那，是爲遷都元年，卽回曆之始也。其後反攻麥加，奠定伊斯蘭。西元六三二年卒，年六十三。

〔三〕信仰

一 中心——萬有非主，惟有眞宰；穆罕默德，是主差使。

二 先知——阿丹（阿當）、阿伯拉罕、母撒（摩西）、蘇羅門（所羅門）、以撒（耶穌）、穆罕默德。

三 經典——古蘭（可蘭）經，眞宰所降。

四 五功——念——念誦信仰中心。

禮——禮拜眞宰。

齋——第九月每日日間絕飲食色欲。

課——每年所贏餘四十分一施濟。

朝——盡可能朝覲麥加天房一次，完成者尊稱「哈只」。

五 七信德——信眞主、天仙、天經、列聖、後世、善惡主定、末日復活。

六 禁戒——飲酒、食豚犬、食自死肉、食妄殺物、飲血、拜偶像、設圖像，皆在嚴禁。

二、伊斯蘭教在華發展

（一）傳入

穆氏既卒，繼承者稱哈里發，努力傳教，自西亞、南亞、北非以至南歐，盡為伊斯蘭天下。蓋其教義簡明高尚，重視倫理道德，與家庭社會密切結合，本族繁衍，客族同化，以及軍事、貿易活力强盛，有以致之。其入華年代，向有三說：

一　開皇說——清杭世駿，近代教徒丁藥園、蔣君章等；但其時穆氏猶少，此說不可信。

二　貞觀說——貞觀二年（六二八年），此回回原來（西來宗譜）說，近代教徒金吉堂中國回教史研究從之。

三　永徽說——永徽二年（六五一年），舊唐書高宗本紀、冊府元龜，均謂其時大食始遣使朝貢，近儒陳垣先生據回曆証之。

傳入路綫，有海陸二途：

一　海路——由阿拉伯海，出印度洋，繞馬來半島而北至廣州；中唐以後，此路尤盛。

二　陸路——由阿拉伯半島，東經波斯，北越葱嶺，入西域，然後東越河西走廊而達長安，玄宗開元二年，天寶二年，兩下禁令，交通漸絕。

（二）歷代重要事迹

唐

一　居以蕃坊，統以蕃長。

二　造紙術西傳（高仙芝爲大食敗於怛邏斯，被俘者有造紙工人數名，其術遂傳，遠及西歐，代埃及草紙、獸皮紙）。

三　繪畫、織繡西傳（杜環亦上役俘虜，其「經行記」有記之；見杜佑通典）。

四　進士李彥昇，大食人；五代李珣兄妹有才名，波斯人，皆伊斯蘭教徒。

宋

一　東北西北均不靖，陸路斷絕，海上貿易甚盛，回商活躍。四五月乘西南季候風來華，十一、二月乘東北風回國，宋設市舶司於廣、泉各州以轄之，爲政府主要財源。

二　香料貿易興盛，如乳香、沒藥、龍涎香、丁香、荳蔻，檀香等。中土絲綢、瓷器，亦廣傳西方。

三　回商豪富，宋末泉州提舉市舶使蒲壽庚，以宋强徵海船，憤而降元，宋遂亡。

元

一　回徒阿老瓦丁、亦思馬因，獻火炮之術，破樊陽、襄陽，順流而下，遂破臨安。

二　蒙古三次西征，建四汗國，幾盡包伊斯蘭教國家，回回遂遍中國。

三　色目人中多信伊斯蘭教，波斯天文學、回回炮、西域醫藥，均於此時傳入。

四　學者文人中，賽思赤瞻思丁及子忽辛，興儒學於雲南，丁鶴年、薩都剌之繪畫詩詞，賽景初之書法，也黑迭兒之建築，均一時之彥。

明

一 太祖推崇伊斯蘭教，洪武元年，勅建淸眞寺於金陵，採回回曆；名將常遇春，蕩定全國；沐英經營雲貴、西藏，皆回徒。

二 成祖明令護教，永樂三年，使鄭和下西洋，和與從者馬歡、郭崇禮，均回徒，沿途所經亦多回教國家，所起作用至大。

三 武宗禁屠豕，盛推淸眞。

四 瓷器中，頗有回教文字圖案，至爲精妙。

清

伊斯蘭教在華發展既久，由於信仰、風俗之異，西北西南兄弟民族與漢人漸多誤會，加以淸廷採輕教離人政策，以便利統治，疆吏又昏暴苛貪，衝突遂多，其著者有：

順治五年　甘州丁國棟之役

乾隆廿一年　回疆大小和卓之役

廿九年　烏什民變

嘉慶廿五年　張格爾之役

道光廿七年　七和卓之役

咸豐五年至同治十七年　雲南杜文秀之役

同治元年　陝西任武，甘肅馬化龍之役

三年　妥明之變

四年　阿古柏入據回疆之役

（以上詳見羅香林先生中國民族史頁24、69、90、206—213；中國通史下冊頁62—64、108—112等處）

諸役中，回民所遇屠戮甚慘，實國史之汚迹也。至如甲午之役，左寶貴力抗日寇，血戰殉國；王汝川加入同盟會，獻身革命，亦皆教徒。

〔三〕流派

一、舊派——中國教徒百分之六十屬之，分布黃河、長江流域，以及西北邊地，以各寺教民所選阿訇爲教長，以隨方隨俗爲特色。

二、新派——以陝、甘爲中心，主尊經護教，創門宦制。復分四系：

(1) 哲合勒耶——明揚正道也，門宦世襲終身職。

(2) 虎非耶——暗藏機密也，共管教事。

二者皆起乾隆中葉。

(3) 哈的勒耶——出家修身也。

(4) 庫不勒耶——存心養性也。

二者皆起道光間。

陳耀南編著

典籍英華

下冊（歷史文學）

臺灣學生書局印行

序

數月前，我曾介紹了摯友陳耀南先生的清代駢文通義一書給學生書局在台重版。一天，該書局的副總經理張洪瑜先生對我說：「羅先生，您與陳君最爲知交，可知陳先生尚有其他著作？我們也很樂意爲他一併在台印行。」「還有三種：一種叫做典籍英華，已由香港人人書局出版；一種叫做應用文概說，也已由香港波文書局排印，不久卽可出版；另外一種，則是陳君應香港電台之邀請所作的演講稿，是關於文史哲方面的，目前還沒有發表。」後來經過了一番的接洽，本書的台灣版權，終由人人書局轉讓與學生書局了。這也就是本書在台問世的由來。

作者陳君，原係我早歲的同窗，也是多年來的畏友，對於他的學問文章，我不想多說好話，因爲他從前在上庠時，就已經褎然冠首。畢業後，他歷任香港英華書院、理工學院、香港大學諸校講席，聲華日茂，幾已有口皆碑，實在不必我來詳述了。而且，「責人以諫，以長溢志」，也不合愛人以德的道理，所以我只守着「君子於其所尊敬，不敢爲溢量之語」的原則，庶幾可以寡尤寡悔罷。

研究國學的方法，雖然見仁見智，人人各有其道，但是入德之門，莫不以認識典籍爲先。前清張之洞典學，首重讀經，認爲經史之書是我國學術的淵源，所以寫了書目答問一書，作爲從學之士的南針。可是他所列擧的書，多達二千餘部，不但青年學子無法窮覽，即使耆年宿學，也大有望「書」興嘆之慨。民初，陳衍承前有作，也列擧了四百餘種要籍，以爲初學者必讀必備之書。陳氏書目，雖不爲繁多，然其書不行於世，對於它的體例內容，不得詳悉。至於近儒梁任公之要籍解題及其讀法、今人屈氏萬里之古籍導讀，雖有啓迪後學的功用，可是過於「愼擇約擧，嫌其篇幅短小，難以開拓讀者心胸。而且二氏之書，重在題解與辨僞，對於各家學術之指歸、典籍之源流，又語焉而不詳，實在是美中不足。

陳君此書，博觀約取，擧凡經傳子史之書，詩詞賦頌之作，靡不擇其要者，條分縷析，溯其淵源，明其流變。有四庫之精審，而無其卷帙之繁多，將使讀者一册在手而古今歷覽，可謂體大思精了。

我與陳君交，十有餘年，知陳君之學最詳，故特表而出之，權當作序。

一九七七年一月　　　羅思美於香港中文大學中文系

例言

一、本書一集經子哲敎，二集歷史、文學，依我國歷代學術重鎭，分章撮述大學預科以上所應當了解、能夠了解的典籍知識，希望無論爲了應試抑或一般進修，都能提供老師、同學一些敎學上的方便。——抄抹黑板、繕印講義、宣錄筆記以及發現、改正錯別字……等等的時間、精力，如果用於討論敎材，研究怎樣審題、選材、組織、表達，甚至培養獨立處理資料的能力，豈不更有意義？更有效果？所以，本書的用意，是在分擔中文、中史老師的一部分次要工作，絕不是越俎代庖：賢良的老師，根本無可替代。

二、除例言外，本書用的是淺近文言。這是爲了直接引述和間接引用典籍原文的方便，也比較可以節省篇幅。又題解、語譯一類書籍，坊間已有若干，而且也各有優長，可資參考；本書也不擬效顰了。

三、二集編制，可與坊間一般史學史、文學史相輔相成；一至八章，依史書分類爲綱，介紹重要典籍；第九章是一篇簡括的中國文學史綱，並且嘗試剖析其發展的基因；以下各章，則以重要文體爲單元，述其流變。

四、歷代典籍既多，爭訟的問題也不少。碰到重要的公案，本書也略舉前賢考證的成績一二。這並非是矜炫口耳之學，更不是貪多務得，不知剪裁；只是證明：古今學者的成就，全因爲「敏於懷疑，慎於假設，勤於求證」；而任何權威理論，都值得再研究、再評價而已。

五、「入學試」只是一時一地一種不得已的制度。如果說：「讀書不是爲了考試」，這句偉大的話，應該同時對主試者和應試者雙方面講；如果說：「不爲了考試，誰會花錢買書？辛苦啃書？」這話也不忍立卽就說不對。只是，如果不爲考試所役，反過來利用考試的督促、書本的引導，漸漸發生眞正的研究興趣，就更顯出這一代青年的自覺和志氣，而這本東西也不算白寫了。

六、承蒙摯友兼同事、同學陳炳星先生鼓勵，人人書局余鑑明先生錯愛，使本書得以出版，實在十分感謝。如果書中還算有些可用的資料，還不致太辜負各位先生美意的話，這完全是先哲的恩惠、賢師的啓發，也不能一一多謝了。

七、校務、課務實在冗忙，個人的學力和參考書又都短缺，書中不妥當的地方，相信一定很多。敬請讀者指正，以便修改。萬分感幸！

中華民國六十五年

陳耀南敍於香港大學中文系

目錄

第一章 史籍概說

一、史之定義

我國古代學術資料，守於士官；官各有史，史外無學。凡當時所知學藝，大抵叢納之於史。「史」之本義，據說文云：

「史，記事者也。從又（右手）、持中。中，正也；艮史書法不隱。」

然「中正」爲無形之德，非可以「手持」象之。清吳大澂說文古籀補，謂「中」爲「册」之省形；章炳麟文始說同。前此江永周禮疑義舉要，則謂凡官署簿書謂之「中」，故諸官言「治中」、「受中」，小司寇斷庶民訟獄之「中」，皆謂「簿書」，猶今之案卷也。時賢金毓黻且進一解，謂「中」爲簿書正本，藏之天府；而大史、內史及六官諸司，則藏其副本，謂之「貳」。故「中」爲中祕所藏檔案；持「中」之人，卽謂之「史」也云云。（中國史學史頁七）

近代梁任公先生中國歷史研究法開宗明義卽云：

「史者何？記述人類廣續活動之體相，校其總成績，求得其因果關係，以爲現代一般人活動之資鑑者也。」

此其定義，可謂新而且當矣。

二、史之立部與分體

漢書藝文志，未有「史」類，史籍入六藝略春秋一家之中。魏氏代漢，秘書監荀勗因鄭默「中經」更著「新簿」，以甲（六藝、小學）乙（子、兵、術數）丙（史）丁（詩賦）四部總括羣書（隋書經籍志）。至晉李充重分四部，改以史記爲乙部，諸子爲丙部（錢大昕補元史藝文志序）。至唐魏徵等修隋書經籍志，重興四部之法，曰經史子集，亦稱甲乙丙丁；自是以來，四部之名，歷宋元明清而不改，典籍分類，悉從此法，史籍遂稱乙部，至近代而後大變。

梁阮孝緒始分史籍爲十二類，隋志變之爲十三，至清四庫全書總目提要，集古人之大成，總括羣史，分十五類：

一　正史——大綱
二　編年——以時爲綱
三　別史——正史之藍本或賡續　未經審定認可者
四　雜史——或一事，或一時，

（一至三：參考紀傳）

為一家私記

五　詔令奏議——君臣論政文獻

六　傳記——一人或數人之傳

七　史鈔——史之節本

八　載記——以國為分

九　時令

十　地理

十一　職官

十二　政書——典章制度

十三　目錄——辨學術，考源流

（八至十三）參考諸志

十四　史評——參考論贊

十五　紀事本末——改編正史，以事為綱

此可為民國以前一般學者類分史籍之意見。

唐劉知幾史通，分諸史為六家：

尚書——紀言

春秋——紀事而繫時日

左傳——編年而詳事

國語——國別

史記——紀傳通史

漢書——紀傳斷代

實則尚書不僅紀言（見上編尚書章）；而依事編述，實爲後世紀事本末體之先河（章學誠文史通義）。左傳、春秋，雖詳略有殊，同屬「編年」一體；史記、漢書，雖通斷有別，均爲「紀傳」一體。又我國向尚一統，列國分立，視爲變局亂世；故歷代祖述，惟以編年、紀傳二體爲主；此史通之所以立「二體」篇也。

三、紀傳與編年

自漢以還，一般史家，陳陳相因，不出編年、紀傳二體。言二體之得失者，史通之前，劉勰文心雕龍史傳篇已見端倪。其言曰：

「觀夫左氏綴事，附經間出，於文爲約，而氏族難明。及史遷各傳，人始區詳而易覽，述者宗焉。」

此言人物難於交代，「編年」之失也。又云：

「或有同歸一事，而數人分功；兩記則失於複重，偏舉則病於不周，此又銓配之未易也。」

此言分配材料之難免復重，「紀傳」之困也。至謂：

「紀傳爲式，編年綴事，文非泛論，據實而書。歲遠則同異難密，事積則起訖易疎，斯固總會之爲難也。」

此則記遠易疏，述今病繁，不論紀傳編年，皆以爲艱。

子玄史通，論二體之得失，即推衍其意，云：

「夫春秋（編年體）者，繫日月而爲次，列時歲以相續，中國外夷，同年共世，莫不備載其事，形於目前。」

此言依時述事，包其大體，是編年之一長也。

「理盡一言，語無重出。」

此言撮要舉凡，避免重複，是編年之二長也。至云：

「賢士貞女，高才儁德，事當衝要者，必盱衡而備言，跡在沈冥者，不枉道而詳說……其有賢如柳惠，仁若顏回，終不得彰其名氏，顯其言行。故論其細也，則纖芥無遺；語其粗也，則丘山是棄，此其所以爲短也。」

此言非政治軍事人物，往往無法記載，是固編年體基本缺憾之一；然過重帝王將相，乃舊史之通失，不獨編年爲然。編年體之最大弊病，在典章制度，無所交代；社會、經濟、學術、思想等重要文化範疇，不能記載。不特此也，世變日殷，人事日繁，倘以編年述之，則事以年隔，年以事分；見其初莫知其終，觀其末難循其本，此所以資治通鑑之終不免蛻變爲紀事本末，而編年在於今日，僅能居於輔助（如大事年表）者也。

至論紀傳得失，史通云：

「史記（紀傳體）者，紀以包舉大端，傳以委曲細事，表以譜列年爵，志以總括遺漏。逮於天文、地理、國典、朝章，顯隱必該，洪纖靡失。此其所以爲長也。」

此謂其能紀人文之全也。至云：

「若乃同爲一事，分在數篇，斷續相離，前後屢出。於高紀則云語在項傳，於項傳則云事具高紀。」

此卽文心之論，亦紀傳爲體之基本困難也。又曰：

「編次同類，不求年月；後生而擢居首帙，先輩而抑歸末章；遂使漢之賈誼，將楚屈原同列，魯之曹沫，與燕荆軻並編；此其所以爲短也。」

然併合人物，作爲類傳、合傳，實紀傳體貢獻之一；惟古今先後，未能乍覩可明，是其小疵耳。至劉子玄謂二體角力爭先，未能廢一；而區域有限，後來作者，不能踰越云云；此則南宋袁樞，破二體之限而創紀事本末，可謂挺拔而爲俊矣。梁任公謂「欲求史蹟之原因結果，以爲鑑往知來之用，非以事爲主不可」；故紀事本末體與理想之新史「最爲相近，抑亦舊史界進化之極軌也」（中國歷史研究法）。可謂知言。

四、歷代正史

正史之名，首見隋志卷二史部序云：「世有著述，皆擬班馬，以為正史。」蓋史記、漢書之紀傳體裁，自唐初設館修前朝歷史，仿摹其體，歷朝繼作；二千年間，賡續不斷；編年一體，則或有或無，不能使時代相續（四庫提要），一也；紀傳雖病文字重複，而「顯隱必該，洪纖靡失」，勝於編年體之難於交代人物、備覽終始、不能論敘學術文化（見前），二也。且紀傳之「帝紀」部分，已為編年方式，是紀傳可包編年，編年不能代紀傳；然則以紀傳為歷代正史之體，固其宜矣。

歷朝系統與正史配合表

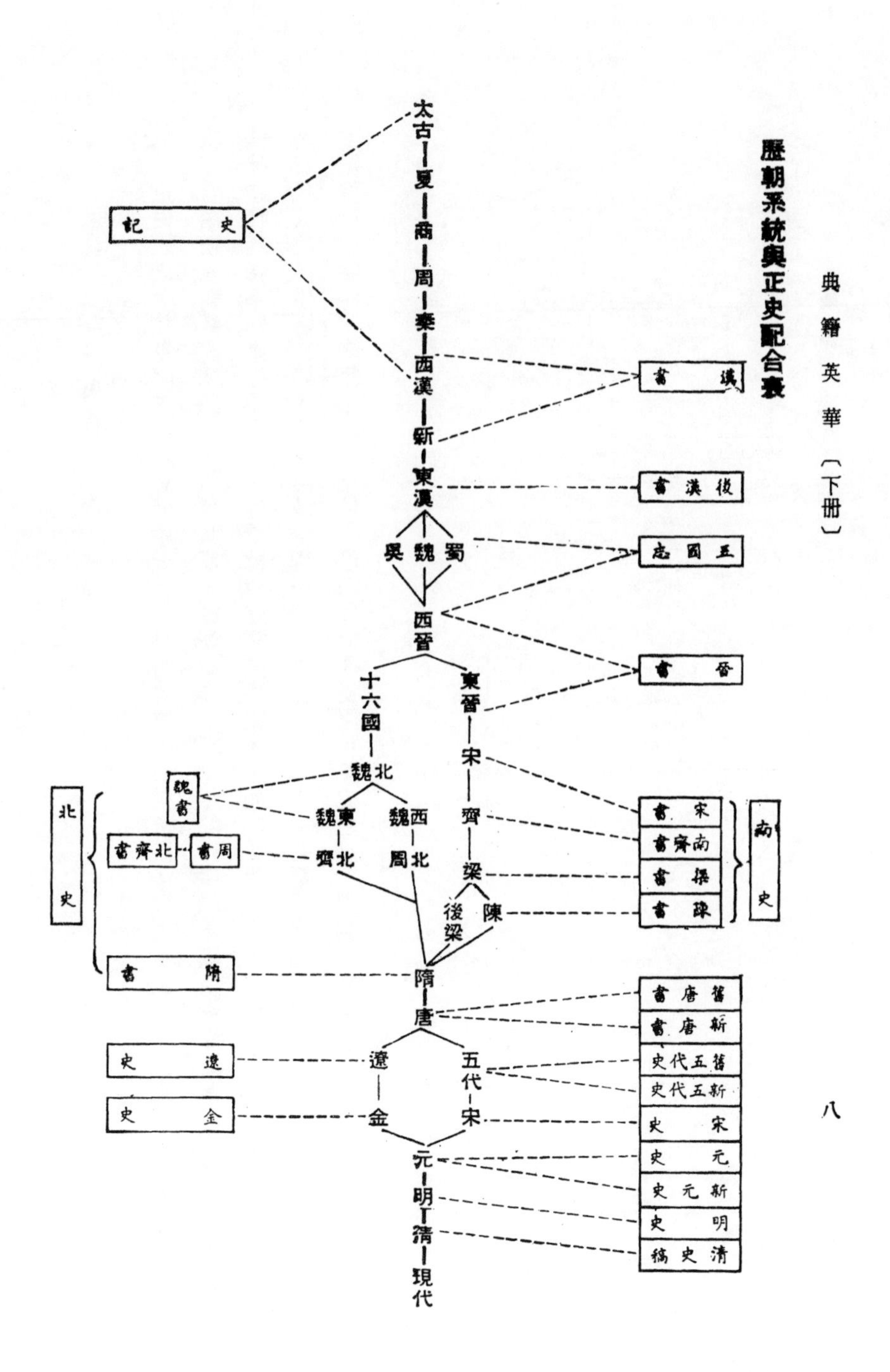

太古
夏
商
周
秦
西漢
新
東漢
吳
魏
蜀
西晉
十六國
東晉
北魏
宋
東魏
西魏
齊
北齊
北周
梁
後梁
陳
隋
唐
遼
五代
金
宋
元
明
清
現代
史記
漢書
後漢書
三國志
晉書
魏書
北齊書
周書
北史
宋書
南齊書
梁書
陳書
南史
隋書
舊唐書
新唐書
舊五代史
新五代史
遼史
金史
宋史
元史
新元史
明史
清史稿

二十五史總表

統稱	史名	修撰：時	修撰：人	史職自撰	私撰	奉勅自撰	設局同修	帝紀	年表	書志	列傳	其他	總卷數
廿五史・廿四史・十七史・四史	史記	漢	司馬遷（前145－？）	○				12	10	8	70	30世家	130
	漢書	東漢	班固（32－92）	○				13(12)	10(8)	18(10)	79(70)		120
	後漢書	劉宋	范曄（399－446）		○			12(10)		30(8)	88(80)		130
	三國志	晉	陳壽（233－297）		○			4			61		65
	晉書	唐	房玄齡監修 令狐德棻、褚遂良、許敬宗、于志寧、李淳風等協撰				○	10		20	70	30載記 1敍例 1目錄	132
	宋書	梁	沈約（441－513）			○		10		30	60		100
	南齊書	梁	蕭子顯（489－537）		○			8(7)		11(8)	40		59
	梁書	唐	姚思廉（？－637）			○		6(4)			50		56
	陳書	唐	姚思廉			○		6			30		36
	魏書	北齊	魏收（506—572）			○		14(12)		20(10)	96(93)		130
	北齊書	唐	李百藥（565—648）			○		8(7)			42		50
	周書	唐	令狐德棻（583—666）			○		8			42		50
	隋書	唐	魏徵監修 顏師古、孔穎達、李淳風、于志寧等協撰				○	5		30	50		85
	南史	唐	李延壽（？—？）		○			10			70		80
	北史	唐	李延壽（？—？）		○			12			88		100
	舊唐書	後晉	劉昫領銜，趙瑩主修 張昭遠、賈緯、趙熙等協撰				○	20		30	150		200
	新唐書	宋	宋祁(998—1061)歐陽修(1007—1072)			○		10	15	50	150		225
	舊五代史	宋	薛居正監修 盧多遜、扈蒙、李昉等協撰				○	61		12	77		150
	新五代史	宋	歐陽修（1007—1072）		○			12		3(2)	45	3四夷附錄 10十國世家 1十國年譜	74
廿二史	宋史	元	托克托（脫脫）主持 鐵木兒塔識、呂思誠、揭傒斯、李好文等協修				○	47	32	162	255		496
	遼史	元					○	30	8	31	46	1國語解	116
	金史	元					○	19	4	39	73		135
	元史	明	宋濂、王禕等				○	47	8(6)	58(53)	97		210
	新元史	民國	柯劭忞（1850—1933）		○			26	7	70	154		257
	明史	清	張廷玉主修 萬斯同、王鴻緒編撰				○	24	13	75	220		332
附	清史稿	民國	趙爾巽主修 柯劭忞、王樹柟等協修				○	25(12)	53(10)	142(16)	316		536

第二章　紀傳史之祖——史記

一、司馬遷生平

司馬遷，字子長，漢左馮翊夏陽人（今陝西韓城縣），生景帝中元五年（公元前一四五），一說謂武帝建元六年（前一三五）。少耕牧河山之陽，即秦、晉間之河曲也。司馬氏世典周史，遷父談於武帝建元元年（前一四零）仕爲太史令，遷隨父至京，讀於茂陵。年十歲，能誦古文，蓋或云受於孔安國也（漢書儒林傳）。談嘗「學天官於唐都，受易於楊河，習道論於黃子」（史記自序）；而遷皆傳之，又聞春秋義於董仲舒。是皆史公學問之基也。

年二十，「南遊江淮，上會稽，探禹穴，窺九疑，浮於沅湘，北涉汶、泗，講業齊魯之都，觀孔子之遺風」（史記自序，以下不注出處者皆同此），習鄉射之禮於鄒、嶧，阨困於鄱、薛、彭城，過梁楚以歸。遊歷既廣，文章益顯。二十二歲，父談著論六家要指，評陰陽，儒、墨、名、法五家短長，而以道家爲宗；遷則並崇孔孟，列仲尼於「世家」。蓋漢初以來，承數百年之離亂，是故與民休息，學崇黃老：孝武之世，則靜養既久，復任有爲，卒以儒術獨尊。談、遷父子，適當其會，是以議論如此也。一說此作當在建元六年（前一三五）。是年遷十一歲，力崇黃老之竇太后崩，田蚡爲相，始絀黃老，朝野遂有儒道優劣之爭云（參閱本書上編第六、十、十五、十六各章）。

其後，遷以高第，仕爲郎中，三十四歲（前一一二）扈從武帝西至崆峒。次年，「奉使西征巴、蜀以南，南略邛、筰、昆明，還報命」；蓋經略初定之西南夷地域也。又次年（前一一〇），武帝封禪泰山，以表漢家「受命於穆淸」，是亦周末、始皇以來，朝野之信仰與冀求也（參閱顧頡剛秦漢的方士與儒生第二、四章）。而司馬談「留滯周南（洛陽），不得與從事，故發憤且卒」。遷適奉使返，見父於河洛之間，談乃執手泣而遺囑之。蓋司馬氏「上世嘗顯功名於虞夏，典天官事」；漢興以來，海內一統，上接千歲，談職爲太史、方欲論著天下之史文，宣達先人之志業，而不竟其願，抱憾以終，遺志遂托於遷。至若「孔子修舊起廢，論詩、書，作春秋」，爲學者則，此又司馬氏父子撰述之典型也。他日遷作史記，卽光大父志，所謂「孝之大者」也。

孝武封禪，乃改元「元封」，遷亦隨行，次年（前一〇九），隨帝至瓠子之地，其時河決，令羣臣從官自將軍以下，皆負薪塞河，築宮其上，曰「宣（洩）房（坊）宮」。其後史記河渠書之作，蓋史公親歷河患者也。

元封三年（前一〇八）遷三十八歲，繼父爲太史令、乃「紬（掇集也）史記石室金匱之書」。又屢扈從封禪。元封七年（前一〇四）與上大夫壺遂等定律曆。蓋漢興以來，諸事草創，制度未遑，朔望盈虧之算，每背事實，至是乃改用夏曆，以寅月爲歲首，一改前代之法（殷正建子，周正建丑、秦則尙水德，以亥月爲歲首，卽夏曆十月也）。「十一月，甲子、朔、旦、冬至，天曆始改建於明堂」，是爲太初元年（前一〇四）。此曆法亦稱「太初曆」。當時律曆名家多有參預，而始終其事者則遷也。太初改曆，與建封禪、易服色，皆漢室表明受命之舉。蓋帝王之世，人君所行正朔曆法，必當與天地度數（日月，時年，朔望，盈虧，蝕滿，潮汐之類）相符，然後乃爲天子之徵也。當時朝野以爲千載盛事者亦以此。遷紹父志而撰作太史公書，亦始於是時，年四十二。

天漢二年（前九九年）四十七歲，因激於正義，排衆議而救李陵，觸帝怒（見司馬遷報任安書及漢書卷五十四李陵傳）。次年，陵族誅，遷下蠶室被腐刑，而仍著述太史公書於獄中。蓋欲以「究天人之際，通古今之變，成一家之言」，「藏之名山（皇家藏書之府），傳之其人」（報任安書）故也。

太始元年（前九六）五十歲，值武帝改元，大赦，乃出獄爲中書令，雖尊寵任事，而究與宦者同官，以是史公深以爲恥，不過浮沈隱忍其間，以完成撰述而已。征和二年（前九一年），五十五歲，是年巫蠱禍大作（漢書武帝本紀），而太史公書亦成。卒年不可考，殆與武帝同時（後元二年，前八七）約六十歲。

二、「史記」與「太史公」

史記一名，非遷自命，亦非專指遷作；蓋本古史之泛稱也。遷書之中，史記之名屢見：

周本紀：「太史伯陽，讀史記曰：『周亡矣！』」

十二諸侯年表：「孔子西觀周室，論史記舊聞」。

又：「左丘明因孔子史記具論其語，成左氏春秋」。

六國表：「秦既得意，燒天下詩書，諸侯史記尤甚。」

又：「史記獨藏周室，以故滅。」

天官書：「余觀史記，考行事。」

孔子世家：「乃因史記作春秋。」

自序：「諸侯相兼，史記放絕。」

又：「紬史記石室金匱之書。」

他如：桓寬鹽鐵論散不足篇：「孔子讀史記，喟然而歎。」

袁康越絕書：「夫子作經，攬史記。」

可見遷書在兩漢之世，猶未專「史記」之號，時人稱遷書有三名：

一　太史公百三十篇——如劉歆七略。

二　太史公書——如漢書宣元六王傳，後漢書班彪傳，王充論衡。

三　太史公記——如漢書楊惲傳，應劭風俗通。

蓋漢初以來，稱令、長曰「公」，故遷稱父曰「太史公」，他人稱遷亦曰「太史公」。漢書司馬遷傳云：「宣帝時，遷外孫平通侯楊惲祖述其書，遂宣布焉。」史記孝武本紀裴駰集解引三國吳史官韋昭云：「史記稱遷爲『太史公』者，是外孫楊惲所稱。」王國維謂史記成爲遷書專名，殆起於魏晉間，自魏志王肅傳簡稱「太史公記」曰「史記」始。今人陳直太史公書名考，則列舉九證，謂東漢末世，已稱「史記」云。

三、史記撰作動機與取材

（甲）撰作動機：

史記後世尊爲正史之祖，而史公之撰是書，初非徒以「記述」爲本旨，實欲紹繼六藝，尤其孔子春秋，以「究天人之際，通古今之變，成一家之言」（報任安書），蓋一「百科全書」式之通史也。故其編著史記，純出於責任使命之感——對「父祖」言，則踵武先志，揚顯歷代之業；對「時代國家」言，則身任太史，職在載述；對「文化」言，則紹繼周孔，傳之其人。三者之間，亦復相關；是亦吾國古來讀聖賢書者之同感也。是故史公閎識孤懷，借史事而寄慨深遠；曾滌生謂史記寓言亦居十之六七（聖哲畫象記），是誠知子長者矣。今條述如次：

一、先人之續

史記太史公自序云：「太史公（談）執遷手而泣曰：『余先，周室之太史也，自上世嘗顯功名於虞夏，典天官事，後世中衰，絕於予乎！汝復爲太史，則續吾祖矣。……余死，汝必爲太史；爲太史，無忘吾所欲論著矣。且夫孝，始於事親，中於事君，終於立身，揚名於後世，以顯父母，此孝之大者。』」

又云：「遷俯首流涕曰：『小子不敏，請悉論先人所次舊聞，弗敢闕。』」

又云：「墮先人所言，罪莫大焉。」

二、太史之職

自序記父談之遺囑曰：「自獲麟以來，四百餘歲，而諸侯相兼，史記放絕。今漢興，海內一統，明主賢君，忠臣，死義之士，余爲太史而弗論載，廢天下之史文，余甚懼焉。汝其念哉！」

自序又云：「漢興以來，至明天子，獲符瑞，封禪，改正朔，易服色，受命於穆清，澤流罔極，海外殊俗，重譯款塞，請來獻見者不可勝道，臣下百官，力誦聖德，猶不能宣盡其意。且士賢能而不用，有國者之恥；主上明聖而德不布聞，有司之過也。且余嘗掌其官，廢明聖盛德不載，滅功臣、世家、賢大夫之業不述，墮先人所言，罪莫大焉！」

三、周孔之繼

自序云：「先人有言：『自周公卒，五百歲而有孔子，孔子卒後，至於今五百歲，有能紹明世，正易傳，繼春秋，本詩、書、禮、樂之際』；意在斯乎！意在斯乎！小子何敢讓焉。」

下文又記壺遂之問，引董生之言，暢論孔子作春秋之旨。而春秋之用，冠於六藝，以其建立價值標準，爲天下後世之儀則，是亦子長撰述史記，從實際行事明褒貶、達王事之深心也。其言曰：

「夫春秋上明三王之道，下辨人事之紀，別嫌疑，明是非，定猶豫，善善惡惡，賢賢賤不肖，存亡國，繼絕世，補敝起廢，王道之大者也。」

「春秋辯是非，故長於治人。」

「春秋以道義。撥亂世反之正，莫近於春秋。春秋文成數萬，其指數千。萬物之散聚，皆在春秋。春秋之中，弒君三十六，亡國五十二，諸侯奔走不得保其社稷者，不可勝數。察其所以，皆失其本已。故易曰：『失之毫釐，差以千里。』故曰：『臣弒君，子弒父，非一旦一夕之故也，其漸久矣。』故有國者，不可以不知春秋：前有讒而弗見，後有賊而不知。爲人臣者，不可以不知春秋：守經事而不知其宜，遭變事而不知其權。爲人君父而不通於春秋之義者，必蒙首惡之名。爲人臣子而不通於春秋之義者，必陷簒弒之誅，死罪之名。其實皆以爲善，爲之不知其義，被之空言，而不敢辭。夫不通禮義之旨，至於君不君，臣不臣，父不父，子不子。夫君不君，則犯；臣不臣，則誅；父不父，則無道；子不子，則不孝。此四行者，天下之大過也。以天下之大過予之，則受而弗敢辭。故春秋者，禮義之大宗也。夫禮禁未然之前，法施已然之後。法之所爲用者易見，而禮之所爲禁者難知。」

「春秋采善貶惡，推三代之德，褒周室，非獨刺譏而已也。」

至若已著史記七年，而遭蠶室之禍，史公所以痛心疾首，悲憤激切者，則促史記之成，非其初撰述之動機也。游俠、屈原賈生諸傳，寄慨深矣。

〔乙〕取材

一、書面資料

甲　歷代典籍——「天下遺聞古事，靡不畢集太史公」（自序），故由羣經、諸子、國語、國策、世本等史籍，以至歷代譜牒載記，史公皆予考訂選擇，融會貫通。又嘗從孔安國通古文，乃補充訂正時本乖異，譬如殷本紀所引湯誥，卽閻若璩亦服其眞。若乃秦項之扨，載籍散亡，則史公最爲感惜者也。

乙　當代官書——保管政府功令圖書檔案，蓋太史令之職，而史記表傳各篇，亦多援引此等文獻，以爲論述根據，趙翼廿二史劄記謂曹參世家，以至樊噲、灌嬰等傳記錄功績，絕似有司所造冊籍，卽由此故。

二、實際經歷

史公壯遊萬里，跡遍中國，其所記述，往往得之於豐富之實際經歷：或接其人，或臨其地，或與其事。如謂李廣「悛悛如鄙人，口不能道辭」（李將軍列傳）；郭解「狀貌不如中人，言語不足採者」（游俠列傳）；又適故大梁之墟，「聞墟中人語」而證魏之不用信陵而亡（魏世家）；往淮陰，聞其人之言，而知韓信初雖布衣，已有大志（淮陰侯列傳），適豐沛，問其遺老，觀故蕭何、曹參、樊噲之家，而感其貴賤之殊（樊酈滕灌傳贊），又如從武帝巡祭天地山川，乃撰封禪書；「西至崆峒，北過涿鹿，東漸於海，南浮江淮」，聞各地長老所稱黃帝堯舜風教，著五帝本紀。至若元封二年（前一〇九）武帝至瓠子，臨決河，命羣臣負薪塞河堤，築「宣房」其上，作瓠子之歌，史公旣與其事，悲其詩，又以遊歷所至，深感「水之爲利害」，乃作河渠書。此外，漢武一朝，定西南夷，定律曆等，史公更爲主幹，故所記尤詳見確，與後世爲正史者，或惟知摹倣前人，聊備各體者，可謂判若雲埿矣。

四、內容體例

史記百三十篇，五十二萬餘言，上起軒轅，下迄漢武，共記二千六百餘年史事，規模弘大。趙翼廿二史劄記謂自春秋、尙書以來，沿爲編年記事二種。記事者，以一篇記一事，而不能統貫一代之全，編年者，又不能卽一人而各見其本末。司馬遷參酌古今，發凡起例，創爲全史：

本紀以序帝王

世家以記侯國

十表以繫時事

八書以詳制度

列傳以誌人物

然後一代君臣政事，賢否得失，總彙於一編之中云云。今日世變之殷，人事之繁，大異於古，紀傳體之史書，自不復爲「史家之極則」，然昔日歷代作者，以帝王將相爲敍述中心，自不能出史公之範圍矣。

茲分述如后：

本紀十二　五帝、夏、殷、周、秦、秦始皇、項羽、高祖、呂后、孝文、孝景、今上（孝武）是也。古有禹本紀、尙書世紀等，遷用之以敍帝王，以其承傳系統爲「本幹」，繫年、月、日以「紀事」，故曰本紀。史記正義引裴松之史目云：「本者，繫其本系」「紀者理也，統理衆事，繫之年月，名之曰紀」自漢書後，改稱曰「紀」，卽「紀傳體」中之「編年」部分也。宋司馬光資治通鑑，卽以志傳資料編入帝紀中，依年敍事，衍成編年體鉅著者。故古來史書，雖有紀傳、編年二體之別，而實亦非判若涇渭、絕不相同者也。

唐劉知幾史通謂周、秦爲諸侯時，宜列世家，項羽僭盜而死，未得成君，宜列於傳。然秦亡之後漢猶未興，政由羽出，劉邦受封，列之本紀，亦未嘗無當也。且史記爲通史，與漢書以後之斷代史異。斷代史以王者爲貴，故班固抑羽於列傳，與史記不同。

表十　以譜年爵，卽三代世表，十二諸侯年表，六國年表，秦楚之際月表，漢興以來諸侯年表，高祖功臣侯者年表，惠景間侯者年表，建元（武帝初號）以來侯者年表，王子侯者年表，漢興以來將相名臣年表是也。年代遠者用世表，近者用年表、月表。或年經國緯，以地爲主，所以觀天下大勢；或國經年緯，以時爲主，所以睹一時之得失。末篇則以大事爲主，所以觀君臣之職分。

劉知幾史通內篇表歷篇謂表爲無用，讀者不觀，得之不爲益，失之不爲損，然外篇雜說上則頗推十表，議論判若兩人：「使燕越萬里，而於徑寸之內，犬牙可接；雖昭穆九代，而於方尺之中，雁行有序。使讀者閱文便睹，舉目可詳，此其所以爲快也。」宋鄭樵通志總序謂「史記一書，功在十表，猶衣裳之有冠冕，水木之有本源」，又曰：「括囊一書，盡在十表」。顧炎武謂：「史無表則立傳不得不多，傳愈多文愈煩，而事蹟則反或遺漏不舉，此表之所以爲要也。」趙翼謂：「凡列侯將相，三公九卿，功名表著者，既爲立傳；此外大臣無功無過者，傳之不勝傳，而不容盡沒，則於表載之。作史體裁，莫大於是。」梁啓超亦稱：「內中意匠特出，尤在十表，據桓譚新論謂其『旁行斜上，並倣周譜』，或以前嘗有此體製，亦未可知，然各表之分合間架，總出諸史公慘淡經營，表法既立，可以文省事多，而事之脈絡亦具。」（要籍解題及其讀法）。然自漢書以下，迄於淸史稿，所具諸表，大率不過宗室貴臣之統計，方之史公，可謂貌同心異矣。

書八 以紀朝章國典、憲章制度，卽禮，樂，律，曆、天官，封禪，河渠，平準是也。史通稱其通博，後世正史則改稱爲志。鄭樵通志云：「江淹有言：『修史之難，無出於志』，誠以志者，憲章之所繫，非老於典故者，不能爲也。」

世家三十 吳、齊太公、周公、燕、管蔡，以至蕭（何）、曹（參）、陳（平） 相國，留侯、五宗、三王等世家是也。自來以爲「開國襲業，世家相承」之義。今人朱東潤則謂史公本義，但在「輔弼股肱」（史記考索），然此體至漢書遂廢。

劉知幾史通世家篇力疵本體，云：

一 陳涉起自羣盜，稱王六月而死，子孫不嗣，社稷靡繼，無世可傳，無家可宅，而列之世家，殊爲不當。

二 漢世諸侯既無封地，襲爵亦止一身；或僅數世，雖編世家，實同列傳，強加列錄，以類相從，其失二也。

王安石讀孔子世家，亦謂孔子旅人，無尺寸之柄，不宜列於世家。然陳涉雖死無嗣，其所遣王侯將相，竟以亡秦，且高祖時，爲涉置守冢三十家，以爲血食。又天下君王將相，當時則榮，沒則已焉；孔子雖以布衣，而以六藝世其家，學者宗之，尤貴於王侯，故曰素王，是故稱之世家。且「開國承家，世代相續」之義，後人所立耳；史記世家本義，在「輔弼股肱之臣」；諸家或譏或護，皆可不必，然亦未爲不當也。

列傳七十 伯夷、管晏、老莊申韓，以至龜策、貨殖，而以太史公自序殿之。趙翼謂古書凡記事立論及解經者，皆謂之傳；其專記一人者，自史遷始（廿二史劄記）。其中六篇爲「國族傳」：匈奴、南越、東越、朝鮮、西南夷、大宛是也。十篇爲「類傳」：循吏、儒林、酷吏、刺客、游俠、佞幸、滑稽、日者、龜策、貨殖是也。

劉知幾譏議甚至，以爲：

一 編次同類，不求年月，列敍人物，每有今先古後，使屈原賈生同列，曹沫荊軻並編。然顧炎武云：「古人作史，取其事之相屬，不論年月。」章學誠文史通義釋通云：「楚之屈原，將漢之賈生同傳，周之太史，偕韓公子同科；古人正有深意，相附而彰，義有獨斷，末學膚受，豈得從而妄議！」蓋史公雖以人爲傳記重心，亦取其融會通變，故以類相從也，人物時代，觀傳自明，又何必迂拘哉！且史記列傳編次，多爲隨成隨編，往往並無特殊意義，故外夷傳與朝臣諸傳，參差間出也。（廿二史劄記）。

二　龜策異物，不當與人同傳，宜與八書並列。然史記原書，滑稽、日者，皆記大事，龜策亦然；而原篇已失，今存篇章，乃褚少孫所補，以譏史公立傳初意，實未爲當。

三　伯夷叔齊，事少功微，不當以冠列傳。護史公者，則以爲史家之職，闡幽顯微，首傳夷齊，正在激揚仁義以勵末俗。章學誠則謂伯夷列傳，乃七十傳之序例，非專爲伯夷傳也。

五、史記之起訖與增補

太史公自序云：「卒述陶唐以來，至於麟止，自黃帝始」。則史記記事，起自黃帝，可無疑問，而訖於何年則不易斷定。自序，漢書揚雄傳，後漢書班彪傳均謂「止於獲麟」，近人崔適、梁啓超持之。史記上擬春秋，而武帝元狩元年（前一二二）冬十月亦有獲麟事，故亦以之爲限也。然考史記本書，載元狩以後之事甚多，而年限亦有異說：

（一）**訖獲麟說**——見上。

（二）**訖太初說**——自序云：「余述歷黃帝以來，至太初而訖」。漢興以來諸侯年表，建元以來王侯年表，皆訖太初四年。

漢書敍傳云：「漢紹堯運以建帝業，至於六世，史臣（司馬遷）乃追述功德，私作本紀，編於百王之末，厠於秦項之列，太初（前一〇四——一〇一）以後，闕而不錄。」

〔三〕**訖天漢說**——劉宋裴駰史記集解序云：「班固有言曰：『司馬遷據左氏國語、系世本、戰國策，述楚漢春秋，接其後事，訖於天漢』。」唐司馬貞史記索隱序唐張守節史記正義序云：「上始軒轅，下暨天漢」，天漢接太初後凡四年（前一〇〇——九七），梁任公亦引漢書本文及三家之說。然今本漢書司馬遷傳贊作「訖於大漢」，不作天漢，一也；史記本書未有例證可爲之佐，二也；即或古本漢書果作「天漢」，亦爲美稱，文選李陵答蘇武書「出天漢之外，入強胡之域」，李善注引漢書蕭何傳：語曰天漢，其稱甚美」天漢卽河漢，以漢配天，美稱也；後人倘或以爲武帝「天漢」年號，誤矣！

故惟「止於太初」「止於獲麟」二說較有佐證。二者相距二十二年。近人朱東潤謂史記自序云：「漢興以來，至明天子，獲符瑞，建封禪，改正朔，易服色，受命於穆清，澤流罔極」；是則史遷視元狩獲麟以至太初改曆，爲一整個時期，蓋自古以來，盛世受命之完成，故史記敘事，亦止於此。故就此時期起點言，則曰麟止，就完成而言，則曰太初，其實一也云云（史記考索）。其見甚卓，可從。

漢書藝文志六藝略，春秋家有太史公一百三十篇自注：「十篇有錄無書」。司馬遷傳云：「十篇缺，有錄無書」，顏師古注引張晏曰：遷歿之後，亡景紀、武紀、禮書、樂書、兵書（律書）、漢興以來將相年表、日者列傳、三王世家、龜策列傳、傅靳列傳。元成之間（前四七——七），褚先生補缺，作武帝紀，三王世家，龜策、日者列傳；言辭鄙陋，非遷本意也。

宋王應麟漢書藝文志考證載呂祖謙說，謂以張晏所列各篇之目，校之史記，或其篇俱在，或草具未成，非皆無書也。班言有錄無書，只就東觀蘭臺所藏言之。清儒趙翼廿二史劄記亦以爲史公已部成全書，十篇之缺，乃後人遺失，非史公未及完成而後人補之也。

劉知幾史通古今正史篇則云：「十篇未成，有錄而已」。近人梁任公亦以為史公下獄時書尚未成，時天漢三年，自後去太史令為中書令，金匱石室之藏，不能復如昔時之恣意紬讀，又近侍尊寵，每有巡幸，無役不從，數年間，能安居京師從事撰述者無幾日，報任安書（太始四年，前九十三冬間作）亦露史記確未成書之意，故史記有缺篇，非亡佚而原缺也。二說未知孰是，然多有後人竄亂，則為事實。（見近人崔適史記探原及廿二史劄記）

史記所缺各篇，多由褚少孫補成，十篇以外，亦有少孫增入者（廿二史劄記）。其後劉歆、劉向、馮商、揚雄等人相次撰續，迄於哀平間，猶名史記，故一百三十篇中，或記有武帝史遷以後之事也。

六、史記之評價

（甲）史學方面

一、全面組織之技巧

發凡起例，創為全史，以纂集學術，紹述人文。

史公父子之志，在承五百年之運，以紹繼周孔；而周孔之業，即在集前代文化之大成。「司馬氏世司典籍，工於制作，故能上稽仲尼之意，會詩書、左傳、國語、世本、戰國策、楚漢春秋之言，通黃帝堯舜，至於秦漢之世，勒成一書，分為五體：本紀紀年，世家傳代，表以正歷，書以類事，傳以著人」（鄭樵通志總序）。「其本紀以事繫年，取則於春秋；其八書詳紀政制，脫形於尚書；其十表稽牒作譜，師範於世本；其世家列傳，旣宗雜記，亦采瑣語，則國語之遺規也。諸體雖皆非遷自創，而遷實集其大成，兼綜諸體而調和之，使互相輔而各盡其用，此足徵遷組織力之強，而文章技術之妙也。」（梁任公中國歷史研究法）。蓋上古之史，尚書限於一事，國語限於一邦，春秋囿於一時；史記則會聚衆美，鎔鑄舊材料，以及親見親聞，以入新系統，舉當時所知、自古以來全人類文化活動，社會全面，合一爐而冶之，聚一書而記之；據「古今之變」，以觀「天人之際」，而不囿於一姓一朝。游俠、滑稽、俳優、日者、龜策、貨殖，皆就其社會意義，而詳加敍述，不爲狹隘之「士大夫意識」所限。此其氣魄之大，識度之弘，實非班固以下所能幾及。是故鄭樵譽稱「百代而下，史官不能易其法，學者不能舍其書。六經之後，惟有此作」（通志總序）。劉因謂其「創法立制，纂承六經，取三代之餘燼，爲百世之準繩」（圖書集成經籍典），蓋非虛美也。是以班氏父子，頗譏史公，而亦謂其「涉獵者廣博，貫穿經傳，馳騁古今，上下數千載間，斯以勤矣」（漢書本傳贊）也。

二、忠實嚴正之態度

史記述始黃帝，而處理資料，雖愛奇而尚審愼，故五帝本紀贊，謂百家言黃帝，其文不雅馴，薦紳先生難言之；龜策列傳謂唐虞以上，不可記矣；貨殖列傳謂神農以前，吾不知已；平準書謂高辛以前，靡得而記之。此皆「多聞闕疑，愼言其餘」（論語）者也。

至如陳涉之入世家，項羽、呂后之列本紀，皆着眼史實，旨在存眞，無成敗勢利之見；封禪書之寫武帝迷於鬼神，惑於方士，傷財勞民，老而彌甚；平準書寫興利聚歛之臣，筆伐口誅；酷吏傳之刻畫峻法嚴刑，以及描寫漢代開國諸人之流氓本色，皆忠實平正，不阿權貴。故昔人謂漢武取孝景及己本紀覽之，大怒，削而投之，是故有錄無書（三國志王肅傳答魏明帝語），而王允將殺蔡邕，謂史記爲謗書，皆以此也。漢書司馬遷傳贊又云：「自劉向、揚雄，博極羣書，皆稱遷有良史之才。服其善序事理，辨而不華，質而不俚；其文直，其事核，不虛美，不隱惡，故謂之實錄。」是亦可謂無虛美矣。文心雕龍史傳篇謂作史之失，「追述遠代，代遠多僞」，「俗皆愛奇，莫顧實理，傳聞而欲偉其事，錄遠而欲詳其跡，於是棄同卽異，穿鑿傍說，舊史所無，我書則傳，此訛濫之本源，而述遠之巨蠹也。」此其一。至於「紀編同時，時同多詭：雖定哀微辭（謂如孔子修春秋，當世定哀時事，則隱約其辭也），而世情利害；勳榮之家，雖庸夫而盡飾；迍敗之士，雖令德而常嗤。吹霜煦露，寒暑筆端，此又同時之枉，可爲歎息者也。」此其二。後世史家，多不免此二失，此所以「析理居正」爲史記之價值也。

三、歷史哲學之建立

史記以上繼春秋爲志，而春秋者，人文之綱紀，「禮義之大宗也」，故史記之作，亦在「述往事，思來者」（太史公自序）；「網天下放失舊聞，考其行事，綜其終始，稽其成敗興壞之紀……以究天人之際，通古今之變，成一家之言」（報任安書），以「上明三王之之道，下辨人事之紀；別嫌疑，明是非，定猶豫；善善惡惡，賢賢賤不肖；存亡國，繼絕世，補敝起廢」（太史公自序），此所謂「載之空言，不如見之於行事之深切著明也」（太史公自序述孔子語）。故史公雖生英主雄猜之時，酷吏深文之際，而勇於批判現實（如封禪書、平準書、酷吏列傳），承認項羽、陳涉之歷史地位（見前「體例」一節），游俠、貨殖諸傳，亦富饒史識（見下章史漢比較節）。又史公游歷既廣，印證深銳，譬如秦楚之際，攻守出入，曲折變化，而史公序之如指掌，自古書兵事地形之詳，未有過此，蓋其胸中有一天下大勢，非後世書生之所能幾也。又常有不待論判，而於序事之中，即見其指者：如平準書末載卜式語，王翦傳末載客語，荆軻傳末載魯句踐語，鼂錯傳末載鄧公與景帝語，武安侯、田蚡傳末載武帝語，皆史公於敍事中寓論斷法也（顧炎武日知錄）。是則史記一書，非惟善敍事之「史」，抑亦善說理之「經子」也。倘徒以「正史之祖」視史記，則未盡史公撰作之深意矣。

四、有表無圖——史記體制之美中不足

史記之缺憾，在有表而無圖，章學誠永清縣志輿地圖序例云：「史部要義，本紀爲經而諸傳爲緯，有文辭者曰書曰傳，無文字者曰表曰圖，虛實相資，詳略互見，庶幾可以無遺憾矣。昔司馬氏創定百三十篇，但知本周譜而作表，不知溯夏鼎而爲圖，遂使古人之世次年月，可以推求，而前世之形勢名象，無能蹤蹟，此則學春秋而得其譜曆之義，未知溯易象而得其圖書之通也。夫列傳之需表而整齊，猶書志之待圖而明顯也。先儒嘗謂表闕而列傳不得不煩，殊不知其圖闕而書志不得不冗也。嗚呼，班馬以來，二千年矣，曾無創其例者，此則窮源以竟委，深爲百三篇惜

矣。」又云：「史不立表，而世次年月猶可補綴於文辭；史不立圖，而形狀名象必不可旁求於文字，此耳治目治之所以不同，而圖之要義所以更甚於表也。」論甚精當。實則千慮一失，固難求備於賢者；而後世繼作者亦唯知遵守繩墨，學其一體，不能廣「古人所未及備」，示「後世之不可無」（顧亭林先生語）；此則後人之失也。

〔乙〕文學方面

一、情感之深切

漢書以下，歷代史家之敍述人物，或受命撰述，敷衍足文；或爲史造史，冷漠無感。史公則「恨爲弄臣，寄心楮墨，感身世之戮辱，傳畸人於千秋」（魯迅漢文學史綱要），其身世所感，閱歷所得，一一傳諸所傳人物，於是千秋共慨，萬古同悲之人類永恒感受，遂往往洋溢簡冊之上，譬如伯夷列傳之懷疑天道，游俠列傳之美褒賢主，皆感懷深切，情辭眞摯，足使百代之下，猶爲之掩卷低徊，浩歎無已，誠可謂「史家之絕唱，無韻之離騷」（魯迅語），曾滌生聖哲畫象記謂子長史記，寓言十居六七；而班固閎識孤懷，不逮子長遠甚云云，可謂方家之言矣！

二、描劃之靈巧

明茅坤謂：「太史公之才，天固縱之，以虬龍杳幻之怪，騕褭超逸之姿，然於六藝百家之書，無所不讀，能抽其雋而得其解。」蓋史公善於鎔範經典子史，以至諺語、俚詞，取精用宏，變化多方，如王世貞云：「太史公文，有數端焉：帝王紀以己釋尙書者也，又多引圖緯子家言，其文衍而虛；春秋諸世家以己損益諸史者也，其文暢而雜；儀、秦、鞅、睢諸傳，以己損益戰國策者也，其文宏而肆；劉、項紀，信、越諸傳，志所聞也，其文宏而壯；河渠平準諸書，志所見也，其文核而詳，婉而多諷；刺客、游俠、貨殖諸傳，發所寓也，其文清嚴而工篤，磊落而多感慨。故遷史之文，或由本以之末，或探末以續顚，或緜條而約言，或一傳而數事，或既述其事，而又發其義，或意隱於此，而事見於彼，變化離合，不可名物；龍騰虎躍，不可韁鎖。」

蓋史公敍事寫人，最善把握重點，細膩刻劃：如信陵君之丰度豪邁，呂不韋之長袖善舞，直不疑之隱忍忠厚，淳于髡之突梯滑稽，李斯之勢利躁進，張湯之刻酷成性，李廣之指揮若定，陳涉之志在千里，以至管鮑之友誼，趙恬母之明斷，聶政姊之堅毅，蘇秦嫂之炎涼，莫不栩栩如生，情景欲活，曉暢明白，而富於感染。「讀游俠傳卽欲輕生，讀屈原賈誼傳卽欲流涕；讀莊周魯仲連傳卽欲遺世，讀李廣傳卽欲立鬭，讀石建傳卽欲俯躬，讀信陵平原君傳卽欲養士」（茅坤語）。其所以文章有靈奇之氣者，蓋天資過人，而「江山之助」（文心雕龍物色篇語）抑亦有功。故馬子才云：「子長平生喜游，方少年自負之時，足跡不肯一日休。非直爲景物役也，將以盡天下大觀，以助吾氣，然後吐而爲書。觀之，則其生平所嘗遊者皆在焉：

「南浮長淮，泝大江，見狂瀾驚波，陰風怒號，逆走而橫擊，故其文奔放而浩漫；

「望雲夢洞庭之陂，彭蠡之瀦，含混太虛，呼吸萬壑，而不見介量，故其文停蓄而淵深；

「見九嶷之芊綿，巫山之嵯峨，陽臺朝雲，蒼梧暮煙，態度無定，靡曼綽約，春妝如濃，秋飾如薄，故其文姸媚而蔚紆；

「泛沅渡湘，弔大夫之魂，悼妃子之恨，竹上猶有斑斑，而不知魚腹之骨尙無恙者乎？故其文感憶而傷激；

「北過大梁之墟，觀楚漢之戰場，想見項羽之喑啞，高帝之嫚罵，龍跳虎躍，千兵萬馬，大弓長戟，俱游而齊呼，故其文勇雄猛健，使人心悸而膽栗；

「世家龍門，會神禹之大功，西使巴蜀，跨劍閣之鳥道，上有摩雲之崖，不見斧鑿之痕，故其文斬絕峻拔，而不可攀躋；

「講業齊魯之都，觀夫子之遺風，鄉射鄒嶧，彷彿乎汶陽洙泗之上，故其文典重溫雅，有似乎正人君子之容貌；

「凡天地之間，萬物之變，可驚可愕，可以娛心，使人愛，使人悲者，文長盡取而爲文章，是以變化出沒，如萬象供四時而無窮。」（古今圖書集成經籍典引）

總之，史公「學涉六家，途經萬里，獵百代未收之聞見，創千載未備之體裁」，故能「點銅鐵爲黃金，抽神奇於臭腐」（馮夢禎校訂史記自序），是以歷代文家，多尊之以爲散文宗師。如曾國藩送周荇農南歸序云：「自漢以來，爲文莫善於司馬遷。遷之文，其積句也奇，而義必相輔，氣不孤伸……夫適王都者，或道晉，或道齊，要於達而已。司馬遷，文家之王都也。」可謂推崇甚至矣。

第三章　斷代紀傳之始——漢書

一、班固與漢書

班固（三二——九二）字孟堅，東漢扶風安陵（今陝西咸陽東）人。幼博學，與弟超、妹昭並負盛名。父彪（叔皮）以子長史記止於孝武，乃繼採前史異聞，續爲「後傳」數十篇。既卒，孟堅乃紹父志，補詳其書。既而被訴私改國史於明帝，詔繫京兆獄。弟超乃馳闕上奏；而郡亦封上所錄家書，帝乃意解而奇之，遂召爲校書郎，授蘭臺令史。永平中，受詔完成前書。精研廿年，至章帝建初中，書稿粗就。和帝時，大將軍竇憲專橫伏誅，固以嘗隨征匈奴，株連入洛陽獄，卒。其時書頗散亂，八表及天文志亦未定，遂詔妹昭（曹大家）續成之，而昭之門人馬融之兄馬續完成天文志，當世甚重其書，學者多諷誦之。（見後漢書本傳，司馬彪續漢書）

漢書敍傳云：「綴輯所聞，以述漢書。」則漢書之名，爲班固自定。

劉知幾史通六家篇云：「漢書家者，其先出於班固。馬遷撰史記，終於『今上』。自太初以下，闕而不錄。班彪因之，演成後記，以續前篇。至子固乃斷自高祖，盡於王莽。爲十二紀、十志、八表、七十列傳，勒成一史，目爲『漢書』。昔虞夏之典，商周之誥，孔氏所撰，皆謂之『書』，夫以書爲名，亦稽古之偉稱。尋其創造，皆準子長；但不爲世家，改「書」曰『志』而已。」此可見漢書之義略矣。

二、體例與取材

甲）體例內容：

漢書百篇，唐顏師古注時，以卷帙繁重，析爲「子卷」，故共一百二十卷。

紀十二篇——十三卷（高帝紀分上下）。

表八篇——十卷（王子侯表、百官公卿表各分上下）。

志十篇——十八卷（律曆、食貨、郊祀、地理各分上下，五行志分爲五卷）。

列傳七十篇——七十九卷（司馬相如、嚴助朱買臣等諸人，揚雄、西域、外戚、匈奴諸傳各分上下；敍傳上下；王莽列傳分上中下，共多九卷）。

其內容概略及與史記體例不同者如左：

十二紀　史記稱本紀，漢書單用「紀」字。史記於高祖本紀後次呂后本紀，而文景武諸帝繼之；漢書則於高祖呂后之間，立惠帝紀，以其在位七年，名號尚存也，體例較善。項羽、陳涉，史記立本紀，漢書概改爲列傳，此亦斷代爲史之義例也。

八表 多因史記舊表，而增武帝以後沿革以續之。新增者有外戚、恩澤侯表及古今人表；古今人表所包億載，旁貫百家，分爲三科，析爲九等，始於「上上」，終於「下下」。書既以漢爲名，表則綜古迄今，不知限斷，進退人物，又漫無標準，強爲差等；自劉知幾、鄭樵、趙翼諸人，均深譏之。章學誠則甚賞其百官公卿表。

十志 猶史記之八書。併禮書、樂書爲「禮樂志」；律書、曆書爲「律曆志」；改天官書爲天文志，封禪書爲郊祀志；河渠書爲溝洫志；平準書爲食貨志。名非物是，小異大同。新增有刑法、五行、地理、藝文四志。劉知幾譏天文藝文五行三志，謂天文志無漢事，藝文不應作志，五行多涉迂妄。然藝文志乃目錄學之要典；陰陽五行，亦漢代風尙，作史者自難棄置也。王鳴盛十七史商榷則謂十志次序宜改正。鄭樵謂其地理志重郡國而輕山川，無所底止，遂致後世方隅顚錯（通志總序）。章學誠亦病其地理志無圖（永淸縣志與地圖序）

七十列傳 漢書改「世家」爲「列傳」，雖爵土無替之王侯，一槪稱傳。此蓋漢世統一之基已固，世易時移，異於前代也。

〔乙〕取　材：

漢書武帝以前事，多本史記，而略有增損移置，武帝以後事，則據其父班彪史記後傳六十五篇爲藍本，又博采七略，賈誼過秦論，陸賈新語及劉歆、王商、揚雄諸人論著，編撰成書。如：

律曆志　采賈誼、董仲舒、王吉、劉向四人論奏，及禮記、樂記全文，郊廟歌詩。

食貨志　下卷武帝以前皆取平準書原文。

郊祀志　武帝以前，取材封禪書文。

溝洫志　大半取河渠書原文。

五行志　引尙書洪範、董仲舒、向、歆父子及漢世經書之說。

地理志　篇首全采禹貢全書。

藝文志　本劉歆七略刪而爲六。

高祖本紀及諸王侯年表、諸臣列傳，多采史記原文，或有一字不改者。故鄭樵通志總序極詆班固，謂爲「浮華之士，全無學術，專事剽竊」；又謂：「自高祖至武帝，凡六世之前，盡竊遷書，不以爲慚；自昭帝至平帝凡六世，資於賈逵、劉歆，復不以爲恥；況又有曹大家終篇；則固之自爲書也，幾希！」

史通因習篇亦疵其襲史記原文，未有改訂；故有史遷稱「今」，漢書亦稱「今」者。然此亦未盡爲漢書之病，蓋史家編述，必據史料，網羅羣籍，勢所必然，以述爲作，亦其本職也。

章學誠文史通義言公上篇云：「世之譏班固者，責其孝武以前之事襲遷書，以謂盜襲而無恥，此則全不通乎文理之論也。遷史斷始五帝，沿及三代周秦，使舍尙書、左、國，豈將爲『憑虛』『亡是』之作賦乎？……固書斷自西京一帶，使孝武以前不用遷史，豈將爲經生決科之同題而異文乎？」

此蓋謂述史異於作文：以組織整理爲工，不以特創想像爲能也。

三、史記漢書之比較

除改「書」曰「志」，以「世家」入「列傳」及其他前述更動外，漢書與史記不同處亦所在多有，蓋固比遷後百有餘年，當有若干新資料發現，自可據以更正。亦有移置者。如：鴻門之會，史記在項羽本紀，漢書在高祖紀。呂后殺戚夫人及趙王如意事，史記載呂氏本紀，而外戚傳不復載。漢書呂后紀專載臨朝稱制事，而殺戚姬事則入外戚傳。蕭何追薦韓信事，史記在信傳，漢書在高紀。史記韓信傳贊，謂信貧時葬母，度其旁可置萬家，以見志度不凡；漢書則以此敍入信傳。其例甚多。趙翼廿二史劄記言之詳矣。

又晉張輔論史漢優劣，謂史記敍三千年事，惟五十餘萬言；漢書敍二百年事，乃八十餘萬言。以此判二書優劣。史通雜說篇反駁之，謂史記詳備者惟漢興七十餘載事而已；若易地而處，則史記多言費辭，猶恐有踰孟堅矣。趙翼廿二史劄記則論較折中，謂遷喜敍事，至於經術之文，幹濟之策，多不收入，故其文簡。固則於文字之有關學問，有繫政務者，必一一載之，此其所以卷帙多也。如：賈誼傳載治安策，鼂錯傳錄諸疏，賈山傳載至言，路溫舒傳載尙德緩刑疏，枚乘傳其諫吳王謀逆書，鄒陽傳載諷諫吳王書，公孫宏傳載賢良策。此皆或關經國大計，或見學術主張，史記所略者，得詳於此。趙氏又謂史記李陵附李廣傳後，又無蘇武傳。漢書則爲二人立傳，慷慨悲涼，敍說之精采，千載以下，猶有生氣，恐史遷爲之，亦不能過也。要而論之，史漢之較，可有數端：

(一)體裁不同

史記爲通史，漢書爲斷代史。鄭樵力詆班固，謂其「斷漢爲書，是以周秦不相因，古今成間隔，以斷代爲史，無復相因之義，雖有仲尼之聖，亦莫知其損益，會通之道自此失矣！」(通志總序)

章學誠文史通義釋通篇，亦贊成通史。

梁任公亦謂：「史之爲狀，如流水然；抽刀斷之，不可得斷。」「史記以『社會全體』爲史的中樞，故不失爲『國民的歷史』；漢書以下，則以『帝室』爲史之中樞，自是而史乃變爲帝王之家譜矣！……史名而冠以朝代，是明告人以我之此書爲某朝代之主人而作也。」(中國歷史研究法)

劉知幾史通則謂「疆宇遼濶，年月遐長，而分以紀傳，散以書表，每論家國一政，而胡越相懸，敍君臣一時而參商是隔。」斷代史則「包舉一代，撰成一書。」「學者尋討，易爲其功。」「故自爾迄今，無改斯道。」(六家)云云。

實則當世帝國一統既久，以君主爲中心之政治社會形式，亦趨穩固；加以人事日繁，史事日雜，以朝代爲斷限之史書遂告產生。且君王威權既盛，指陳當世，則禍戾易招，追述前代，則下筆稍易。此所以漢書以後，歷代載述，多循斷代紀傳之體也。

章學誠云：「遷書一變而爲班氏之斷代。遷書通變化，而班氏守繩墨，以示包括也。後世失班、史之意，而以紀、表、志、傳同於科舉之程式，官府之簿書，則於紀註撰述，兩無所取。」(文史通義書教)

蓋馬班以下，歷代述史者多陳陳相因，無復創作，此則方之孟堅，猶有遜色，更不足以望史遷之項背矣。

（二）貨殖觀點之不同

史記貨殖傳云：「夫神農以前，吾不知已；至若詩書所述虞夏以來，耳目欲極聲色之好，口欲窮芻豢之味，身安逸樂，而心誇矜勢能之榮，使俗之漸民久矣，雖戶說以眇論，終不能化。故善者因之，其次利道之，其次教誨之，其次整齊之，最下者與之爭。」「天下熙熙，皆爲利來，天下攘攘，皆爲利往；夫千乘之王，萬家之侯，百室之君，尚猶患貧，而況匹夫編戶之民乎？」「是故本富爲上，末富次之，姦富最下，無岩處奇士之行而長貧賤，好語仁義，亦足羞也。」

蓋「禮生於有而廢於無」，「千金之子，不死於市」，「人富而仁義附焉。」既爲現實情狀，則君上虛語仁義，無補於窮通之懸殊，貧富之矛盾；不如因人之求利本能而善導之，使樂業安居，甘食美服。此子長述史之卓識，固不僅「自傷特以貧故，不能自免於刑戮」（晁公武郡齋讀書志卷三）而已也。

漢書貨殖傳則承西漢以來重農抑商觀點，謂「稼穡之民少，商旅之民多，穀不足而貨有餘，禮誼（義）大壞，上下相冒，國異政，家殊俗，耆（嗜）欲不制，僭差亡極。」極言商業發展，使人唯利是視，罔顧道德之弊，則亦治病因時，言之成理也。

（三）游俠觀點之不同

漢世游俠，墨家之遺也。史記游俠列傳謂此等豪傑之士，其行雖不軌於正義，然其言必信，其行也果，已諾必成，不愛其軀，赴士之阨困，旣已存亡死生（置生死於度外）矣，而不矜其能，羞伐其德，蓋亦有足多者焉。又曰：

「布衣之徒，設取予言諾，千里誦義，爲死不顧世，此亦有所長，非苟而已也，故士窮窘得委命，此豈非人之所謂豪賢閒者邪？……要以功見言信，俠客之義，又曷可少哉，漢興，有朱家、田仲、王公、劇孟、郭解之徒，雖時扞當世之文罔，然其私義廉絜退讓，有足稱者。名不虛立，士不虛附。」

論者或謂：「武帝用法深刻，羣臣一言忤旨，輒下吏誅，而當刑者得以貨免，遷之遭李陵之禍，家貧無財贖自贖，交遊莫救，卒陷腐刑。其進姦雄者，蓋遷欲時無朱家之倫，不能脫己之禍。」（晁公武郡齋讀書志卷三）此則雖非無見，然是所謂燕雀窺鴻鵠者也。

漢書游俠列傳則云：「以匹夫之細，竊殺生之權，其罪已不容於誅矣，觀其溫良泛愛，振窮周急，謙退不伐，亦皆有絕異之姿，惜乎不入於道德，苟放縱於末流，殺身亡宗，非不幸也。」「非明王在上，視之以好惡，齊之以禮法，民曷繇知禁而反正乎？」亦以法禮爲禁止游俠之道，不復知其所以產生之政治社會原因矣。「閎識孤懷，不逮子長遠甚。」曾滌生豈虛言哉！

漢書司馬遷傳，力陳史記之失，謂其「是非頗謬於聖人，論大道則先黃老而後六經，序游俠則退處士而進姦雄，述貨殖則崇勢利而羞賤貧；」此蓋固父班彪之意也。彪又謂遷「大敝傷道，所以遇極刑之咎。」此說尤涼冷無人心，不知固亦瘐死獄中；誠如范曄所謂：「智及之而不能守之，嗚呼！古人所以致論於眉睫也。」（後漢書班彪傳）。故晉傅玄亦仿二班之語而論漢書曰：「論國體則飾主闕而折忠臣，敍世教則貴取容而賤直節，述時務則謹辭章而略事實。」寥寥數語，洞中肯要矣！

（四）文體之不同

史記之文，以散行爲主而略寓偶意，漢書則趨於駢儷，爲六朝文體所祖，隱然與史記對峙。故曾國藩送周荇農南歸序云：「自漢以來，爲文者莫善於司馬遷，遷之文其積句也皆奇，而義必相輔，氣不孤伸，彼有偶焉者存焉。其他善者，班固則毗於用偶，韓愈則毗於用奇，蔡邕范曄之下，潘岳、陸機、沈約、任昉等，此皆師班氏者也。茅坤所稱八家，皆師韓氏者也。」可知其源流矣。

第四章　史漢之後繼——列代正史

一、後漢書

（一）撰者

范曄（三九九——四四六），字蔚宗，南朝宋南陽順陽人。幼好學，博經史，善文章，能隸書，曉音律。性輕狂不謹，恃才傲物。元嘉初（四二四），爲尚書吏部郎，彭城王太妃薨，曄夜中酣飮，與弟開北牖聽挽歌爲樂，由是左遷爲宣城太守。既不得志，乃潛心著述。其時後漢之史，已數十家；著者如司馬彪、華嶠、袁宏、張璠等，皆晉人也。曄乃刪集之而成一家之作。其後孔熙先謀革命，曄牽連被誅，年四十八。

（二）撰作動機與命名

范曄不滿當時諸家後漢之作，又欲陵勝孟堅，乃撰後漢書，其獄中與諸甥侄書云：

「既造後漢，轉得統緒。詳觀古今著述及評論，殆少可意者。班氏雖有高名，既任情無例，不可甲乙辨。後贊於理近無所得，唯志可推耳。博觀不可及之，整理未必愧也。吾雜傳論皆有精意深旨，既有裁味，故約其詞句；至於循吏以下，及六夷序論，筆勢縱放，實天下之奇作！其中合者，往往不減於過秦篇。嘗比方班氏所作，非但不愧之而已。欲徧作諸志，前漢所有者，悉令備，雖事不必多，且使見文得盡。又欲因事就卷內發論，以正一代得失，意復未果。贊自是吾文之傑思，殆無一字空設。奇變不窮，同含異體，乃自不知所以稱之！此書行，故應有賞音者。紀傳例為舉其大略耳。諸細意甚多。自古體大思精，未有如此者也。恐世人不能盡之，多貴古賤今，所以稱情狂言耳。」

可知「後漢」之名，乃范氏自命。

〔三〕內容體例

起訖：後漢光武－－獻帝（二五——二二〇），凡一百九十五年，計：

帝紀十篇　十二卷
列傳八十篇　八十八卷
志八篇　三十卷

共百篇，一百三十卷。

後漢書總卷數，各目錄所載或有不同，蓋紀傳繁重者，分出子卷故也。曄原定志十篇，不傳，或曰未成而卒，或曰已成，曄死而失。梁劉昭取司馬彪續漢書之八志補之。本書體例多仿史漢，而略有出入，如「論」後有「贊」是也。

〔四〕特色與價值

一 本書編次卷帙，以類相從；列傳法史記，不依時代，而就生平之近。

二 法漢書，多附載政論及美文，如：王符潛夫論，崔實政論，仲長統昌言，張衡請禁圖讖諸疏；及班固兩都賦，杜篤論都賦，劉梁和同論，邊讓章華賦等，故讀之如見東京文選。

三 新創黨錮、宦者、文苑、獨行、方術、逸民、列女七傳，足以表見一代政教之特色。故王鳴盛十七史商榷稱之云：「貴德義而抑勢利，進處士而黜姦雄；論儒學則深美康成，褒黨錮則推崇李杜；宰相無多述，而特著逸民；公卿不足采，而特尊獨行。」此可見其卓識矣。

四 敍事詳簡得宜，無復見疊出之弊，故劉知幾稱其「簡而且周，疏而不漏」，蓋以其文史兼長也。

五 褒貶持平，立論允當，少迴護曲筆。

以上各端，為范史之長，趙翼廿二史劄記論之明矣。惟敍事間有疏漏（廿二史劄記）或至矛盾（日知錄），文字不免繁複（二十二史考異），贊詞或涉纖巧，此則瑕不掩瑜，未足減其價值也。

二、三國志

（一）撰者

陳壽（二三三——二九七），字承祚，巴西安漢人，少好學，師事同郡譙周，仕蜀為觀閣令史。宦人黃皓掌政弄權，大臣皆曲意附之，壽獨不為之屈。由是屢被黜譴。蜀亡，沉滯累年，入晉舉孝廉，除佐著作郎，終御史。

壽撰魏吳蜀之國志凡六十五篇，時人稱其善敍事有良史之才，夏侯湛時著魏書，見壽所作，因而壞己書，司空張華愛其才，謂當以晉書相付，然亦有誹詆之者；或云丁儀、丁廙，有盛名於魏，壽謂其子曰：「可覓千斛見予，當爲尊公作佳傳。」丁拒之。竟不爲之作傳。又諸葛亮嘗髡其父，諸葛瞻亦輕壽，遂謂亮將略非長，無應敵之才；又謂瞻惟工書，名過其實云云。此等譏謗，均未必然。觀其論諸葛武侯語，實亦持平之論。又其書以魏爲正統，東晉南宋之人多非之，蓋亦時爲之也。（見後）

〔二〕撰作動機

壽卒後，梁州大中正尚書郎范頵等上表曰：「故治書郎御史陳壽作三國志，辭多勸戒，明乎得失，有益風化。雖文艷不若相如，而質直過之，願垂采錄。」於是詔下河南尹、洛陽令，就家寫其書。故壽沒後，書乃入官，原爲私撰之史。

陳壽以前，魏吳皆嘗修史，如王沈等之魏書四十四卷，韋曜等之吳史五十五卷；或則多爲時諱，或則文筆拙劣。蜀則國史缺。故壽乃有撰作。

華陽國志後賢傳亦云：「吳平後，壽乃鳩合三國史，著魏、蜀、吳之國志六十五篇，號三國志。故其名亦壽自定。

至成書年代，史無明文。劉知幾史通云：「至晉受命，海內大同，著作陳壽，乃集三國史撰爲國志。」是以此書當撰於平吳（武帝太康元年，二八〇）以後也。

〔三〕內容體例

體例仿國語，列國分立，而亦參乎史記漢書之法。

魏志四帝紀，二十六列傳
蜀志十五列傳
吳志二十列傳
}共六十五卷

一　曹操位極人臣，而終未篡位，魏志則始武帝紀，體例未合。

二　三國志雖名志，實無一志，清洪亮吉有補三國疆域志二卷，錢大昕有補三國藝文志四卷，近人陶元珍有補三國食貨志一冊。

三　三國志無表，後人補作者甚多。

〔四〕評價

一、正統問題

昔人以爲三國志以魏爲紀，蜀吳僅立列傳，是以正統予魏；又改漢曰蜀。後世史家，議論紛紜。晉人習鑿齒作漢晉春秋尊蜀爲正統，南宋朱子作通鑑綱目，亦帝蜀僞魏，後之論者多是習而非陳。司馬光資治通鑑，則仍以魏爲正統，蓋：

一　正閏之論，本所難言。

二　天下離析之際，諸國之君皆有天子之名而無其實，而敍史又不得不有歲時年月，以誌事之先後。漢傳魏，魏傳晉，下啓南朝隋唐，自宜取其年號以記諸國之事。

三　劉備雖曰中山靖王之後，而族屬疏遠，不能記其世數名位，難辨是非。故四庫提要云：

「壽則身爲晉武之臣，而晉武承魏之統，僞魏是僞晉矣，其能行於當世哉？此猶宋太祖纂立近於魏，而北漢南唐，蹟近於蜀，故北宋諸儒，皆有所避而不僞魏。高宗以後，偏安江左，近於蜀；而中原魏地，全入於金，故南宋諸儒，乃紛紛起而帝蜀。此皆論當其世，未可以一格繩也。」

且三國志既仿國語，諸國並列，實無尊卑。且不以魏名全書而列二國於「載記」，又於孫權稱帝後，猶書其名，妻妾仍稱夫人，蜀則稱先王後主，妻妾稱后妃，蓋蜀未嘗臣於曹操，不若江東之曾奉表稱臣也。此外，蜀志傳數雖少，而記祭告天地之文，立后立太子諸王之策，諸葛、張飛、馬超之策文，皆一一詳書，則壽非悖妄忘舊可知。且正統之說，不過舊儒迂論，由今日史學觀之，實無關重要也。

二、史德問題

一　不爲二丁立傳事，二丁巧佞，事迹無多，不爲立傳固宜，王粲傳、劉廙傳皆附二人事，而晉書好引雜說，亦不可信，世多病其蕪穢，且晉書本傳論亦盛稱推其爲良史，非有意抑之也。

二　陳壽校定諸葛亮集，盛稱其信賞必罰，雖召公、子產無以過。其頌孔明，實見其大。至用兵不能克捷，亦事實俱在，且亦明言其敵手堅強，衆寡殊勢，時無名將，天命有歸諸端，是以六出祈山，終無一勝；非壽之私論也。

三、曲筆問題

壽修三國志於晉，故於魏晉革易，甚至漢魏禪代之際，遂多曲筆迴護，明爲曹操、司馬懿、司馬師，司馬昭等威福自爲，爵號自加，而亦書爲漢、魏天子之酬庸讓德，自後宋、齊、梁、陳諸書，皆奉爲成式，且以爲作史之法，固應如是，此一惡例，實自壽啓之，春秋雖有爲尊者諱之義，而弒父弒君則必詞嚴義正，毫無假借，故迴護曲筆，不僅是非失實，亦乖史學精神也。

此外，又以時代過近，若干史料尚未出現，故簡略遺漏亦不能免。總而論之，小疵大醇，不愧良史。故晉書本傳論曰：「丘明既沒，班馬迭興，奮鴻筆於西京，騁直詞於東觀。自斯已降，可以繼明先典者，陳壽得之。江漢英靈，信有之矣。」

(五)注本

三國志簡潔有法，銓敍可觀，然不免失於略漏。宋文帝時，令裴松之作注。松鳩集傳記，增廣異聞，凡壽所不載而事宜存錄者，罔不收入，其原則有四：(一)補闕；(二)備異；(三)懲妄；(四)辯論。四庫提要更本之析爲六類：

一　引諸家之論以辨是非。

二　參諸家之說以核譌異。

三　傳所有之事以詳其委曲。

四　傳所無之事以補其缺佚。

五　傳所有之人以詳其生平。

六　傳所無之人以附於同類。

史書舊注，自來不出注訓詁，述典故二途，裴注實開一新紀元，謂之陳書功臣可也。又裴注引書，多至一百四十餘種，今多失傳，亦可藉裴注見其涯略。且多首尾完具，標明史源，汲古之功，尤見偉烈矣。

三、官修史之開始

史記、兩漢書、三國志，皆一人本良史之才，立修撰之志，成一家之言，冠冕羣籍，是爲「四史」。至唐始用衆手，共成一書，即所謂「官修史」、「局修史」也。其後繼作，或奉勅自撰，或設局同修，而少有純出私撰者。梁任公中國歷史研究法，痛論其弊云：

「著作之業，等於奉公，編述之人，名實乖迕：例如房喬、魏徵、劉昫、托克托、宋濂、張廷玉等，尸名爲某史撰人，而實則於其書無與也。蓋自唐以後，除李延壽南史北史，歐陽修新五代史之外，其餘諸史，皆在此種條件之下而成立者也。

「此種官撰合撰之史，其最大流弊，則在著者無責任心。劉知幾傷之曰：『每欲記一事，載一言，皆擱筆相視，含毫不斷；或頭白可期，汗青無日。』又曰：『史官記注，取稟監修，一國三公，適從何在！』既無從負責，則相率於不負責，此自然之數矣。

「坐此之故，則著者之個性湮滅，而其書無復精神。司馬遷忍辱發憤，其目的乃在『成一家之言』，班范諸賢，亦同斯志。故讀其書，而著者之思想、品格皆見焉。歐陽修新五代史，其價值如何，雖評者異辭，要之固修之面目也。若隋、唐、宋、元、明諸史，則如聚羣匠共畫一壁，非復藝術，不過一絕無生命之粉本而已。坐此之故，並史家之技術，亦無所得施。史料之別裁，史筆之運用，雖有名手，亦往往被牽掣而不能行其志。故愈晚出之史，卷帙愈增，而蕪累亦愈甚也（明史不在此例）。」

此其爲說，固自精暢（參看第八章第三節），然專而能博，學者所難，正史書志之類，往往亦非專家合作，不能爲功者也。

四、晉書

唐貞觀十八年（六四四），太宗以時行晉書，如何法盛等十八家之作，才非良史，書非實錄，乃命房喬（玄齡）、褚遂良、令狐德棻、許敬宗、李義府、上官儀等（舊唐書房玄齡傳作「八人」，令狐德棻傳作「十八人」，新唐書藝文志作「廿一人」）參考諸家，以臧榮緒晉書爲主，重加修撰。又次年（六四六）書成，號爲「新晉書」；以太宗自著宣、武二帝紀，陸機、王羲之二傳四篇之論，故或題太宗御撰。安史之亂，舊籍散亡，貞觀「晉書」遂獨傳於後。

晉書卷數：帝紀十，書志二十，列傳七十，載記（五胡十六國）三十，另敍例一，目錄一，共一三二卷。

評價　自來論晉書者，謂修史諸人，承六朝遺風，習用駢儷，有失史體，一也；好收小說野史，如世說新語、搜神記、幽明錄等，直同稗官，時涉怪誕，二也。又許詢、支遁（道林）等，名言佳事，足徵一代清談風氣者，亦無立傳。然奉勅修撰者，皆一時俊彥：令狐德棻等老於文學，博通古今，則負責紀傳，于志寧、李淳風等，長於天文、地理、圖籍，則授以書志。隨其學術，任以專長，未嘗奪人所能，而強人之所不及。五胡十六國載記，尤簡而不漏，詳而不蕪，勝於崔鴻十六國春秋。（見史通論贊、四庫提要、通志總序、廿二史劄記）

五、宋書

南齊永明五年（四八七）春，沈約（字休文，諡隱侯，吳興武康人；四四一——五一三）奉詔自撰，辛勤從事，而宋地小祚短，史料不多，加以時近易得，故次年初即成書，蓋多取宋徐爰舊本增刪而成者也，是以既爲宋諱，又爲齊諱，曲筆迴護之處甚多。

宋書卷數：本紀十、志三十、列傳六十，共百卷。

評價　一　八志（律曆，禮，樂，天文，符瑞，五行，州郡，百官）遠溯上古，近及漢魏。前人病其失於斷限；而實可見典章制度之因革損益，蓋本書之優點也。

二　選錄文章特多，詔誥符檄章表奏疏長賦，悉載全文。前人病其繁冗，而尚文之世作品面目，千載以下猶可見之，亦此書之功也。

三　五行之外，專列「符瑞」一志，實可刪去。

四　晉宋、宋齊之間篡奪眞相，以怵於世情，隱以曲筆，有愧良史。

五　食貨，兵刑無志。

六　成書過速，草率失檢處不少。

六、南齊書

梁蕭子顯（字景陽，四八九——五三七）據沈約齊紀，吳均齊春秋，熊襄齊典等諸書編述而成，計：

帝紀七篇	八　卷	共五十九卷。原定「敍傳」亡。
志　八　篇	十一卷	
列　　傳	四十卷	

趙宋以後，冠以「南」字，以與北齊書別。

評價

一　子顯以蕭道成之孫，入梁而得武帝愛重，虛美隱惡，自不能免。如爲尊父豫章王，不入高祖十三王傳內，而另立一傳，與文惠太子相次，鋪揚至近萬言，惡東昏侯，敍無道二千餘字，以見梁武帝奪位爲義舉。

二　食貨志、藝文、刑法諸志，分祥瑞於天文之外，州郡不著戶口。

三　多用類敍法如高逸、孝義等列傳，頗見得體。

四　文詞簡淨。故李延壽南史，於此有增無刪。

七、梁書

唐貞觀三年（六二九），姚思廉（名簡）奉敕撰。思廉承父察之業，取謝炅、顧野王諸人之書及梁之國史編成。魏徵參定論贊。計：

本紀四篇　六卷
列傳五十卷
共五十六卷。

評價

一　不免虛美隱惡。

二　不爲狳梁立傳。（按五五四年，梁元帝亡國於西魏，蕭詧都江陵稱帝，傳三世。）

三　蕭梁佛法極盛，而梁書無方伎傳以載僧道，反於「處士」之外，另立「止足傳」。

四　年月參差，事實矛盾處亦多。

此均梁書之失，然大體論之，尚稱佳作。趙翼廿二史劄記，又稱其史料原文，雖保有駢體面目，而論議敍事，則以散文行之。是故南史雖稱簡淨，亦不能增損一字。是則陳末以來，姚氏父子已開韓柳古文之先聲矣。

八、陳　書

亦姚思廉繼父志而承詔撰述，其中高祖、世祖二本紀姚察所撰，餘乃思廉所述，蓋據顧王、傅縡、陸瓊諸家之書而成者也。計：

本紀六卷
列傳卅卷　}共卅六卷。

評價

一　大都成於思廉一手，故體例井然，佳於梁書。

二　姚氏父子皆仕陳朝，不免多迴護曲筆。

三　思廉未預修隋書，恐湮沒父志，故雖察入隋始卒，亦列本傳於陳書，亦寓敍傳之意，然不免有失斷限矣。

九、魏書

北齊篡東魏，天保二年（五五一），魏收奉詔據國史、譜狀，旁采軼事，勒成魏書。雖多人與修，實多出收手。計：

帝紀十二篇　十四卷
列傳九十三篇　九十六卷
志　十　篇　二十卷
共一三〇卷，亡佚二十九篇（四庫提要）

魏書志居傳後，與諸史異，蓋晚成也。

收字伯起，鉅鹿人，與溫子昇、邢劭，並稱「三才」；而性偏急儇薄，洛陽人號爲「驚蛺蝶」。至是，乃以恩怨喜憎之故，論述或多輕重失平。又距時旣近，於是衆怒沸騰，一時有「穢史」之號，而收書黨齊毀魏，頗合文宣帝（高洋）之意，乃盡焚諸魏史，並使列傳中人子孫百餘人，與收對訟，且以之罪治諸人。齊亡，人盜發其塚，毀骨於外。唐宋以來，學者亦多以穢史目此謗史書焉。

評價

收以德望卑下，其書在二十五史中，名譽最劣，茲分述如下：

一、子孫附傳

趙翼陔餘叢考論：「魏書最爲蕪冗，尤可厭者，一人立傳，則其子孫無論有無功業祿位，皆附綴於後，有至數十人……當時陸操當病其敍諸家枝葉姻親，過爲繁碎，魏收謂因中原喪亂，譜牒遺亡，是以具書枝派。此雖見其採輯本意，而不盡然也：蓋傳中諸人，子孫多與收同時，收特以此周旋耳」云云。北齊書魏收傳謂收修史時，凡同修者，祖宗姻戚，多被書錄，飾以美言，以國史爲人情之工具，亦可見其用心。

二、尊北卑南

收修魏書，多據國史，少加訂正，故以北朝爲正統，斥南朝及他國爲僞僭，爲島夷，亦一缺失。

三、穢史問題

四庫提要云：「收恃才輕薄，其德望本不足以服衆，又魏齊世近，著名史籍者，並有子孫，孰不欲顯榮其祖父，既不能一一如志，遂譁然羣起以攻。平心而論，人非南、董，豈信其一字無私？但互攷諸書，證其所著，亦未甚遠於是非，穢史之說，無乃已甚之辭乎？李延壽修北史，多見館中墜簡，參合異同，每以收書爲據。其爲收傳論曰：『勒成魏籍，婉而有章，繁而不蕪，志存實錄。』其必有所見矣。今魏澹（隋文帝授命重撰魏書九十二卷，以西魏爲正，東魏爲偏。）等之書俱佚，而收書終列於正史。殆亦恩怨併盡，而後是非乃明歟？收敍事詳贍，而條例未密，多爲魏澹所駁正，北史不取澹書，而澹傳存其類例，絕不爲掩其所短，則公論也。」然收書既成，盡焚舊書，則其列於正史，殆亦不得已而然者矣。

十、北齊書

貞觀元年（六二七），李百藥（五六五——六四八）奉勅撰，十年成書，蓋以父德林舊編爲基者也。仿後漢書之例，卷後各繫論贊。計本紀八卷，列傳四十二卷，共五十卷。南宋晁公武郡齋讀書志謂其「舛繆亡缺」，蓋在北宋時已散佚矣。其中

本紀七篇八卷，惟文宣紀爲原著，餘均亡佚，後人補以北史。

列傳四十二卷，其(1)論贊皆備者十七篇爲原著；

(2)論贊俱無者十九篇，全取北史；

(3)有論無贊者五篇｝
有贊無論者一篇｝後人雜取諸史補成者。

評價

北齊書二世史家之功，本屬可觀，而北史通行，本書亡佚過多，實難評其優劣。四庫提要云：「北齊立國本淺，文宣以後，綱紀廢弛，兵事俶擾；既不及後魏之整飭疆圉，復不及後周之修明法制，其倚任爲國者，亦鮮始終貞亮之士，均無奇功偉節，資史筆之發揮。觀儒林文苑傳敍，去其已見魏書及見周書者，寥寥數人，聊以取盈卷帙。是其文章萎苶，節目叢脞，固由於史材史學不及古人，要亦其時爲之

也。」則原書卽使具在，亦難媲美史漢矣。

十一、周書

唐高祖武德五年（六二二），令狐德棻（五八三——六六六）受詔與陳叔達、崔仁師、岑文本等撰修。唐初修南北朝諸代史書，蓋大率德棻之議也。計本紀八卷，列傳四十二卷，共五十卷。

周書多據隋開皇時秘書監牛弘原著加以潤色，而德棻在唐初修史諸人中最稱博學，且一生致力修史，故周書頗稱明詳，而劉知幾則頗致不滿，謂：「令狐不能別求他述，用廣異聞，惟憑本書，重加潤色，遂使周氏一代之史，多非實錄。」（史通卷十七雜說中）又謂其仿尚書文體，使人不知其時代（同上）。然良史之務，首在紀實，北周一代，文章仿古；是則尚書文體，亦本來面目也。清趙翼陔餘叢考則稱道之，云：「後周時區宇瓜分，列國鼎沸，北則有東魏、高齊；南則有梁，陳、遷革廢興，歲更月異，周書本紀一一書之，使閱者一覽了然。」

甌北又指梁書編失當，蕭詧（後梁）無傳；然蕭氏雖稱帝三世，然皆從屬周隋，故周書爲詧立傳，而以有關之二十六人附於傳末，亦見德棻位置之苦心矣。

然周書自北宋以後，卽殘缺不全，四庫提要云：「今考其書，則殘闕殊甚，多取北史以補亡，又多有所竄亂，而皆不標所移掇者何卷，所削改者何篇，遂與德棻原書，混淆莫辨。」譬如李賢等五傳，文同北史，王慶傳連書大象元年（周），開皇元年（隋），尤爲剿取北史之顯證也。

十二、隋書

貞觀三年（六二九）魏徵奉詔監修，顏師古、孔穎達等據隋文帝時王劭隋書八十卷，煬帝時王胄大業起居注修撰。十年（六三六），成帝紀五、列傳五十，共五十五卷。

又唐初修梁、陳、周、齊、隋五代史時，若各繫以志，未免繁瑣，且各朝制度，少異多同；合爲一書，可見沿革之迹。故貞觀十五年（六四一）又詔于志寧、李淳風、韋安仁、李延壽等同修梁、陳等五代史志。高宗顯慶元年（六五六），成十志（禮儀、音樂、律曆、天文、五行、食貨、刑法、百官、地理、經籍）三十卷，由監修長孫無忌奏上，編入隋書，蓋以隋居五代之末，非專屬隋也。其初別爲單行，俗呼爲「五代史志」者是也。其後五史各行，十志遂專稱隋志。合此，隋書共八十五卷。

評價

一　史筆謹嚴，褒貶得體，且書成進御，文筆特爲綀淨。

二　集體撰作，滙聚各長（如李淳風長於天文，獨作天文、律曆、五行三志），鄭樵稱謂「當時區處，各當其才。顏、孔通古今而不明天文地理之序，故只令修紀傳，而以十志付之志寧、淳風輩，所以粲然具舉。」（通志藝文略）

三　紀傳不出一手，同異牴牾，在所難免。且「世情利害」，「時同多詭」（文心史傳語），故多迴護曲筆。周隋、隋唐之際，皇權遞嬗之跡，固多相類也。

四　隋志本末分明，貫穿各代，但經籍志編次無法，述經學源流亦多舛誤（例如述大小戴禮記，見本書上册第四章，頁五〇）。然漢以後藝文，惟藉是書考鏡源流，辨別眞僞，是則大醇小疵，價値仍在也。

十三、南史　北史

貞觀時，李延壽（字遐齡，相州人）繼父大師志撰。大師多識前世舊事，少有著述之志。常以南北分隔，南書謂北爲「索虜」，北書指南爲「島夷」，又各以其本國周悉，書別國並不能備，又往往失實，乃欲以編年之體，備述南北，未成而沒。延壽旣屢與修撰前代史書，且家有舊本，乃於公事之餘，追終先人之志，涉獵正史以外一千餘卷，本紀依司馬遷體，以次連綴之。以家貧，又官修梁、陳、周、齊、隋五代史未出，不能雇人抄錄刋布，於是奮筆一室，窮十六年之力，南北二史先後完成，共一百八十卷。均倩國子祭酒令狐德棻勘正。（見北史序傳）

	起	迄	共記	本紀	列傳	合計
南史	宋武帝永初元年（四二〇）	陳後主禎明三年（五八九）	四代一七〇年	宋三，齊二，梁三，陳二　共十卷	七十卷	八十卷
北史	北魏大武帝登國元年（三八六）	隋恭帝義寧二年（六一八）	三代二三三年	魏五，齊三，周二，隋二　共十二卷	八十八卷	一百卷

趙翼謂唐時未有鏤版，鈔錄不便，故南北朝正史，卷帙繁多，傳者甚少，秘書所藏，亦多脫誤，惟南北史稍簡，鈔寫易成，故天下多有其書，世人所見八朝事跡，惟恃此云（廿二史劄記卷十）。

評價

南北二史行世，頗獲好評，蓋：

一　雖有斷限，仍近通史，蓋用史記之法，縱述各朝，又用國語、三國志之法，南北並述，係章學誠所謂「集史」，可覩各朝之會通因革。

二　修於唐初，各朝革易之際，可稱事直書，少所避諱。

三　延壽家有舊本，業紹箕裘，又世居北土，見聞親切。而修書之際，宋齊魏諸書，皆已流佈，梁、陳、周、齊、隋諸書雖未刋行，而延壽參與纂修，自有搜輯勘正之便（陔餘叢考），書成又經令狐德棻校讀，勘正其爲佳史，實非偶然。

故新唐書本傳稱其「頗有條理，刪落釀辭，過本書遠甚。」司馬光貽劉道原書稱其敍事簡淨無煩冗蕪穢之辭，比之陳壽。然訾之者則以爲：

一　書傳仿史記世家及魏書之例，一傳內附子孫若干人，王謝崔盧，故家世族，一例連書，覩其族系，則同爲父子，稽其朝代，則各有君臣（四庫提要）；似撰家乘，而非修國史；蓋其以家爲斷限，而不以朝代爲斷限也（王鳴盛十七史商榷）。其後宋祁修唐書，反奉爲成例，究非史法（廿二史劄記）。

二　南史諸王子概作合傳，惟求簡淨，牽強配搭，不依行事而作區別，毫無涇渭，有失史法。

三　南史無方伎、藝術之傳，有關人物，強附他人之傳，未盡允當。

四　北史因周書無文苑傳，故取周之庾信王褒入文苑，但南史則因宋書無文學傳，其文學傳遂始於齊，於是宋之顏延年、謝靈運、裴松之等，反不入文學傳。北史因齊周無列女傳，遂將齊周節烈女子，附備列女；但南史則無烈女傳，於是孝義傳中，男女無別。書成一手，例出兩歧（四庫提要）。

五　參考雜史既多，不免好述災祥妖異，特爲繁穢。

六　隋統一南北，北史不當包括隋事。故趙翼以爲正史之序，隋書應在南北史後。

王鳴盛十七史商榷，尤力詆之，但以「刪削」「遷移」爲務，謂爲一無是處，聊附八書而行，幸得無廢，朱子語錄（一三四）則謂南北史除通鑑所取外，餘惟一部可笑小說而已。錢大昕潛研堂文集雖稱其事增於前，文省於舊，而亦謂其有不當增，不當省處，近人宋慈抱續史通謂其無他技，不問事之有無關係，人之應否離合，惟知減官名，裂字句，編家傳，忘品彙，是以職掌不明，事蹟必漏，朝代難分，褒貶相互，以史遷之才，刪移左國，援引多誤，況延壽乎云云。

平情論之，南史可備宋、齊、梁、陳四史之參校，北史可補魏、齊、周書之缺殘，故雖八書不廢，南北史仍有並行價值也。

清末李慈銘越縵堂日記云：「八書中以陳書及北周書爲最下：蓋思廉頗拙於文，梁書多因其父，經歷兩世，纂集既詳，論議亦美。陳書則殊草草。且一意主簡，事蹟多缺。北周制度文章，多擬古昔，德棻又志矯浮美，頗刊綺辭，而綜覈未精，甄審失當，又篇簡殘缺，尤甚他書。然南北史多以一家合傳，意重譜系，致時代不分，先後失序，故八書必不可少。而八書中尤要者，宋、隋兩書，次則魏書、南齊書、梁書。蓋五書皆詳贍有體例，符璽刊落較多也。自明季李映碧，近時童石堂，皆以八書注南北史，雖取便披覽，終未允當。竊謂本紀宜用南北史，列傳宜用八書，而去其重複，平其限斷，除其內外之辭，正其逆順之迹，更以彼此互相校注。志則用隋書中五代史志，而注以宋魏南齊諸志，庶爲盡善矣。」（同治丙寅八月初五日）此論八書優劣，及南北史校讀之法，可謂明矣。

十四、舊唐書

本書題爲後晉劉昫奉勅撰，蓋書成之際，昫適爲相也。實際修撰者張昭遠、賈緯、趙熙、鄭受益、李爲光等，監修者宰相趙瑩。計本紀二十，志三十，列傳一百五十，共二百卷。

本書所記，唐中葉以前全用初唐令狐德棻，盛唐吳兢、韋述等所撰國史實錄，故本紀惟書大事，簡而有體；列傳詳明周備，贍而不穢，頗得班、范之遺法。穆宗長慶以後，喪亂既多，載籍散亡，修史者既無佳本，乃採零散紀錄，編輯而成，乏剪裁鎔範之功，是以本紀則詩話、書序、婚狀、獄詞，委曲備書，蕪穢枝蔓；列傳則多敍官爵，事實殊少，或只記榮寵，不具首尾（見四庫提要），是以繁簡不均，故有北宋新唐書之撰，冀以代之。然司馬光通鑑，懿宗咸通以後事，仍多采舊書，蓋以五代修史諸人，見聞較近，易得其眞故也。

十五、新唐書

宋仁宗時，以劉昫唐書氣力卑弱，言簡意陋，乃詔詞臣重修，曾公亮提舉其事，范鎭、王疇、宋敏求、呂夏卿、劉義叟、梅堯臣等助成世系、天文、律曆、五行、方鎭、百官、禮儀、兵事等表示，而主修者則宋祁（九九八——一〇六一）、歐陽修（一〇〇七——一〇七二）也。仁宗天聖末（一〇三二），祁始修列傳，至慶曆（一〇四一——四八）中完成，至和（一〇五四——五六）中，永叔繼修本紀、表、志，嘉祐五年（一〇六〇）成，上距宋祁書成，已歷多年（王鳴盛十七史商榷卷六十九）。計：本紀十，志五十，表十五，列傳一百五十，共二二五卷。

四庫提要云：「是書本以補正劉昫之舛漏，自稱『事增於前，文省於舊。』」（曾公亮進表語）劉安世元城語錄，則謂事增文省，正新書之失。」蓋：「史官記錄，具載舊書，今必欲廣所未備，勢必兎及小說，而至於猥雜。唐代詞章，體皆詳瞻，今必欲減其文句，勢必變爲澀體，而至於詰屈。安世之言，所謂中其病源者也。」

新舊唐書比較：

新遜於舊處：

一 新書本紀較舊書減去十分之七（舊二十帝紀，三十萬言，新十帝紀，九萬言），詔令盡削而不登，有關當時軍政大事者（如奉天罪已詔）卽不可見，此新書之缺（十七史商榷）。

二　唐代應用文體，率用駢儷，新書一概改爲古文，不免失眞

四　所載年月日時，舊書較精確，新書務求簡略。一年數元，僅書其一；春夏秋冬，一字亦略。又不用準確年月，而喜用初、中葉等字樣，此亦新書過簡之病。

蓋歐陽修、宋祁修新唐書，並非同時（見前）；永叔學春秋，專意褒貶；子京通小學，惟意文采，各從所好，不相通知，其終也，合爲一書而上之，故書甫頒行，吳縝糾謬卽起而攻之，舉其錯誤至四百餘條。雖其動機，或出意氣，蓋少年新銳，阨於老成，藉此以快胸臆；然所攻駁，亦未嘗不切中弊病，此則四庫提要、錢大昕糾謬跋，言之明矣。司馬光修資治通鑑，悉據舊書，非無故也。

新優於舊處：

一　舊書修時，正當五季之亂，新書則世際承平，文治大興，故册殘篇，先後出現，故事增於前，間有舊書未備者。新增於舊者，計凡二千餘條，或有關政之隆汙，人之賢不肖，或瑣言碎事，可資博雅，皆有價值。

二　舊書無表，而新書有宰相、方鎭、宗室世系、宰相世系。列傳部份，新書亦增公主傳、姦臣傳、藩鎭傳。

四　新書新刱儀衛志、兵志、選舉志，以見當時軍政，取士制度。食貨、藝文志亦較舊書爲詳。

故新書之取材、體例，方之舊作，皆有後來居上之處。故清雍正時沈炳震有新舊唐書合鈔二六〇卷，紀傳宣宗以前本於舊書，而以新注之，列傳則多取新書，志則新舊參用。王先謙又有合鈔補注。新舊並行，不可偏廢，固其宜矣。

十六、舊五代史

宋太祖開寶六年(九一三)，詔修梁、唐、晉、漢、周書，監修者宰相薛居正(九一二——九八一)，同修者盧多遜、扈蒙、張澹、李昉、劉兼、李穆、李九齡等，其曰「五代史者」，乃後人總括之名。舊五代史成書甚速，不過逾年，蓋全採各朝實錄及本於時人范質五代通錄，而距時又近，見聞親切故也。計：

梁書	廿四卷	凡紀六十一卷，傳七十七卷；另志十二卷，共一百五十卷
唐書	五十卷	
晉書	廿四卷	
漢書	十一卷	
周書	廿二卷	
世襲列傳	二卷	
僭僞列傳	二卷	
外國列傳	三卷	

流傳與評價

本書因成書太速，剪裁採訪，難免欠當，又以多本實錄，難免曲筆迴護，是其缺失，故當世歐陽修頗表不滿，而另撰五代史記藏家，修死後，官爲刋印，學者震於永叔文名，傴於所謂春秋筆法，乃多轉習歐史，然二書猶並行於世。

金章宗太和七年（一二〇七），詔令去薛用歐，於是舊史日漸湮沒，數百年來鮮所道及，清初，其書存亡，學者猶多未知，及修四庫全書，館臣乃就明永樂大典各韻中引薛原文，甄錄排纂，得其八九，又考宋人書如冊府元龜、通鑑考異、五代會要等百餘種之徵引薛史者，採錄補缺，遂得依原本卷數，勒成一卷，時稱盛事焉。（時賢張舜徽謂薛氏原書，恐或尙在人間，惜無由踪跡之云。說見中國歷史要籍介紹頁一一五——六）

提要又謂永叔文章，遠出居正等上，其筆削體例亦較嚴謹，而自當代之論二史者，即已互有所主，如通鑑、胡三省注，皆據薛史，沈括、洪邁、王應麟等輩，皆一代博學之士，亦兼採二史，無存軒輊，蓋：

一　歐史工於文章，意在斷制，情事不如薛史詳備。

二　薛史修於宋初，見聞較近，雖文體平弱，不免煩冗；而遺聞瑣事，反藉以獲傳，足爲考古之助。

三　歐史只述「司天」、「職方」二考，而諸志俱缺，凡禮樂職官之制度，選舉刑法之沿革，承唐開宋，一概無徵，亦不及薛史之有裨文獻也。

十七、新五代史

宋歐陽修所撰，本名新五代史記，唐以後所修正史，惟以此書爲私撰者，永叔奉詔修新唐書時，私撰本書，當時未上於朝，修歿以後，神宗之世，始詔取傳國子監開雕，後遂列爲正史。

陳振孫直齋書錄解題述永叔修撰新五代史之說云：「昔孔子作春秋，因亂世而立法；余爲本紀，以治法而正亂君，發論必以嗚呼，曰：此亂世之書也。諸臣止事一朝曰某臣傳，其更事歷代者曰雜傳，尤足以爲世訓。」此以文史哲理之學，重建綱紀，糾正人心，是亦宋初以來學者之共同理想也，故永叔極自負其書，謂其：「極有義類，須要好人商量，此書不可使俗人見，不可使好人不見。」（與梅聖俞書）。梁任公謂「新五代史佳否勿論，在隋唐五代沈悶之世，有此自覺之作，成一家言，不但欲爲史遷；抑且欲爲孔子，精神至堪嘉尚。」（中國歷史研究法補編）云云。

其書共七十四卷，內容體例，略如下述：

一　本紀十二卷，計：梁、三卷，唐、四卷，晉、二卷，漢、一卷，周、二卷。法嚴詞約，取春秋之意以寓褒貶（筆法）：

徐無黨註：「如：用兵四例：兩相攻——攻，以大加小——伐，有衆——討，天子自往——征。」

「得地二例：易——取，難——克。」

「歸降二例：身歸——降，地歸——附。」

「立后正——以某夫人，某妃爲皇后；立后不正——以某氏爲皇后。」

薛史逐國各斷，如三國志，此則綜合，如史記、南北史。

二　列傳四十五卷，悉爲類傳，此亦本書獨創，分十類：家人傳（王子后妃），梁唐晉漢周臣傳，死節傳，死事傳、一行傳（潔身自好之士），唐六臣傳，義兒傳，伶官傳，宦者傳，雜傳（歷事數朝者）。

三　考三卷，爲目凡二：司天、職方是也。

四　十國世家十卷，十國世家年譜一卷。

五　四夷附錄三卷（一二卷記契丹事，三卷記他國事）。

評價

優點：

(1) 勇於發凡起例：如新撰義兒傳、伶官傳，反映五代現實社會。

(2) 建立歷史哲學，不以記述事實爲足，故祖春秋筆法。

(3) 亦能參考新出資料，勘正舊史（二十二史劄記：歐史不專據薛史舊本）。

(4) 文章優美。

缺點：

(1) 考證史實，頗有疏漏。

(2) 表志太簡，僅得二類，此信史通表曆書志二篇欲廢表志之謬說（皆見四庫提要）。

(3) 別五代臣傳與雜傳，本意係判分忠佞，而例外既多（專仕一朝者亦多奸佞），反不能貫徹其原意（見十七史商榷）。

(4) 名目刱立既多，去取出入，常不免失平，或自亂其例（潛研堂文集；十七史商榷）。

(5) 亦如宋祁修唐書、列傳，喜用散文改造當時駢體，至晦澀難明（日知錄卷八）。

故自當世以來，攻歐書者亦多，如同時吳縝之五代史纂誤，列二百餘事，皆中要害。清錢大昕十駕養新錄，謂其弊，正在學春秋，以至文理不通。王鳴盛十七史商榷謂其師心自用。章學誠尤盛譏之，謂文筆尙有可觀，如云極有義類，正是三家村學究技倆，全不可語於著作之林，其云不可使俗人見，其實不可使通人見，五代史只是一部弔祭哀挽文集，如何可稱史才云云。

四庫提要則論較平允，謂「歐史褒貶祖春秋，故義例謹嚴；敍述祖史記，故文章高簡；而事實則不甚經意。」又謂「薛史如左氏之記事，本末賅具，而斷制多疏，歐史如公穀之發例，褒貶分明而傳聞多謬，兩家之並立，當如三傳之俱存。」

故論取材詳備，薛史爲貴；論文章書法，歐史爲長。二史互有優劣，卽如新舊唐書。並行而不可偏廢也。

十八、宋　史

元世祖滅宋，即命修宋遼金三史，然以南北正統問題，衆訟不決，顧忌滋多，延誤六十餘年，至順帝至正元年（一三四三）三月，中書右丞相托克托（脫脫，一三一四　一三五五）等奉勅撰，五年十月告成，歷時不及三年，而卷帙浩繁，爲正史之冠，而亦最稱蕪冗。計：

本紀　四十七卷
志　一百六十二卷
表　三十二卷
列傳　二百五十五卷
共四百九十六卷。

其成書速而篇幅巨者，原因有三：

一　宋代史事制度，最爲詳備，有

起居注——柱下見聞實錄
時政記——書樞前議論之事
日　曆　時君行事類而次之
實　錄——修以上資料而成之
國　史　記傳體

古代以帝王將相活動中心爲正史，此類記載最易憑藉。

二　宋代印刷術發達，典籍流傳衆多，而宋人家傳、表誌、行狀、筆記、軼事之類特多，此類文獻，亦修史者之大助。

三　修史態度不嚴謹認眞，草率從事。

評價

宋史繁蕪之病，旣在不免，疏漏錯誤尤多，蓋無用之文、先代籍貫之類甚多，列傳所載，多至二千餘人，常有不必立傳而立，或宜在附傳而立專傳者，總而言之：

一　資料多而無鑑別。

二　卷帙繁而無剪裁。

於是：

（甲）史料或不可信，或前後矛盾。

（乙）有人兩傳，有無傳而謂有傳者。

（丙）南宋人好述北宋事，末葉則罕所記載，宋史亦因而詳北略南，分量懸殊；理、度二朝，尤不具首尾。

三　修史者爲尊程朱，另立道學傳，儒林分塗，論者謂其不識學術源流，亦乖史法。而章學誠丙辰劄記則謂儒術至宋而盛，亦至宋而歧，道學諸人，實與儒林有別，自不得不如當日途轍分歧之實迹以載之。如云吾道一貫，不當分別門戶，則德行、文學之外，豈無言語、政事？然則滑稽、循吏，亦可合於儒林傳乎？」其見甚卓。

（以上詳見十駕齋養新錄，陔餘叢考，廿二史考異，廿二史劄記，四庫提要等書。）

故後世學者，每有改作宋史之圖，而宋元、元明之際，載籍散亡，小小補苴，終亦無以相勝，故考兩宋之事，終不能不以原書爲據，此宋史之所以迄今不廢也。

十九、遼史

遼史亦托克托等奉勅撰，至正三年（一三四三）三月詔修宋遼金三史，次年三月，遼史書成，爲：本紀三十卷，志三十一卷，表八卷，列傳四十六卷，國語解一卷，共一百十六卷。

評價

遼史甚爲簡略，四庫提要云：「遼制書禁甚嚴，凡國人著述，惟聽刊行於境內，有傳於鄰境者，罪至死，蓋國之虛實，不以示敵，用意至深，然以此不流播於天下。迨五京兵燹之後，遂至舊章散失，澌滅無遺……遼代載籍，可備修史之資者寥寥無幾，故當時所據，惟耶律儼（實錄七十卷），陳大任（受詔修成遼史）二家之書，見聞既隘，又蕆功於一載之內，無暇旁搜，潦草成編，實多疏略，其間左支右絀，痕迹灼然……此其重複瑣碎，在史臣非不自知，特以無米之炊，足窮巧婦，故不得已而縷割分隸，以求卷帙之盈，勢使之然，不足怪也。」

又謂遼典雖不足徵，宋籍非無可考，遼史於國號之更改，改元之典章，制度之詳備，均覺考證疏略，不得委之文獻無徵矣，是亦草率成書之過也。

遼史之優點則在：

一　以實錄爲憑，無所粉飾，頗可徵信。

二　立表明而且多，省卻無限筆墨（廿二史劄記）。

二十、金　史

本紀	十九卷	共一三五卷
志	三十九卷	
表	四卷	
列傳	七十三卷	

評價

元托克托奉勅所撰三史中，此爲獨善，廿二史劄記論其敍事詳覈，文筆老潔，迥出二史之上。施國祈金史詳核序云：

「金源一代，年祀不及契丹，輿地不及蒙古，文采風流不及南宋，然考其史裁大體，文筆甚簡，非宋史之繁蕪；載述稱備，非遼史之闕略；敍次得實，非元史之譌謬。」

考金史之善，其故有三：

一　金人文化高於遼及蒙古，制度典章，彬彬爲盛；史事制度，比美於宋（四庫提要，金史百官志）。

二　金亡後，元好問以國史自任，積稿至百餘萬言，著爲壬辰新編，中州集。同時劉祁作歸潛志，記述金事，亦多可徵。金史之編，卽大抵出自劉、元二君之書（四庫提要，日知錄二十六）。

三　元張柔率軍入汴，盡獻金史實錄於元世祖，其後王鶚受世祖命修金史，卽據實錄及劉、元之書勒成定稿，至順帝時，托克托等略加整理，卽成金史，是以元人於此書，經營而已矣，非若宋遼二史之倉卒也。

宋遼金三史共同問題

一　三國南北對峙，和戰交聘，無歲無之，而三史所載，常有出入，宜並參觀，以探其眞。明邵經邦有弘簡錄二五四卷，卽合三史爲一，而以上續鄭樵通志者也。

二　三史所載人名地名，多不劃一。

三　宋金二國史事，又當參考元書，蓋三國分立，前後有日，而宋金元三史所載，亦不劃一。

四　托克托立三國各分正統，其見甚卓。

五　世居西北之西夏，三史皆視爲屬國，實則西夏立國近二百年，武功文治，亦甚可觀，應別立專

二十一、元史

明初宋濂（一三一〇——一三八一）等奉勅撰，根據元十三朝實錄及元文宗時虞集等仿唐六典所纂經世大典編成，順帝一朝，無實錄可據，乃命儒士歐陽佑等，往北平採訪遺事。元史計：

本紀　四十七卷
志五十三篇　五十八卷
表六篇　八卷
列傳　九十七卷
凡二百一十卷。

並無論贊，異於其他正史。

評價

元史之修，兩次開局，歷時共計一年（一三六九——一三七〇），錢大昕十駕齋養新錄云：「古今史成之速，未有如元史者，而文之陋劣，亦無如元史者。」「有草創而無討論，雖班馬難以見長。」蓋元以邊地不文之族入立中夏，統治酷刻，及其亡也，厭幸者多，懷德者少；修史者旣憚督責，又少通蒙古文字，以故因陋就簡，充數而已。其陋劣之處，約有下述數端：

一　元史所載，地限於中國，時詳於世祖以後，四大汗國史實，記載絕少，三次西征，亦罕言及，欲考當時東西交通，民族關係，宗教流傳等，更屬困難。

二 元史修撰多據實錄、經世大典；而其他重要蒙古文字史料，如元朝秘史、聖武親征錄以及宋金二國有關著作，均少參考採用。

三 缺乏剪裁考訂，諸志皆案牘之文，並無鎔範。（日知錄）

四 一人兩傳，一人兩譯名，附傳重複等，隨處皆是。（廿二史考異，廿二史劄記）

二十二、新元史

民國柯劭忞（一八五〇——一九三三）著，劭忞字鳳蓀，山東膠縣人，光緒間進士，官侍讀，故得抄閱禁中秘書，民國以後，任清史館總纂。

先是元史陋劣，補著者甚多，如：

康熙時	邵遠平	元史類編
乾隆時	錢大昕	元史藝文志，氏族志，元史考異
道咸間	魏源	元史新編九十五卷
同光間	洪鈞	元史譯文證補（使俄時撰）
光宣間	曾廉	元書百卷
	李文田	元朝秘史注
	屠寄	蒙兀兒史記一六〇卷

柯氏生平究心元史，既得抄閱禁中之秘，乃參考上述諸人著作，及一己研究心得，撰爲新元史二百五十七卷。計有

本紀　二十六卷

表　七卷

志　七十卷

列傳　一百五十四卷

而以「凡例」、「語解」冠其首，此本書獨創也。

評價

優點：

一　引用西方資料，詳述西北三藩之事，以補舊史。（如太祖三朝平服各國傳，東北叛藩傳等）

二　參考蒙古史料之元朝秘史及其他典籍，以正舊史之誤。

三　參考漢文新舊史料，以補舊史之缺。

缺點：

一　考訂增删，仍未盡善。（如也里可温之記載）

二　名詞不統一。

三　未注明史源。

此書民國八年（一九一九）徐世昌爲北洋政府大總統時，明令列入正史。

四、體例仍循傳統。

二十三、明　史

淸張廷玉等奉勅撰，計：

本紀　二十四卷
志　七十五卷
表　十　三　卷
列傳　二百二十卷
共三百三十二卷

自康熙十七年（一六七八），用博學鴻詞科五十人爲纂修，經雍正二年詔張廷玉就王鴻緒初稿增損續成，至乾隆四年（一七三八）七月告成，歷時六十餘年，自來修史，未有如此久者。

評價

本書修撰者多爲論古有識之士，又以黃宗羲明史案二百四十四卷爲藍本，參以明人私撰史籍。王鴻緒督修明史時，梨洲弟子萬斯同（一六三八——一七〇二）幕後主審正之責，重大疑難，則千里致書，請梨洲審正。加以撰修於去明未遠，見聞眞詳；完成於數十年後，考訂審細，故自唐以後之官修正史，明史爲較佳者（見二十二史劄記，陔餘叢考），而易代之際，曲筆難免，滿淸事跡，忌諱尤深，此外鄭和下西洋，明末歐人來華等記載，亦嫌略簡，此其缺失也。

二十四、清史稿

民國二年（一九一三），政府設立清史館，以趙爾巽（次山）爲館長，以柯劭忞、王樹柟、吳廷燮、夏孫桐等爲總纂，自始修至書成，中更洪憲帝制、張勳復辟、軍閥混戰、國民革命軍北伐，至十六、七年（一九二七——一九二八）匆匆付印，名之曰稿，以待後人增刪。

本紀十二篇　二十五卷
志十六篇　一百四十二卷
表十篇　五十三卷
列傳　三百一十六卷
共五百三十六卷

（關外本，增入張勳、康有爲等列傳，關內本無之。）

評價

編修諸人，雖富積學，大都自命清朝遺老，實多泥古不化，故清史稿缺失頗多。如：

一　清兵入關之初，即以建州受封之事爲諱，清史稿仍之。

二　明清之際史事，曲筆甚多，南明義兵，輒詆僞，書寇，書賊，稱鄭成功爲海盜。

三　嫉視革命，洪秀全稱粵寇，對中山先生及革命黨人亦以向之所謂春秋筆法，輕而賤之。

四　各志內容甚陋，舛誤既多，編纂無方。

五　書中不用民國年號，於民國後去世之清遺臣，一律收入，曾仕民國者亦然；「斷限」「史實」皆爲不合。

六　康雍乾文字獄，至爲慘酷，史稿力加簡略。

七　稿中爲慈禧，爲隆裕太后諱者尤多，宣統本紀不載遜位優待條件。

八　仍用舊時記傳正史體裁，早已脫節於時代。

第五章　政事史——通鑑與紀事本末

一、通鑑之先導——春秋、左傳、漢紀、後漢紀

司馬光資治通鑑，爲我國編年體史籍巨著。温公之撰，本以追踪左氏，步武春秋；而自二書（見本書上册第五章）而外，通鑑之前，荀悅漢紀、袁宏後漢紀，皆爲編年要籍。

（一）漢紀

東漢末年，獻帝好典籍，而班固漢書，文繁難以省覽，建安三年（一九八），乃詔侍中荀悅（字仲豫，一四八—二〇九）依左傳體剪裁班史，略加删益，爲漢紀三十篇，節八十萬言爲八萬，詞約義詳，「歷代褒之，有踰本傳（漢書）」（劉知幾史通二體篇）。唐人試士，且以與史、漢合爲一科焉。顧炎武日知錄則輕詆之。

（二）後漢紀

范曄後漢書之前，東漢載記已有多家（見第四章），而「煩穢雜亂」。東晉康帝時（三四三—四），袁宏（字彥伯）乃撥合東漢明帝時創修之東觀漢記，謝承、司馬彪、華嶠、謝沈諸人之後漢

書，漢山陽公記、靈獻起居注，名臣奏議，旁及諸郡耆舊先賢傳，經營八年，復見張璠所撰，乃復探而益之，成後漢紀三十卷（見自序）。彥伯論班（固）荀（悅）優劣，謂漢紀所述當世，大得治功；而後漢紀體例，亦仿荀紀，然其剪裁點竄，去取抉擇，甚富史識（四庫提要）。其後范曄撰後漢書，而後漢紀「精實之語，范氏攗拾已盡」（王鳴盛十七史商榷），袁氏之別裁明審，於此可見，而後世「言漢中興史者，惟袁、范二家而已」（史通正史篇），亦由此也。

自荀悅漢紀、袁宏、張璠後漢紀以來，踵纂相仍，如孫盛之魏氏春秋，晉陽秋、習鑿齒之漢晉春秋，干寶之晉紀，檀道鸞之續晉陽秋，裴子野之宋略，吳均之齊春秋，何之元之梁典，柳芳之唐曆，皆斷代編年者。至如蕭方等之三十國春秋，崔鴻之十六國春秋，丘悅之三國典略，皆分國編年者也。斷代編年，則古今成間隔；分國編年，則史事多複出；皆失會通之義（見張須通鑑學）。至宋代書益煩雜，學者作文備試，專尚漢書，博覽者乃及史記、後漢，唐史亦有習者，而三國至隋，下逮五代，則懵然莫識（劉恕通鑑外紀自序）。至司馬君實出，然後本個人之才識，藉國家之助力，合同志之襄輔，努力幾二十年，成資治通鑑之鉅著。

二、資治通鑑

主編者

宋司馬光（一〇一九——一〇八六）字君實，陝州夏縣人。仁宗時中進士甲科，累官待制、侍講、翰林學士、御史中丞，神宗時用王安石行新法，光自請任西京御史臺，在洛十五年，編資治通鑑。哲宗立，用舊黨，光爲相數月而卒。

（二）編集動機

一 司馬光幼喜左氏，長嗜史學，乃有述作之志；

二 舊史繁重，欲自編簡要新史，網羅衆說，貫通各代，成一家言；

三 欲藉歷史得失，規諫君主，以盡儒者之責；

四 英宗雅好稽古，欲徧觀前世行事得失，光爲侍講，乃請藉公家之力，自戰國以還，以迄顯德，凡國家興衰，民生休戚，善可爲法，惡可爲戒者，「因丘明編年之體，仿荀悅簡要之文」（劉恕通鑑外紀後序），詮次爲政治通史，以便人主周覽。

（三）內容概略

一 上起周威烈王二十三年（前四〇三）戰國三家分晉，下終五代後周世宗顯德六年（九五九），凡十六代，一三六二年。

二 周紀五卷　晉紀四十卷　陳紀十卷
秦紀三卷　宋紀十六卷　隋紀八卷
漢紀六十卷　齊紀十卷　唐紀八十一卷
魏紀十卷　梁紀二十二卷　五代紀（梁六、唐八、晉六、漢四、周五）二十九卷
共二九四卷

外加：考異三十卷、目錄三十卷，共三五四卷

〔四〕編集經過

一　英宗治平三年（一〇六六）受詔，至神宗元豐七年（一〇八四）杪奏上，凡越十九年。

二　本名通志，神宗賜名資治通鑑。

三　編集期間，因與王安石政見不合，時遭外放，仍聽以書局相隨，給之祿秩，自辟官屬，故能研精覃思，編成巨著。

四　助編者：

劉攽（貢父，一〇二三——一〇八八）——史記前後漢；

劉恕（道原，一〇三二——一〇七八）——三國至隋；對全書助力亦最大。

范祖禹（淳甫，一〇四一——一〇九八）——唐至五代；而相從溫公亦最久。

五　工作大綱

(1) 初由天文學家劉羲叟編定正確年曆，作爲全書基幹——「叢目」；

(2) 然後討論史實，由劉、范三人各爲「長編」；

(3) 最後，由司馬光刪節潤色，精編爲定本。（譬如唐紀長編六百卷，刪成六十卷，其扼要可知。見李燾進續通鑑長編奏狀。）

〔五〕參考史料

一　正史——史記以迄新五代史。以此十七史之本紀部分爲根據，而加增刪。

二　編年——竹書紀年，荀悅漢紀，袁宏後漢紀，以迄陳彭年唐紀，以及譜曆之書，如僧一行唐大衍曆議、李昉等之歷代年號、宋庠之紀年通譜。

三　別史——如東觀漢紀、温大雅大唐創業起居注，以及歷朝實錄、會要。

四　雜史——如葛洪西京雜記、李肇（唐）國史補等。

五　霸史——如常璩華陽國志、崔鴻十六國春秋。

六　傳記——如漢武故事，長恨歌傳，以及碑碣。

七　奏議——如魏徵、陸贄、李德裕諸人所奏，及名家別集，如韓柳文。

八　地理——如楊衒之洛陽伽藍記。

九　小說——如趙璘因話錄，孫光憲北夢瑣言。

十　諸子——如荀子、法言、昌言等。

共三百餘種。（文獻通考載高似孫緯略，謂正史之外，通鑑用雜史諸書凡三百二十二家云。總之温公及劉范諸賢，皆積學富才，旁搜遠紹，其用書之數，若必求確數，是膠柱而鼓瑟矣。）所用諸書，或擇善而從，或並存並棄，或節要，或存疑，皆明於温公所撰「通鑑考異」之中。此篇既者采摭之自，又明去取之由，門戶洞開，幽邃悉覩，不獨其事其言，班班可按，且其是非予奪之故，亦公諸後世，使各咸有據依，且具深意，此亦温公之卓舉也。

〔六〕史學

一、春秋之意——有爲而作，故進通鑑表自謂刪削之意，專取關國家盛衰，係民生休戚，善可爲法，惡可爲戒者，爲編年之書，始自三家分晉，並論名份之壞，爲政教崩潰之始，此皆上繼春秋而承法其意者也。

二、左氏之法——春秋僅具骨幹，傳以血肉，自左氏始。通鑑之作也，衍本紀之文，而合其志傳爲一，以時間史實爲主，而附載人物及重要文字、政制、雜事，此皆左氏遺法，而通鑑師之，取精用弘，遂有出藍之致也。

三、儒者之旨——温公持身克己，惟務謹嚴，尊信孔子，故發爲文章，亦純然儒者之言，如崇正抑奇，責備賢者，重德輕才，嘉君相之善而惜其不能等等。蓋儒者身修而後家齊國治天下平之學也。

四、本朝背景　凡著書者，多有不言之隱，温公通鑑名實之說，專罪處士，兼咎用人者之純盜虛聲，譏牛李朋黨，謂人君當察羣臣言論、進退之賢否，則羣臣朋黨自去，皆有感而發。他如帝魏抑蜀，亦北宋背景使然，論世知人，可以明温公之用意矣。

五、著者特見

(1)　不別正閏　陰陽家說：謂五德之傳，從所不勝：故虞土夏木，殷金周火，而秦爲水德，故漢武以土德剋之。其後劉歆倡新說，謂五行相生，周而復始：故周世爲木德，漢爲火德，著赤帝之符，秦以水德，在周漢之間，實爲閏位。漢書王莽傳贊，亦謂爲餘分閏位，不予正統。光武采劉歆說，正水德，色尚赤，由是正閏之說興焉。自宋以來，論史者尤好言正閏，如歐陽修正統論，斤斤致辯，不肯輕以予人。蘇軾則謂凡有天下，即為正統。温公通鑑則謂正閏之際，非所敢知，凡有天子功業，一匡九州，即以其授受所承，為編年本紀所繫，非有所尊抑也，是以劉備自日中山靖王之後，而是非難辨，故亦不能以紹漢代之帝統也。

按此與温公正名分之論，實有相戾，換言之，冀君相之保天下以正，而不問其得天下是否以正，此蓋傳統儒學政治理論之漏洞，而宋世得國，亦頗非正道也。南宋朱子春秋綱目，以蜀漢為正，則又當世偏安，不得不然者矣。

(2) 不信僞誕——通鑑中頗多破除迷信之資料，或直書譏論，以垂世範，或備載迷信而敗事者，不信虛誕而成事者，或刪棄異聞以見別裁巨眼者。

(3) 不書奇節——左氏浮夸，史公愛奇，其所載錄，往往奇詭，類於說部。温公通鑑則唯務傳信，雖奇節偉行，足以悅目賞心者，亦無徵不信，在所棄置。

(4) 少錄詩文 通鑑所載文人極少，作品如不關國計民生者，亦絕不載錄，此殆著述各有其體，通鑑一書，固政治史也（見後）。

〔七〕書法體例

時：

(1) 本年之事，上年始端，則上年言之；結果在本年以外，則於本年終言之。

(2) 以建寅爲（夏曆）爲主，歲首不同者，追改。

(3) 同年有二年號或以上，以後來者爲定。

人：

(4) 混一海內之帝王及其子孫，用天子法，名號均敵，本非君臣者，用列國法。

(5) 國名人名相同，增名示別。

(6) 書人必以名，不爲宋諱改書，以字行者書字，胡姓有後改者，從其後姓，權臣重臣，書官與名，不書姓。

(7) 人初見者，多冠其邑里，或世系，其人將卒，有謚必書謚。

(8) 書人雖不明爲褒貶，亦有變文見意者，如不得不以王莽繫年，然其書王莽不稱其帝號。

事：

(9) 叙事先提其綱，次敍由來，後道其詳。

(10) 書一事而他事連類而及，同時謀議，莫不備載。

(11) 一事初見者必鄭重書之。

〔八〕**枝屬**（皆司馬光作）

一　稽古錄二十卷，開陳伏羲至當時歷代興衰治亂。

二　歷年圖五卷，類今之大事年表，今有二卷。

三　百官公卿表十卷，敍當代官制。

四　史剡。

五、通鑑釋例一卷。

六　通鑑目錄三十卷，仿年表之例，挈領提綱。

七　通鑑攷異三十卷，著採摭所自，明去取之由。

八　涑水記聞十六卷，雜記當代自太祖至神宗舊事，以國家大政爲主。

此外，又有通鑑舉要曆八十卷，通鑑節文六十卷，久佚不存。（以上六、七、八三目，詳見張須通鑑學）

（九）評價

其得：

㈠　合記傳表志爲一編，以正史之紀爲質幹，取事於傳以實之，又取志中之典章制度，表中之年歷資料，編入相當之年，爲力不能遍讀正史者，開一善巧法門。

㈡　既有客觀攷索，亦有主觀論斷——其援據史料，網羅各家，別裁取舍之功，備見於通鑑攷異，而發凡起例，獨創鴻綱，亦能成一家言。

其失：

㈢　文史兼長——通鑑之文醇厚茂美，上下洽通，若自出機杼，而非刪節組合而成也。

㈠ 凡年號以後來爲定，則一年兩帝，事蹟何屬，必使讀者迷眩。

㈡ 以紀載治亂興衰之迹爲主，而文化史料如經濟生活、學術思想、社會組織、民族分合，以至文學藝術皆記載極少，不足以反映各時代之歷史全貌。

故李因篤謂如屈原之爲人，太史公贊之，謂與日月爭光，而不得書於通鑑；杜甫若非「出師未捷」一詩，爲王叔文所吟，則姓名亦不登於簡牘矣（日知錄卷二十六末）。雖顧亭林不喜文人，故謂此書本以資治，何暇錄及；然如屈原數諫懷王入秦，乃屬興亡大計，通鑑采國策而歸之昭睢，而不採史記歸之屈原，此則不可謂非脫漏矣（黃汝成日知錄集釋按語）。至若文藝之與人心，相爲影響，足以左右政治，此義恐爲溫公所略也。

㈢ 作者情感或偏：如重保守，則凡急進改革，均不以爲然（如商鞅變法，趙武靈王胡服騎射）；愛揚雄，則隱其惡迹；又如論牛李爭議維州，牛言棄而李反對之事，仲牛詘李，蓋溫公重啓邊釁，故借以戒君，實則唐宋異時，得失或異，以一時之主張，亂千秋之定論，是亦溫公之大醇小疵也。若就現代觀點，則帝王將相作爲中心之時代，已成過去，通鑑所謂「國家盛衰、生民休戚」，不過一姓之得失，統治之利鈍，梁任公謚爲帝王敎科書，可謂適如其分矣！

〔十〕資治通鑑之註釋與訂補

資治通鑑網羅宏富，體大思精，爲前古之所未有，而名物訓詁、地理建置、制度沿革，亦非易窺。其書行世不久，卽有門人劉安世作音義十卷，無傳。南渡後，注者紛紛，如史炤釋文之類，乖謬而不可據。至宋末元初，浙江天台胡三省出，滙合羣書，訂譌補漏，其注遂爲通鑑功臣。三省字身之（一二三〇——一三〇二），幼承庭訓，專精通鑑，三十年考索之功，顛沛兵亂之間，三失其稿，而卒抵於成。廣注音義，考證精詳，指陳線索，引書皆注出典，檢查至便。間亦參稽同異，補正原文。温公微意，亦往往摘出，至若華夷種姓之別，國族興亡之際，尤三致意焉（如石敬瑭割燕雲十六州事），蓋胡氏身當宋元之際，國破家亡，文化淩夷，是以寓其哀傷之情於楮墨之間。當代史學大師陳垣，著通鑑胡注表微，即發而明之者也。

此外，王應麟通鑑地理通釋，以州域、都邑、山川、形勢四類爲綱，考訂沿革，其困學紀聞，與洪邁容齋隨筆，顧炎武日知錄，皆於通鑑疵誤，有所批繩，而清初嚴衍（永思）與其徒談允厚，竭力三十年，爲資治通鑑補二九四卷，博稽史傳，句勘字校，拾遺補闕，其功甚偉；惟削魏紀而以正統予蜀，是爲不達温公之意耳。

三、通鑑之續編

（一）通鑑外紀（十卷）——劉恕（一〇三二——一〇七八）

温公通鑑，始於周威烈王，劉恕惜之，擬記包（庖、伏）羲至三晉命侯爲「前紀」，當代一祖四宗一百八年爲「後紀」，以病癱瘓，家貧書籍不具，不能得國書，乃絕意「後紀」，改「前紀」曰「外紀」，如國語稱「春秋外傳」之義，口授其子羲仲爲之。計：

包犧以來紀　一卷

夏商紀　一卷

周紀　八卷

此書西周共和以後，依史記年表編年，共和以前，皆謂之疑年。上古可信之事，大書；荒遠茫昧者，或分註，或細書，以是頗貽「好奇」之誚。於春秋一事，往往棄左傳而取國語，史實不甚明備，采諸子書尤濫，要其志願、識力，信有不可及者。

〔二〕通鑑前編（十八卷）——金履祥（一二三二——一三〇三）

宋末元初，金氏以尙書爲主，下及詩、禮、春秋、旁采舊史、諸子，斷自唐堯，接於通鑑，旨在矯劉氏通鑑外紀之失，然所繫年代，用邵雍皇極經世曆，此術數家之所推定，不合史家矜愼求眞之意。

〔三〕續資治通鑑長編（九八〇卷）——李燾（一一一四——一一八三）

此宋人最先踵奡通鑑之書，義例一準溫公，長編一名，亦學君實。以一人之力，奮筆四十年，記北宋一朝一百六十八年之事。南宋孝宗時，成全書九百八十卷奏上，帝甚重之，而未經鏤版，世鮮傳本。淸乾隆中，儒臣從明永樂大典中錄出，爲五百二十卷，僅佚徽欽兩朝，爲北宋一代編年要籍。

〔四〕建炎以來繫年要錄（二百卷）——李心傳

此宋人用通鑑義例，續李燾之長編，紀高宗一朝三十六年（一一二七——一一六二）事。此書宋史本傳作「高宗要錄」。南宋寧宗嘉定五年（一二一二），宣付國史。其後原本散佚，乾隆中，亦自永樂大典采輯出之，入於四庫，提要稱其文繁而不冗，論歧而不雜，最足參證云。

〔五〕**續宋中興編年資治通鑑**（十五卷）——劉時舉

所記始高宗建炎，迄寧宗嘉定（一一二七——一二二四），殆成於理宗之世者。

〔六〕**宋元資治通鑑**（一五七卷）——薛應旂

又：（六四卷）——王宗沐

此明人用通鑑義例，述宋元史事者。二書僅據宋人紀事之書，上述二李之作，以至遼金正史，皆未采及，孤陋寡聞，重沓疏漏，價值不高。

〔七〕**資治通鑑後編**（一八四卷）——徐乾學（一六一二——一六九四）

續資治通鑑（二二〇卷）——畢沅（一七三〇——一七九七）

此清人用溫公之法，述宋元史事者。徐書爲四庫史部編年一類之殿軍。乾隆時修四庫，從永樂天典中輯出佚書多種，畢沅乘其便，根據徐書，大加擴充，采史學名宿邵晉涵、章學誠，以至王鳴盛、錢大昕諸家議論，經營三十餘年，凡四易稿而成，至今正續合刊者，皆以畢書繼溫公焉。

〔八〕**明紀**（六十卷）——陳鶴

明通鑑（九十卷）——夏燮

此清人述明事之書。陳著取材於明史，而芟削甚多，不加議論。夏著則網羅較富，言論亦多有見地。

四、通鑑之節編——「綱目」

溫公通鑑優點固多，然求詳則不能備首尾，求略則不可供檢閱。上節諸書，則續編以備首尾者也。至其節要易覽之本，則有溫公著通鑑舉要曆八十卷，未成；高宗時，胡安國修成舉要曆補遺一百卷，至孝宗乾道八年（一一七二），朱子乃因二公之書，與門人趙師淵等，「別爲義例」，「表歲以首年，因年以著統」，「大書以提要（「綱」），分注以備言（「目」）」，凡五十九卷：「綱欲謹嚴而無脫略，目欲詳備而不煩冗」；蓋欲提綱挈領，使易省覽也，而多寓春秋褒貶之意，故曰：「歲周於上而天道明矣，統近於下而人道定矣，大綱概舉而鑒戒昭矣，衆目畢張而幾微著矣」（皆見朱子自序），故三國正統，改魏爲蜀；稱揚雄曰莽大夫，此皆與溫公異，又去武后之號而用唐紀年，陶潛雖卒於宋而稱晉處士等，皆有勸懲之意。一時尊信風從者頗多。然其書缺遺實多，當世李心傳、張南軒等已有辨正，蓋綱目原係未成之書，又多出趙師淵，惟凡例出於朱子耳，（清全祖望書朱子綱目後）。其後明陳桱通鑑續編，胡粹中元史續編，商輅等奉勅修續通鑑綱目，以至清初張廷玉等奉勅修通鑑綱目三編，皆朱子書之後繼也。而清帝欲假綱目之威，以統一史論，仲張君權，故康熙爲「御批」，而乾隆有「輯覽」，皆所以統制人心者也。

資治通鑑綱目（五十九卷）　朱熹

五、通鑑之改易——「紀事本末」

（一）通鑑紀事本末（四十二卷）——袁樞

唐劉知幾史通首列六家，總歸二體，自漢以來，不過「紀傳」「編年」二法：前者則一事而復見數篇，主從莫辨；後者則一事而隔越數卷，首尾難稽（見第一章），此在左氏、史漢之時，已有此弊，及後世事變日繁，一年所見多事，一事所涉多人，以時爲綱、以人爲綱之史，益不勝其負荷，於是乃有以事爲綱之體出，以濟其窮；則南宋袁樞之通鑑紀事本末是也。

樞字機仲（一一三一——一二〇五），常喜誦溫公通鑑，而苦其浩博，蓋事以年隔，年以事分，遭其初難究其終，覽其末莫循其本，於是自出新意，用通鑑之原文，每事一篇，自爲起訖，凡二百三十九篇，各有標題：始於「三家分晉」，終於「世宗征淮南」，名爲「紀事本末」。在樞之初意，取便省覽，而當世朱子、孝宗，皆盛推之，而嘉惠士林，流布亦至廣遠，繼作者踵起（見後）。故四庫提要，特闢一類以待之，譽爲「前古之所未見」；而朱子跋語則謂春秋編年通紀，以見事之先後，尚書武成、金縢諸篇，則每事別記，以具首尾；章學誠亦謂「本末」之爲體，因事命篇，不爲常格，非深知古今大體，天下經綸，不能網羅隱括，無遺無濫，文省於紀傳，事豁於編年，決斷去取，體圓用神，眞尚書之遺云云（文史通義書教編），故曰「臭腐復化爲神奇」；而梁任公亦稱謂「善抄書可以成創作」，爲舊史界進化之極軌，亦開新史之先河（中國歷史研究法），可謂推崇備至。

〔二〕紀事本末體之繼作

機仲之書既善，後世繼作者甚多，舉其著者如後：

① 皇宋通鑑長編紀事本末（一五〇卷）——宋楊仲良

此宋人首用袁樞之法，改纂李燾續資治通鑑長編者也。北宋百七十年，禮樂兵刑之政，粲然具備，按目而求；徽欽兩朝史事，可補今傳長編之闕，洵可貴也。

② 宋史紀事本末（廿六卷）——明陳邦瞻

本明馮琦未成之遺稿，補其十七而成，凡一百九目，甚有條理，可以濟宋史繁蕪之病。

③ 元史紀事本末（四卷）——明陳邦瞻

凡二十七目，所採不出元史範圍，元之興亡事跡稍略，而推析原因，則頗有見地，科舉、學校、河渠、漕運，則記述詳明。

④ 西夏紀事本末（卅六卷）——明張鑑

此書可補正史無西夏之缺，下開吳廣成西夏書事之先河。

⑤ 明史紀事本末（八十卷）——清谷應泰

凡八十目，成於明史之前，可補明史所未備。然缺建州三衛、南明抗清之事，蓋限於當時處境也。鄭和下西洋事，亦無，是其缺失。或云係張岱、談遷之稿，而應泰得之者。

⑥ 左傳紀事本末（五十三卷）——清高士奇

凡五十三目，蓋本宋章沖春秋左氏傳事類始末五卷（成書後於袁樞九年），博采子史而成者，以供進御康熙，故審核甚稱詳明云。

⑦ 繹史（一六〇卷）——清馬驌

起遠古，迄秦末，每事詳其始末，又有別錄以以當表志，博引古籍，而稍欠別擇，意在補史記之未備。此書排比舊文，依先後爲序，與袁樞書體例又稍異。

⑧ 左傳事緯（十二卷）——清馬驌

此書勝於高士奇所編。

⑨ 遼史紀事本末（四十卷）
⑩ 金史紀事本末（五十二卷）——清李有棠

二書不惟依據正史，復能旁采他書，且仿裴松之注三國，胡三省注通鑑之法，自注其書，名曰考異，以備讀者參考。

⑪ 續明紀事本末（十八卷）——清倪在田

⑫ 明朝紀事本末補編（十五卷）——清彭孫貽

⑬ 三藩（南明福、唐、桂）紀事本末（四卷）——清楊陸榮

⑭ 續資治通鑑紀事本末（一一〇卷）——清李銘漢

此以畢沅書之書爲本者，刊布於清末。

類此者甚多，可以爲向來所謂「正史」之佐，而下開現代新史者也。

第六章　典制史——三通與會要

一、導　言

文物制度之史，所謂「政書」一體，其源可溯於尚書、三禮。典謨訓誥之文，貢範誓刑之事，以至周禮所分六官，儀禮所言節度，禮記所述公私禮儀義理，均具文化史性質。但諸書時代，往往大成問題，或有後人托古，不盡當時面目（見本書上編），故自昔視爲經傳而非歷史典籍。子長撰史記，紀傳以述政事人物，八書以紀天地人文，六合之內，無不包該，魄力之大，後人罕至；而人類活動，與日俱繁，亦漸非一人所能盡知盡記，班固以下，斷代爲史，不足以見典章制度、社會文物之會通因革；蓋文制漸變，非如朝代改移之斷限截然者也。故「苟不追敘前代，則源委不明：追敘太多，則繁複取厭。況各史非皆有志，有志之史，其篇目亦互相出入，遇所闕遺，見斯滯矣。」（梁啓超中國歷史研究法）按照五史中各「志」，略如下表以「○」所示：

<table>
<tr><th>正史 ＼ 志書</th><th>史記</th><th>漢書</th><th>後漢書</th><th>晉書</th><th>宋書</th><th>齊書</th><th>魏書</th><th>隋書</th><th>舊唐書</th><th>新唐書</th></tr>
<tr><td>禮</td><td>○</td><td rowspan="2">○</td><td rowspan="2">○</td><td>○</td><td>○</td><td>○</td><td>○</td><td>○</td><td>○</td><td rowspan="2">○</td></tr>
<tr><td>樂</td><td>○</td><td>○</td><td>○</td><td>○</td><td>○</td><td>○</td><td>○</td></tr>
<tr><td>律</td><td>○</td><td rowspan="2">○</td><td rowspan="2">○</td><td rowspan="2">○</td><td>○</td><td></td><td rowspan="2">○</td><td rowspan="2">○</td><td></td><td></td></tr>
<tr><td>歷</td><td>○</td><td>○</td><td></td><td>○</td><td>○</td></tr>
<tr><td>天文天官</td><td>○</td><td>○</td><td>○</td><td>○</td><td>○</td><td>○</td><td>○</td><td>○</td><td>○</td><td>○</td></tr>
<tr><td>郊祀封禪</td><td>○</td><td>○</td><td>○</td><td></td><td></td><td></td><td></td><td></td><td></td><td></td></tr>
<tr><td>溝洫河渠</td><td>○</td><td>○</td><td></td><td></td><td></td><td></td><td></td><td></td><td></td><td></td></tr>
<tr><td>食貨平準</td><td>○</td><td>○</td><td></td><td>○</td><td></td><td></td><td>○</td><td>○</td><td>○</td><td>○</td></tr>
<tr><td>刑法</td><td></td><td>○</td><td></td><td>○</td><td></td><td></td><td>○</td><td>○</td><td>○</td><td>○</td></tr>
<tr><td>五行</td><td></td><td>○</td><td>○</td><td>○</td><td>○</td><td>○</td><td></td><td>○</td><td>○</td><td>○</td></tr>
<tr><td>州郡地理</td><td></td><td>○</td><td>○</td><td>○</td><td>○</td><td>○</td><td>○</td><td>○</td><td>○</td><td>○</td></tr>
<tr><td>經籍藝文</td><td></td><td>○</td><td></td><td></td><td></td><td></td><td></td><td>○</td><td>○</td><td>○</td></tr>
<tr><td>職官</td><td></td><td></td><td>○</td><td>○</td><td>○</td><td>○</td><td>○</td><td>○</td><td>○</td><td>○</td></tr>
<tr><td>輿服</td><td></td><td></td><td>○</td><td>○</td><td></td><td>○</td><td></td><td></td><td>○</td><td>○</td></tr>
<tr><td>符瑞靈徵</td><td></td><td></td><td></td><td></td><td>○</td><td>○</td><td>○</td><td></td><td></td><td></td></tr>
<tr><td>釋老</td><td></td><td></td><td></td><td></td><td></td><td></td><td>○</td><td></td><td></td><td></td></tr>
<tr><td>儀衛</td><td></td><td></td><td></td><td></td><td></td><td></td><td></td><td></td><td></td><td>○</td></tr>
<tr><td>選舉</td><td></td><td></td><td></td><td></td><td></td><td></td><td></td><td></td><td></td><td>○</td></tr>
<tr><td>兵</td><td></td><td></td><td></td><td></td><td></td><td></td><td></td><td></td><td></td><td>○</td></tr>
<tr><td>營衛</td><td></td><td></td><td></td><td></td><td></td><td></td><td></td><td></td><td></td><td></td></tr>
<tr><td>總數</td><td>八</td><td>十</td><td>八</td><td>十</td><td>九</td><td>八</td><td>十</td><td>十</td><td>十一</td><td>十三</td></tr>
</table>

明史	新元史	元史	金史	遼史	宋史	新五代史	舊五代史
○	○	○	○	○	○		○
○	○		○	○	○		○
					○		
○	○	○	○	○			○
○	○	○	○		○	○	○
		○					
○	○	○	○		○		
○	○	○	○	○	○		○
○	○	○	○	○	○		○
○	○	○	○		○		○
○	○	○	○	○	○	○	○
○					○		
○	○	○	○	○	○		○
○	○	○	○		○		
○		○	○	○	○		
○	○	○	○		○		○
○	○	○	○	○	○		
				○			
十五	十三	十三	十四	十	十五	二	十

其分合增減之較如此。而三國志、梁書、陳書、北齊書、周書、南北史均無志，蓋「修史之難，無出於志」（江淹語），「良以志者，憲章之所繫，非老於典故者不能爲也」（鄭樵通志自序），於是統括史志，以觀歷代會通之旨，乃爲必要，鄭樵通志，杜佑通典，即由此而作。

二、通 典

杜佑（七三八——八一二）字君卿，唐京兆萬年（今陝西長安）人，德宗憲宗時，顯貴，屢任財經要職，而好讀書，精治道。先是劉知幾子秩，開元末年仿周官之法，采經史百家之言，撰「政典」三十五卷，大爲時賞。佑見之，以爲條目未盡，於是參以開元禮、樂書、五經羣史，以及漢魏六朝文集、奏疏，上溯黃、虞，下訖天寶，附及肅代以來之變革，成通典二百卷。凡分八類，依次爲：食貨，選舉，職官，禮，樂，兵刑，州郡，邊防。各分子目。其自序云：

「所纂通典，實采羣言，徵諸政事，施諸有政。夫理道之先，在乎行教化，教化之本，在乎足衣食。易稱『聚人曰財』；洪範八政，一曰食，二曰貨；管子曰『倉廩實，知禮節，衣食足，知榮辱』；夫子曰：『既富而教』，斯之謂矣。夫行教化在乎設職官，設職官在乎審官才，審官才在乎精選舉。制禮以端其俗，立樂以和其心，此先哲王致治之大方也。故職官設然後興禮樂焉，教化隳然後用刑罰焉，列州郡俾分領焉，置邊防以遏夷狄焉。」

故其編次排列，皆有深意，而歷代之沿革，當時之議論，靡不條載，以資參稽，蓋「將施有政」而「致治」者也（見自序）。此蓋君卿實際經驗之所得，而所重尤在禮。二百卷中，禮典占其一半（歷代沿革六十五卷，開元禮卅五卷），後世欲考唐代以前之典章制度禮文儀節，此書實其淵海也。

佑於代宗大歷中，爲淮南節度掌君記時纂述，至德宗貞元十七年官淮南節度使，乃奏上之，前後爲時甚久。其後杜氏又撮其書爲「理道要訣」十卷，三十三篇，設爲問答，末二卷又記今古要制，皆以經世致用，酌時而行云。梁任公謂「有通鑑而政事通，有通典而政制通」（中國歷史研究法），可以知其價值矣。

三、通志二十略

南宋鄭樵通志二百卷，上繼史遷，欲以綜述人文，而其中二十略，則典制史之要籍也。

樵字漁仲（一一〇四——一一六二），自少有志，絕意科舉，讀書講學莆田（在今福建）夾漈山三十年，搜奇訪古，博通天文、地理、草木、虫魚、經子、禮樂之學，重視「覈實」，故「與田夫野老往來，與夜鶴曉猿雜處，不問飛潛動植，皆欲究其情性」（昆虫草木略序），乃「得書之情」，而非只書本知識；又重視條理，故曰「善爲學者，如持軍治獄」，除覈實外，尚須有「部伍之法」乃能「得書之紀」（圖譜略明用篇），其爲學之博通有識如此，故推崇子長，而盛譏孟堅以下，斷代爲史，失會通因革之道，乃欲會通諸史，總爲一書，取三千年來之遺文故冊，運以別識心裁，合古今之書爲一書，古今之史爲一史，志業偉大，見嘉於高宗（一一五九），乃受詔撰通史，其後更名「通志」，凡二百卷，分六體：紀、傳、世家、載記、譜、略是也。

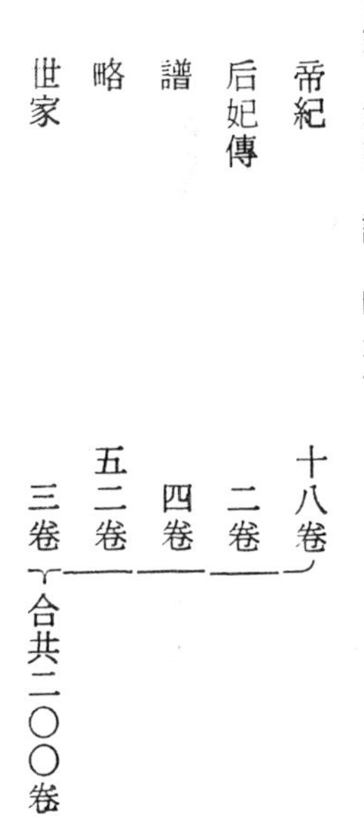

周宗室傳　八卷
列傳　九八卷
載記　八卷
四夷傳　七卷）

紀傳訖隋，禮樂政刑則引至唐。一一六一成書，次年不幸逝世。特間倉促，所撰不免粗疏，故盛清之世，戴東原則斥為陋儒，王鳴盛則指為妄人，語甚過當，章學誠乃起而辯之，謂「學者少見多怪，不究其發凡起例，絕識曠論，所以斟酌羣言，為史學要刪，而徒摘其援據之疏略，裁翦之未定者，紛紛攻擊，勢若不共戴天」；實則「鄭氏所振在宏綱，末學吹求則在小節」（文史通義申鄭篇）；蓋實齋深於史學，故能知其大體也。且通志最佳部分，而樵所自負者，在二十略，即：

氏族　六書　七音
天文　地理　都邑
諡　器服　樂
藝文　校讎　圖譜
金石　災祥　昆虫草木
禮　職官　選舉

此十五略，漁仲謂自出胸臆，此「漢唐諸儒所不得而聞」者也；以及

刑法　食貨

此五略，本之前人之典，「漢唐諸儒所得而聞」者也，而「天下之大學術」，「百代之憲章，學者之能事」，蓋於二十略矣（皆見通志自序）。近賢梁任公謂雖其他部分，無甚價值，而僅二十略已足不朽，樵之於史學界，「若光芒竟天之一彗星焉」（中國歷史研究法），而金毓黻氏則謂通志紀傳固多因襲舊文，即二十略，實亦不免直錄故典，憚於改作，故立論徒見高遠，而實不副名云云（中國史學史第七章），是亦各有所見也。蓋樵之受詔成通志，已在晚年，既懼身之不測，又急覆君命，故成書不無草草。且「宋人以義理相高，於考證之學，罕能留意。樵恃其該洽，睥睨一世，諒無人起而難之，故高視濶步，不復詳檢，遂不能一一精密，致後人多所譏彈也。特其採摭，既已浩博，議論亦多警闢，雖純駁互見，而瑕不掩瑜，究非游談無根者可及。至今資爲考鏡，與杜佑、馬端臨書並稱三通，亦有以焉。」四庫提要詳列通志之失，然後殿以此論，亦可謂允矣。

四、文獻通考

杜佑通典，止於盛唐，而所分門類，尚可細析。宋末元初，馬端臨即以通典爲基礎，推廣補充，成文獻通考三四八卷。

端臨字貴與，饒州樂平（今江西）人，父廷鸞富經世之學，爲宰相，以忤權相賈似道去職，端臨嘗應試漕第一，至是乃留家侍養，故「業紹箕裘，家藏墳索，插架之收儲，趨庭之問答」，以至當時朝野名流之談論，濡染深博，是皆撰述通考之基礎也。宋亡，不仕；惟出任書院山長、教授而已。

〔二〕撰述動機

據馬氏自序所言，蓋有數端：

一　歷代之理亂興衰，不相因襲；而典章經制，則變通張弛，循沿漸變。（按理亂興衰之基因，實非不相因襲；且典制之與王朝興衰，亦相爲表裏，未必可截分爲二）。馬氏以前者既有司馬光之通鑑，後者反無其書，此則通儒之所當究心者也。

二　當時行世之書，言歷代典制者，惟杜佑通典。通典綱領宏大，考訂該洽，然時有古今，述有詳略，故數百年後視之，自必有節目未盡明備，去取頗欠精審之處，譬如：

(1) 古者因田制賦，租賦以田地爲基礎，通典食貨門則分田制、賦稅爲二；（故通考合之爲「田賦考」）

(2) 古者任土作貢，貢乃各地土特產，運載以貢於中央，與租稅不同，通典乃雜之爲一；（故通考另立「土貢考」）

(3) 秀才孝廉之類，旨在試士，唐制屬於禮部，銓序、選任之類，旨在考核官員，升降進退，唐制屬於吏部，通典則不予分別；（通考則列爲二門）

(4) 通典敘禮最詳，而經文與傳注，常相汨亂；

(5) 通典敘兵制，盡遺賦役、調遣之規，惟詳成敗之迹此皆杜書之疵也。至如：

(1) 歷代史各有天文、五行、藝文諸志，而通典無述；

(2) 歷代封建王侯，雖其實大異於三代，而其名尙不廢。史漢皆有諸侯王列侯表，後漢書以後無之，杜書亦無之；

(3) 唐以後各帝歷年久近，傳授始末以至王族之名氏封爵，此爲一代統紀典章所繫，宋王溥唐五代會要，首立帝系一門以敍之，而唐代以前者則無，蓋通典未及此也。

此則杜書之缺也。通典既未盡善，貴與乃有補充擴大之志。

三

秉承父業（見前），以及先哲文化之遺，「文」（典籍）、「獻」（賢者：議論）二端，皆不匱乏，而「一旦散軼失墜」，則「無以屬來哲」，無以交代前哲、後人。由此一時代、文化、家族之使命感，乃起而補足通典，輔翼通鑑。

（二）名義與內容

「文」——典籍也（朱熹論語八佾篇注）。故通考凡敍事，則本之經史，參之以歷代會要，以及百家傳記之書。信而有證者從之，乖異傳疑者不錄。

「獻」——賢者也（朱熹注說，同上）。故通考凡論事，則先取當時臣僚之奏疏，以及唐宋以來諸儒之評論，以至學術名流之閒談，稗官野史之紀錄（按宋世筆記、小說甚多），凡一話一言，可以訂典故之得失，證史傳之是非者，則採而錄之。

按論語八佾篇孔子云：「夏禮吾能言之，杞（夏人之後）不足徵也；殷禮吾能言之，宋（殷人之後）不足徵也。文獻不足故也。足，則吾能徵之矣。」故馬氏以生乎千百載之後，而欲上論古人，必史傳之實錄具傳，方可稽考；而先儒之緒言未遠，足資討論，故雖聖人亦不能無「文」「獻」二者而奮臆空談也。

至若載諸史傳之記錄而可疑，稽諸先儒之論辨而未當者，則貴與研精覃思之所得，亦附而見之。由今日視之，亦文獻之類也。

「通」——由上世秦漢以來，至於南宋寧宗嘉定末年，上下數千年，貫穿二十五代。蓋典章經制，歷代循沿，其遷也漸，不得以斷代述之也。

「考」——㈠方法：貫通歷代，原始要終，錯綜融會，以推尋典章經制變通張弛之故，本之文獻，而附以己見。

㈡範圍：自唐虞以來，至於唐宋，旁搜遠紹，門分彙別，爲二十四門：

田賦、錢幣、戶口、職役、征榷、市糴、土貢、國用、選舉、學校、職官、郊祀、宗廟、王禮、樂、兵、刑、（經籍）、（帝系）、（封建）、（象緯）、（物異）、輿地、四裔

此中有括號者，乃通典原無而馬氏新闢，其他十九門，則倣通典之成規，自天寶以前，則增益事跡，離析門類；天寶至南宋嘉定末年，則續成之。

五、三通之比較與後繼

（一）三通之評價與比較

通典、通志、通考，謂之「三通」，實則鄭樵通志，爲體近於史記，其與杜、馬之書性質相同、可以並列者，二十略耳。時賢金毓黻氏，以通志爲紀傳總輯之史，不與通典、通考同類；張舜徽氏、以史記、通志並列爲「百科全書式之通史」，其識卓矣。大抵通典主於施政，故簡要典則；通志主於包攬，故博識細微；通考主於稽古，故論斷詳贍，此其大較也。

清代以來，專經綴文之士，以通典言禮詳明，而其文簡則，故多揚杜而抑馬。至章學誠文史通義，猶謂通考無別識通裁，實爲類書，便於對策敷陳而已（釋通篇）。四庫提要則謂通考條分縷析，使稽古者可以按類而考，又其所載宋制最詳，可補宋史各志所未備；案語亦多能貫穿古今，折衷至當。雖稍遜通典之簡嚴，而詳贍實爲過之云云，可謂持平之論也。

（二）三通、九通、十通

通考之作，增續通典，端臨既已自言之矣；而通志二十略，除氏族、六書、七音、校讎、圖譜、金石、昆蟲草木諸略，爲鄭樵獨創外，其餘亦與通典、通考，小異大同。後世續者，只繼其一，亦已足矣。明王圻撰續通考二五四卷，上接南宋嘉定，下迄明神宗萬曆。清修四庫，嫌其糅雜，勅館臣另撰之。而乾隆好大喜功，而文學侍從之臣，又不得不曲從獨夫之意，於是乃有「續三通」、「皇朝三通」之纂，合「三通」言之，乃稱九通。清末朱次琦云：「九通、掌故之都市也，士不讀九通，是謂不通」；然九通逾二千卷，繁雜複重，今日言之，恐必藉踵繼杜馬之大史家出，節而輯之，而後讀之可通也。清末劉錦藻惟續清通考，可謂能知其要矣。合九通共二六三七卷，稱「十通」焉。

十	通	撰者	上起——下訖
三通	通典	唐杜佑	太古——唐天寶
	通志	宋鄭樵	太古——隋（二十略至唐）
	文獻通考	元馬端臨	太古——南宋寧宗嘉定
續三通	續通典	乾隆三十二年勅撰	唐肅宗至德——明末
	續通志	乾隆三十二年勅撰	宋——明（紀傳補唐）
	續通考	乾隆十二年勅撰	南宋寧宗嘉定——明崇禎
清（皇朝）三通	清通典	乾隆三十二年勅撰	清初——乾隆五十年
	清通志	乾隆三十二年勅撰	清初——乾隆五十年
	清通考	乾隆十二年勅撰	清初——乾隆五十年
	續清通考	劉錦藻	乾隆五十一年——清末

卷數	成書	門類
200	中唐代德之際	8
200	南宋高宗	20 （二十略）
348	元初	24
144		依通典
527		依通志
252		依通考
100		依通典
200		惟二十略
266		依通考加羣廟羣祀二門
400		依清通考加外交郵傳實業憲政

六、歷代會要

會要者，斷代之典制史也；其出於官修者，則多稱會典。王溥導其源，宋室揚其波，清人振其緒，歷來爲治史者所重焉。

（一）**唐會要**（一百卷）
五代會要（卅卷）｝宋王溥

溥字齊物，幷州祁（今山西）人（九二二——九八二），五代晚期，已爲顯宦，入宋，十年作相，三遷一品，性好學。先是唐德宗時，蘇冕編高祖至德宗九朝事，爲會要四十卷；宣宗時，又詔楊紹復等爲續會要四十卷以紹之；溥既博覽多聞，至是乃合蘇楊二書，釆宣宗至唐末事續之，成新編唐會要一百卷，分五一四目，述一代制度之沿革損益，極其詳核，又有雜錄附於各條之後，以備細瑣典故，有裨考證。惟日久殘缺，今本或已後人妄加竄亂，非復溥之原本矣。

溥又據五代歷朝實錄，撰五代會要卅卷，二七九目，亦有雜錄。歐陽修新五代以褒貶爲務，典制多闕，又有乖舛，此書收羅放失，足以補之。

〔二〕宋會要

由王溥影響，宋室設「會要所」於秘書省，專司編修會要，前後十次，成書二千二百餘卷：

書名	卷數	內容
慶曆國朝會要	一五〇	太祖——仁宗慶曆三年
元豐增修五朝會要	三〇〇	續上至神宗熙寧十年
政和重修會要	一一〇	續上僅成吉禮
乾道續四朝會要	二〇〇	神宗初至靖康末
乾道中興會要	二〇〇	高宗一朝
淳熙會要	三六八	孝宗一朝
嘉泰孝宗會要	二〇〇	孝宗一朝

慶元光宗會要	一〇〇	光宗一朝
嘉泰寧宗會要	二二五	寧宗一朝
嘉定國朝會要（十三朝會要）	五八八	太祖至孝宗淳熙十六年

卷帙浩繁，故未有刊行，鈔本不多，元修宋史，諸志即以此爲本，其後陸續散失，明宣德時，文淵閣火，全焚。清嘉慶間，待松自永樂大典中錄出約五百卷，民國二十二年，國立北平圖書館影印之成二百册行世，分十七門，而以職官、禮、食貨等部分最多。較之宋史諸志，其資料軼出十之七八，可見其價値矣。

〔三〕兩漢會要及其他

南宋寧宗、理宗之際，徐天麟依王溥之體例排比班、范之書，成西漢（七十卷）東漢（四十卷）兩會要。

元人無會要，文宗時，勑撰皇朝經世大典，以趙世延、虞集、歐陽玄等爲總裁，揭徯斯等爲編纂，凡八八〇卷，凡十目。明修元史各志，即多據之。今原書已亡，僅永樂大典殘本中，見其涯略耳。

明清皆無會要。明會典一八〇卷，分文、武職衙門二大類。清會典百卷，圖二七〇卷，事例一二二〇卷。亦本唐六典之例，上效周官，以吏戶禮兵刑工六部爲綱者也。

清人所纂前代會要，亦有多家，詳見金毓黻中國史學史第六章第三節所舉，玆不贅引。

第七章　國別史與方志

一、國　語

國語爲國別史之祖，凡二十一篇，分周、魯、齊、晉、鄭、楚、吳、越八國敘事。史通列爲「國語家」，謂「其先亦出於左丘明，既爲春秋內傳，又稽其逸文，纂其別說，分……八國，事起自周穆王，終於魯悼公，別爲春秋外傳國語，合爲二十一篇，其文以方內傳，或重出而小異」（六國篇），此以國語爲左丘明所撰之春秋外傳，亦舊儒之通說也，如：

漢書司馬遷傳贊：「孔子因魯史而作春秋，而左丘明論輯其本事以爲之傳，又纂異同爲國語」

國語韋昭注解敘：「昔孔子發憤於舊史，垂法於素王，左丘明因聖言以攄意，託王義以流藻……其明識高遠，雅思未盡，故復采錄前世穆王以來，下訖魯悼智伯之誅，邦國成敗，嘉言善語，陰陽律呂，天時人事，逆順之數，以爲國語。其文不主於經，故號曰外傳。」

然如論衡云：「國語，左氏之外傳」；「左氏傳經，詞語尙略，故復選錄國語之詞以實之。」自唐啖助以迄清趙翼，皆謂國語本列國史書原文，左氏特料簡（量而選之）而存之，非手撰也（陔餘叢考）。

按左傳之時代與作者問題，疑竇已多（參看本書上册第五章第六節），而左傳、國語二書之關係，亦有異說：

一 二書同屬左丘明手撰；如上引漢書、韋昭之說；

二 左氏選錄列國史書原文而成國語；如上引啖、趙之說；

三 左氏選錄國語之詞，以充實春秋之傳；此王充說；

四 國語即左氏春秋，劉歆抽取一段，改爲編年，以配春秋，其餘保持原狀，謂之國語：此近世今文經學家說，而梁任公張之。

梁氏要籍解題及其讀法，謂史記太史公自序云：「左丘失明，厥有國語」；五帝本紀云：「余觀春秋國語」；然史記各篇引今本左傳文甚多，今本國語文則甚少，故史公所見國語，是否即爲今本？是否包含史記所引今本左傳之文？此其一。國語以春秋時代爲主，而今本國語，述魯隱公元年至哀公四年二百四十年間之事極少；反觀左傳，既爲春秋之傳，而隱公元年以前數十年以至獲麟以後數十年之事，皆有詳載，故今本國語、左傳二書，若析而爲二，則皆自亂其例，若合而爲一，則東周初三百年間一優良史籍也，此其二。故任公以爲，今本國語與左傳，本爲一書，即名「國語」，亦稱「左氏春秋」，爲一獨立著述，絕非孔子春秋之傳；其變而爲「春秋左氏傳」，自劉歆之割裂改編以解春秋經始云云。

二、戰國策

戰國策古者或稱「國策」、「國事」、「短長」、「事語」、「長書」、「修書」，其名不一，至西漢末劉向校定書籍，以爲戰國時謀士輔所用之國，爲之筴謀，於是定爲今名。其所紀上繼春秋，下迄楚漢之起，分載東周、西周（按此指戰國晚期周室所分）、秦、齊、楚、趙、魏、韓、燕、宋、衞、中山十二國、二百五十四年之間史事，共三十三篇，三百餘首，以縱橫捭闔之謀爲主，尤多蘇秦、張儀之言。

子長撰史記，采摭國策，其後漢志列之與史記同類。南宋晁公武郡齋讀書志入之於子部縱橫家，而文獻通考因之，其實應屬國別史也。

戰國策之編撰者，向未有說，而清牟廷相（字陌人，號默人，乾隆間人），時賢羅根澤，金德建諸君，則以爲漢初蒯通所作。蓋國策所記，非一時之事，一人之言，而全書文體純一，故必由一人之董理潤色，然後成書。史記田儋列傳：「蒯通者，善爲長短說，論戰國之權變，爲八十一首」；漢書蒯通傳亦云：「通論戰國時說士權變，亦自序其說，凡八十一首，號曰雋永。」考國策之中，齊策最多，三十三篇中占其六，而蒯通亦齊人，得誇誕善談之緒風，嘗說徐公、韓信、曹參，其言詞巧妙，與戰國策士無異，其時代又與銜接，故推定戰國策爲蒯通所編撰云。（詳見古史辨第四、六冊，金德建古籍叢考）

三、方志

方志者，以地區爲中心，詳記其歷史沿革，地理形勝，風土變遷，人物事蹟者也。自漢以降，幅員日廣，分地志載之作亦漸多。隋志有圖經、政記、人物傳、風土記、古蹟、譜牒、文徵各類。自宋以後，薈萃而成省志、府志、縣志之屬，以至於鎭村山湖，亦多有其地「方」性之「志」記。由是觀之，姬周封建之世，晉之乘、楚之檮杌，以至所謂百國春秋者，皆可稱爲古之方志也。

秦漢郡縣一統以來，現存之州郡志書，括舉一方之事者，以後漢趙煜吳越春秋、晉常璩華陽國志爲始。煜書紀吳越興亡始末，雜以小說家言，四庫以入「載記」一類，宜矣。華陽國志述巴蜀之事，自遠古始，至東晉穆帝永和三年（三四七）止，述其風土、人物，雖以政治變革爲主，而交通、物產、土俗、門第、士女，亦所記及，蓋後世方志之前身也。此外，摯虞依周官、禹貢作畿服經，舉凡疆域、都邑、道路、城鄉、土田、民物、風俗、先賢，莫不具悉，凡一百七十卷。（隋志史部地理類），惜其已亡，然已具地方志書之體矣。

宋明以來，方志漸多。清代康雍之世，敦以詔令，其書更衆。清廷爲修一統志，有六十年一修方志之令，雖奉行或惰或力，而文化稍高之區，或官長士紳賢而好事者，未嘗不以修志爲斯文重任。主修者或官其地，或生其鄉，或遊其處，即或學有不逮，力難獨勝，亦必羅致宏儒，爲之纂輯，於是公私競修，門類更廣，舊志未沒，新志已成，至近代所存，已五千八百餘種，九萬三千餘卷矣。（見一九三三

朱士嘉中國地方志綜錄）

明清以來，方志多由地方官吏奉行故事，安置冗員，鈔撮陳案，未必足以語於著作之林，昔時學者亦以地理書籍置之，未有特加重視。至史學大家章學誠出，力主治列國史之法治方志，蓋其專詳一方之事，應宜無所不載，而與專詳疆域山川之圖經異；謂「傳狀誌述，一人之史也；家乘譜牒，一家之史也；部府縣志，一國（地）之史也；綜記一朝，天下之史也」；而其曠代史才，亦見於所修和州志、亳州志、永清縣志、湖北通志之中，（詳見後第八章第四節）於是宗風卓樹，方志之品質地位，亦以提高，其間綰名儒結撰參訂者，亦在不少也（詳見梁任公中國近三百年學術史方志學一節）。

方志雖莨莠雜陳，而今日言之，其總價値實不在正史、十通之下。昔日史家之所記述，所謂理亂與衰，多不過一姓之興亡；所謂典章經制，多爲中央之施設；我國廣土衆民，千百年來各地之社會組織，風俗習慣，民生利病，賦役戶口、土產物價，以至方言、歌謠、金石、藝文，皆藉方志以詳記眞相。近賢瞿宣潁方志考稿序云：

「社會制度之委曲隱微，不見於正史者，往往於方志中得其梗概，一也；

「前代人物不能登名於正史者，往往於方志中存其姓氏，二也；

「遺文佚事之散在集部者，賴方志然後能以地爲綱，有所統攝，三也；

「方志多詳物產、稅額、物價等類事實，可以窺見經濟狀態之變遷，四也；

「方志多詳建置興廢，可以窺見文化升降之迹，五也；

「方志多詳族姓之分合，門地之隆衰，往往可與其他史事互證，六也。」

故近代顧頡剛中國地方志綜錄序亦云：

「今之學者，莫不知史書之不足以盡史，故畢力搜求地下遺物、官署檔案、私人書牘，以資實證；然而卽在史書之中，固尙有未闢之山林，未發之金錫在：『家譜』與『方志』是已。」

又云：

「夫以方志保存史料之繁富：紀地理，則有沿革疆域，面積分野；紀政治，則有建置、職官、兵備、大事記；紀經濟，則有戶口、田賦、物產、關稅；紀社會，則有風俗、方言、寺觀、祥異；紀文獻，則有人物、藝文、金石、古蹟。而其材料，又直接取於檔册、函札、碑碣之倫。顧亭林先生所謂采銅於山者。比較正史，則正史顯其粗疏；以較報紙，則報紙表其散亂。如此縝密系統之記載，顧無人焉能充分應用之，豈非學術界一大憾事耶！」

然則喜治國史者，可以致力矣。

第八章　史評

一、概說

史評一體，導源於史家著史之餘論，如左傳之「君子曰」，史記之「太史公曰」，漢書之「贊」，漢記之「論」，三國志之「評」，通鑑之「臣光曰」之類是也。亦有並非史家，而單篇論史者，如賈誼過秦論，陸機辨亡論是也。其成爲專書者，則如南宋呂祖謙之東萊駁議，就左傳史事立論，而明末清初王夫之讀通鑑論，宋論，尤精卓有識。然此類「史事」之評議，易於成文，往往流於空談，不切事實，若乃考辨「史體」，論究「史籍」者，非博覽精思，深具史識，不能成編，故作者不多。至於旣考訂史事之正誤異同，亦討論史書之優劣得失者，則介乎二者之間焉。

故梁任公先生分史評爲三類：

一　事論　　如張溥歷代史論，王夫之讀通鑑論等

二　理論——如劉知幾史通，章學誠文史通義等

三　雜論　　如趙翼廿二史劄記，王鳴盛十七史商榷等

然三者亦常有互通，梁氏所分，就其大體言之耳。

漢代以來，史官世襲之制，漸已變革，前此史官專有之知識，漸公於世，加以工具日新，書籍日備，而子長孟堅，樹立楷模，後進向風，務期踵繼，且鑑古知今之信念，深入人心，是故魏晉以來，治史者甚多，史部遂漸次獨立（見第一章第二節）。

史學一詞，始於十六國，東晉元帝大興二年（三一九）後趙石勒自立，設史學祭酒；劉宋元嘉中，儒玄文史四學並建，以何承天立史學。自此以後，史學研究，見重於時。齊梁之際，劉勰撰文心雕龍，言爲文之用心，而「史傳」篇，指陳源流，剖析利病，亦多儻論：

「原夫載籍之作也，必貫乎百氏，被之千載，表徵盛衰，殷鑒興廢；使一代之制，共日月而長存，王霸之跡，並天地而久大。」

此作史之大旨也；

「立義選言，宜依經以樹則；勸戒與奪，必附聖以居宗；然後詮評昭整，苛濫不作矣。」

此撰述之總則也。雖所謂依經附聖，其間問題尙多，可資商榷，然向來儒者之言，大抵若是。至若論編年、紀傳之互見短長（見本書第一章第三節），述遠紀近之易陷兩失（見本書第二章第六節），以及「尋繁理雜之術，務信棄奇之要，明白頭訖之序，品酌事例之條」，所謂「析理居正」之術，則亦後世論史者之通言也。

及南北一統，史籍大備，盛唐之世，乃有吾國第一部史評專書——史通。

二、劉知幾與史通

（一）成書與流傳

劉知幾字子玄（六六一——七二一），唐徐州彭城人，生高宗初，幼承庭訓，早好藝文，苦尙書難讀而好左傳，次讀史漢三國以及他史，甚有心得，及登仕立朝，乃專志所嗜，每覺舊史多失，而流俗之士，難與之言，每有見解，時與古人暗合，乃蓄諸寸心。常恨時無同好，可與言者，惟徐堅、元行冲、吳兢等人而已。

子玄之於史傳，嘗欲自馬、班以下，至於初唐所修諸史，普加訂改，但恐名位卑微，恐致驚末俗，爲時人所咎，徒勞無功，是故遲回未果，自謂「非欲之而不能，實能之而不敢」云。武后、中宗之世，子玄三爲史臣，兩入東觀，奉詔與修唐史、則天大聖皇后實錄等，嘗欲行其舊議，而與同事及監修貴臣，意見難合，雖自謂依違苟從，猶大爲衆嫉，抑鬱孤憤，乃上書監修蕭至忠求退，歷言史館之弊（外篇忤時），幾以忤宗楚客而得禍，遂私撰史通，以寓其志。故以法言、論衡、風俗通人物志、文心雕龍相比況，自負此書甚高，云：

「若史通之爲書也，蓋傷當時載筆之士，其道不純，思欲辨其指歸，殫其體統。……夫其爲義也，有與奪焉，有褒貶焉，有諷刺焉。其爲貫穿者深矣，其爲網羅者密矣，其所商略者遠矣，其所發明者多矣。蓋談經者惡聞服杜之嗤，論史者憎言班馬之失，而此書多譏往哲，喜述前非，獲罪於時，固其宜矣。猶冀知音君子，時有觀焉。尼父有云：罪我者春秋，知我者春秋，斯之謂也。」（以上均見內篇自敘第三十六）

此其自信，可謂甚勇，期史通之傳，可謂甚殷，而當時後世之譏子玄者，亦適如其所自料也。書首自序亦云：

「自惟歷事二主，從宦兩京，遍居司籍之曹，久處載言之職。昔馬融三入東觀，漢代稱榮，張華再典史官，晉朝稱美，嗟予小子，兼而有之；是用職司其憂，不遑啓處。嘗以載削餘暇，商榷史篇，下筆不休，遂盈筐篋，於是區分類聚，編而次之。」

此亦述撰史通之經過也。又云：

「昔漢世儒諸，集論經傳，定之於白虎觀，因名曰『白虎通』；予既在史館而成此書，故便以『史通』爲目。且漢求司馬遷後，封爲史通子，是知史之稱通，其來自久，博采眾議，爰定茲名。」

此解其書之命名也。體爲駢儷，與文心雕龍可謂文史雙璧矣。

史通成書於中宗景龍四年（七一〇）。徐堅賞之，謂史氏宜置左右。子玄既歿，其書錄上，玄宗稱善，因追贈工部尚書，諡曰文。

史通一書多彈劾前賢，常有新闢之論，故見輕流俗。時人見劉氏撰史通，多以爲愚，書成又互言其短（見自叙）。唐宋之世，其書甚不盛行，宋儒如朱熹，猶以未見其書爲恨。明永樂大典，網羅宏富，尚遺是書。胡應麟小室山房筆叢亦云時無刻本，則傳世之稀可以知矣。明朝中葉以後，傳刻漸多，清乾隆間，黃叔琳爲史通訓故補，浦起龍爲史通通釋，其後盧文弨爲史通校正，紀昀爲史通削繁，刊行遂盛。

(二) 內容與主張

史通內篇十卷，三十九篇，末三篇體統、紕繆、弛張佚；外篇十卷，十三篇。今存共四十九篇。

內篇多論史家體例，辨別是非：

六家、二體、載言、本紀、世家、列傳、表曆、書志、論贊、序例、題目、斷限、編次、稱謂、採撰、載文、補注、因習、邑里、言語、浮詞、敘事、品藻、直書、曲筆、鑒識、探賾、模擬、書事、人物、覈才、序傳、煩省、雜述、辨職、自敘。

外篇多述史籍源流及雜評古人得失：

史官建置、古今正史、疑古、惑經、申左、點煩、雜說上、中、下、五行志錯誤、五行志雜駁、暗惑、忤時。

新唐書本唐會要載，長安三年七月，禮部尚書鄭惟忠問，自古文士多，史才少，何故？知幾對曰：「史有三長，才學識世罕兼之，故史才少。有學無才，猶愚賈操金，不能殖貨；有才無學，猶巧匠無楩柟斧斤，弗能成室；善惡必書，使驕君賊臣知懼，此爲無可加者。」時以爲篤論，三者之中，史識尤難，史材之搜集去取，均史識爲之選擇，史通一書，簡概言之，均所以明此三者也。

茲舉述其要論如後：

一、史體：

(1) 史分六家：尚書、春秋、左傳、國語、史記、漢書；而後世祖述者，唯編年（左氏）、斷代紀傳（漢書）二家。（參看本書第一章第二、三節）

(2) 編年、紀傳二體既各有優劣，宜皆列正史。

(3) 斷代爲史，易於尋討；通史則範圍過大，易於蕪累，以至勞而無功。

二、篇章：

(1) 紀傳體不當載言，以免所記述之事，爲大篇詞章所隔。

(2) 人主制冊誥令，羣臣之章表移檄，宜於表志之外，另立「制冊章表書」。

(3) 本紀宜只書大事，莫倘委曲。

(4) 世家宜只載開國承家，世代相續，有土可封者。

(5) 列傳宜多用合傳。題目不必全錄姓名。

(6) 祖孫、職官，已各具於其人之傳中，表曆實爲煩費。

(7) 書志宜删天文、藝文、五行三志，別增都邑、氏族、方物三志。

(8) 論贊流於煩費，甚至褒貶失當，故宜省去。

(9) 序例當求簡質，且與紀傳相符。

(11) 序傳（自序）當求簡要平實。

(10) 編次當依時代。

三、修撰：

官府纂修不如私家著述，蓋修撰者各不相下，觀望無成，一也；史官無直接獲得之資料，每藉采詢各部，事倍功半，聞見不廣，二也；史館衆雜，褒貶未成，而朝野已知，權門貴族，動相阻撓，三也，監修者意見紛歧，無所適從，四也，勞逸不均，勤惰不等，分工不明，無由合作，五也。（詳見末篇忤時所載予宰相蕭至忠書；參看本書第四章第三節）

(2) 務正名、直言，區別流品，抉擇善惡。

(3) 文字宜簡、晦（含蓄）、樸質，而用現代語言。

(4) 採輯史料宜廣，以求會通博洽；撰述時去取宜嚴，以辨是非眞僞。

四、一般弊失：

(1) 逼於威權，攝於禍患，罕能直筆；當代則虛美隱惡，前朝則輕侮排詆。

(2) 修史者存心不公，或囿於立場，是非與奪，往往失平。

(3) 傳聞異辭，了解片面。

〔三〕評論

由上觀之，子玄之於舊史相沿之病，當時共諱之失，均多所發摘；惑經、申左、疑古等篇，更富懷疑求是精神：譬如疑堯舜禹湯文武之仁聖、禪讓；謂春秋承列國來告之詞而書，不知考究，孔子亦未變革，故弒簒之事，既多缺錄，措詞用語，亦多片面，孟子所謂孔子成春秋而亂臣賊子懼云云，恐屬虛談。諸如此類，不避傳統權威，有王充問孔、刺孟之風焉。然其主張删藝文志、表，以紀事不當有紀言，凡此諸端，則未見合理。故黃叔琳史通訓故補自序云：

「觀其議論，如老吏斷獄，難更平反；如夷人嗅金，暗識高下；如神醫眼，照垣一方，洞見五藏癥結。間有過執己見，以裁量往古，泥定體而少變通：如謂尚書爲例不純，史論淡薄無味之類；然其薈萃搜擇，鈎釽排擊，上下數千年，貫穿數萬卷，心細而眼明，舌長而筆辣，雖馬班有亦不能自解免者，何況其餘書？在文史類中，允與劉彥和之雕龍相匹，徐堅謂『史氏宜置座右』，信也」。

浦起龍史通通釋自叙篇按語云：

「攻劉見智者，鮮有不索其瘢；而繼唐編史者，罔敢不持其律：乃好勝之私，與同然之是，交據而不能自斷，卒出於騁辯之一途。陰用其言，而顯訾其書，吾不知其何說也。」

浦氏並予舉例，謂如：紀傳、編年二體之成爲定式，斷代紀傳之成正史通體，後世有載記以變通世家，后妃外戚不稱紀，傳後無復贊語，災祥無五行讖緯之記，邑里遵用時制之類，皆由子玄影響。又云：

「夫古今人不相及，望兩漢之雄俊則道遠，效六朝之藻飾則眞喪，唯夫約法嚴，修辭潔，可以學企，可使質全，爲鸑道者，史通也，綜往飭歸，功亦博矣！故同一書也，耳食者曰工訶古人，心喻者曰導吾先路。」

紀昀史通削繁自序亦謂子玄自信太勇，立言好盡，其抉擇精當之處，足使龍門失步，蘭臺變色，而偏駁太甚，支蔓弗剪者，亦往往有之云云，可以見史通之得失矣。

三、清代史評

梁任公中國近三百年學術史第十五章總結宋至清代七百餘年史學風氣云：

「大概自宋以後，所謂史家，除司馬光、鄭樵、袁樞有特別裁識外，率歸於三派：

其一派則爲胡安國、歐陽修之徒，務爲簡單奧隱之文詞，行其谿刻陰激之褒貶；

其一派則蘇洵、蘇軾父子之徒，效縱橫家言，任意雌黃史跡，以爲帖括之用；

又一派如羅泌之徒之逑古，李燾之徒之說今，惟侈浩博，不復審擇事實；

此三派中分史學界七百餘年，入清乃起反動。」

蓋明清之際，學者震於政治、社會之劇烈變化，病明學之空疏無用，乃出現徵實之攷據學（參看上冊第二十章第八節），史學受其影響，其整理前史，乃有下列方法：

一　校勘文句

二　裨補缺漏

三 條理事實

四 訂正事實

故以探究史學之體例言：章學誠文史通義之博大精深，系統貫串，勝於劉知幾史通、鄭樵通志；以論斷史實精審介正言：王夫之讀通鑑論、宋論精於范祖禹唐鑑、胡寅讀史管見；以攷訂史實之正誤異同言：趙翼廿二史劄記、王鳴盛十七史商榷，又非胡䌹之新唐書糾繆五代史誤纂可比。此清代史評之學，勝於宋人者也。

〔一〕讀通鑑論、宋論——王夫之

夫之（一六一九——一六九二）字而農，湖南衡陽人。早歲與瞿式耜佐桂王抗清，後隱於衡陽之石船山築土室曰觀生居，學者稱船山先生。其論學以漢儒爲門戶，反晚明王學之空疏，以宋五子爲堂奧，歸宗於義理，尤神契於張載之學。著述甚多，久隱而近世大顯，總爲船山全集，凡三百二十四卷。其中讀通鑑論三十卷，附叙論；宋論十五卷。

論議史事，最易流於苛責古人，空論而不切事實。宋世諸賢，往往未能免此，明季尤弊。而船山此二書者，皆博通史實，明達事理，往往論一事而闡明其關係至數百年之久；卓然爲經世家言，而與書生空論，迂儒腐論有別。又以痛切時事，故於華夷之辨，君子小人之水火，和戰之得失，尤深憤慨，足爲後人炯戒；至文筆條達，議論縱橫，猶其餘事。

〔二〕十七史商榷 王鳴盛

鳴盛（一七二〇——一七九七）字鳳喈，號西莊，江蘇嘉定人，初仕，旋隱於學垂三十年，所著以尚書後案，十七史商榷最有名。

十七史商榷自序云：

「『十七史』者，上起史記，下訖五代史，宋時嘗彙而刻之者也。『商榷』者，商度而揚榷之也。海虞毛晉汲古閣所刻，行世已久，而從未有會校之一周者。予爲改譌文，補脫文，去衍文，又舉其中典制事跡，詮解蒙滯，審覈踳駮，以成是書，故名曰商榷也。舊唐書、舊五代史，毛刻所無，而云十七者，統言之，仍故名也。若遼宋等史，則予未暇及焉。」

此釋其書名義也。「商榷」所及，凡十九正史，而新舊唐書、新舊五代史，均作一史計，故仍用「十七史」之名（參看前第一章史籍概說），另有綴言二卷殿後，言史家之義例，共一百卷。此書所重，在典章故實，故又云：

「大抵史家所記典制，有得有失，讀者不必橫生意見，馳騁議論，以明法戒也；但當攷其典制之實，俾數千百年建置沿革，瞭如指掌，而或宜法，或宜戒，待人之自擇焉可矣。其事迹有美有惡，讀史者亦不必強立文法，擅加與奪，以爲褒貶也；但當攷其事蹟之實，俾年經事緯，部居州次，記載之異同，見聞之離合，一一條析無疑，而若者可褒，若者可貶，聽之天下之公論焉可矣。書生胸臆，每惑迂愚，即使考之已詳，而議論褒貶，猶恐未當；況其攷之未確者哉！蓋學問之道，求於虛不如求於實；議論褒貶，皆虛文耳。作者之所記錄，讀史者之所考核，總期於能得其實焉而已矣；此外又何多求耶！」

此表其書之「徵實」精神也。至其撰述經過，則云：

「二紀以來，恒獨處一室，覃思史事，旣校始讀，亦隨讀隨校，購備善本，再三讎勘；又搜羅偏霸雜史，稗官野乘，山經地志，譜牒錄簿，以暨諸子百家、小說筆記、詩文引集、釋老異教，旁及於鐘鼎尊彝之款識、山林冢墓、祠廟伽藍，碑碣斷闕之文，盡取以供佐證，參伍錯綜，比物連類，互相檢照，所謂考其典制事蹟之實也。」

故王氏自謂倘以此書爲參，則正史雖繁塞難讀，亦得疏通證明，關開節解矣。

〔三〕廿二史考異——錢大昕

大昕（一七二三——一八〇四）字曉徵，號辛楣、竹汀，江蘇嘉定人。嘗與修續通考、續通志、一統志、熱河志諸書，歷主鍾山等書院卅年，潛研堂文集、十駕齊養新錄，皆名重學林，聲韻學方面，發現尤多（如古無輕唇音、舌上音諸說）。廿二史攷異百卷則與十七商榷、廿二史劄記，形式相類，盛名相並，而內容不盡從同。蓋錢氏弱冠好史，自史漢迄金元，凡廿二家（參看第一章廿五史總表），反復校勘，積久所得遂多，其於正史雜史，無不討尋訂譌，以至天算曆法、地理沿革，無不推而明之，凡所校考，令人渙然冰釋，蓋王引之經義述聞之類也。清儒最推此書，蓋其富於考據也。

〔四〕廿二史劄記——趙翼

趙翼（一七二七——一八一四）字耘松、雲崧，號甌北，清江蘇陽湖人。早歲入值軍機處，進奉文字多出其手。晚年以著述自娛。詩與袁（枚）蔣並稱乾隆三大家，有甌北詩集、唐宋十家詩話。尤深於史學之考據，陔餘叢攷、廿二史箚記（卅六卷）最有名。廿二史者，史記以訖明史也（參看第一章二十五史總表）。其自序云：

「歷代史書，事顯而義淺便流（劉）覽，爰取爲日課。有所得，輒箚記別紙，積久遂多。惟是家少藏書，不能繁徵博採，以資參訂。間有稗乘脞說，與正史歧互者，又不敢遽詫爲得間之奇：蓋一代修史時，此等記載，無不蒐入史局；其所棄而不取者，必有難以徵信之處。今或反據以駁正史之訛，不免貽譏有識。是以此編多就正史紀傳表志中，參互勘校，其有牴牾處，自見輒摘出，以俟博雅君子訂正焉。至古今風會之遞變，政事之屢更，有關於治亂興衰之故者，亦隨所見附著之。」

故此書善以本書證本書，以正史考正史，深得春秋屬辭比事之旨，與三蘇派之帖括式史論截然不同，不喜專論一人之賢否，一事之是非，惟把握一時代之重要問題，羅列雜采數十書傳而來之資料而比論之，能教後人以抽象觀察史蹟之法（見梁任公中國近三百年學術史）。其校勘文字異同，尤爲嘉惠後學：如遼金元史人名譯音，經清朝官書竄改者，一一臚舉新舊譯名，其實用蓋在錢大昕廿二史攷異、王鳴盛十七史商榷之上也。故錢氏序此書，亦稱其「記誦之博，義例之精，論議之和平，識見之宏遠，洵儒者有體有用之學，可坐而言，可起而行者也。……上下數千年安危治忽之機，燭照數計，而持論斟酌時勢，不蹈襲前人，亦不有心立異，於諸史審訂曲直，不掩其失，而亦樂道其長。……論古特識，顏師古以後，未有能見及此者矣！」其相服如此。當世或有以少談考據輕之者，誤矣。

〔五〕考信錄——崔述

崔述（一七四〇——一八一六），字武承，號東壁，河北大名人。讀書著述不倦，考信錄即其數十年積勤所得，古史辨僞之作也。凡三十六卷。包括：

考信錄三十六卷：
- 前錄
  - 考信錄提要
  - 補上古考信錄
- 正錄
  - 唐虞考信錄
  - 夏考信錄
  - 商考信錄
  - 豐鎬考信錄
  - 洙泗考信錄
- 後錄
  - 豐鎬別錄
  - 洙泗餘錄
  - 孟子事實錄
  - 續說
  - 附錄

按我國古代典籍，僞托至多，東漢王充，唐劉知幾，已啓疑古之風，宋人疑古尤勇，明有胡應麟四部正譌，至崔氏考信錄，則專以古史爲考者也。其書折衷於孔孟，取信於詩書，至若漢晋諸儒之說，必考其本末，辨其是非，辨其同，別其虛實，寧缺所疑，絕不立言以增後世之困惑（見自序，體例），故其實事求是，辨僞求眞之精神，實下啓近代以來顧頡剛、錢玄同等之疑古風氣焉。至顧、錢諸君，論不主於儒學，時不限於漢晋，以「經書」與「傳記」並觀，批其僞謬，此則東壁限於時代，所未能及者也。

四、章學誠與文史通義

章學誠，字實齋，清浙江會稽人，生乾隆三年（一七三八），卒嘉慶六年（一八〇一），受學於朱筠，當考據全盛之時，而湛深史學，自信亦堅，謂：二十以前，性絕駿滯，廿歲以後，駸駸向長，尤其史部之書，接目通心，利病得失，舉而輒當，自信頗有天授，發凡起例，多爲後世開山云。又以鄭樵有史識而未有史學，故知通史之可貴，而通志卒多粗疏；曾鞏具史學而不具史法，故不免於文士；劉知幾得史法而不得史意，故史通所言，猶有未盡。於是爲文史通義，以彌綸羣言，補缺救失。其平生精力，萃於講論史學，編修方志。歷主各書院講席，助畢沅編續通鑑、史籍考，主修和州、亳州、永清縣、天門縣諸方志。所著除文史通義外，又有校讎通義等，皆著盛名。

實齋之著文史通義，蓋以時人讀書，如捧散錢，苦無貫索，不能串而通之以成系統，乃勒爲一書，雖以文史爲名，實多辨章學術系統源流之語。其方志部分，尤發前人之所未發，「多爲後世開山」一語，誠有自知之明也。

此書撰述，始於乾隆卅七年（一七七二），自以頗乖時論，不欲多爲人知，至嘉慶元年（一七九六），始擇其近常情者，刋布一二。道光十二年，章氏卒後卅一載，其書始行其大半，至民國九年（一九二〇），實齋學術始漸顯，而章氏遺書亦於是年刋行，上距實齋之卒，已百餘載矣。近代學人研究章氏史學者頗多（參看時賢吳天任氏章實齋的史學）。茲約舉實齋之史學主張如後：

（一）尊崇史德

章氏謂劉知幾言史法，而己言史意；又謂子玄得史法而不得史意；其所謂「意」者，卽孔子春秋之「義」也。故史德篇云：

「才學識三者，得一不易，而兼三尤難。千古多文人，而少良史，職是故也……史所貴者義也，而所具者事也，所憑者文也。孟子曰：『其事則齊桓晉文，其文則史』；義則夫子自謂竊取之矣。非識無以斷其義，非才無以善其文，非學無以練其事。」

然則劉知幾所謂才學識，猶未足以盡其理，蓋：

「能具史識者，必知史德。德者何？謂著書者之心術也。」

故不具「史德」，心術不正，其書自不足觀；而

「所患夫心術者，謂其有君子之心，而所養未底於粹也。」

此卽孟子「杯水不足以救車薪之火」之意。故「欲爲良史者，愼辨於天人之際」，所謂「天」者，卽普遍之「天爵」（孟子語）人所同然，中正平直之價値觀念，所謂「人」者，卽特殊之「人智」，史家所獨具之才、學（吳氏章實齋的史學第三章，以章氏所謂「自然之公」「形氣之私」釋「天」「人」，甚有見地。）是亦章氏弘揚儒學，以「心術」指導「學術」，以「志識」駕馭「文辭」之意也（詳見內篇說林）。故曰：

「立言之士，將有志於道，而從其公而易者歟？抑徒競於文，而從其私而難者歟？公私難易之間，必有辨矣。嗚呼，安得知言之士，而與之勉進於道哉。」（言公中）

此實齋之所寄懷千載者也。

（二）判定宗門

劉知幾史通史官建置篇云：

「夫史之爲道，其流有二：何者，書事記言，出自當時之簡；勒成刪定，歸於後來之筆。然則當時草創者，資乎博聞實錄；若董狐南史是也；後來經始者，責乎儁識通才，若班固陳壽是也。必論其事業，前後不同；然相須而成，其歸一揆。」

此言「史料」與「史籍」之別，卽鄭樵所謂「史」與「書」也（與方禮部書），至實齋乃詳加判定。如內篇書敎下篇，較述二者：

記注——藏往——欲其方以智——賅遺無遺——體有一定

撰述——知來——欲其圓而神——抉擇去取——例不拘常

比類——宜周密整齊——如蕭何轉餉

著述——當輕重變化——如韓信用兵

依章氏遺書報黃大兪書，則：

章氏又謂有「著作之史」有「纂輯之史」（外篇報廣濟黃大尹論修志書）。前者所需者，「筆削獨斷」之「學問」；後者所表者，「排比整練」之「功力」。功力之與學問，猶黍之與酒（內篇博約中、外集又正甫論與文書）。故二者相資，而鎔鑄古今史料以成通史，則史中之醇醴，而亦史記、通志之所以可尊也。

（三）六經皆史

實齋報孫淵如（星衍）書謂「盈天地間，凡涉著作之林，皆是史學」；而「六經」者，「特聖人取此六種之史以垂訓者耳。子集諸家，其源皆出於史」。文史通義易教上篇亦云：

「六經皆史也。古人不著書，古人未嘗離事而言理。六經皆先生之政典也。」

「六經皆先王得位行道，經緯世宙之迹，而非托於空言。」

故古人徒以歷史書籍爲史，不知六經以至子集，皆是「史料」也。

綜實齋之意，以爲史料來源，蓋有數端：

一　經典——劉知幾以春秋、尚書爲史之二家，文史通義立易教、書教、詩教、經解諸篇，闡揚「

六經皆史，爲子集之源」。

二　方志——實齋特重方志，謂「譜牒散而難稽，傳誌私而多諛」，而「惟分者極其詳，然後合者能擇善而無憾」，故「朝廷修史，必將於方志取其裁」（州縣請立志科議）。

三　圖譜——通志有金石、圖譜二略，實齋亦謂「圖象爲無言之史，譜牒爲無文之史，相輔而行，缺一不可」；「圖學失傳，由司馬遷有表無圖，遂使後人不知采錄」（和州志輿地圖序），主修永清縣志與地圖序例論之尤暢。（見第二章史記評價節）。

四　詩文——「文章史事，固相終始」，故「紀傳所不及詳，編年所不能錄者」往往於詩文見之（外篇與甄秀才論文選義例），故方志「風俗篇中，有必須徵引歌謠之處，即左、國引諺徵謠之義也」（外篇修志十議）。而「文集者，一人之史也；家史、國史爲一代之史，亦將取以證焉。」（韓柳二先生年譜書後）。

五　簿牘——「史之爲道也，文士雅言，與胥吏簿牘，皆不可用；然捨是二者，則無所以爲史矣……即簿牘之事，而潤以爾雅之文，而斷之以義；國史、方志，皆春秋之流別也」（外篇方志立三書議）。

故總而言之，「古物苟存於今，雖戶版之籍，市井泉貨之簿，未始不可備考證也」（亳州志掌故例議）。近世以來，史家知原始資料之歷史價值，不復囿於正統史籍，其義蓋實齋早發之矣。

（四）宏揚通史

梁武帝嘗勅撰通史六百二十卷，體仿史記。劉知幾主張斷代，故譏議之，其書後亦不傳。而歷代所修正史，皆屬斷代。至鄭樵，本其卓識，貶班固而揚史遷，撰述通志（見前第六章第三節），所惜援據或有疏略，清世經師，自戴震以下，皆輕詆之。實齋獨力排衆議，謂漁仲發凡起例，揚振鴻綱，非末學吹求之士，所可妄議（內篇申鄭）；又贊袁樞通鑑紀事本末，文省於紀傳，事豁於編年，其體圓通，其用神妙，眞尙書之遺云（書教下）。故謂通史雖有「三弊」：

無短長——纂輯者只將所合各史，更易標題，並無增删整理。

仍原題——各史標目不一，纂輯者不加統一整理。

忘標目——纂輯者綜合各史，而各列傳不標明其世代。

然此不過纂輯不善所至而已。通史本質，實有「六便」：

免重複——貫通斷代，則易代之際，人不必重出，事不必複述。

均類例——天文、地理、六書、七音，以至昆虫草木之類，不必以斷代爲限，亦不至前史有而後史無。（參看第六章第一節）

便銓配——子孫附於祖父，世家會聚宗支，時世盛衰，可因而見。類傳更有深意。

平是非——易代之際，曲直之辨可以平允。

去牴牾——統合衆史，其間出入之處可以免去。

詳隣事——四隣外國，自不能與中邦各朝同其終始，通史可免斷代之限，而詳記外事。

又有「二長」：

具剪裁——通合各斷代史，可以加增刪潤色之功。

立家法——統貫各代為史，述其會通因革，可以見撰修者之別識心裁。

惟通史適於一家著述，而不宜於館閣纂修。至斷代修史則是整齊故事，待良史出而論定之，故亦不可廢，惟不能語於專門著作耳。

（五）修正史體

實齋謂史記以來，紀傳體行之千餘年，演習既久，陳陳相因，以致書繁而事晦，記注、撰述，兩皆失之。故「經為解晦，當求無解之初；史為例拘，當求無例之始」；而後史之例，自春秋左氏始，故宜返求「尙書未入春秋之初意」，以史記義例，通左氏之裁制（均見書敎下）。故實齋理想之史體，乃合紀事本末、紀傳、編年而為一者也。分述如後：

一、紀傳：1、以「因事命篇」之傳，各隸屬於本紀之下。

2、帝紀之後，增一帝傳，詳載人君行事。

3、就性質之近，立合傳。

二、圖表：1、人名事類難入本末者，則編為表。

2、天象、地形、輿服、儀器等，別繪為圖。

三、別錄：1、紀傳史——以大事為綱，標注有關之紀、志、傳編於卷首。（互注別錄）

2、編年史——以重要人或事爲綱，注明終始年月（分類別錄）

四　文錄：劉知幾主立「制册章表書」（見前），實齋亦主傳中所錄章疏，須備其事之始末，不可分言事爲二物。又一代文章，宜另輯成文苑，與史相輔。

五　史注：尤以自注爲佳，就援引所及，知其去取，又可保存當代藏書之大概，杜絕後世之附會（按如通鑑考異）。

六　語言：修辭立誠，記言當適如其人之言，不可以撰史者之意，一律文飾以失其眞。

總而言之，「仍紀傳之體，而參本末之法；增圖譜之例，而删書志之名」（與邵二雲論修宋史書）；是實齋之新史也。

〔六〕**更新方志**

方志之性質與發展，已如前述（第七章第三節）；至實齋乃痛言近代修撰方志之陋：方志誤爲地理（宋元）、應酬文墨（宋元）、以至資料纂彙之集（當代）。故其撰述方志，力闢向來之蕪穢因循，使人知「方志爲國史羽翼」（跋湖北通志檢存稿）。蓋「譜牒散而難稽，傳誌私而多諛，朝廷修史，必將於方志取其裁」，「部府縣志，一國（地區）之史也」，「惟分者極其詳，然後合者能擇善而無憾也」（州縣請立志科議）。

故實齋主以修列國史之態度與方法，修撰方志。主張方志分立三書，相輔而行，不可缺一，亦不可合而爲一：

志——仿紀傳正史之體，爲方志本幹。

掌故——仿律令典例之體，紀名物器數。

文徵——仿文選、文苑之體、取詩、文、記、序，勒爲一邑之書，與志相輔，而參證史實。

故晚年應畢沅之聘，總修湖北通志，即實行其理想，（參看梁任公中國近三百年學術史十五章）而亦後來修者之所取法。又以爲志須繼續增修，故資料必須隨時保存整理，故倡議州縣須設立「志科，典守文獻，使不墜失，而國史取材，亦有成式，則「記注有成法，撰述無定名」，可以復三代之舊矣。清季以來，政務日新，實齋方志議論之知眞見灼，亦與時俱著（詳見吳天任氏章實齋的史學第六章），然則任公盛推爲「方志之聖」，謂實齋雖以一代史學天才，而不得獨撰一史，然「方志學」之成立，實自章氏始云云，蓋非溢美矣。

第九章　中國文學發展概說

一、通　論

構成我國歷代文學發展之因素，殆有四端：文體之遞嬗、政治之推移、作者之心態、地理之影響是也。

（一）文體之遞嬗

王國維謂「一代有一代之文學：楚之騷，漢之賦，六代之駢語，唐之詩，宋之詞，元之曲」是也。其初皆出自然，故多起民間；然後才俊之士漸多有作。及風氣既成，一代文人心力多萃於此，於是極其成熟，盡其體之所長，遂爲「一代之文學」，而「後世莫能繼焉」矣。（宋元戲曲考序）及後「通行既久，染指遂多」，踵事增華，雕縷日甚，卒由美化而僵化，漸成少數文人矜才炫學之玩賞品，甚至堆砌、纖巧之文字遊戲，於是「豪傑之士，亦難於其中自出新意，故遁而作他體，以自解脫」；解脫者，離棄庸濫，以復抒寫情性之自由也。「一切文體所以始盛終衰者，皆由於此。」（人間詞話）此其一。

〔二〕政治之推移

劉彥和謂「歌謠文理，與世推移；風動於上，而波震於下」；是以「幽厲昏而板蕩怒，平王微而黍離哀」（文心時序）。晚周之世，列國求才，齊楚二邦，尤盛文學，由縱橫之詭俗，出煒燁之奇意。秦漢以後，政出一尊，於是「創業垂統之君，即其一時之好尙」，往往影響「一代之規模」（宋史文苑傳）。故漢宮好楚聲，而武帝用儒術，故屈宋遺響，流爲辭賦，而兩京之製，大抵用世之文；又西漢多雄肆，而東京尙典重，亦世風使然也。

及建安亂離，儒教崩壞，魏武好法術，而文趨清峻，文帝慕通達，而思涉虛玄，個性由是而顯豁，文學因之以興盛。三國六朝以還，偏促江左，以故文章之聲容氣勢，亦不能振；而南朝列帝，多尙詞華，六代美文，因之極盛，然文學既出於宮廷，自亦成貴遊玩賞之品，其內容淺狹，唯重技巧，亦勢所必然矣。同時北地本色之製，則慷慨率直，詞義貞剛，亦政教之殊也。

李唐代興，上追天漢，其初文風雖襲齊梁，而盛唐發揚蹈厲之風，卒代南朝綺靡之習。安史亂後，國步漸難，載道之文，時事之詩，遂與華采爭席，亦文士之自覺自任也。

宋祖以後，偃武修文，養士數十年，遂成內省之風，尙理之習，故宋詩、古文、四六、文賦，與理學並興，大殊前代，非偶然也。而和戎百載，汴都繁庶，小說、戲曲，盛於朝野；歌詞婉麗，亦雅俗共賞。流風餘韻，及於南渡。又印刷術興，語錄盛行，筆記、詩話、詞話之類，亦如雨後春筍矣。

蒙元一統，輕賤文儒，傳統學術、詞章，皆就衰微，唯戲曲獨盛；蓋元人好樂，而大都、平陽、臨安，並皆繁庶，有以致之。且才人失志，變檢束爲曠放，化熱中爲達觀，遂假里巷之曲，求賞音於民衆，以抒其磊落不平之氣也。

朱明專制，甚於前代，加以八股取士，桎梏聰明，於是歛弘肆之氣，乏開創之度，詩文諸體，由三楊之庸懦，而七子之贋鼎，皆時政爲之也。

清既定鼎，濟高壓以懷柔，修典籍，倡藝文，而文獄時興，關防常設，又輔以科舉八股，於是尚古成風，士氣荏弱。近代以來，西潮激蕩，振撼人心，學美師歐，常失故步；又繼之以政尚一尊，以排抵列強，於是文體因之，亦復多變。文心有言：「文變染乎世情，興廢繫乎時序」，此之謂也。

（三）作者之心態

儒家尚德傳統，自孔孟而立，至兩漢而尊，一切價值，統攝於道德，文藝亦然，大抵以爲藝術之用，在於和諧情緒，協助成德，以至美得刺失，爲政教之參考。由是言之，文學價值，不在「美」而在「善」，善卽美矣。以載道爲歸，以聲色爲末，此儒者之文藝觀也。

同時老莊之道，則騁懷觀賞，著意逍遙；強調個性，嗤笑規範，最足成就藝術。二千年來，道家情趣，遂常現之於詩文書畫。藝文之可賞，既在「美」而不必在「善」，故形式之美，遂宜講求。六代尚玄，而美文亦盛，非偶然也。莊周幻想，尤見超奇，而沾漑才人，亦非一代，可謂隱逸文人之宗也。

漢魏以來，佛法流播，以解脫爲樂，以捨離爲教，頗足開導執迷，宣慰衆生。中唐以後，禪門昌盛，當機說法，妙悟尤多。自是瞿曇、聃、周，遂與孔孟爭途，國人心靈，常備三教；而以才性、教養、境遇之殊，宗尙遂異。歷代文人，亦或以淑世爲懷，或以超世爲樂，或以捨世爲高，發爲文章，乃自異趣，此又與歷代政治，相爲表裏者也。

晚周諸子，立說濟時，各有面目，文體隨之。自漢武以來，儒術一尊，其文亦大抵以匡君濟時爲歸，以敦厚溫柔，節制含蓄爲教，所謂樂而不淫，哀而不傷，怨而不怒之類是也。及建安儒教崩壞，士習通脫，漸至學者宗莊老而腐六經，士子高放佚而迂節信，放誕之風，神仙之說，品藻之習，名理之談，流入藝文，於是個性豁顯，文體解放，文學批評，亦漸興盛。其時所製，形式則重音律翰藻，內容則多幻想任情，歸一己於自然，尋眞趣於觀賞，於是山水篇製，遂繼玄談文學以盛，皐壤林泉，固文思之奧府也。而駢偶之巧，聲律之諧，亦因模山範水而益精。其病則采溢於情，以穠麗文其浮淺，識者疵之。其後隋唐以北滅南，六朝之弊更著，於是文藝思潮，又由道歸儒，其間雖多放誕之篇，隱逸之作，而士人淑世之感，終漸復盛，老杜而後，元白時事之詩，韓柳載道之文，是其徵也。至北宋歐陽修出，而載道言理之文大盛，至理學名儒，甚且敵視藝文，以爲玩物喪志焉，亦可謂矯枉過正矣。而大體觀之，中唐以來，三家思想，日趨混融，得志則達己達人，兼濟天下；失意則知足保和，相慰自解，甚或說有談空，玩賞禪趣，此又不僅一二文士爲然矣。

明代士習，高者論性談心，庸者拘於八股，空疏蔽陋之病，見諸詩文，而釋道迷信流行，戲曲小說，亦多涉神魔鬼怪。淸懲明失，崇雅好古，而傳統文體，一時復盛：或步武唐宋，或規模八代，或追踪周秦，可謂古典文藝之總覽矣。近代以來，西潮澎湃，蕩洗神州，傳統之價值觀念、社會結構、士民風尚，其所受衝擊，皆往古所無，文學隨之，既極駁雜之觀，亦饒品彙之盛，蓋古人之所未夢見也。藝文隨文化以更新，其在今世乎！

（四）地理之影響

我國地域廣大，山川氣候，南北分殊，性尙風習，亦隨之而異。自晚周以迄中古，哲理則孔墨尙質，老莊多放；經學則南人約簡，北學樸深；佛法則北重行持，南尙義解；書法則北碑雄剛，南帖秀媚；繪畫則北多工筆，南尙寫意，文學亦然。近代劉師培南北文學不同論云：

「陸法言有言：『吳楚之音，時傷清淺；燕趙之音，多傷重濁。』……古代音分南北；河濟之間，古稱中夏，故北音謂之夏聲，又謂之雅言。江漢之間，古稱荆楚，故南音謂之楚聲，或斥爲南蠻鴃舌。……聲音既殊，故南方之文，亦與北方迥別。大抵北方之地，土厚水深，民生其間，多尙實際；南方之地，水勢浩洋，民生其際，多尙虛無。民崇實際，故所著之文，不外記事析理二端；民尙虛無，故所作或爲言志抒情之體。」

故梁任公中國地理大勢論云：

「燕趙多忼慨悲歌之士，吳楚多放誕纖麗之文，自古然矣。自唐以前，於詩於文於賦，皆南北各爲家數。長城飲馬，河梁携手，北人之氣慨也；江南草長，洞庭始波，南人之情懷也。散文之長江大河，一瀉千里者，北人爲優；駢文之鏤雲刻月，善移我情者，南人爲優。」

隋書文學傳序云：

「江左宮商發越，貴於清綺；河朔詞義貞剛，重乎氣質。氣質則理勝其詞，清綺則文過其意，理深者便於時用，文華者宜於詠歌。」

故詩經質樸，多寫人事；楚辭靈變，鋪染神話。勅勒歌、木蘭辭、李波小妹歌，北士之作；采蓮曲、子夜歌，南人之辭。北劇悲壯沈雄，南戲清柔曲折。北地稗官，多英雄俠義；江南說部，多才子佳人。蓋文學之道，根於性靈，移於物色，是以大別如此。

然隋唐以後，因運河縱流，交通日盛，南北往來既多，墨客文人，跡遍天下，其判分地理之界亦漸微矣。

二、先 秦

生民之始，卽有語言，言辭諸美，乃爲歌詠。或吟歎以抒情，或踴躍以頌神，而韻文傳世，又易於散體：蓋文字未備，惟傳口耳，簡短協韻之句，便於誦習故也。吾土先民，亦同此例。然西周以前，謠諺詩歌，傳世甚寡，亦多不可信，蓋歷史緜遠故也。貞卜文字，則簡質零碎，篇章不完。其足資考信，富於意趣者，自以詩三百篇爲首，是我國文學之第一重鎮也。詩三百篇主於抒情，亦有敍事；敍事而爲散體者，則載於尙書。尙書斷自唐堯，其文何時所記，已碓難考。此春秋以前之景況也。

其後人文發展，情事而外，益之以說理。晚周世變，諸子朋興；齊楚二邦，文學尤盛。衆家之文，雖純駁不同，皆有己在，此其所以卓越也。敍事之作，則左氏富艷，國策縱橫，皆後世史傳文字之祖。其時士夫酬酢，諷誦舊章；沅湘江淮，則騷辭鬱起。含愁抑志，爲哀怨之宗；耀艷深華，開明麗之始。旣楚人之多才，亦山川之啓發也。而諸子之辭，策士之說，屈宋之騷，皆寓駢於散，蓋排偶對仗，本出自然者也。東漢以後，乃演爲駢文。

三、兩　漢

劉邦起豐沛，憑故楚之壯憤，滅強秦之暴虐，於是屈宋楚聲，流入西京。戰國以來，賢人失志之作，至此漸成詩文混合之新體，即所謂「賦」也。其初陸賈之作，辭務縱橫；賈誼之辭，抒情自解，枚叔開華美之風，長卿騁弘侈之製，蓋君侯尚文，故才俊競效也。

漢初藩王，如楚元王交、吳王濞、淮南王安、河間獻王德，皆養士好文。吳王旣敗，其客鄒陽、枚乘、嚴忌皆歸梁，司馬相如亦嘗游焉。於是詞賦、縱橫、經術三派之士，皆集於梁。縱橫則戰國之遺，詞賦、經術，則漢世所尚也。蓋漢懲秦失，頗求長治，陸（賈）、鼂（錯）、二賈（山、誼）政事之文，皆傳世之作。及政教一尊，君臣禮隔，文遂趨於平和委婉，董（仲舒）、劉（向）之作，足表一代儒臣所爲。惟子長傑才，不甘羈絡，生逢盛世，故其文豪肆；見屈雄君，故其情悲憤；益以閱歷之廣，識見之高，百三十篇，遂上繼六經，下開正史，爲歷代散文之宗焉。孝武又立樂府，集趙、代、秦、越之謳，西域胡樂，與乎廟堂文士所製，遂有郊廟、燕射之辭，鼓吹、橫吹之曲，相和、清商之音，即所謂樂府歌辭也。

自武及成，百餘年間，辭賦全盛，而揚雄、班固之徒，步武前修，其流遂續於東漢。孟堅又撰漢書，踵繼子長，雖規模不逮，而駢語益多，文亦舒緩委婉。蓋西漢之文，宏肆雄偉而多奇，東京之作，典雅莊重而多偶，此兩代之大較也。

又儒術一尊既久，陰陽五行讖緯迷信，亦見流行，當代經術，復偏促訓詁，王符、仲長統而外，惟王充論衡，富於懷疑，其文亦有平實周盡之勝。此外五言詩篇，亦漸發展，十九首之時代、作者問題，聚訟雖繁，然多屬炎漢之製，寫景描情，自然親切，可謂五言傑作之始。至建安然後大盛。

四、魏晉南北朝

建安者，東漢之末代，而文學之盛世也，流風餘韻，開啓六朝，是故論述文變，併於魏代。其時亂離相繼，強胡窺伺，儒教崩析，士尙通脫，魏武尙刑名而愛詞章，曹丕尙通達而善詩賦，子建復以深情華采，領導羣倫，又有七子、吳（質）楊（修）、二丁（儀、廙）之徒，雲集鄴下，爲其羽翼，文學既脫經教之覊，遂告大盛。奏疏論事之文，由舒緩委婉含蓄不盡，變爲清切嚴峻，直抒己意；樂府五言，由質直渾樸變爲妍美麗譜；繁冗板重之賦，變爲清暢流美之短篇。作者個性，明豁顯現，文章批評，亦隨而發展，子桓典論論文，蓋文賦、文心之先導也。質而言之：魏代之文，書檄則騁詞張勢，論說則校練名理，奏疏則質直屛華，詩賦則華靡忼慨，此其異於建安以前者也（劉師培中古文學史）。總之，直抒性靈，不事補假，是故在漢則「相如含筆而腐毫，揚雄輟翰以驚夢，桓譚疾感於苦思，王充氣竭於思慮，張衡研京以十年」，此際則「子建援牘如口誦，仲宣舉筆似宿構，阮瑀據案而制書，禰衡當食而草奏」（文心神思）。此所謂志深而筆長，而文體亦變，故迂緩之風，至是大改，若乃晉之左思，練都一紀，則上摹漢風者耳。同時江南偏安之地，則根柢未深，加以孫皓苛暴，文章之士，多所摧殘，張溫罪廢，虞翻投荒，韋昭凶死，其文章之所以未能抗行中原者，此也。

建安以後，文章既與學術分途，文士遣詞，遂不必如揚馬之艱僻深隱，貫通古訓，而務音諧色麗，明晰曉暢，此所謂「魏晉淺而綺」（文心通變）也。西晉文士，潘陸特秀；安仁輕敏而情深，故鋒發而韻流，有淺綺之美，士衡矜重而才富，故詞繁旨隱，來深蕪之譏，然文賦上承典論，下啓雕龍，亦晉世名賢，研覈文理之徵也。他如張華、陸雲、左思等，並稱英彥，而多無善終，「前史以爲涉季世，人未盡才」（文心時序），誠可惜矣！

漢末以來，世積衰亂，逍遙觀賞之道，遂奪席於漢儒。其時佛法流布，道教發展，皆與日俱盛，晉室東遷，玄風益扇，老莊而外，兼及佛理，此與西晉不同，而影響亦及於文體，於是「詩必柱下之旨歸，賦乃漆園之義疏」（文心時序），即散文、小說，亦莫不然。鬼神志怪之書，雅士雋談之語，皆時世之實錄也。其他短篇書札、諧讔小品，風度瀟灑，至足慕想。至如陳壽三國，范曄後漢，則尤正史之英，是知儷文盛代，散體非無鉅製也。

玄言入詩，意趣易盡，平典寡味，遂遜於建安正始，惟陶公衆作，質而實綺，癯而實腴，古今尊爲隱逸之宗。嗣後美文漸入全盛：宋世則顏（延年）、謝（靈運）騰聲；齊梁以來，鮑照、江淹、任昉、吳均、沈約、謝朓、王融諸賢，並標能擅美，一時獨映；至徐陵庾信，乃集大成。究考南朝文學，興盛之迹，蓋有數端：

一　五胡亂華，北方幾無淨土，中原士族，相率南遷，江左文人，日益薈萃，詞華美盛，遂陵河朔而上。

二　偏安既久，興復難期；晏安可懷，文藝遂盛。

三　江南秀麗，山水怡情，萬象流連，啓發文思。

四　南朝君主，多尚文華，梁之列王，尤擅翰藻；才秀雲集，下效上行，遂成風氣。

五　建安以來，詞章獨立，劉宋四科，文學居一，文體既尊，作者益衆。

六　翻譯佛典，遂明四聲，用之詩文，諧和協暢。當代則矜爲新藝，後世律絕詞曲，亦由此衍變。

南朝之初，玄言文學尚盛，蓋上接永嘉遺風也。稍後則山水文學代盛，蓋皈依自然，遂必觀賞萬象；而皐壤林壑，最足怡情也。模山範水，必「極貌以寫物」，於是「儷采百字之偶」；描形摹態，必「窮力以追新」，遂乃「爭價一句之奇」（文心明詩），駢體由是益盛。於是片言警策，都人傳誦，一篇風行，榮踰軒冕，才俊心力，遂萃於此。又文學既主於宮廷，文士亦多出於世族，詩賦文筆，皆貴游矜誇玩賞之品，是故以內容言，則「連篇累牘，不出月露之形；積簡盈箱，唯是風雲之狀」（隋李諤上書正文體語）；以形式言，則數典以富博爲高，聲律以調協爲尙，梁陳宮體，尤爲淫靡，蓋亦眼界所限，舍此無他也。

總而言之，由剛趨柔，由質趨文，由單趨複，由實趨虛，是南朝之文風也。

文章既盛，文學批評隨而發展，彥和所謂「魏文述典，陳思序書，應瑒文論，陸機文賦，仲治流別，宏範翰林」（序志）之類是也。而文心雕龍，體大思精，仲偉詩品，觀瀾索源，最稱傑作。至採擇美備，總往示來者，則昭明文選，可謂藝壇瑰寶。民間歌謠，則有吳聲歌曲、荆楚西曲之溫柔婉媚，與北方民歌之樸質豪雄大異，亦土風民俗使之然也。

自永嘉之亂，以迄元魏一統，中原左衽，攻殺頻仍，其後魏分東西，齊周篡弑，亂未有已，加以統治諸胡，又少文化，以故文學發展，遠遜江南。北史文苑傳云：「中州板蕩，戎狄交侵，僭僞相屬，生靈塗炭，故文章黜焉。其能潛思於戰爭之間，揮翰於鋒鏑之下，亦有時而間出矣，然皆迫於倉卒，牽於戰陣，章奏符檄，則粲然可觀，體物緣情，則寂寥於世。非其才有優劣，時運然也。」及孝文遷洛，大興文教，書辭對命，鬱然有江左之風，北地文士，溫子昇以後，邢劭學沈約，而魏收摹任昉，皆有南國風度，故韓陵片石，見重於子山也。子山成名於梁，既入北周，文益老成淒壯，又有王褒同羈不返，朝士文人，慕而效之，文遂趨於綺靡，雖有前此顏氏家訓之黜浮華，蘇綽之學尙書，糠粃魏晉，憲章虞夏，然古調寡彈，終遜於新聲，於是不滿南風者，乃倡復古以期相勝，遂有今古之爭，是中唐古文運動之先聲也。

五、隋唐五代

隋與唐初，猶是六朝文脈，雖李諤上書言其弊，史家著論斥其非，而華風未革，王楊盧駱，文尙綺麗，沈宋研練，律對益工，詩體旣備，唐詩遂開千古盛局。李杜而外，王孟高岑，比肩詩衢，而燕許駢文，氣局弘張，均盛唐之文也。及安史亂作，夢醒繁華，其後外患迭來，內憂紛起，陸贄之奏議詔令，鼓吹中興，亦駢文別體，氣勢流暢，下開宋人四六。

詩自杜陵而後，乃有張王樂府，元白新聲，皆歌生民之病，而韓柳諸賢，又力倡古文。古文者，三代兩漢散行之體，敍事則勝在淸暢，說理則貴於明達，所以藥駢文之窮者也。蓋上古文本近語，而日趨華美，亦出自然，於是辭則求其凝練，句則使其整齊，聲則務其諧協，色則增其穠麗，遂有六代之美文。然形式之美，講求過甚，反不足以達意通情，垂世行遠，於是窮則返本，乃復古以求解脫。昔時四裔文化，旣遜於中華，革今之道，亦惟復古而已，此所謂古文也。其距離口語，自較駢文爲近，而當世禪門說理之「語錄」，宋世民間講史之「話本」，則較古文尤近白話；然儒門護法，旣不肯入佛教之捨離，又不屑爲平民之白話，遂倡爲三代兩漢之古文，以載孔孟之道，而攘斥佛老。是故韓歐文士，雖與朱陸理學不同，其衞道之衷，固相近似也。古文又旁流爲傳奇小說，方之六朝之粗陳梗概者，大有進展，是亦韓柳之功也。韓愈爲詩則尙奇崛，孟（郊）盧（仝）和之，李（賀）賈（島）翼之，遂成中唐一派。然昌黎影響之大，終在古文，故唐書文藝傳謂唐文三變，始王楊，歷燕許，至韓柳遂成，蓋謂文章之由駢而散也。

然晚唐之風，猶尚華麗，温（庭筠）馨李（商隱）艷，至宋初而未替，所謂「西崑體」是也。其時之詩，大抵纖巧卑陋，而新興之「詞」，則漸趨精美。歌詞之體，蓋中唐以來，采民謠之體，變律絕爲長短句，以配合胡樂新聲者也。中唐劉（禹錫）白（居易）韋（應物）王（建）諸賢，作詩緒餘，時或爲此，至飛卿遂成專家。温、韋（莊）以下，蜀士所製，多收於花間集中。此外則後主淒怨，詞中聖君；延巳深婉，下開歐晏，皆士大夫遣情之作也。

民間流行，則有變文佛曲，清光緒間，發現於敦煌石窟之中。王梵志禪理之詩，韋莊秦婦之吟，皆由此復見，而終以佛教文獻爲主，蓋其時中原西域，此地爲其樞紐，僧侶往來甚衆，而變文之體，即衍佛經成長篇說唱故事，想象神奇，而駢散兼用者也。其後彈詞、寶卷、諸宮調、話本諸體之產生，莫不蒙其影響，遂下開劇曲、小說。近賢論我國文學發展者，力爲表揚，非無故也。

六、兩　宋

中唐藩鎮之禍，胡族之侵，至五代而極，宋帝遂抑之以修文。加以印刷術興，典籍廣流，民間文藝傳存遂多，不讓士夫專美。宋初士夫之作，猶是晚唐遺響：西崑綺麗，獨尊文壇，及歐陽修出，一代文宗，倡導風氣，而尹洙、蘇舜欽、梅堯臣、王安石、蘇氏父子、曾鞏、黃庭堅輩，或聲應氣求，或揚振其緒，於是散體則古文大盛，駢體則散化而成宋四六，賦則散化而成文賦，詩則取材廣，命意新，而與唐詩異趣。總而論之，以「清暢」濟「藻麗」之窮，以「尙理」爭「言情」之席，是宋人之自拔唐賢窠臼，而另樹一幟也。

永叔自新唐書外，又爲新五代史，踵繼春秋，此與理學諸儒，則亦貌異心同，均所以扶名教、匡世俗、抗夷狄、排佛老，而復興先秦儒學精神者也。當世旣薄訓詁而重義理，尙疑辨而好議論，自以散體爲便，是故辭章所趨，亦皆散文化也。至纏綿之情，婉約之意，則以當世盛行之詞發之。

曲子小道，時人喜之而未重之也。及子野、耆卿，衍其篇幅；淸眞、白石，精其格律；東坡、稼軒拓其境界；其體漸尊。兩宋歌詞之盛，固由文士，而汴京杭州，繁華富庶，歌舞昇平，與乎君主好尙，亦其一因，此亦當世小說之所以盛行也。理學諸儒，則賤詞華爲末藝，間或有作，則詩必心性之旨歸，文乃孔孟之義疏，蓋亦文章之別體也。程朱衆賢，又有語錄，蓋師禪門之法，而後世語體文之前身也。

七、元　明

金據黃河，承北士雄亢之風，多東坡一派，而元好問最卓。蒙元一統，鄙陋無文，閉塞儒生仕途，而復加陵賤，於是學術旣無足觀，詩詞駢散，亦並衰歇。惟大都、平陽、臨安諸地繁庶，民間小說，續有發展，劇曲散曲，尤稱興盛。大抵以豪放之詞，抒不平之氣，用曠達之語，遣抑塞之悲，描繪人生，窮形盡態，暢快淋漓，非詩古文詞所能至也。關（漢卿）馬（致遠）王（實甫）白（樸），以至喬（吉）鄭（光祖）諸賢，最稱作手。喬吉又與張可久同擅散曲清麗之名，蓋亦江南山水爲之佐也。

明代南曲掩北，長篇傳奇爲盛，吳江（沈璟）尙律，臨川（湯顯祖）重文，並稱大家，其後亦漸成文人專藝，蓋與南宋之詞同矣。文士儒臣所作，三楊台閣之製，旣忠庸緩；七子復古之篇，亦同贋鼎。七子宗秦漢，而茅（坤）唐（順之）學八家，歸有光擅時文而下開桐城，公安袁氏，淸俊而流於輕薄，竟陵譚（元春）鍾（惺），孤峭而不免辟澀。入主出奴，攻門伐戶；皆不足以超越隆宋，步武盛唐。詞則譜律崩壞，駢文則唯知律賦，作者極寥，不足名世，唯陽明先生學際天人，接迹孔孟，發爲文章，亦非詞章之士所能比擬。然姚江心性之學，陳義甚高，不善學者，往往廢書游談（見本書上册）。又明人喜刻書而多僞造、割裂、妄改，皆一代風氣之陋也。蓋暴君高壓，則士氣消沈；制藝擢人，則聰明閉塞；昔賢謂八股之害，甚於坑焚，非虛語也。唯李卓吾力反摹擬（答耿中丞），崇稱西廂、水滸、拜月、琵琶（忠義水滸傳序，童心說，雜記），弘識孤懷，可謂非庸士所能知矣。

明代小說，短篇如三言、二拍；長篇如三國演義、水滸、西遊，各擅勝場，皆自宋元話本累積加工，至施（耐菴）羅（貫中）吳（承恩）諸君，而規模美備。其文字旣靈活精練，其內容亦深入人心，影響社會，非士大夫高文典册所可比擬也。此外，金瓶梅則獨創全書，鋪寫世態，可謂紅樓之先導矣。

八、清

淸旣定鼎，濟高壓以懷柔，修巨籍，開鴻博，以網羅人材，羈縻俊傑，而國初顧黃諸大師，通經學古，棄時文而重實學，遂成風氣，傳統文藝，歷元明之衰微，亦至此復盛。駢文則其年（陳維崧）綺艷，稚威（胡天游）博麗，振興其緒，古文則魏（禧）侯（方域）汪琬，並稱名家。琬尤得力歸有光，而下啓方（苞）劉（大魁）。詩則錢（謙益）吳（偉業）而後，施（閏章）宋（琬）漁洋（王士禎），分主壇玷，漁洋又與納蘭性德，宗花間草堂婉約之詞，而陳維崧、曹貞吉則學蘇辛，蓋崇古尚雅，蔚成潮流，所以反明季空疏淺陋之習也。戲曲則民衆猶嗜，而士人漸少用力，惟南洪（昇）北孔（尙任），尙稱大家。散曲作者亦寥，惟晉唐小說之風復盛。蒲松齡聊齋志異，紀昀閱微草堂筆記，或志狐鬼，或重人情，並稱佳作，而吳敬梓儒林外史，諷繪僞妄，甚於春秋之筆。稍後紅樓夢出，刻劃則盡其深細，描敍則極其靈巧，遂爲歷來小說之冠。至作者問題，主題何在，則至今猶有訟者。

紅樓夢之出，時在乾隆，當世君主愛華，文藝大盛，蓋國初以來蘊積之功也。其時吳皖弘儒踵起，訓詁博辨，度越前賢，遂有漢（考據）宋（義理）之爭（見上篇）。其學行繼程朱之後者，文章頗以韓歐爲鵠，或慕之而未至，桐城古文是也，而姚鼐爲首；倡神理氣味格律聲色陰陽剛柔諸論，蓋張望溪義法之說也。至經史宏深者，往往亦爲沈博絕麗之文，孔廣森、汪中、洪亮吉諸君是也。而吳錫麒、邵齊燾、袁枚等，亦以駢文名家。子才論詩主性靈，沈德潛則倡格律，又有趙（翼）査（愼行）黃（景仁）厲（鶚）諸人，或學唐賢，或習宋製，而朱彝尊則兼工衆體。竹垞爲詞，宗奉姜張，有「浙派」之目，及其頹也，張（惠言）周（濟）「常州詞派」一起而代之，尙比興寄托，而重北宋之渾化。然傳統文體，至是皆成習套，加以君主之專制，政治之桎梏，開拓既難，則雖以清人之善學，亦不外前代之複製精品而已。

嘉道以還，斯文漸墜，世變日殷，才俊心力，遂漸轉注。於是駢文之堆垛、陳腐；桐城之薄弱、枯淡；厭者漸多。以湘綺之才，規模八代，蓋亦生不逢時矣。惟人境廬詩，飲冰室文，廣開蹊徑，善爲通變，不復乞靈於古；海寧王（國維）氏，力崇元劇之自然，人間詞話，又漸以西說議古，白話小說，尤見繁興，蓋亦西潮激蕩，時世大變之所致也。於是文學風氣，亦漸更易：向之唯重詩賦，但知古文者，今亦漸明小說、戲劇以至民歌俗曲之價值，甚至矯枉過正，隨西士以趨新，而蔑棄傳統焉。今世教育普及，才俊朋興，文化交通，與時俱密；文運新開，當在此際矣。

第十章 詩

一、先秦詩歌

人類自有語言，即有詩歌，上古民謠俗謳，口耳相傳，流播後世者，萬不得一，偶或有之，亦疑僞托，我國亦然。至西周尙文，舊載有采詩之官，於是五六百年之間，黃河流域詩歌，遂告結集，即所謂「詩三百篇」也。三百篇中，既多土風民謠，亦有廊廟文藝，作者雖多難考，然後世抒情敍事之詩，修辭描劃之藝，率皆濫觴於此，蓋我國純文藝之總源也（詳見上册第一章）。

東周之世，三百篇諷誦於北，而楚辭鬱起於南，屈子爲其冠冕。長句繁音，善懷多感，而神話、想象，亦較詩經豐富。於是沾溉辭人，與詩經並尊，同稱百代韻文之祖焉（詳見本册辭賦章）。

二、漢代以來之樂府

戰國以後，雅樂漸微；項劉之際，楚調爲盛：霸王垓下之歌，高祖大風之詩，唐山夫人房中之樂，皆楚聲也。蓋秦滅六國，四方怨恨，楚尤激憤，屈宋餘響，流入詠歌。至武帝乃立樂府，以李延年爲協律都尉，採詩夜誦，有趙、代、秦、越之謳；又舉才士司馬相如等撰作歌詞。是「樂府」者，蓋本詩樂官署，以採輯、編製爲職者也。而西域胡樂，流播中原，於是作品日多，可分三類：

一　郊廟、燕射、樂曲，貴族士夫之作也。

二　鼓吹、横吹，西域胡樂也。

三　相和、清商、雜曲，民間之製也。

其中有所思、戰城南、孤兒行、婦病行、東門行、陌上桑、羽林郎諸作尤有名。自上述諸類而外，郭茂倩樂府詩集所分十二類，尚有僞托之「琴曲」，隋唐雜樂之「近代曲」，不入樂之「雜歌謠」，以及唐代未嘗入樂之「新樂府」。樂府詩之存於今日者，當以郭集爲最備；而歷代入樂之韻文，若宋詞元曲之類，亦以是而皆稱「樂府」矣。

漢魏之際，三曹父子樂府特多，或敍酣宴，或傷羈戍，多以古題作新詞而不入樂，變摯樸之民歌，爲雅麗之文詞，遂開南朝仿作之風。五七言體亦漸確立，而爲隋唐新樂府所本。

其後，南朝樂府爲清商曲之「吳聲歌曲」（江南）與荆楚西曲（長江中游），温馨軟媚，與時、地相諧，又多用諧聲相關之字，其風至清末猶在（如黃遵憲所述山歌）。北朝樂府，則坦率雄強，兼言邊塞之苦，此亦南北土風民俗之殊也。孔雀東南飛、木蘭辭，蓋晚漢至此之二大傑作也。又每句五至七言，每一「解」（樂府之一章）四句之形式漸多，尤以吳聲歌曲爲然，此則下開絕句者也。

梁陳之際，樂府多以塡製歌詞爲能事，巧媚柔婉，如梁武、簡文、沈約之江南弄，四時白紵歌等是也。中唐詞體，即以此長短參差，依譜塡字之法，由律絕蛻變而興者也。

隋唐詩人，或新作郊廟、凱歌，或以律絕付諸伶妓，皆可入樂，至或借樂府古題，或創作新題，如李、杜、張、王、元、白諸賢所製，以描寫社會民生爲歸者，皆不入樂，於是樂府詩與古體詩益混淆，而其發展，亦告一段落矣。

三、漢魏六朝詩

五言詩出於民間歌謠，欲考其源，已難詳確。詩三百篇，大體四言，而召南行露，五言居半。楚辭句法，亦多以五言爲幹，附虛字而成篇。孟子離婁、楚辭漁父，皆載孺子滄浪之曲，亦爲五言，如此之例尚多。蓋五言靈變流麗，既勝簡樸之三字，亦愈平板之四言，其新變代雄，亦出自然，故雖文人未爲，而民間已有其體。舊傳蘇武、李陵「携手上河梁」贈答三首，以至卓文君之白頭吟，班倢伃之怨歌行，皆出後人追擬，至如李延年樂府「北方有佳人」一首，則已屬五言之詩矣。至古詩十九首，遂爲五言成熟之始。

漢世不知名五言詩篇，美愛斯傳，屢歷淘汰，至齊梁時存五十九，昭明復採其十九以入文選，並云「古詩」，不著作者，或疑有西漢枚乘之製，陳徐陵之玉臺新詠，淸陳沆之詩比興箋，則確稱枚叔憂諫吳王之作，其他諸說，或謂有傅毅之辭，或謂有張（衡）蔡（邕）之篇，或謂疑曹（植）王（粲）之製，衆說紛紜，疑不能定。至其時代，文選則不加推斷，文心則概言兩京，詩品則謂炎漢，亦有謂十九首中，作者雖或無枚乘，亦必有西漢武帝太初改曆以前之製，綜其論據，蓋以爲：

一　先漢民謠，以至西京樂府，旣有五言，則古詩十九首，自不必限於東漢。

二　詩雖或觸西漢帝諱，然西漢作品亦有如此，不足證其晚出。

三　「明月皎夜光」一詩，旣云「孟冬」，又曰「促織」「秋蟬」；「凜凜歲云暮」一詩，有「涼風」一辭，「涼風」爲「秋風」之號（禮記月令）；「東城高且長」，旣言「秋草萋已綠」，又曰「歲暮一何速」，由此三詩之例，則知十九首中，尙有孝武太初改用夏曆以前之作，其時猶用秦曆，以十月爲歲首，以七月爲孟冬，故詩句如此。

然駁之者則謂由秋景即及歲暮，是夸飾聯想之修辭常藝，不必拘泥；且「孟冬」必指十月，不因曆法而異，且或爲「孟秋」之誤，或指「星宿方位」，故不足以證爲孝武以前云。然諸詩大抵逐臣棄婦、朋友濶絕、死生新故之感，悲人世之無常，傷民生之多困，中間或顯言、或寓言，反覆低徊，抑揚不盡（沈德潛古詩源），文溫以麗，意悲而遠（詩品），直而不野，婉轉附物，怊悵切情（文心），蓋齊梁雕琢失眞，反視古詩，遂更覺自然可愛，故有「風餘」「詩母」之譽，蓋謂其爲國風之遺響，而五言之冠冕也。

建安文學大盛，三曹七子，振耀一時，鄴下風流，千秋稱頌，蓋世積亂離，是以鬱伊多感；禮敎崩壞，是以磊落使才；情思解放，是以侈陳哀樂；思涉莊老，是以個性顯豁，此其大略也。五言新體，佳製尤多。大抵任意氣而不尙纖巧，貴昭晰而感人自深，所謂「建安風骨」是也。譬如王粲「七哀」，陳琳「飲馬長城窟行」，以至前此蔡琰「悲憤」之詩，皆字字血淚，蓋時世之寫照也。若乃陳思身世之感，發爲文辭；梵唄新聲，流入詠歌；謀篇綴藻，時饒妙思，蓋詩中之後主矣。志深筆長，開啓風氣，遂爲建安羣才之首。

魏晉易代，士困窮途，發爲詩章，遂多憂憤。或厭倦世塵，或勉爲達觀，或擬古自寄，皆衰世之辭也。惟嵇康清峻，阮籍遙深，可謂一代作手，叔夜四言，尤繼孟德而接軌詩經，允爲末響。又玄談旣盛，流入詠歌，雖有張（華）潘（岳）左（思）陸，比肩詩衢，競爲輕（清淺）綺（縟麗），士衡好偶，尤足下啓齊梁，而潮流所趨，祖尙莊老。南渡以還，其風尤盛，嗤笑徇務之志，崇盛忘機之談，意趣枯淡，不過老莊歌訣而已。文心、詩品、宋書謝靈運傳、南齊書文學傳，論之暢矣。惟郭璞遊仙，創爲靈變；劉琨義烈，悲壯蒼涼，又有謝（混）殷（仲文）之徒，其體漸革。而陶潛淡遠，質而實綺，癯而實腴，古今推爲隱逸詩宗，蓋在風氣之中，而能另開風氣者。唐之王孟，宋之東坡，心摹手追，而未或幾及。蓋淵明衆作，出自性情，「不待安排，胸中自然流出」（朱熹），此其所以爲高也。然其盛年之作，亦有悲憤忼慨一種，誠所謂「二分梁父一分騷」（龔自珍語）矣。

宋世顏謝騰聲，靈運明艷，似初發芙蓉；延年雕鏤，若鋪繡列錦，其時玄風告退，而山水方滋，蓋說理枯淡則厭，而追遙觀賞，遂必及於林泉也。靈運尤多對偶，色麗音和，雙聲叠韻，尤多運用，可謂律詩之先導矣（高木正一說）。大謝而後，鮑照、謝惠連、謝朓繼之，斐然成章，於是抒情（建安）、說理（東晉）、寫景（劉宋），諸體美備，遂爲五言詩之全盛時期。其時競尙排偶，輔以聲律新說，遂開後世律絕之體。沈約、謝朓、王融，以至陰鏗、何遜、庾信、徐陵，皆齊梁宗匠。尤其小謝之作，清體流美，善於發端，當時已爲世重，而盛唐太白，亦一生低首也。

七言之起，亦出民間，楚謠逵同虛字，多七字爲句，垓下、大風、房中，以至漢武瓠子之歌，是其例也。舊傳武帝與羣臣柏梁連句，肇始七言，僞作顯然，未足置信，至司馬相如琴歌，張衡四愁詩，其體已近，魏文燕歌行，盡去兮字，遂爲七言之祖。至唐代乃告大盛。

四、詩之盛世——唐

詩至唐而極盛，作者之多，作品之富，既前古所無，亦雄視百代。以體裁言：則古體、律絕、樂府，七言、五言、雜言，以至廻文、連句，無所不有；以格調言：則飄逸、雄渾、綺麗、沈鬱、清奇、典奧、幽深、纖巧，無美不備；以作者言：則士子而外，帝王將相、后妃倡優、野叟村夫、僧道樵牧，皆有詩篇傳世。清乾隆時所輯全唐詩，三百年間，二千三百餘家，四萬八千九百餘首，數倍於漢魏六朝八百載之成績，可謂盛矣！

（一）唐詩興盛原因

甲、詩體之演化

四言盛於周，五言盛於六朝，而七言、律絕新體，則萌芽六朝，至此臻於成熟，於是體裁大備，詩人各就所安，吟詠情性，遂成一代之文學。

乙、政治之影響

唐自開國，卽用詩賦取士，聚天下之英彥，試以聲律韻對，以爲進身之階，於是習者遂衆、專且勤。而自太宗、武后、玄宗以還，敬禮詩人，愛悅華翰，上行下效，遂成風氣，「酬酢以爲賓榮，吐納而成身文」，堂陛之唱和，友朋之贈答，登臨讌集之卽事感懷，遷客勞人之逐物寄興，率皆發之於詩，此種文體，乃告大盛。

丙、意境之擴展

八代詩人，多出於貴游子弟，才學雖高，題材不廣，至唐行科舉，破門第壟斷之局，詩人多起布衣，生活閱歷已較前賢爲廣，而盛唐威聲，比隆天漢，疆域廣大，四裔賓服。及安史亂後，夷狄交侵，社會騷然，才士辭人，生逢此際，眼界旣大，感慨遂深，乃能造昔賢所未到矣。

丁、文化之混融

自五胡亂華以來，數百年間，漢胡各族，日趨混融，南人之柔雅温文，北士之豪邁慷慨，相激相盪，氣質遂新，唐詩情貌，亦由是而多姿多采。

〔二〕唐詩發展概況

言唐詩發展大勢，世多從明高棅唐詩品彙之四分說：初盛中晚四期是也。然此亦就大體發展而言，未可截然劃分也。

甲、初唐（玄宗前約百年間）

初唐四傑（王勃、楊炯、盧照隣、駱賓王），文章四友（蘇味道、李嶠、崔融、杜審言）

等，汲六朝綺麗之流，而宋之問、沈佺期，研練精切，加以上官儀舉六對、八對之說，其孫婉兒繼之，聲律對偶之學，遂益昌明，醞釀已久之絕句、律詩，其格漸備。律者，聲則協於六律，格則嚴於紀律也。齊梁詩體，兩句一聯，四句一絕，律詩因之。加以平仄相儷，用韻必雙。故絕句實在律詩之先。昔賢或謂「絕句」乃「截」律詩之半而成，非也。

此外，王績則清新自然，王梵志則淺白尙理，陳子昂尤力排齊梁華靡，冀復正始建安之風，力抗時尙，亦豪傑矣。

乙、盛（開元天寶前後五十年間）

此時格律精純，而氣勢方盛，有齊梁之諧麗，無宮體之柔靡，君相弘獎，大家並興，如李白之飄逸曠放，杜甫之沈鬱深厚，王維之恬淡閒適，各循性分，各臻絕詣，後世尊之爲詩中仙、聖與佛焉。此外，孟浩然、儲光羲，羽翼摩詰；高適、岑參、李頎，以雄放樂府，寫邊塞壯烈；王昌齡、王之渙，最長絕句，韻味悠遠；皆一代之名手也。

丙、中唐（代宗大歷初至憲宗元和末）

盛唐之詩，至此漸變。韓愈推崇李杜，而爭勝古人，遂擇少陵奇險一途。南山、嗟哉董生行諸作，格調近於散文，甚或類同漢賦，遣詞不避生新，用韻過求險緊，造句時涉怪僻，而軟媚庸濫之習，至此一洗。孟郊、盧仝、李賀、賈島之徒，並務奇詭，而遜韓之雄大。而東野與張籍、王建，並以新樂府摹寫民生，同情疾苦，至元（稹）白（居易）而極盛，以淺切之詞，歌民生之病，蓋亦上汲子美之流，而反映時世者也。而樂天「文章合爲時而著，詩歌合爲事而作」一語，可謂社會文學之眞詮矣。此外，錢起、李益等，所謂大歷十才子，與劉長卿輩，皆擅律詩，而韋應物兼能歌行，其五言則紹繼王孟，上接淵明。柳宗元步武靈運，而與劉禹錫輩，同深屈宋之悲。夢得又倚民歌之聲，作「竹枝」之詞，蓋變律絕之體而下開宋詞者也。

丁、晚唐（文宗開成至五代五年間）

詩至晚唐，氣格卑弱，作者如杜牧之豪縱，溫庭筠之綺艷，李商隱之深縟，並稱殿軍。其時作者，多以律絕見巧，如韋莊、和凝、韓偓等，或靡弱似六朝，或悽厲如亡國，亦文變染乎世情之證也，而韋莊秦婦吟尤有名。至杜荀鶴、羅隱輩，則揚樂天之遺風，務爲淺俗，皮日休、陸龜蒙，只講詠物。而晚唐大弊，厥在纖巧，以干支、數目、雙聲、疊韻之類作爲巧對，既成文字遊戲，情思、意境，不復重視，而格調遂卑矣。

五、詩聖杜甫（七一二——七五〇）

以集成爲美，以淑世爲懷，此儒者之所謂聖也；執此以觀，古今詩人，咸推杜甫。元稹杜子美墓誌，以詩人論當世詩學，盛譽少陵，其言曰：

「余讀詩至杜子美，而知古人之才，有所總萃焉……唐興學官，大振歷世之文，能者互出，而又沈宋之流，研練精切，穩順聲勢，謂之爲律詩；由是而後，文變之體極焉。而又好古者遺近，務華者去實，效齊梁則不逮於晉魏，工樂府則力屈於五言，律切則骨格不有，閑暇則纖穠莫備。」此謂當世古近諸體並盛，而作者才性所近，未能備善，甚或各以所長，相輕所短。譬如太白仙才，低首小謝，謂「自從建安來，綺麗不足珍」，才不逮白者，亦往往是丹非素，誠所謂「輕薄爲文哂未休」也。少陵則「不薄今人愛古人」，「轉益多師」，是故「竊攀屈宋宜方駕，頗學陰何苦用心」（皆戲爲六絕句），於是門庭廣大，取精用弘，乃能集前秀之大成，垂後學以軌範也。稹又云：

「至於子美，所謂上薄風雅，下該沈宋，言奪蘇李，氣吞曹劉，掩顏謝之孤高，雜徐庾之流麗。盡得古今之體勢，而兼昔人之所獨專矣。」

然則「詩人以來，未有如子美者」，宜乎稹之服杜，如孟子之尊仲尼矣。稹尤盛推其長律，謂同時李白，與子美齊名；「觀其壯浪縱姿，擺出拘束，模寫物象，及樂府歌詩，誠亦差肩於子美」；至若「鋪陳終始，排比聲韻，大或千言，次猶數百，詞氣豪邁而風調清深，屬對律切而脫棄凡近」，則李白尚不能歷遠少陵之藩翰云云；蓋謂子美善用新律，故能不薄格律，而增益所長也。故其影響後人，亦至鉅且大：退之法其奇險，樂天步其諷諭，義山效其比興，山谷祖其拗硬，諸家以下，學杜而得其一二規矩者，更不勝數，可謂聖矣。

子美「讀書破萬卷」（贈韋左司），是故「筆掃千人軍」（醉歌行），而其被「詩聖」「詩史」之號者，則不惟在於刻畫現實之技巧，尤在於民胞物與之襟懷。少陵家本儒素，習染已深，個性之稟賦，後天之教育，遂成「致君堯舜上，再使風俗淳」之志，雖旅食京華，殘杯冷炙，到處苦辛，有「儒冠誤身」之歎（奉贈韋左丞丈），然「窮年憂黎元，歎息腸內熱」（奉先詠懷），終出天性。是故天寶之前，已多感時之作，如兵車行之刺黷武，麗人行之憤奢淫，蓋「甲第厭粱肉」（醉時歌），而「路有凍死骨」（奉先詠懷），履霜堅冰，大亂將至矣。及安史亂作，舉國騷然，道路多餓莩，而戰場惟白骨，田園寥落，骨肉離散者，舉目皆然，少陵身歷其境，親受其苦，支離東北風塵之際，飄泊西南天地之間（詠懷古跡），遂有「乾坤瘡痍」之憂（北征），「廣廈千間」之願（茅屋為秋風所破歌），與彼享溫飽而憫飢寒，居安樂而悲離亂者，又自不同。其「三吏」（新安、潼關、石壕）、「三別」（新婚、垂老、無家）、「羌村」等篇，大抵上關時政，下具家乘，繁處有千門萬戶之象，簡處有急弦促柱之悲（李子德語），固不僅「北征」長詩為然也。然少陵雖「不眠憂戰伐」，而「無力正乾坤」（宿江邊閣），此其悲痛之所以深沈，陳白沙所謂「少陵只為蒼生苦，贏得乾坤不盡愁」者是也。故儒臣之忠憤，父夫之親愛，洋溢於文字之間。晚歲之作，雖趨恬靜，格律益精，然無淚之悲，尤深於嚎哭，故其情「沈鬱」（醞釀深厚，而極含蓄，極不得已，然後表露），而出之以「頓挫」（迴折而富層次），此其所以感人也。

少陵晚歲多憶舊懷古之作，尤喜七律。七律固盛唐之新體也，至老杜而境界始大，藝術遂精。連章之詩，亦以子美為擅長，如「將赴成都草堂途中有作先寄嚴鄭公五首」，「諸將五首」，「詠懷古跡五首」等是也，而「秋興八首」尤有名。宋玉九辯，有悲秋一首，潘岳有秋興賦，皆才士失意，掩抑牢愁，自傷遲暮之作也。唐代宗大曆初年（七六六），少陵羈旅巴東夔州，寓西閣，思長安，行將東下，因秋興感，哀蠻夷之猾夏，慨盛衰之相尋，懷鄉戀闕，憂國傷時之作也。章法如次：

首章寫寓蜀逢秋，楓樹暮砧，起羈臣之悽愴。

次章由蜀憶京，而此際落日孤城，惟聽巫峽猿啼，暮笳悲切而已。

三章江樓秋朝，觸景自傷，遙想少年同學，惟逐輕肥，己則遲暮多病，惟悲切功名之薄，傷心事之違而已。

四章由自悼而哀政，總寫百年之盛衰紛擾，而眼前秋江寂寞，惟增故國之思耳。

五章由失政而傷君德，兼懷昔日從遊之盛。

六章以遊幸最盛之長安曲江池苑，映帶風煙素秋之夔府峽江，一念之間，萬里相接。

七章以漢武昆明池景之盛衰興廢，感慨明皇。

八章以昔遊渼陂之盛麗豐盈，比今之亂離遲暮，惟低迴垂首，不勝慨歎。

凡此八章，虛實變化，念中之故國，眼前之秋景，穿插呼應，情深語練，信子美之力作也。其所謂老去漸於詩律細」，「新詩改罷自長吟」（解悶），「語不驚人死不休」（江上值水如海勢聊短述）殆指此類慘淡經營之作而言。近人或病七律易流庸濫，乃並此而亦詆之，可謂過矣。

六、宋　詩

四庫提要分宋詩爲七體，謂：

一　王禹偁初學白居易。

二　楊億等倡西崑體。

三　歐陽修、梅堯臣始變舊格。

四　蘇軾、黃庭堅益出新意。

五　南渡以後，擊壤一派，參錯流行。

六、七　至於四靈、江湖二派，遂弊極不復。

數語寥寥，得其演變概要矣。

北宋開國之際，徐鉉、王禹偁等，頗獻浮華，由元和諸君上溯李杜。太宗眞宗時，政局稍清，士民泰豫，晚唐温李之風，續見揚扇。楊億、錢惟演等，體取律絕，辭務綺華，多用典故，以至於深僻難曉，號「西崑體」，後進馳逐，遂有優伶「撏撦」之譏，石介「怪說」之詆，其間和靖林逋，清俊自然，卓然別樹，至歐陽修、蘇舜欽、梅堯臣繼起，力排西崑，尊崇李杜，而宋詩本色遂啓。熙寧、元祐之際，王安石、蘇軾、黃堅庭等，並世而出，平易流暢，以學問議論爲詩，取材務廣，命意尙新，反晚唐五季之浮藻，以與盛唐之雄渾富麗爭席，是宋詩之特色也。蓋北宋開國數十年，至仁宗之世，「尙理」之文化特色漸出，道學之行，散文之盛，文賦之興，駢體之變爲四六，元祐諸賢之詩，皆其表現也。至纏綿婉約之情，則別以流行歌詞發之。

唐宋詩風之異，要而論之，可較如下：

唐詩	宋詩
主情，故以韻勝，貴蘊藉空靈（感性）	主理：故以意勝，貴深折透闢（智性）
美在情辭，故多豐腴	秀在氣骨，故多瘦勁
如芍藥海棠，露蕊奇葩	如寒梅秋菊，霜松勁柏
如浩瀚汪洋，淵涵渟滀	如崇山峻崖，嶙峋崢嶸

歐陽永叔散文巨匠，詩亦步武退之，而濟之以溫婉，蓋情性使然。蘇、梅佐之，東坡繼之，出新意於法度之中，寄妙理於豪放之外，健筆靈變，尤長七古。介甫規模韓歐，清新精嚴，最擅七絕。前期意氣高傲，晚歲學杜而得深婉之趣。山谷爲詩，法老杜句中之眼，陶令弦外之音（贈高子勉詩），生新瘦硬，瘦故刋落浮華，硬則句拗韻險，又用奇僻典實，講究「脫胎換骨」，點竄前人詩句，借用前人詩意之法，遂開宗派。陳師道（后山）繼之，尙苦吟，工律體，於是山谷之風，展延至於宋末，乃有「江西詩派」（呂居仁江西詩社宗派圖），「一祖（杜甫）三宗（山谷、后山、簡齋）」（方回瀛奎律髓）之名。陳簡齋（與義）生兩宋之際，感慨時事，激昂發憤，往往超越前人。

偏安既定，詩人有陸游、范成大、楊萬里、尤袤，稱南宋四大家，蓋沿江西詩風，而卓然有立者也。尤詩已佚。楊誠齋清淺自然，近元和劉白。范石湖初學唐人新樂府，摹寫民生，晚歲刻畫田園，自饒逸趣。放翁宗山谷而探杜陵詩心，邊塞歌行，近於岑參，七言律絕尤卓，對工事切，富於豪情，蓋義烈之士，餘緒爲詩者也。雖所作過豐，自多瑕穢，然是南渡一大家也。

自北宋來，理學論儒鄙唐人之不知儒道，於是以理論爲本，修辭爲末，而周、邵、張、程諸子，亦不廢詩，輕「作詩」、「論詩」，而重「用詩」，以詩爲載道之具，富哲理而貧情韻，往往似於禪門偈語，可謂江左玄言詩之繼矣。伊川「擊壤」一集，其尤也。南宋朱熹領袖學壇，亦喜爲詩，佳者尚不墮理障，而陸象山、呂東萊、眞西山輩和之，遂成宋詩別體（參看本書上冊理學章二五三頁）。

江西詩派主持壇坫垂二百年，南宋中葉遂起反動，永嘉葉適門下，趙師秀（靈秀）徐照（靈暉）徐璣（靈淵）翁卷（靈舒）工爲唐律，反江西重意而爲重景，號「永嘉四靈」，蓋亦江山之助，乃得靈運之遺也。清奇雕縷，近晚唐姚（合）賈（島）之體，其病則纖薄尖碎，亦國步艱難，規模日蹙之徵也。

稍後國益衰弱，遂多布衣末臣、衰颯塵俗之詩，錢塘陳起輯之爲「江湖集」，後世遂稱一派，蓋「江西」「四靈」之會也。寫景則瑣屑，寄情則偏僻，論者疵之。其中劉克莊、姜夔、戴復古、高翥諸君詩，亦多足觀。而嚴羽滄浪詩話，取禪門之妙悟，崇盛唐之意趣，輕用典，蓋針砭當世之病者也。

及宗社丘墟，強元入主，而遺民之詩興。文天祥、謝翱、謝枋得、林景熙、方鳳、許月卿、汪元量、鄧牧、鄭思肖諸賢，或以身殉國，或隱遁山林，激越悲涼之情，嗚咽悽愴之感，發而爲血淚之詩，可謂亡國之音哀以思矣。

七、金元明清詩

宋金對峙，而北士豪雄，東坡之風遂盛，而元好問最稱傑出。蒙古一統，厲行高壓，士氣銷沈，假劇曲以遣懷，詩詞駢散，並就衰歇。惟虞集、趙孟頫、揭傒斯、薩都剌等最著詩名，晚世則楊維楨（鐵崖）足爲後勁。有作者焉，數人而已。

明初劉基、高啓，最稱傑出。青邱早逝，論者惜之。成化間，有三楊（榮、溥、士奇）臺閣之體，李東陽矯其平熟，而李夢陽、何景明等七子繼起，標榜盛唐，屏棄宋詩，革改元風，專事復古，又多立門戶，排擊異己，轉相剽竊，流爲贋鼎，亦爲不善學矣。唐寅、祝允明、文徵明諸人，則抒寫性情，別樹一幟。萬曆間，袁宏道兄弟出，始革摹擬之習，倡爲清新輕俊，號「公安體」，其弊則粗率鄙俚，而鍾惺、譚元春等矯之以僻澀孤峭，立「竟陵體」之目，而詩道益壞。

清自順康以還，宇內晏安垂二百載，高壓懷柔，更迭爲用，才士心思，遂專文藝之途，大抵鄙薄元明，追邁唐宋，規模漢魏，以至恢復周秦，諸體咸備，可謂傳統文藝之大觀也。

易代之際，錢謙益（牧齋）才華富健，藻麗沈鬱，吳偉業（梅村）激楚蒼涼，歌行擅勝，圓圓一曲，可以上追杜陵。稍後南施（閏章）北宋（琬）分主詩壇，而王士禎（漁洋）獨標神韻，而亦最工七絕。乾隆時，文藝大盛，沈德潛宗法盛唐，倡格律，袁枚主性靈，翁方綱言肌理，各引一端，以救漁洋膚廓之病。此外，朱彝尊兼工衆體，趙翼並善言詩，查愼行能學蘇陸，黃景仁則追踪太白，厲樊榭則步武宋人，皆一代之才傑也。

嘉道之際，世運漸變，龔自珍用雄奇之筆，運縹渺之思，獨往獨來，非古人所能羈勒。其後外侮頻仍，內亂迭起，鄭珍、金和抒寫亂離，而王闓運規模八代，辭意夷泰。同光以來，時亂益亟，尚理之風再啓，而宋詩復盛，陳散原、陳石遺、鄭孝胥、樊雲門、易實甫等，各有造作，其流入於民初。而黃遵憲見聞廣大，詩思深新，遂能別闢蹊徑，不復乞靈於古。人境廬諸作，如悲平壤、哀旅順、降將軍歌、台灣行等，可謂近世之杜陵矣。又重視民歌，此其所以卓也。

五四以來，才士益衆，勿斬古典之源，不棄西洋之藝，詩運更新，其在今日乎！

第十一章 散文

一、先秦「諸子」與「史傳」

我國上古典籍，尙書爲散文之祖，其記言敍事，大抵直書當時語氣，少有斧削潤色，後世視之，或反覺樸厚自然，而周誥殷盤，佶屈聱牙，通讀已難，何論欣賞！至晚周劇變，諸子朋興，馳騁巧說，弋祿濟時，說理議論，亦大昌盛，所謂「諸子」之文也。譬如孟子之詞暢氣豪，荀子之理密藻雅，墨子之周至丁寧，韓非之流利刻切，莊子之恣肆超奇，擅美標能，各饒勝致，雖未若後人之章法井然，而辭必己出，各有面目。同時敍事之作，如左氏、國語、國策諸篇，敍事富艷而外，大抵外交詞令，縱橫捭闔之詞，「一人之辯，重於九鼎之寶；三寸之舌，強於百萬之師」（文心論說），巧辯譎誑，千載如見，所謂「史傳」之文也（諸子、左傳，參看上册；國語、國策，參看本書「國別史」章）。

二、秦漢經世之文

秦世反文，政無膏澤，李斯頌德刻石之文，莊肅樸雅，與前此諫逐客書之華麗辯暢者，大異其趣。

其時「奏」體始立，蓋天下一統，政出一尊，晚周士子抗禮君侯，面折廷爭之時會已變，則雖「丞相臣斯」，亦「昧死上言」矣。文變染乎世情，可不信歟！

秦祚短促，戰國之策士，尚多存遺，而漢鑑秦失，頗求長治，又政崇黃老，文網較疏，君威稍減，遂多忼慨論政之文。陸賈新語，賈山至言，賈誼過秦論、治安策，鼂錯言兵事疏、守邊勸農疏，皆指事類情，激切明快，而排比鋪張，駢偶漸盛，此固戰國辯士傾動人主之遺，而亦文變趨麗之徵也。至淮南子原本老氏，鎔鑄羣言，可謂諸子之後勁矣。

孝武以後，儒術一尊，實則雜用王霸，以利統治，經術、經世之文，以是續盛。世稱賈（誼）董醇，蓋仲舒之文，委婉含蓄，無傲兀崢嶸之態也。又如劉向諫起昌陵疏，誠和懇切，皆足見一代儒士之用心，至趙充國屯田三奏，嚴潔明暢，下開荆公，則豪傑之文也。

漢世散文，史記最稱傑構。史公感情豐厚，才識高卓，而閱歷深廣，遭際困窮，又熟見閭里奸邪，朝廷勢利，故胸中塊壘，滲入百卅卷中，其筆墨抑揚慨歎，指桑說槐處，言盡而意不盡，然論者或謂其文工於傳人，而數典未周，故讓漢書十志出一頭地。班之視馬，魄力未逮，而複筆儷辭，大見增加，下開駢體，遂與遷書分歧（參看本書「史記」「漢書」二章），蓋東西二漢，文並雄渾，而由「散」趨「駢」，則其別也。

東京論議之文，著者有王符潛夫論，仲長統昌言，崔實政論；而王充論衡，平實周盡，富於懷疑精神，惟蕪蔓不剪，亦往往有之。其時經師，大抵偪促訓詁，少有能文，惟康成自然，叔重刻鏤，最稱傑出。

漢世金石碑版文字，多不著作者姓名，班固燕然山銘，壯偉軒昂，配合盛世；末葉蔡邕所製，典重雅贍，而駢語益多。其後韓愈病六朝之浮庸冗濫，乃取法兩京，遂擅一代之名焉。

總而論之，兩漢散文，大抵有爲而作，少風月之閒文。又時近先秦，文多自然創造，不務摹擬，是故其文雄樸渾厚，此則一代之特色也。

三、駢體盛世之散文

建安黃初之際，世風丕變，文亦隨之。魏武一世之雄，刑名治國。求才、自明本志諸令，開一代之風氣，文體遂多清峻。精警嚴切，刊落浮辭，與前代大異。加以經術崩壞，世積亂離，抒懷寫志之作，遂代經世鴻文以興。而討論名理，描繪物象，亦有佳作，皆世風之表現也。傳誦之製，如武侯出師一表，寓世交至情於君臣理分之中，親切懇摯，而不失大體；又如曹丕典論與吳質書，李密陳情表，劉伶酒德頌，阮籍大人先生傳，嵇康與山濤絕交書，以至王羲之蘭亭詩序之興慨遙深，短篇書札之揮灑超脫，陶潛五柳先生傳之雅淡自然，與五子疏之懇切樸實，潘岳閒居賦序之故示逍遙，陸機弔魏武序之悲涼抑塞，皆「抒情志」者也。范縝、沈約等，論難神滅，顧歡夷夏佛道之辨，則「論哲理」者也。酈道元水經注，羊（楊）衒之洛陽伽藍記，則「描景物」者也。途徑雖殊，各饒勝致。若乃葛洪抱朴子、陳壽三國志、裴松之三國志注、范曄後漢書、干寶晉紀、劉義慶世說新語、顏之推家訓、梁元帝金樓子，以至佛典漢譯，皆爲散體；則魏晉六朝「文」「筆」分途，駢體固盛，而散文亦非無佳作也。

四、韓柳之復興古文

「古文」者，韓柳諸賢所以稱三代兩漢之散行文體，揭以爲幟，而抗魏晉以來之駢儷者也。六朝駢文之弊，在過重外美，儷采百字之偶，而至堆砌補衲；講求聲韻之諧，而致削足就履。於是寫景抒情，旣病空乏，說理敍事，更難清晰，至其思想內容，尤多薄弱，古文家所謂「八代之衰」者是也。自文心雕龍「情采」等篇以來，梁裴子野之雕蟲論，北周蘇綽之仿尙書文體，隋李諤之上書，文中子王通之批判豔冶夸繁，皆屬有感而發。唐興名臣多出王門，而史家持論，亦多病徐庾二子。而陳子昂、獨孤及、蕭穎士、李華、梁肅等，皆致力存實黜華，矯正文體，元結耿介拔俗，所造尤偉，是皆韓柳之先導也。至退之、子厚並世而出，孟郊、張籍、皇甫湜等，爲其羽翼，辭必己出，務去六代堆砌蹈襲之陳言，追踪子史，易偶爲散，以載道宗經爲歸，以氣盛言宜爲美，當時之士，以其異於近世以來之韻語偶辭，而昌黎諸人，亦以三代兩漢爲宗尙，於是遂立「古文」之名。

（一）韓愈文學主張

退之門人李漢序昌黎集云：「洞視萬古，愍惻當世，遂大拯頹風，教人、自爲。時人始而驚，中而笑且排；先生益堅。終而翕然隨以定。嗚呼！先生於文，摧陷廓清之功，比於武事，可謂雄偉不常者矣！」韓愈答李翊書亦謂：「非三代兩漢之書不敢觀，非聖人之志不敢存。」是知其摹上古，崇孔孟，以爲文當有益世道，裨補人心，一反六朝以來不問其用，唯務其美之文學風氣。綜其主張，殆有數端，皆所以矯正歷來之弊者：

一　文章以載孔孟之道（「文以載道」）

「愈之爲古文，豈獨取其句讀之不類於今者耶？思古人不得見，學古道則欲兼通其辭。通其辭者，本志乎古道者也。」（題歐陽生哀辭後）

二　得仁義之道其文自美（「氣盛言宜」）

「夫所謂文者，必有諸其中，是故君子愼其實。實之美惡，其發也不掩，本深而實茂，形大而聲宏，行峻而言厲，心醇而氣和，昭晰者無疑，優遊者有餘。」（答尉遲生書）

「無望其速成，無誘於勢利，養其根而竢其實，加其膏而希其光，根之茂者其實遂，膏之沃者其光曄，仁義之人其言藹如也。」

又：「氣，水也；言，浮物也。水大，而物浮者大小畢浮，氣之與言猶是也。氣盛則言之長短與聲之高下者皆宜。」（答李翊書）

三　師古人載道之意，而不蹈襲其辭；去六朝駢偶堆砌之陳言，用三代兩漢自由之散體。（「辭必己出」）

「或問爲文宜何師；必謹對曰：宜師古聖賢人；曰：古聖賢人所爲書具存，辭皆不同，宜何師？必謹對曰：師其意，不師其辭。又問曰：文宜易宜難？必謹對曰：無難易，惟其是爾。

如是而已。」（答劉正夫書）

「惟陳言之務去。」（答李翊書）

〔二〕韓文名作分類與原道篇

退之一世文豪，數代宗師，名作甚多，約可分爲數類：

一　或矜炫才學，表暴胸襟，以及遊戲爲之，自寫奇趣者：黃陵廟碑、進學解諸篇是也。毛穎傳尤鄰於傳奇小說。

二　或語務平通，辭惟實用者，論淮西事宜狀之類是也。

三　或務爲高雅鴻深，甚至流於堆砌者，碑銘之作，諛墓之文是也。然劉統軍、楊燕奇諸碑，得力中郎，直追漢製，亦稱卓傑。

四　或友朋親侶，死生契濶，以及論學談文之作，理足情摯，學問才情，並佳皆妙者，如祭十二郎文、柳子厚墓誌銘、送董邵南序、送李愿歸盤谷序、答李翊書、答劉正夫書、答尉遲生書、與馮宿論文書等是也。而柳州羅池廟碑，亦有傳奇意趣。

五　或態度嚴肅，理足辭充，故文從字順，氣盛言暢者，如五原（道、性、人、鬼、毀）、師說、張中丞傳後序等篇是也。此類作品，最足爲昌黎載道之代表，而原道一篇，尤稱冠冕焉。

原道一篇，理脈清晰：

一　首揭儒道二家所言「仁」「義」「道」「德」之別，洞見肯要。蓋老莊言自然之「道」，爲天地萬物所共；萬物各有理趣——「德」；人不過萬物之一，故大「天」而抑「人」。孔孟言人倫之「道」，爲人所獨具而同然，亦人之所以可貴（參看上冊諸子各章），倘從老氏「道」「德」之言，則人之自覺不顯，「仁」「義」之眞價亦不能見矣。

二　次言歷代儒學之衰，在孔子之道不明。

三　次由經濟民生，反佛道之寄食農工，游手空論。

四　再由政教之理，君臣之倫，言佛老二氏之蔑棄倫常，因咽廢食，卽二程子所謂「言爲無不周徧，實則外於倫理，窮深極微，而不可以入堯舜之道」也。其論儒佛言「心」之異，尤爲察見本原（參看本書上冊禮記、佛法、理學諸章），未可遽論退之深於文而淺於道也。

五　最後，復明儒者之道，在開物成務，修己治人；其道經歷列聖，待人而後傳。而漢唐經師，不見心性大端，不足以上繼孔孟，故必攘斥佛老，而後道乃光大。

由此觀之，退之立身、爲文服膺所在，具見於是，以故史氏稱其「奧衍宏深，與孟軻、揚雄相表裏，而佐佑六經」；伊川亦以本篇爲例，譽其晚年作文，所得甚多，揄揚雖至，要非無本；而言理學者，亦多以退之爲先導，蓋爲此也。

（三）柳宗元之古文

子厚爲文宗旨，略同昌黎，故其「幼且少，爲文章以辭爲工」，此承六代遺風者也；「及長，乃知文者所以明道，是故不苟爲炳炳烺烺，務采色夸聲音而以爲能也」（答韋中立論師道書），故主「

文以行爲本，在先誠其中」（報袁君陳秀才避師名書），韓愈稱其文「雄深雅健，似司馬子長，崔（駰）蔡（邕）不足多也」（劉禹錫河東先生集序引），然子厚在中朝時，爲文尚有六朝規矩，及竄斥荒癘，因自放任山水間，其堙厄感鬱，一寓諸文，以三代爲師，所造益高，其才其遇，蓋與屈（原）賈（誼）類同。且魏晉以來，佛老理趣，揚扇士林，子厚得之，遂寄情觀賞，托志逍遙，強以自解，而腸終灼熱，「嘻笑之怒，甚乎裂眥，長歌之哀，過乎慟哭；庸詎知吾之浩浩，非戚戚之尤者乎」（對賀者），此永州諸記，所以傳誦千古也。

子厚居零陵者十年，泉石草木，一經品題，皆爲後世想慕，而其文之奇絕者，亦多居零陵時作（南宋汪藻永州柳先生祠堂記），其民胞物與之誠，亦往往於山水亭池之記發之。譬如「零陵三亭」一記，言觀游之佐政，推辭令之善治，蓋亦孟子「文王之囿」「獨樂不如衆樂」（梁惠王下）之意也。

〔四〕韓柳比較

一、以學術論：

韓子力肩道統，謂「己之道，乃夫子、孟軻、揚雄所傳之道也」（重答張籍書），觝排佛老，謂當「人其人，火其書」（原道）。及貶斥南荒，交高僧大顚，漸羨佛氏能「外形骸而以理自勝」矣。

柳子思想不拘於儒家，尤喜佛道之趣，謂韓子「忿其外（佛教儀節）而遺其中（佛法妙理）」，是「知石而不知韞玉」（送僧浩初序）。

二、以「學術」「文章」關係言：

韓子主文以載孔孟之道，謂「仁義之人，其言藹如也」（答李翊書），故浩然之「氣盛」，則文章之「言宜」。

柳子亦主文以行爲本，謂先當先誠其中，故文以明道，不以采色聲音爲美（見前）。

三、以指引後學言：

韓子不畏笑侮，公開建立魏晉以來爲人忽視之師生關係（柳宗元答韋中立論師道書）。柳子熱心教人，故衡湘以南，爲進士者皆師之，然以遭際阨困，又以世無久師弟，故每謙抑遜謝，不居師名（報袁君陳秀才書）。

四、以文風言：

韓子大抵豪暢剛健，有孟子之風；柳文則精密深刻，含蓄凝斂，山水諸記，尤富陰柔之美。

五、以文章得力所在言：

二子皆博�經史百家，而取精用弘。韓愈進學解云：「沈浸醲郁，含英咀華，作爲文章，其書滿家。上規姚姒，渾渾無涯，周誥殷盤，佶屈聱牙；春秋謹嚴，左氏浮誇；易奇而法，詩正而葩；下逮莊、騷，太史所錄，子雲相如，同工異曲。」此其自道得力，「閎其中」故能「肆其外」也。

柳宗元答韋中立論師道書則云：「吾每爲文章，未嘗敢以輕心掉之，懼其剽而不留也；未嘗敢以怠心易之，懼其弛而不嚴也；未嘗敢以矜氣作之，懼其偃蹇而驕也。抑之欲其奧，揚之欲其明，疏之欲其通，廉之欲其節，激而發之欲其淸，固而存之欲其重；此吾所以羽翼乎道也。本之書以求其質，本之詩以求其恒，本之禮以求其宜，本之春秋以求其斷，本之易以求其動，此吾所以取道之原也。參之穀梁氏以厲其氣，參之孟荀以暢其支，參之莊老以肆其端，參之國語以博其趣，參之離騷以致其幽，參之太史公以著其潔，此吾所以旁推交通，而以爲文也。」是則子厚取徑，較退之爲尤廣矣。至其論辯之「俊傑廉悍」、「踔厲風發」（韓愈柳子厚墓誌銘），則尤得力韓非子。

六、以二子名篇言：

韓子：

雜著則五原、師說、進學解、送窮文、張中丞傳後序、毛穎傳、諱辨、祭十二郎文、祭鱷魚文、圬者王承福傳等。

書信則答李翊書、答劉正夫書、答尉遲生書、與馮宿論文書等。

序文則送孟東野序、送李愿歸盤谷序、送董邵南序等。

柳子：

碑志則柳州羅池廟碑、柳子厚墓誌銘等。

記事則晝記等。

論說則封建論、天說、非國語、捕蛇者說等。

傳記則段太尉逸事狀、梓人傳、種樹郭橐駝傳等。

寓言則三戒、蝜蝂傳、謫龍說等。

遊記則永州八記（始得西山宴遊記、鈷鉧潭記、鈷鉧潭西小丘記、至小丘小石潭記、袁家渴記、石渠記、石澗記、小石城山記）最負盛名。

韓柳二子之較，大抵如此。清世古文，桐城稱盛，自方苞、姚鼐以還，諸人多揚韓抑柳，近世陳石遺則謂柳之不易及者有數端：出筆遣詞，無絲毫俗氣，一也；結構成自己面目，二也；天資高，識見頗不猶人，三也；言人所不敢言，四也；記誦優，用字不從抄撮塗抹來，五也；此五者頗爲昌黎所短」云云。若當代章士釗之柳文指要，則言之尤備，可謂柳州之異代知己矣。

〔五〕韓柳之繼響

韓柳並美，而昌黎壽高徒盛，晚歲亨通，是以傳習較多。其以載道爲歸，爲文淺暢者，李翺一派是也。其以奇崛爲尚，鈎章棘句，怪僻艱深者，皇甫湜、樊宗師一派是也。晚唐孫樵，尤局促滯澀，皮日休、陸龜蒙、羅隱，則譏諷小品，往往稱卓。前此白居易則平易親切，韻味深長，如醉吟先生傳、與元九書、答戶部崔侍郎諸篇是也。

此外，傳奇小說之盛，亦古文運動旁流所致焉。

五、宋代散文之全盛

〔一〕宋代散文發展概況

唐之韓柳，雖大倡古文，然自晚唐以來，李商隱、溫庭筠、段成式之徒，爲文尙四六，號爲三十六體。宋初楊億、劉筠承之，惟務綺麗。柳開、穆修，志欲變古，而力有未逮，入於艱澀。尹洙、蘇舜欽等繼之，至歐陽修而古文復盛。其時仁宗下詔令以去浮華，永叔亦任知貢舉職，得行其「先考策論，後試詩賦」之議，於是主持風會，力倡古文，王安石、三蘇父子、曾鞏輩起而和之，遂成「學者非韓（愈）不學」之盛（詳見永叔書韓文後一文）。其時諸賢所致力者，在推尊韓柳，以平易暢順之文，爲宣道之用：蓋「尙理」爲宋代文化精神，而散體最便議論。詩賦、駢體，均受此潮流影響。是則古文全盛，亦時會爲之矣。

明人以歐陽、曾、王、三蘇，上配韓柳，號稱八家。曾鞏善爲經術之文，而不免迂冗沈悶。洵轍父子，頗自矜高，老泉得力國策，子由縱橫不如其父，才思遜於乃兄，而以淡泊寬平見長。子瞻謂己文如萬斛源泉，不擇地皆可出，在平地則千里滔汨，遇山石則隨物成形，其止其行，皆出自然，晚歲之作，尤見醇練，蓋亦其父縱橫之遺，而上窺莊周之靈放者。永叔開一代風氣，介甫才識卓傑，自爲大家。其後古文極盛，遂爲正統。南宋呂祖謙「古文關鍵」，眞德秀「文章正宗」，皆下啓明人，蓋亦巧匠誨人之規矩也。而朱熹性理之文，葉（適）陳（亮）經世之作，皆以古文弘揚所宗。及國步艱難，士人或多激昂之作。宋末宗社傾覆，則有文天祥指南錄後序，鄭思肖文丞相敍，大義凜然，足以上配武穆五嶽祠盟諸記矣。

古文而外，理學諸儒又有語錄，蓋源於唐世僧徒，而與同時之「平話」，並爲後世語體文學之前身者。自來學者，或病其鄙陋而不善修詞，然哲理文字，重在觀念之存眞，語言之準確，記錄之直捷，則其亦文亦白，別具風格，亦有不得不然者，未可以駢體、古文之尺度繩之也。

〔二〕歐陽修之古文

宋世之詩、駢文，皆至永叔而變，古文亦至廬陵而始大；歐公誠可謂一代人傑矣！其文大抵吞吐夷猶，委婉曲折，而尤長於言情，故學韓而造退之所未到，是亦才性地域有以致之也，論者稱曰「六一風神」焉。蘇氏父子，稱其「論大道似韓愈，論事似陸贄，記事似司馬遷」（軾語），「紆徐委備，往復百折，而條達疏暢，無所間斷；氣盡語極，急言竭論，而容與閒易，無艱難勞苦之態」（洵語），荆公亦盛推之，蓋雖出六一之門，亦非阿其所好也。

永叔最長序跋、雜記，而議論、傳志，亦多勝境，名作如：豐樂亭記、晝錦堂記、峴山亭記、醉翁亭記、瀧岡阡表、江鄰幾文集序等。清姚鼐復魯絜非書云：「宋朝歐陽、曾公之文，其才皆偏於柔之美者也。歐公能取異己者之長而時濟之」，亦屬有見。

永叔論文，亦承昌黎而主載道，然韓愈主學「文」以通道，永叔則謂「道」勝則「文」至，故勉學者師聖，既得「道」遂自能「文」。故云：

「夫學者未始不爲道，而至者鮮，非道之於人遠也。學者有所溺焉爾。蓋文之爲言，難工而可喜，易悅而自足，世之學者，往往溺之。一有工焉，則曰：『吾學足矣』，甚者至棄百事不關於心，曰：『吾文士也，職於文而已』，此其所以至者鮮也……。聖人之文，雖不可及，然大抵道勝者文不難自至也」（答吳充秀才書）。

又云：

「學者當師經，師經必先求其意。意得則心定，心定則道純，道純則充於中者實，中充實則發爲文者有輝光」（答祖擇之書）。

皆此意也。

（三）王安石之古文

梁任公謂唐宋八家，七子皆「文人之文」，惟王荊公則湛深經術，饜飫九流，爲「學人之文」，用昌黎之面目，損益其法度，而自成一家（見「王荊公」一書）。當世蘇東坡亦譽其「網羅六藝之遺文，斷以己意，糠粃百家之陳迹，作新斯文」。蓋介甫之文，識解卓絕，而拗折淩厲，如其爲人。其論事說理，深刻峻峭，似韓非子，而謹嚴周密過之。周禮義序、度支廳壁題名記，包蘊政見，而出之以精湛簡短。又如原性、性情論、答司馬諫議書、讀孟嘗君傳、讀刺客傳等，亦言約意精，錘字堅稱，有若生鐵鑄成，勝如老吏斷獄；記述、敍事之作，亦面目繁富，或順筆鋪敍，或提絜頓挫，或述離合死生，或寓議論感慨，幾無一篇格局全同者（呂思勉說）。宋史本傳謂其屬文如飛，既成亦不删補，而見者皆服其精妙，蓋其天分實多高人之處也。至若上仁宗皇帝言事書，則洋洋萬言，實奏疏之傑構，亦宋代第一大文。其慈谿縣學記，言國家育才大計，以至秀才變爲學究，惟知斲木摶土，如佛道之法，祀孔子於祠廟，而儒術遂見陵夷云云，亦介甫卓識之一徵也。

六、明代散文

金元散文，少有足觀。明初劉基、宋濂，文尚豪縱。既而暴君荼毒，士氣銷鑠，遂有逶迤緩懦之臺閣體」，是永樂、成化數十年間，三楊（士奇、榮、溥）一李（東陽）之風也。

中葉弘（治）正（德）間，李夢陽、何景明等「前七子」，倡「文必秦漢」，力反臺閣之習，使知四書而外，尙有古書，八股之上，猶有古文，蓋亦假復古更新者也。其文故作聱牙，範經鑄子，以艱深生澀，救淺易熟滑之病，惜限於才力，襲貌遺神，惟知摹仿秦漢文章之名物器數，浮織成篇，遂有王愼中、唐順之、茅坤、歸有光等，尊韓柳歐陽等八家以矯之。旋而李攀龍等「後七子」又接踵前人，步趨秦漢，亦終告失敗。

唐順之以秦漢難學，而唐宋易循，故與七子殊轍。歸有光五色圈點史記，明其節脈，當世爲帖括時文者，紛紛宗尙，爲古文者亦或喜法之，蓋其不事塗飾，風神疏淡，是以下開桐城也。其刻劃家常小事，呢喃細語，亦饒情致，如項脊軒志、寒花葬志是也。然旣乏深情，又無氣魄，是庭間之碎步，非萬里之騁馳也。

茅唐以疏快救七子之板重，王歸以潔適藥七子之奧古，而袁宏道兄弟，乘七子之弊而排抵之，號「公安體」，流麗清新，足徵才俊，其弊則以輕薄爲風趣，意識卑下，亦時會爲之也。鍾惺、譚元春輩，作爲詩文，生新瑣碎，號「竟陵體」，亦無遠致。惟白沙、陽明二先生，絕去依傍。姚江其學其文，皆近孟子，論者謂其上同三楊之平易，而力倡裁冗濫，下開唐歸之寬衍，而不強立間架，初與李何倡和，後乃大悟，棄去，謂「學如韓柳，不過文人；辭如李杜，不過詩人；惟志心性之學，以顏閔爲期者，乃人間第一等德業也。」誠可謂明代一人，固非僅能詞章而已。

七、清代散文與「桐城派」

清初古文，有魏禧（叔子）、侯方域（朝宗）、汪琬（堯峯）三家，魏多諫諍之作，侯文或涉浮誇，明旣覆亡，二子之作，遂多遺民之憤，而汪則醇而不肆，所謂循吏之文也，而尤得力於歸熙甫。乾隆初，安徽桐城方望溪（苞）起，近法堯峯，遠宗震川，歷永叔以宗昌黎，制定「義法」，以爲標目，傳授旣廣，影響漸見，望溪自許以「學行繼程朱之後，文章在韓歐之間」，足以見其祈嚮矣。主「古文中不可入語錄中語，魏晉六朝人藻麗俳語，漢賦中板重字法，詩歌中雋語，南北史佻巧語」，專講義法。義者，言之有物，以程朱之學爲質；法者，言之有序，以疏淡平通爲規矩。不事華辭，不作考據，與當世樸學、駢文名家大異其趣。然苞爲人性本拘謹，又以南山集案，入獄幾死，銳氣益挫，是故深自斂抑，文亦巖謹細密，整潔平通，絕少雄肆豐潤之趣，此則當世已有公論矣。

乾隆末年，桐城姚鼐善爲古文，慕效方氏，而受法於劉大魁、姚範，爲「古文辭類纂」一書，直以歸、方上續八家，於是程魚門、周書昌輩爲之語曰：爲古文者，有所法而後能，有所變而後大，當世前有方望溪，近有劉海峯，天下文章，其在桐城云云。是恐亦文士意與標榜之辭。而聲譽益大，學者歸之，乃有桐城一派，考其旨趣，亦不外義法而已。

姬傳古文辭類纂七十四卷，序目後謂凡文之體類十三：論辨、序跋、奏議、書說、贈序、詔令、傳狀、碑誌、雜記、箴銘、頌讚、辭賦、哀祭；而所以爲文者八：神、理、氣、味，文之精也；格、律、聲、色，文之粗也。然苟舍其粗，精者亦無以寓矣。學者之於古人，必始則遇其粗，中則遇其精，終則御其精而遺其粗云云。然姚氏用詞抽象，實亦頗難強解也。大抵就其天分而不可學者謂之「神」，其思路脈絡謂之「理」，其貫串之力謂之「氣」，其感染意趣謂之「味」；「格」則體裁，「律」則結構，「聲」則音韻，「色」則辭采，如此而已。

惜抱又創陰陽剛柔之說，謂天地之道，陽剛陰柔，交替爲用，其精者乃爲文章，故或偏於陽而少陰，或毗於陰而寡陽，各具其美，若一有一絕無，皆不足以爲文（詳見復魯絜非書，海愚詩鈔序），蓋亦漢儒宇宙論之遺也（參看本書上冊）。至曾國藩遂衍爲太陽、少陽、太陰、少陰四象，以及雄、直、怪、麗、茹、遠、潔、適八體之說。然風格之分，本難確定，其分愈多，其疑似愈眾，亦論文者之一困也。

曾滌生服膺姬傳，聖哲畫象記，且以配孔孟，然亦謂其文少雄直之氣，驅邁之勢，蓋「有序」之言多，「有物」之言少云云，亦可謂好而知其惡矣。方、姚而後，向慕宗風者雖多，而「序」多「物」少，聲希味淡之病，卒不能掩，亦未能悉投眾嗜，譬如常州駢家之鄉，經術亦盛，惲敬、張惠言出，所爲古文，學不主程朱，時入考據；文不拒辭賦，常見巧麗，遂有「陽湖派」之目，與桐城並馳矣。

且桐城弟子，墨守繩法，未能變而求大，於是堂廡日微。道咸之際，士多高語周秦，標榜漢魏。及湘鄉曾氏出，以經濟大才，招攬賢俊，濟濟多士，而私淑姬傳，儼爲護法，主奇偶相用，又雜鈔經史百家，以廣文衢，方之望溪，其途廣矣，於是桐城稍振。同時吳南屛（敏樹）則輕惜抱，反文派，不欲自附。然湘鄉幕下，張裕釗、吳汝綸、薛福成、周壽昌、黎庶昌、戴望、郭嵩燾、劉蓉等，各有所造，皆張桐城之幟，至清末民初，猶有嚴復、林紓、姚永樸、姚永概等，爲其殿軍，然文運已更，雖有善者，亦無如之何矣。

八、晚清以來散文之更新

桐城枯瘠之義，拘窘之法，至襲自珍而藩籬破決，橫恣縱放，下啓戊戌諸賢。譚嗣同、梁啓超，以不世之才，憂心國變，其爲文也，體格兼濟於駢散，語彙廣采乎中西；任公健筆，尤富感情，務爲平易暢達，號「新民體」，不避俗語，喜用新詞，務盡其意而止，雖故老譏之曰野狐禪，然文言文由是縱放，啓迪民智，接迎世運，厥功非淺。蓋先秦西漢之文，自由暢健，人自成家，其後則先王之法言，前賢之律調，繩尺愈多，窒礙愈甚，既有唐宋八家之名，遂不復有唐宋八家之文，更無論度越前賢，開啓新變矣。桐城諸君，務爲狷潔，其弊則虛枵而不能宏深，枯淡而不能豐健。至此思想解放，文亦隨之，若任公之文，所謂萬里逸步，非迴翔庭間者所得而議也。同時嚴幾道、林琴南，古文巨匠，廣譯西書，新思想之吸收，新詞語之鑄造，以至文章意境之拓擴，修辭技巧之進步，舉非故步自封，沈溺骸骨者所能夢見，傳統散文，遂與國運同趨此「五千年所未有」之更新時期。

稍後胡適之、陳競存諸人，以語體文學自唱，蓋遠承語錄，近師歐美者也。自林紓（致北大蔡元培書）以來，宗古文者屢與之抗，而世易時移，語體散文以明白自然，易於普及，終告代盛，蓋今日拓展民智之利器也。雖然，文之新舊，非關體裁；辭之華實，隨施異用。即以語體而論，學士文人所爲，亦自異於大眾，是故「文」「白」之際，欲截然分之，以至入主出奴，執一廢百，其亦可不必矣。普施便用，自推語體；凝練華美，不廢文言。總之文非一體，各從所好而已。

第十二章　辭賦

一、釋「楚辭」

楚辭者，晚周江淮沅湘之詩歌也。宋黃伯思翼騷序云：「屈宋諸騷，皆書楚語，作楚聲，紀楚地，名楚物，故謂之楚辭。若些、只、羌、誶、蹇、紛、侘、傺者，楚語也；悲壯頓挫，或韻或否者，楚聲也；沅、湘、江、澧、修門、夏首者，楚地也；蘭、茝、荃、藥、蕙、若、芷、蘅者，楚物也」（宋陳振孫直齋書錄解題引）。此釋楚辭之爲南方文學，可謂明矣。

文心雕龍辨騷篇云：「自風雅寢聲，莫或抽緒，奇文鬱起，其離騷哉！固已軒翥詩人之後，奮飛辭家之前，豈去聖之未遠，而楚人之多才乎！」蓋楚自春秋之末，文物聲教，漸足比倖中原，而地多沼澤山川，雲霞奇幻，想象因而豐富，感慨因以觸興，人傑地靈，遂多佳製。故文心物色篇云：「山林皋壤，實文思奧府」，「屈平所以能洞監風騷之情者」，抑亦山川之奇麗，而文藻益彰也。且沅湘之俗，信鬼敬神，好祠重祀，是以文章、音樂，亦多玄想而富象徵，此所以楚辭繼三百篇而起，另樹一幟，而同爲百代韻文之祖也。

楚辭詩經，以南北風土民情不同，亦多差異，較如下表：

詩經	楚辭
一、所收作品，多屬黃河流域（北）	一、詩篇風格，屬長江流域（南）
二、多人事、寫實、含蓄	二、多神話，想象奔放
三、多短句疊字，以四言爲主	三、多長句，以五言爲幹，加虛字以詠歎
四、各章多重疊整齊，反覆唱歎	四、不分章，意或重而語少複
五、作者多失主名	五、多知作者主名

二、楚辭作者與作品

楚辭成書，自西漢晚季劉向始，蓋集部之最古者也。凡十六卷，今佚，而後漢王逸爲之章句，殿以己作，凡十七卷，宋洪興祖復爲之補注，其目次爲：

離騷經（屈原）　九歌（屈原）　天問（屈原）
九章（屈原）　遠遊（屈原）　卜居（屈原）

漁父（屈原）　九辯（宋玉）　招魂（宋玉）

大招（屈原或景差）　惜誓（賈誼）　招隱士（淮南小山）

七諫（東方朔）　哀時命（嚴忌）　九懷（王褒）

九歎（劉向）　九思（王逸）

自漢武愛騷，使淮南王安作傳（或曰當作「傅」，通「賦」），此體流行。大抵辭務淒怨，情多幽憂，與當世鋪張弘麗、意氣壯偉之賦異，故別曰「楚辭」。蓋謂南方之韻文，屈宋之遺響也。簡介其中名作如後：

（一）離騷

屈原傑作，首推離騷。離騷一名，釋者甚有歧說：或曰「離憂」（史記），或曰「別愁」（王逸），或曰「罹憂」（班固），或曰「離隔而幽憂有言，動擾有聲」（戴震）；而「離騷、牢愁，一聲之轉，皆爲楚語」之說，從者亦多。又或謂本爲楚調，悲涼幽怨，屈子倚之以抒懷，其後遂成專名云。至屈子之所以作離騷，蓋「疾王聽之不聰，讒諂之蔽明，邪曲之害公，方正之不容」，故「憂愁幽思」而作此長詩。「夫天者人之始也，父母者人之本也，人窮則返本，故勞苦倦極，未嘗不呼天也；疾痛慘怛，未嘗不呼父母也。屈平正道直行，竭忠盡智以事其君，讒人間之，可謂窮矣；信而見疑，忠而被謗，能無怨乎？屈平之作離騷，蓋自怨生也。」（史記屈原列傳）。淮南王安離騷傳序云：「國風好色而不淫，小雅怨誹而不亂，若離騷者，可謂兼之。蟬蛻穢濁之中，浮游塵埃之外，皭然泥而不滓，推此志，與日月爭光可也。」班固迂滯，疵其與經傳不合，而亦稱其「文辭麗雅，爲詞賦之宗；雖非明哲，可謂妙才」。王逸尤力譽之，謂「其詞溫而雅，其義皎而朗；凡百君子，莫不慕其清高，嘉其文采，哀其不遇而愍其志焉。」故「名儒博達之士，著造辭賦，莫不擬則其儀表，祖式其模範，取其要妙，竊其華藻，所謂金相玉質，百世無匹，名垂罔極，永不刊滅者矣。」蓋離騷勝處，實有數端：

一　作者遭際感人，情思深摯，可謂千古失意才人代表。

二　取材豐富，或史實，或傳記，或神話，渲染襯托，多姿多采。

三　工於寄托，善用比喻，善鳥香草以配忠貞，惡禽臭物以比讒佞，靈修美人以托君主，飄風雲霓以爲小人，想象超奇，鋪敍生動。

自史記以下，多謂屈原放逐乃作離騷，然近人劉永濟、姜亮夫等考定，作騷當在放流之前，被疏之後，時四十餘歲。離騷全篇凡二千四百餘言，三百七十餘句。先陳世德稟賦之美，以國之宗臣，乘時努力自勉。己則堅持法古，忠以事君，而佞人讒毀，君心不定，栽植賢才，亦從奸變節，遂至眾芳蕪穢，孤立苦鬬，終不志餒，倘己退隱，本可獨潔其身，而服膺聖賢淑世之旨，擇善固執，終不可移。所親女嬃勸以明哲保身，古聖則敎以服善用義，於是周遊上天，扣帝閽而不見，求仙女而無媒，正以不肯枉尺直尋，以致陷入苦戀，徬徨憂思，不能自拔，比喻憂國傷時，不得於君之痛。其後靈氛則勸其遠引他方，求合明主；巫咸則敎其遷就時勢，保身待時。於是幻遊西天以自適，而離父母之邦，適仇讎之國（秦在楚西），中情難忍，臨睨舊鄉，即僕夫、坐騎，亦悲傷不前，痛苦心情，千迴百折，至此急瀉直下，終以從彭咸所居爲結。全篇以「好脩」爲歸，懷淑世之心，而忠於祖國，寧痛苦以死，不效當名利策士之暮楚朝秦，亦不從山林隱士之和光同塵，不譴是非。此其所以耿介，亦離騷之所以感人也。

（二）九歌

凡十一篇：東皇太一、雲中君、湘君、湘夫人、大司命、小司命、東君、河伯、山鬼、國殤、禮魂是也。王逸謂屈原放於南疆，愁思沸鬱，乃就俗人祭祀之樂，作九歌以事神，鳴寃風諫云云。每篇各祀一神，亦多男女戀慕之辭，第十篇國殤指死國事者，末篇禮魂則前十篇通用之送神尾聲也。

（三）天問

天問者，問天之長詩也。凡一百七十餘問，舉上世傳記、怪事、大事、天地萬象之理，存亡興廢之故，吉凶禍福之由，一一欲明所以，蓋亦人類亙古之宇宙、人生、命運諸問題也。王逸謂屈原放逐，徬徨山澤，書宗廟壁畫之詞，以洩愁思，其後楚人輯之，以誌哀惜，故次序淩亂云。

（四）九章

凡九篇：惜誦、涉江、哀郢、抽思、懷沙五篇，及思美人、惜往日、橘頌、悲回風四篇。王逸以爲皆屈子放於江南之詞。但後四篇空泛寡蘊（揚雄畔牢愁亦只擬前五篇），且皆無「亂辭」，史記又以懷沙爲自沈絕筆之作，故疑非屈子所爲。

（五）遠遊

題屈原作，多道家出世遊仙思想，與屈子不類；所舉人名（韓眾，始皇方士），文句（多襲離騷，又似司馬相如大人賦），亦多疑竇。

（六）卜居、漁父

題屈原作，殆後人演述屈子事而編入者，實紀事之散文，非抒情之楚調；或如謝莊月賦，謝惠連雪賦，庾信枯樹賦之類，假托古人以寄興者也。

（七）九辯

自王逸以來，皆以此爲宋玉閔惜其師之作。曹植、明之焦竑，近人吳汝綸、劉永濟等，均以爲屈原之作，疑不能明也。其啓始「悲秋」一節，後人詞章，尤多取材。

（八）招魂

或曰宋玉招屈子之魂，或曰屈原所作（史記），敍宮室之美，享用之富，以招懷王入秦不返之魂（吳汝綸）。

（九）其他

史記屈原列傳云：「屈原既死之後，楚有宋玉、唐勒、景差之徒者，皆好辭而以賦見稱。」漢志唐勒有賦四篇，然不見於王逸章句。景差賦則漢志未著錄，後世存留作品者，僅宋玉一人，漢志著錄十六篇，王逸楚辭章句，以九辯、招魂，爲宋玉作，昭明文選有風賦、高唐賦、神女賦、登徒子好色賦、對楚王問，五篇，然均不似先秦之作，其生平亦難考信，蓋亦上古之傳疑文人也。大抵師屈子之哀怨，獵靈均之華藻，而「九死未悔」之忠憤失矣。

三、楚辭之影響

文心雕龍時序篇謂西漢「世漸百齡，辭人九變，而大抵所歸，祖述楚辭，靈均餘影，於是乎在。」辨騷篇又云：

「騷經九章，朗麗以哀志；九歌九辯，綺靡以傷情；遠遊天問，瓌詭而惠巧；招魂招隱（大招？），耀艷而深華；卜居標放言之志，漁父寄獨往之才，故能氣往轢古，辭來切今，驚采絕艷，難與並能矣。」

又云：

「自九懷以下，遽躡其跡，而屈宋逸步，莫之能追。故其敍情怨，則鬱伊而易感；述離居，則愴快而難懷；論山水，則循聲而得貌；言節候，則披文而見時。是以枚賈追風以入麗，馬揚沿波而得奇，其衣被詞人，非一代也。故才高者苑其鴻裁，中巧者獵其艷詞；吟諷者銜其山川，童蒙者拾其香草。」

故楚辭爲漢賦之先驅，漢初宮庭好楚聲，辭人才士，亦喜仿騷辭以寫其哀痛。孝武以後，世運承平，國威遠播，雄主又愛華艷弘麗之辭，於是辭賦大盛。又騷體本幹，實爲五言，加虛字抑揚，以成六、七言之句，故論者謂楚辭爲五言詩之經典，非無故也。至如李白夢遊天姥等篇，吸收楚辭神髓，尤爲明顯，誠所謂衣被詞人，非一代矣。清劉開答王子卿太守論駢體書云：

「良工哲匠，宜取實於楚材；落葉滄波，多開源於湘水。含愁鬱志，爲哀怨之宗；耀艷深華，開明麗之始。」

此之謂也。

四、賦之源起與興盛

（一）源起

賦，敷也，布也；敷布鋪陳其義謂之賦。詩大序以「賦」爲「六義」之一，蓋「直述」之意（詳見上編第一章），漢人多以「布陳」釋賦（如劉熙釋名），蓋當代之主要文體也。

班固兩都賦序，謂「賦者古詩之流」，漢志詩賦略亦云：「春秋之後，周道寖壞，聘問歌詞，不行於列國；學詩之士，逸在布衣，而賢人失志之賦作矣。大儒孫卿及楚臣屈原，離讒憂國，皆作賦以風。」又分賦爲四類：

一　屈原以下二十家賦——即「楚辭」也，以抒情爲主。

二　陸賈以下廿一家賦——以「說辭」爲主，蓋戰國策士之遺，所謂「煒曄之奇意，出乎縱橫之詭俗」也。

三　孫卿以下廿五家賦——以「體物」爲主，卽荀子書中「賦」、「成相」諸篇及其後繼者也。

四　雜賦十二家——盡亡，不可徵，大抵多詼諧隱寓之辭。

然漢人賦作，多出屈宋之流衍，故時人「辭」「賦」合稱，漢初之賦，多抒情言志，其後則本其誇飾玄想之體製，變爲鋪寫物象之偉辭，弘衍侈麗，遂成一代之文體，故文心詮賦篇云：

「賦者鋪也，鋪采摛文，體物寫志也……靈均唱騷，始廣聲貌，然則賦也者，受命於詩人（謂古詩之流也），拓宇於楚辭也。於是荀況禮、智，宋玉風、釣，爰錫名號，與詩畫境，六義附庸，蔚成大國。」

此謂至荀宋二賢，「賦」名乃立，爲文之一體，與詩判別，蓋「詩」「文」之混合體也。

（二）興盛

文心詮賦謂「秦世不文，頗有雜賦。漢初詞人，順流而作：陸賈扣其端，賈誼振其緒，枚（乘）馬（相如）同其風，王（褒）揚（雄）騁其勢。（枚）皐（東方）朔以下，品物畢圖（謂體物之賦大盛，庶品各物，皆予描畫也），繁積於宣時，校閱於成世，進御之賦千有餘首，信興楚而盛漢矣。」

淸孫梅四六叢話亦云：

「兩漢以來，斯道爲盛，承學之士，專精於此。賦一物，則究此物之情狀；論一都，則包一朝之沿革。輟翰傳誦，勒成一子，藩溷安筆硯（左思），夢寐刳腸胃（揚雄），一日而高紙價（三都賦），居然而驗土風，不洵可貴歟！」

此謂文藝潮流趨尙如此，立說騁詞，幾與晚周諸子同其偉烈也（章學誠文史通義亦云然）。

漢賦之盛因，殆有數端：

一　周末以來，詩教已息，民間多樂楚聲。漢興，帝室好之，屈宋餘影，於是籠罩文壇，耀豔深華之風，表於賦體。

二　漢世一統，歷文景之積聚，至武帝之世，而國力弘揚，時代自豪之感，播於朝野，形諸文學，乃有恢張弘衍，夸飾侈麗之賦。

三　漢代文化特色，在包攬綜合，政哲經史，大都如此，形之文學，乃有以奧博爲美，以堆砌爲能之賦。

四　漢初天下未定，有陸賈等縱橫之賦，稍後崇尙黃老，有賈誼等適志自解之辭，及武帝之世，政出一尊，撣闔之言無所用，而藩國好學於前，雄主尙文於後，武帝自亦能賦，才俊之士，競思自效，心思學力，萃表於此，乃有賦體之全盛。

五、賦之特色與流變

〔一〕漢賦之特色

西京雜記載司馬相如答人問云：

「合纂組以成文，列錦繡而爲質；一經一緯，一宮一商，此賦之迹也。賦家之心，包括宇宙，總攬人物，斯乃得之於內，不可得而傳。」

此固長卿傲誕自尊之詞，而漢賦特色，在詞藻聲律之尙麗，規模內容之尙弘，亦於此可見。是以兩京辭賦，大抵言峯則嵯峨之字聚，寫海則汪洋之語積，模山範水，字必魚貫，遍搜奇文，窮稽典實，一賦之中，萬象包羅，鳥獸蟲魚，地勢物產，貪多務得，細大不捐，不問是否調和，有無矛盾，是故五色繽紛，眩人耳目，而空洞雜亂，常不免爲賦造文，此其弊也。又漢賦作家，每多字典學者，如司馬相如作凡將篇，揚雄著方言、訓纂篇，皆爲許愼以前之重要文獻，故論者諸人之賦，亦不過有韻之類書、字典、地理志而已，故詮賦篇云：

「原夫登高之旨，蓋覩物興情，情以物興，故義必明雅；物以情觀，故詞必巧麗。麗詞雅義，符采相勝；如組織之品朱紫，畫繪之著玄黃；文雖新而有質，色雖糅而有本。此立賦之大體也。然逐末之儔，蔑棄其本，雖讀千賦，愈惑體要，遂使繁華損枝，膏腴害骨，無貴風軌，莫益勸戒，此揚子所以追悔於雕蟲，貽誚於霧穀者也。」

是故子雲早歲喜賦，摹擬長卿，晚乃謂雕蟲小技，壯夫不爲；又謂「詩人之賦麗以則，辭人之賦麗以淫」，蓋爲此也。

漢賦之一般結構有二：曰「直敍」，如賈誼鵩鳥賦，司馬相如長門賦是也。曰「設問」，或首尾設問，如相如之子虛、上林，班固兩都；或分段設問，如枚乘七發。

〔二〕漢賦之發展與現存名作

一、形成期——高帝至武帝初約六十年。

賈誼——鵩鳥賦、弔屈原賦、惜誓，皆賢士失志，掩抑自哀。

枚乘——七發、菟園賦，已開華美之風。

二、全盛期——武帝至成帝間，約一百三十餘年，漢志著錄大抵此期之作。

司馬相如——子虛、上林、大人、長門、哀秦二世等賦。

東方朔——非有先生論、答客難。

王褒——洞簫賦。

司馬遷——悲士不遇賦。

三、沿襲期——西漢晚世至東漢後葉一百五十餘年。

揚雄——甘泉、河東、羽獵、長揚、蜀都等賦及解嘲、反離騷等。

班彪——北征賦。

班固——兩都賦、答賓戲、幽通賦。

班昭——東征賦。

馬融——長笛賦。

王逸——九思。

王延壽——靈光賦。

其間張衡兩京賦仍屬典型漢賦，而思玄、歸田、髑髏等篇，已開後來短製。

四、蛻變期——東漢末期。

蔡邕——述行賦。

禰衡——鸚鵡賦。

王粲——登樓賦。

徐幹——團扇賦。

此時之作，大抵由「京殿」「羽獵」貴族生活之描摹，漸變爲以「述行」「序志」之作爲多，刻畫社會狀態，抒發個人情思；而長篇巨製，變爲清暢短篇，亦時世變易之徵也。

（三）漢以後之賦體名篇

兩漢長篇板重之「古賦」，駢偶化而成爲六朝輕綺之「俳賦」，唐代益加工整，限以平仄，用於科舉，是爲「律賦」，勢極而反，至宋亦捲入尙散體、崇哲理之文藝思潮，而成「文賦」，於是亦詩亦文，半詩半文之辭賦，遂漸與散文無殊矣。舉歷代之名作如次，皆俳賦或文賦也。

一、魏晉南北朝

曹植——洛神賦。

左思——三都賦。

潘岳——西征賦、閒居賦、秋興賦、懷舊賦等。

陸機——文賦、豪士賦、歎逝賦。

孫綽——天台山賦。

陶潛——閒情賦、歸去來辭。

嵇康——琴賦。

孔稚珪——北山移文。

鮑照——蕪城賦。

謝莊——月賦。

謝惠連——雪賦。

郭璞——江賦。

江淹——別賦、恨賦。

蕭繹（梁元帝）——蕩婦秋思賦。

庾信——小園賦、哀江南賦、枯樹賦、春賦等。

（以上參看本書駢文章）

二、唐

李華——弔古戰場文。

杜牧——阿房宮賦。

三、宋

歐陽修——秋聲賦。

蘇軾——前赤壁賦、後赤壁賦。

第十三章 駢文

一、駢文之源起與形成

駢文成體於漢魏，盛行於六朝，歷隋唐而變於兩宋，衰於元明，而一度復興於淸代，蓋我國特有之文藝形式也。

「駢文」一名，殆起於淸；前此則有「今體」「麗（儷）辭」「四六」等別名。「駢」，二馬並驅也；「儷」，俱偕而行也，故以名排比對偶之文體。考排比語法，不僅中土有之：譬如人所習知莎劇凱撒大帝三場二幕之中，布魯達士表白刺凱撒之苦衷，其辭卽爲排比。蓋人心本有聯念、類推之能，發而爲對比之語言，均衡之句法，不僅便於記憶，亦增文章之美。劉勰文心麗辭篇所謂「高下相須，自然成對」者是也。而漢字獨體單音，音分平仄，而一字能具名、動、形容多種性能，不必如西文之因位格不同，而改變字式，故能構成特別精巧之對偶。漢魏以來之駢文，唐以來之律詩，五代以來之楹聯，皆屬此類。雖其下者，不免庸俗陳腐，鄙陋可厭，其高者實兼到天人，文質聲情，並佳皆妙，未可因西土所無，遂鄙薄中邦之所獨有也。

駢文之特色爲「對偶」，故一篇駢文，通常由若干組對偶，輔以少量散句，貫串組織而成，每組對偶，由上下相對之二單句或二複句合成，，此相偶相對之二句，有三大特徵：

一　**其形相同**：上下兩句語法，結構相同，字數相等；間中上句之首或下句之末，多一二字，乃爲全組對句之承上接下之用。

二　**其音相對**：上句各字之調，與下句各字平仄相對，上下兩句收結，及中間頓逗之處，平仄更嚴。

三　**其義相輔**：上下二句，或正反相映，或主從相襯，或虛實相應。

如「吳均與顧章書」：

「僕去月謝病，還覓薜羅，梅谿之西有石門山者，（散句）

森壁爭霞（平仄平平）
孤峯限日（平平仄仄）
幽岫含雲（平仄平平）
深谿蓄翠（平平仄仄）
蟬鳴鶴唳（平平仄仄）
水響猿啼（仄仄平平）（偶句）
英英相雜（平平平仄）
綿綿成韻（平平平仄）（此二句平仄相對並不嚴格，此亦六朝駢文，猶有近自然之證。）

既素重幽居，遂葺宇其上。（散句）

幸富菊花（仄仄仄平）
偏饒竹實（平平仄仄）（偶句）

山谷所資，於茲已辨，仁智所極，豈徒語哉（散句）。」

此類六朝小品，駢散兼行，情景交會，絕少用典，富饒自然之美。至若敍事抒情，引古比今，敷展成文者，往往鋪排典故，卽所謂「事類」也，如庾信哀江南賦序一節：

「信年始二毛，卽逢喪亂；藐是流離，至於暮齒。（散句）

燕歌遠別，悲不自勝；（平平仄仄，平仄仄平）
楚老相逢，泣將何及！（仄仄平平，仄平平仄）（偶句）

畏南山之雨，忽踐秦庭；（仄平平平仄，仄仄平平）
讓東海之濱，遂餐周粟。（仄平仄平平，仄平平仄）（偶句）

下亭飄泊，（仄平平仄）
皋橋羈旅。（平平平仄）（偶句）

楚歌非取樂之方，（仄平平仄仄平平）
魯酒無忘憂之用，（仄仄平平平平仄）（偶句）

追爲此賦，聊以紀言，不無危苦之詞，惟以悲哀爲主。日暮途遠，人間何世？（散句）

將軍一去，大樹飄零；（平平仄仄，仄仄平平）
壯士不還，寒風蕭瑟！（仄仄仄平，平平平仄）（偶句）」

故用典適當，則可促進聯想；聲律調諧，則可抑揚協暢；皆渲染主題之技巧也。其病則以此比彼，究難密合，譬如霧裏觀花，終隔一層，甚至爲求對偶之工巧，聲調之諧協，往往牽強堆砌，斧鑿成文，思想、情感、意趣，皆成次要，遂致舍本逐末，是駢文末流之弊也。

聲律對偶之過分講求，以至違背自然，是後世駢文致命之傷，但駢體初成，則本出自然，是以先秦文章，雖以散行爲主，而亦頗有偶句：如老子之書，則大半儷辭，至於屈宋諸騷，策士之詞，駢語更多，蓋譎誑足以感衆，華艷足以動人，蕭統文選序所謂「踵其事而增華，變其本而加厲」，是亦自然之勢也。

兩漢賦辭，偶對雖未如後世之精巧，而行文句法，已多駢排，其他文體亦然，至漢魏之際，禮敎因衰亂而崩析，文章隨世風而放逸，侈陳哀樂，競美詞華，駢文遂臻全盛。

二、駢文之全盛與徐、庾

〔一〕六朝駢文

駢文歷漢魏而成形，至六朝而全盛，原因殆在：

一　禮教崩潰，文藝獨立，溫柔敦厚，斂抑含蓄之風，一變而爲暢抒哀樂，競秀詞章。

二　老莊言談，蔚成風尚，觀賞精神，表於文學，山林泉壤，有助靈思，於是江南秀色，遂表之於六代美文。

三　繙譯佛典，音韻之學因以昌明，雙聲叠韻，四聲八病之術，既成新藝，朝野文士，競相講求，益增駢文對偶之美（參看本書上册第十八章頁二四一）。

建安黃初之際，曹植首開華艷之風，至西晉潘陸而大盛，文賦則謂「其會意也尚巧，其遣言也貴妍；曁音聲之迭代，若五色之相宣」，實當世文風之寫照。其時思想解放，議論成風，亦多有以駢體爲之者，如文選所收諸論是也，駢文之用，亦由是而廣益矣。

東渡以後，文風趨於柔麗，劉宋帝室尚文，顏（延年）謝（靈運）並興，「儷采百字之偶，爭價一句之奇」，以駢偶見其新巧，以鋪陳增其縟麗，當代詩文，大抵如是。而兩晉以來之玄言文學，至是漸爲山水田園所替，如鮑照蕪城賦、登大雷岸與妹書，陶潛歸去來辭，皆千古傳誦。

自齊至梁，綺艷益著，永明間，聲律之學，大爲時尚，而詞藻縟麗，亦更甚前時，所謂「五色相宣，八音協暢」，是其時文章之美也。然覓對調聲之功多，則自然涵渾之意少，徒具縟麗之外表，而內容空洞，意趣陳腐，所以有文心情采之論，鍼而砭之也。

齊梁之際，以江淹、任昉、沈約爲冠冕，北方邢子才、魏收，亦以任、沈爲準依。吳均與宋元思、顧章諸書，山水怡情，富饒雅韻；丘遲與陳伯之書，以鶯飛草長之妍辭，收魯連食其之偉業，皆屬此時佳製。至如昭明文選，採擇美備，文心雕龍，體大思精，均屬文壇瑰寶。其時駢文既盛，駢散之分亦著，於是排偶、叶韻者謂之「文」，散行，無韻者稱曰「筆」，是文筆之別也。文心總術篇，梁元帝金樓子立言篇，以至清阮元父子學海堂文筆策問，言之詳矣。

〔二〕徐陵（五〇七——五八三）、**庾信**（五一六——五八一）

清李兆洛駢體文鈔謂駢體隸事之富，始於士衡，織詞之縟，始於延年，詞事並繁，則極於徐庾；蔣士銓謂儷體似工筆樓台，然徐庾之文，如小李將軍、徐熙之畫，亦非匠手可到；明屠隆亦謂「初唐應制游覽諸作，篆玉雕金，莫不擷藻乎子山，擷芳於孝穆」，是則徐庾駢體，可謂集六代之大成，開三唐之法度者也。

徐庾二子成就之高，固由天賦，而家學之濡染（其父徐摛、庾肩吾，皆文學名臣），當時之好尚（梁昭明太子，簡文帝、元帝皆能文尙文，主持風會），以及身世所遇（陵嘗久留北齊，信則終老周地）皆有以致之。二子既有盛才，文並綺艷，世號「徐庾體」，其文流美輕靈，用典暢活，情文相生，雖如哀江南賦之長篇巨製，猶能氣足神完，視當世文士，惟以堆砌足篇者，自覺遠勝，此其所長也。而四六隔句作對之風，亦自二子啓之。

徐陵長於書札，與楊愔求還書，層層設論，情理兼至；與李那書，情韻纏綿，玉台新詠序，則綺麗調諧，全用四六，下開初唐，皆傳世之名作也。

庾信早年之製，如春賦之流麗，短篇銘啓之輕靈，皆生活之寫照。及北遷既久，感慨彌深，其時文風，「江左宮商發越，貴於淸綺，河朔詞義貞剛，重乎氣質。氣質則理勝其詞，淸綺則文過其意」（隋書文學傳序）。子山則詞意並茂，情文兼至，孝穆方之，遂覺瞠乎其後。蓋論佳作之多，體裁之富，孝穆既非蘭成之比；而子山以南朝才子，永滯北方，蕭瑟鄉關之思，發爲老成哀感之文，若乃哀江南賦之鴻篇巨製，抒寫興亡，尤非孝穆集中所有也。

子山既留北周，讀沈初明歸魂賦，而哀感梁亡，乃作哀江南賦。先陳世德，次敍國政，終傷永滯異域，可謂上關廟謨，下具家乘，蓋賦中之史矣。小園賦則自傷屈體魏周，願隱居而不可得，蓋位望雖顯，而危苦之情，讒嫌之境，亦可想見，故由小園景象而發鄉關之思，由一身榮辱，而念宗國興亡，亦子山之名作也。

信初使北方，人頗輕之，讀枯樹賦始知敬重。此篇格局，自雪、月二賦化出，歸結於桓溫「樹猶如此」之歎，而托始於殷仲文之見槐興感，蓋寓言之作也。子山少時，父子並為梁室東宮文學侍從之臣，「門有通德，家承賜書」（小園賦），比之於樹，則「開花建始之殿，落實睢陽之園……」之類也。及乎「山崩川竭，冰碎瓦裂，大盜潛移，長離永滅」（小園賦），子山乃「竄身荒谷，公私塗炭，華陽奔命，有去無歸；中興道消，窮於甲戌」（哀江南賦序），比之於樹，則「山河阻絕，飄零離別，拔本垂淚，傷根泣血，火入空心，膏流斷節，橫洞口而欹臥，頓山腰而半折」，此則羈寄枝棲之痛也。故篇末直抒感慨：「況復風雲不感，羈旅無歸；未能採葛，還成食薇！沈淪窮巷，蕪沒荊扉；既傷搖落，彌嗟變衰。」是亦身世之感也。沈鬱深厚，不獨能為早年華艷之詞，此北士之所以改容耶！

然徐庾滄桑之感，有之也難；二子腴美之詞，採之也易，故初唐論者，每以梁陳淫靡之風，六代俗濫之調，歸咎二子，如令狐德棻北周書徐庾傳論，謂子山之文，「其體以淫放為本，其詞以輕險為宗，故能誇目侈於紅紫，蕩心踰於鄭衛。昔揚子雲有言：『詩人之賦麗以則，詞人之賦麗以淫』，若以庾氏方之，斯又詞賦之罪人也。」隋書文學傳亦謂：「梁自大同以後，雅道淪喪，漸乖典則，爭馳新巧。簡文湘東，啓其淫放；徐陵庾信，分道揚鑣。其意淺而繁，其文匿而彩，詞尙輕險，情多哀思」；倘以延陵季札聽樂之標準繩之，則亦「亡國之音」云云。蓋漢末以來，士風放逸已久，隋唐承北周之緒，以北統南，懲前代之失，乃欲以雄厚典重之風，整齊末俗，是以有此苛論也。大抵刻意求偶對之工，聲律之巧，必致堆砌蹈襲，下筆同於書鈔，削足適履，臨文如帶枷鎖，「繁采寡情，味之必厭」，是亦物極必反之理也。梁裴子野，隋李諤，均有矯正文體之論，然初唐四傑，均徐庾之嗣響；太宗雄武，亦學子山爲文（如晉書王羲之、陸機二傳論）。而日本漢化時期（奈良、平安兩朝，約當我國隋唐北宋），文風亦深受駢麗影響（今關天彭說）。是知積習之成，非一時所能改矣。

三、駢文之繼盛與變衰

唐代駢文，承六代之盛，王勃滕王閣序，駱賓王討武曌檄，溫大雅創業起居注，王維六祖惠能碑，以及蘇頲、張說，所謂燕許二公之章表奏啓，均有名後世。而劉知幾史通，步武文心。德宗時，陸贄善爲章疏奏議，制勅詔册之文，情富理暢，絕少用典，氣勢流動自然，兼具散文之長，其「奉天改元大赦制」，使悍將驕卒，爲之泣下，是宋人四六之風，啓之者宣公也。

中唐韓柳，以散體爲古文，亦工駢儷，晚世令狐楚、李商隱，文皆清麗，而天寶以來試士之律賦，判詞，亦漸成定體，皆駢儷也。

宋初楊億、劉筠，承晚唐義山之風，而徐鉉李後主碑志，最稱佳作。及歐陽修出，以流轉之筆，運淡雅之辭，蘇軾兄弟、王安石、曾鞏諸賢張之，尙理而散文化之駢文，於是風行一時，卽所謂「宋四六」也。考試非此莫通，應酬無此不貴，對精事切者，往往擅終身之名。南渡之際，汪藻最稱作手，爲隆祐后告天下詔，號爲中興一助。其後法度益嚴，斧鑿愈甚，浮庸膚濫之病漸著，加以理學昌興，鄙賤文詞，駢文遂漸告衰落。

元人輕賤文儒，駢體益微，明代文運稍甦，而獨夫威熾，忌諱易招，戲曲小說而外，類少佳製。加以姚江心學，風靡一時，末流游談，束書不觀，於是妃青儷白、數黑論黃之事，非止不爲，亦且不能矣。

又明世取士，亦用律賦、八股。前者製題務巧，立韻尙難，律以四聲，限以八韻，以頌諛君主爲體，以弋祿登第爲鵠，其文格之卑，亦可想見。八股爲體，每股整段作對，故雖似散文，亦近駢體。洪武永樂之際，尙能明白簡樸，切合事情，繼則限制日多，機巧愈甚，而出題亦由斷章取義，而至割裂文句，以避重複，於是一世之士，益趨於疏陋不學，上流無用，下流無恥之士夫，由此養成。昔人謂八股之害，甚於坑焚者，此也。猶幸文章種子，不以是而斷絕，雖清初乃有駢文之復興。

四、清代駢文之復興與汪、洪

明清之際，有錢謙益、張溥、陳子龍、陸圻、吳綺，駢文漸盛，至陳維崧出，遂稱大家。蓋清初以迄乾隆，國勢弘張，而崇獎文詞，用資順守。高壓懷柔，旣相替爲用，顧黃諸大師經世致用之學，遂變爲徵實之考證（詳見上冊第二十章）。書本研習，旣成風氣，駢文亦由是旁流而復盛，蓋鉅麗弘深之文，必藉繁採博證之功也。是故乾隆以來，學繼程朱者，則文崇歐柳（參看散文章），而毛奇齡，汪中、洪亮吉、孔廣森、阮元，以至末葉之李慈銘、王闓運輩，擅爲駢文，而湛深經術。其中關係，可以知矣。

三國六朝以來，江左文風，冠冕全國，清代駢文，亦以江蘇之蘇、常，浙江之杭、紹諸府爲淵藪。尤其常州陽湖一縣，名家更衆，蓋亦鄉賢垂軌，是以後進向風也。

清初作者，陳維崧濡染六代，追踪子山，沈麗芊綿之風，遂告復振，而庸濫之作，亦往往而有。稍後吳兆騫、陸繁弨、蒲松齡，同稱時彥，而胡天游之博麗，杭世駿之精雅，皆爲名家。

乾隆尚華，美文鬱起，開國數十年之醞釀，至是成熟，作手雲蒸，麗文霞蔚，中土駢體，至此返照，亦可謂極絢爛之觀矣。其時最稱大家者：如袁枚之靈健熟滑，邵齊燾之清新潔麗，洪亮吉之疏俊流美，汪中之安雅矜練，吳錫祺之機利調靡，孔廣森之宗法六朝，皆一時俊傑，吳鼒輯邵吳洪孔袁枚之文，合以劉星煒、孫星衍、曾燠之作，號爲八家，不過就其師友爲集，其實劉孫諸人，殊不足以比肩洪汪也。

嘉道以還，斯文漸替，蓋四六爛調，多則可厭，並時桐城散文，亦聲希味淡，未盡衆嗜，於是頗有綜合駢散之論，劉開所謂「或爲繪繡之飾，或爲布帛之溫，究其要歸，終無二致」者是也。其後洶湧西潮，國家多難，才俊心力，轉注多方；加以洪楊革命，戰亂江南，典籍散亡，學人蓬轉，於是文運遂替，其時作品，大抵短篇多於巨製，輕倩尙於博麗，亦時會爲之也。同光以後，益如弩末，雖有李慈銘、王闓運、屠寄、李詳，以至近代現代諸賢，學覃文茂，作爲駢體，竊恐承先不難，啓後非易，良由時會旣遷，逝川難回，文運天開，固在彼而不在此也。

考近代駢文衰廢之因，殆有數端：

一　晚淸以前，尊古重文，近代所競，崇新慕外，價值觀念，大異從前，一也；

二　社會大變，傳統文體，十九無用，且教育普及，學藝繁多，制藝八股，又從此永廢，昔日童而習之之對偶、聲律、典故，今日漸成絕學，二也；

三　駢體用途，本狹於散文，又以聲律、對偶、用典之拘，辭義常欠準確，苟非才識優長，必易流爲俗滑。明淸以來，君威熾盛，駢文境狹調腐，離背自然之病，與時俱著，才俊之士，漸多厭棄，三也。

積此數因，而駢文遂衰矣。（本章各節，詳見拙著「淸代駢文通義」。）

〔二〕**洪亮吉**（一七四六——一八〇九）

稚存情摯學覃，其文亦華實兼至，吳鼒卷施閣文乙集題詞，稱其「具兼人之勇，有萬殊之體，篇什獨富」，「朴質若中郞，遒宕似參軍，肅穆若燕公」，蓋蓄積者厚，是以「英華出於情性」（文心體性〕也。近賢錢子泉稱其「思捷而才俊，理贍而辭堅，尙氣愛奇，動多振絕，汪中不如其雄，孫星衍祖之爲靡」云云，可謂推崇備至矣。

北江駢體名作，如出關與畢侍郎牋，一死一生，交情篤厚，所謂「杜鵑欲化，猶振哀音，鷙鳥將亡，冀留勁羽，遺棄一世之務，留連身後之名」，仲則有知，當感知己。冬青樹樂府序，悲鬱慷慨，傷知己賦序、蔣安定墓碣、蔣鉛山碑，皆用事精切，情文交織。孫叔敖碑、重修唐太宗廟碑、與錢季木論友書諸篇，亦流利精切，識見卓絕。至如與崔禮卿書、游消夏灣記等，秀句天成，寫景勝畫，可謂淸賢之冠冕矣。

〔三〕汪中（一七四四——一七九四）

容甫孤貧，成於苦學，四庫在胸。哀鹽船文，杭世駿稱其驚心動魄，一字千金。廣陵對三千言，江藩稱天地間有數文字。漢上琴台之銘、黃鶴樓記，代畢秋帆作，亦著譽後世。是中雖抑塞孤貧，傲睨一世，負狂生之名，當世非無賞音也。

容甫之文，既不浮麗，亦不入桐城枯淡之病，治散體而不標榜韓歐，治駢體而不入徐庾俗响。當世汪洪並稱，北江之文，造句多奇而近於疏縱，容甫則含蓄甚厚，而出之以矜練，故章太炎蓟漢微言，謂其「修辭安雅，則異於唐，持論精審，則異於漢，起止自在，無首尾呼應之式，則異於宋以後之制科策論，而氣息調和，意度冲遠，又無迫笮蹇吃之病，斯信美也。」錢子泉稱其「指事殷勤，情兼雅怨」，體踰於吳錫麒，故靈巧而不致熟滑；氣茂於邵齊燾，故淸麗而不致疏淡，「尙澹雅，不貫綺錯，而優游案衍，事外有遠致，使人味之，亹亹不倦」，李詳稱其「上窺屈宋，下揖任（昉）沈（約），旨高喻深，貌閑心戚，狀難寫之情，含不盡之意」（汪容甫先生贊序）云云，然則二百年來，賞者亦眾矣。

觀容甫眾作，如琴台銘之馨緼味醇，哀鹽船文之悲矜痛苦，弔黃祖文之感激知音，皆至誠激發，故垂世行遠，其尤悲涼悽愴，簫瑟生平者，則「自序」一文也。

自序者，容甫四十三歲自述生平之作也，梁劉孝標（峻）自序平生，以後漢馮衍（敬通）爲比，謂亮節，不遇，妻悍，蓋有「三同」，而不歡，無子，有疾，無名，是爲「四異」，容甫仿之，以峻爲比，又舉「五異」（宗弱，不遇，降志，無賞，多疵）「四同」（貧窮、妻悍、無歡、多病）。而近世王靜安、黃季剛諸君，皆有繼作，亦可謂千載同心，思通百代矣。而容甫之作，慷慨悲涼，音節哀亮，寫盡炎涼世態，幾於和淚代書。姚梅伯（燮）評云：

「楚些吳歈，能使座人摧愴；況哀蠶軋軋，抽機中獨繭絲耶！」

然則身世之悲，命運之感，古今同慨，又不僅賞其文藝而已矣。

第十四章　詞

一、詞之源起

詞者，唐宋之樂府歌辭，元明淸以來依舊調而長短其句之文字詩也。我國音樂，漢魏隋唐之際，爲一大轉變：胡樂新麗，流播中土，開元以來，歌者更「雜用胡夷里巷之音」（舊唐書音樂志），其時燕樂雜曲，三百有餘，唐宋塡詞，卽多用其中曲調。

昔人論詞體起源，或曰「泛聲」（朱熹語類）、「散聲」（方成培香硏居詞麈）、「和聲」（全唐詩詞部注）之變爲實字，因聲之抑揚長短而以意塡之（李之儀說），蓋唐人所歌，初爲五七言近體之詩，詩體整齊，而樂句參差，故始則添和聲之字以就曲，繼則采民謠，漢鐃曲樂府長短句法，以依譜塡詞，是詞之所起也。

中唐以還，韋應物宮中調笑（「胡馬」），王建宮中調笑（「團扇」），張志和漁歌子（「西塞山前白鷺飛」），劉禹錫「竹枝」（「楊柳青青江水平」），憶江南（「春去也」），白居易憶江南三首（「江南好」等）皆意趣淸新，近於民謠，殆詩人嘗試令詞之始也。至若古來傳誦之憶秦娥（「簫聲咽」）、菩薩蠻（「平林漠漠煙如織」）二詞，或云李白之製（如宋黃昇花菴詞選，鄭樵通志藝文略，清劉熙載藝概，及近人吳梅），而疑竇甚多，意境、風格、律調，尤不類盛唐太白所爲，故未可遽推「百代詞曲之祖」也。

詞調名稱之起，初各有義，或用古人詩句（如「玉樓」宴罷醉和「春」），或淵源邊地（如八聲「甘州」），或出民俗（如「菩薩蠻」），或爲宮調（如「八六子」），或屬人名（如「虞美人」），其類至多，旋卽變爲牌調符號，與詞意了不相涉矣。

二、詞之漸盛——晚唐五代

詩至晚唐五代，氣格漸陋，而歌詞精麗，獨盛於西蜀、江南，下開兩宋，是亦文體變遷之運會也。四川接壤三秦，二京擾亂，中原文士往往歸之，王建以韋莊爲佐，而王衍、孟昶，並好聲樂，於是天府之國，遂作人文之圃。至趙崇祚編花間集，以溫（庭筠）韋爲首，凡十八家，自五代和凝、南平孫光憲、南唐張泌、唐皇甫松、溫庭筠外，餘皆蜀士，殆端己之遺風也。

（一）溫庭筠與韋莊

飛卿之詩，本近義山，工於綺語，握蘭、金荃詞，亦以麗藻艷詞、就弦吹之音，錯采鏤金，遂開花間一派。自淸代常州詞派，代浙派而起，張惠言詞選，力譽飛卿，謂其境深閎而詞美約，接迹風騷，爲唐人之冠冕。實則溫詞精麗，自有千古，徵色之游士，不必遂爲倚聲之屈宋也。溫尉最工造語，故劉氏藝概謂其精妙絕人，人間詞話稱其句秀，誠所謂「嚴粧西子」也，然其詞境之狹，亦有足疵：類不出乎綺怨，語不免於複重。惟更漏子（「柳絲長」「玉鑪香」）夢江南（「梳洗罷」「千萬恨」）諸作，清疏感慨，不徒以金碧眩人眼目矣。清譚瑩詩云：「金荃不譜梧桐樹，恐並花間集也低」，可謂的評。

飛卿多遊狹邪，其詞穠麗含蓄。端已則身歷黃巢之役，轉徙流離，至於西川，雖貴作宰臣，而俯仰寄籬，自增感慨，此所以詞華清疏，情意悽怨也。其佳作如菩薩蠻五首（「紅樓別後堪惆悵」），女冠子（「四月十七」）浣溪紗（「夜夜相思更漏殘」）皆能運濃密之意以入疏俊之辭，清空善轉，有似鶯語間關，王靜安稱其骨秀，周介存比之初日芙蓉，春月楊柳，蓋謂其清麗雋妙也。

（二）南唐二主與馮延己

五季衰亂，如沸如羹，才士辭人，浮沈蓬轉，其暫保偏安，頗有文學者，西蜀而外，厥推南唐。李氏立國垂四十年，錦繡河山，倖免兵燹。中主妙善文詞，山花子二首（「菡萏香銷翠葉殘」）清和哀婉，正見襟抱，後主則並通音律，又有正中馮氏，爲其羽翼。雖作者之眾，未及四川，而風格較廣，花間集無南唐之作，殆以此也。

後主生於深宮之中，長於婦人之手，早歲苟安，乃得寄情聲色，多綺艷之作：如一斛珠（「晚粧初過」）玉樓春（「晚妝初了明肌雪」）之類是也。及國亡歸宋，面以淚洗，而詞境大變。蓋以善感多才之身，歷懸若天淵之遇，眼界既大，感慨遂深，文詞所書乃盡爲心頭之血矣。亡國賤俘，詞則君聖，其後主之幸乎？抑其不幸也？觀後主眾製，雖分二期，而直抒胸臆，不事寄托，則殆無二致，然則「江水東流」，後主之語，亦其詞品之寫照也。故奔放不難，難在於無盡，逝者如斯，綿綿此恨，可謂無盡矣，後主詞之所以感人者，亦以此也。

正中處偏安之局，受中主之知，而強隣虎視，百僚嫉妬，其危苦煩亂，亦可知矣，論者多斥其詐佞，馮煦則稱其忠愛，然陽春詞之秀美深婉，纏綿沈鬱，亦境遇使然也。其旨隱，其辭微，其情曲，其語美，海寧王氏所謂「和淚試嚴粧」者是也。其流風餘韻，播於江西，至北宋承其緒者，遂有歐晏。

三、詞之全盛——兩宋

劉熙載謂齊梁之賦，五代之詞，雖小卻好（藝概）。至北宋則音節紆徐，故慢詞興起；篇幅衍長，故局勢開張；風格繁變，故剛柔兼具。於是以格律言，由單調而雙調而三疊而四疊；以作意言，由贈妓侑歌（代言）而自抒胸臆（立言）；以題材言，由筵宴燕婉而寄慨家國，寫及農村，耆卿盡愛戀之情，清眞窮物態之妙，東坡以發議論，稼軒以抒孤憤，方之五代，可謂遠過。

宋初王禹偁、錢惟演等，偶一爲詞，未成專詣，而范仲淹干城之寄，漁家傲、蘇幕遮諸詞，蒼涼悲壯，下開豪放一派。又有晏歐二子，上接延己，張先長調，則下開蘇柳，耆卿大慢詞之風，子瞻廣倚聲之貌，又有賀方回之穠麗，秦少游之婉約，周清眞之美成，李易安之俊宕，作手朋興，可謂盛矣。

〔一〕歐、晏

南唐馮延己詞，廬陵（歐陽）得其深，臨川（晏殊）得其俊，大抵溫柔婉麗，旖旎纏綿，永叔又有同調多首以鋪寫情景（如采桑子十首西湖念語，漁家傲三首七夕），亦可謂變體之長調也。同叔暮子日幾道，生逢華屋，零落山邱，其詞深摯沈鬱，王灼謂如金陵王謝子弟，秀氣勝韻，得之天然云云，然雛鳳聲清，其才亦卓矣。

〔二〕張先

張子野詞，爲北宋一大轉捩：前此晏歐諸家，未出溫韋正中範圍，其後則柳蘇周秦，格局漸大，子野適當其中，所作小令，尙有五代風華，斷句零章，如「三影」之類，尤多秀美，晚歲喜爲長調，鋪展之風，自此啓矣。

〔三〕柳永

昔人論樂章詞者，毀譽不一，譽之者稱其善描情寫物，鋪敍展衍，音律婉諧，尤工羈旅行役；訾之者謂其俗濫褻媟，詞境狹隘，且佳句雖多，而辭意章法，百篇一體，是其短也。要之耆卿氣質，自殊東坡，而失意無聊，頽唐放浪，亦與蘇子之見尊當世者異，則其詞品亦身世之發也。

〔四〕蘇軾

世之以豪放論東坡樂府者眾矣。蘇詞有譽當世，而時人猶病蘇詞之句讀不葺，未協音律，或疵其以詩爲詞，雖極天下之工，要非本色。沈義父則云：「近作詞者，不曉音律，乃故爲豪放不羈之語，遂借東坡稼軒諸賢自諉。諸賢之詞固均豪放矣；不放處未嘗不協律也。」由是言之，則豪放之詞，特坡公一體耳。

且東坡之作爲豪放，實詞學功臣，未可以別格貶之也。自五代至於宋初，小令雖盛，大抵溫韋唾餘，陽春賸韻。情多囿於燕私，辭必主於綺麗：所謂繡幌佳人，香檀按拍；綺筵公子，麗錦拋文；旨在贍妓侑歌，非必性情自寫也。是故意境既多雷同，造語尤多蹈襲，詞境狹而個性隱，一律千篇，多讀則厭。永叔入於外篇，同叔作而不重，非無故也。至柳永以俚語入詞，務爲長調，雖盡纏綿，然意未擴，章法刻板。同時東坡則以曠世天才，鍾美文藝，作爲歌詞，亦若詩文之橫放傑出，無意不可入，無事不可言，諷今懷古，說理談禪，笑傲於山水之間，閒話乎桑麻之趣；又調外有題，襟懷自寫，非在應歌，不必盡合於律，此其特色也。由是詞境既闢，詞用遂廣，不惟弦吹於綺席之間，而貽笑爲雕蟲之藝矣。是則詞至東坡乃有更新生命，可以抗禮三唐，齊足八代，爲一朝之文學瑰寶矣。宋王灼碧鷄漫志云：

「東坡先生高處出神入天，平處尙臨鏡笑春，不顧儕輩……長短句雖至本朝而盛，而前人自立，眞情衰矣。東坡先生非心醉音律者，偶爾作歌，指出向上一路，弄筆者始知自振。」

胡寅題酒邊詞云：

「柳耆卿後出，掩衆製而盡其妙，好之者以爲不可復加；及眉山蘇氏，一洗綺羅香澤之態，擺脫綢繆宛轉之度，使人登高望遠，舉首高歌，而逸懷浩氣，超然乎塵垢之外，於是花間爲皁隸，而柳氏爲輿台矣。」是眞賞之言，非不見於當代矣。

（五）秦觀

蘇門四子，皆以詞鳴，而少游最卓。上祖温韋，下開美成，故東坡深愛淮海歌詞，而有斯人難再之歎也。少游坐黨屢放，望斷桃源，君門九重，再顧掩涕，其怨悱之情，寄諸倚聲，故能蕩氣迴腸，感人肺腑，饒清麗舒徐之美。故馮煦宋六十一家詞選例言云：「他人之詞，詞才也；少游之詞，詞心也；得之於內，不可以傳……淮海小山，古之傷心人也！其淡語皆有味，淺語皆有致，求之兩宋詞人，實罕其匹」云云，可謂有見。

（六）李淸照

易安居士以清標絕俗之姿，生蠻夷猾夏之際，幸不隨鴉，而流離暮齒，是以孤危拓落，掩抑自傷，其凄迷深婉之情，一似歌詞表之，而感人深遠。蓋詞之爲體，本以婉柔秀美見勝，易安才女，尤得天性之近，自寫本色，即成佳製，誠有異於鬚眉之士，以揣摹得之者矣。觀其評論當世詞家，少所許可，持論甚高；漱玉諸詞則鑄語造境，既多創闢，而筆力矯健，有女子柔美之情，無閨閣纖弱之態，信可以抗周軼柳，直欲壓倒秦黃矣。

（七）周邦彥

兩宋之間有人焉：前收晏歐柳秦之終，下開姜史吳張之始，萃衆美於一身，當風氣之樞紐，則周美成是也。淸眞積學富才，旁搜遠紹，而妙解聲律，審音琢句，是以其詞縝密流麗，富艷精工，舉其所長，約有數端：

一曰聲律之諧婉。邦彥提舉大晟樂府，其於「慢」、「引」、「近」、「犯」，宮商律呂之增訂整理，固有創製集成之功，自作歌詞，亦妙曼和雅，繁會相宣，富聲律之美，不獨意婉詞麗而已。故樂府指迷稱其最爲知音，作詞當以爲主；藏一話腴稱其雅俗共賞，二百年來樂府獨步，而四庫提要亦謂美成諸調，不獨音之平仄宜遵，卽仄聲三音，亦不容相混，故方千里嘗和其詞，字字恪遵，以其妙解聲律，爲詞家之冠也。

二曰長調之大成。五代小令，至張先柳永而衍爲長調，然格局單純，堂廡未大。美成則以迴環往復，濟平直之窮；鋪敍展衍，有低徊唱歎之妙。慢詞至此，遂臻美滿。

三曰文辭之麗雅。周詞設色鮮妍，鑄字工練，鈎勒而愈渾厚，體物寫景，窮極工巧，周介存比之於顏平原書法，蓋前賢之法至此大備也。又片玉集中，融化前人詩句，驅遣如意。譽之者稱其字字皆有來歷，譏之者謂其頗偸古句，然歌詞之體，本以倚聲，楚才晉用，正見其組織之功也。

至周詞之可議者，不在其文辭之蹈襲，而在其意境之狹，不出前人窠臼。徽宗之世，北宋已露亡機，而美成衆篇，殊無感慨傷時之作，周介存謂「詞」亦有「史」，乃可自樹一幟，蓋「感慨所寄，不過盛衰，或綢繆未雨，或太息厝薪，或己飢己溺，或獨淸獨醒，隨其人之性情、學問、境地，莫不有由衷之言，見事多，識理透，可爲後人論世之資」者也。「若乃離別懷思，感士不遇，陳陳相因，唾瀋直拾，便思高揖溫韋，不亦恥乎？」是則後人或稱美成爲「詞中老杜」，但稱其技巧之圓熟集成耳，固無子美「乾坤不盡」之愁也。

清眞詞境，旣多囿於古人，故「創調才多，創意才少」（王國維語），「能作景語，不能作情語，能入麗字，不能入雅字」（王世貞語），描摹麗景，遂每乞靈代字，「欲避鄙俗，而轉成塗飾」（四庫提要語），不能爲美成諱也。人巧極而天機微，雕琢盛而自然失，由是啓矣。

（八）南宋與金詞之發展

自金兵南下，宋室丘墟，志士仁人，痛左衽之堪羞，傷金甌之乍缺，而內抑於國賊，外迫於強寇，塡膺悲憤，遂發爲當哭長歌，此所以南渡詞人，多豪放之製也。張元幹、張孝祥、陸游、陳亮、劉過諸君，皆鬱勃蒼涼，氣饒悲壯，而辛稼軒最爲傑出。及偏安旣久，壯懷消歇，杭州繁庶，過於汴梁，文人聲律，講求漸盛，乃有白石精雅之製。夢窗繼之，而張玉田（炎）周草窗（密）爲其後勁，又有史達祖，王沂孫，皆工詠物，碧山尤多感時幽隱之作，蓋南宋之殿軍也。然自梅谿以下，諸家塡詞如製謎語，乞靈典實，泛濫忘歸，旣不足語於妙造自然，而詞之發展，亦自絢爛而歸於平淡矣。

至北地金源一朝，詞事亦盛。吳激北來，與蔡松年共傳東坡橫放之體，而元好問最卓，蓋陸沈之痛，身世之感，是以眾作「有骨幹，有氣象」（況周頤蕙風詞話）也。

（九）辛棄疾

稼軒長短句與東坡樂府並稱，皆云豪放，豪放固不足以盡二公，而二公之胸懷襟慨發以爲詞，亦有其不得不豪放者。譬以幼安而論，蓋振奇人也：斬僧義端，擒張安國，剿賴文政，設飛虎營，武績爛然，則民族英雄也；營帶湖，師陶令，溪山作債，書史成痴，則山林高士也。豪傑而具細美之情，隱逸而懷伏櫪之志，是振翮之雕鵬，豈呢喃之鶯燕哉！而仲謀已矣，管樂長悲，牧頗有才，請纓乏路，以此才情，逢此際遇，欲不豪放也，其可得乎？此所以「歛雄心，抗高調，變温婉，成悲涼」，別出於剪翠刻紅之外，而卓然有立也。二張兩劉以下，或似其豪壯而乏其精密，步其揮灑而遺其蘊蓄，遂每流於粗疏鄙俗，此稼軒之所以難及也。

〔十〕**姜夔**

白石作詩，學涪翁（黃庭堅）脫胎換骨之法（參看「詩」章宋江西詩派節）用之於詞，故揚州慢，五用小杜之詩，疏影暗香，亦多子美秀句，又精音律，善自度曲，每率意爲長短句，然後協之以律（長亭怨慢序），故同一協律也，張樞則削足以就履（張炎之父，瑞鶴仙詞改「樸」爲「守」，惜花春起早詞，易「深」爲「明」，均與原意相反），白石則易譜以協律（改滿江紅仄韻舊調爲平），故其所作，有「敲金戛玉之奇聲」，而不害「裁雲縫月之美辭」，淸世浙派論詞，極崇白石，非無故也。

姜詞之弊，在好用典實，多斧鑿之迹，雖能「用事而不爲事使」（張炎語），而「隔霧觀花，終無一語道着」（人間詞話論白石念奴嬌，惜紅衣之詠荷二詞，及暗香、疏影之詠梅二詞）；不若北宋之自然涵渾，故樂府指迷謂白石「淸勁知音，亦未免有生硬處」也。次則好爲小序，雖多精美，而苦與詞複，離則俱美，合則兩傷，誠不免如周介存所謂「反覆並觀，味同嚼蠟」者矣。

〔十一〕吳文英

夢窗詞學淸眞，而多硏鍊之功，樂府指迷本君特之意而論作詞之要曰：「音律欲其協，不協則成長短之詩；下字欲其雅，不雅則近乎纏令之體；用字不可太露，露則直突而無深長之味；發意不可太高，高則狂怪而失柔婉之意。」此亦夢窗自示之途也。其詞以綿麗爲尙，多用典實，雕繢滿眼，每每流於晦澀，雖愛之者謂其「脈絡井井」（馮煦、朱彊村），「自有靈氣行乎其間」（戈載七家詞選），亦不能諱其「沈邃難曉」（沈義父，朱彊村，馮煦、周濟）。「亂碧映窗」之譏（王國維），「七寶樓台」之誚（張炎），豈無因哉！雖然，樓台之美奐美侖，在乎結構，結構工巧，亦文詞之美，固不可以拆碎而不成片段論之。又常能推陳出新，化腐爲奇，未可以堆砌晦澀，盡括吳詞也。

四、元明淸詞

詞至南宋，衆美俱備，而末流所趨，漸成堆砌，陳陳相因，活力大減。又音樂、民性，南北不同，故金詞惟尙雄放，至胡元入主，南音不諧北耳，而北曲代興，南人效而改之，遂有南曲，又成一代文學，而詞之樂譜，漸次失傳，變爲觀賞文字，非復能被管弦矣。明人復古，鄙薄宋詩，詩餘小道，更少致力，加以曲體盛行，抒寫更便，詞律破壞，詞籍寡傳，於是作者寥寥，詞學幾絕，至淸乃與其他文體，同告復興。

　　清初詞風，約有二派：或沿明人遺習，以花間草堂爲宗；王士禎、納蘭性德是也。或宗蘇辛，自寫襟抱，曹貞吉、陳維崧是也，及朱彝尊標宗立義，上接南宋，務爲雅詞，崇尊白石，「浙派」遂起，及其頹也，「常州詞派」起而代之，武進張惠言以經師而好文辭，號召比興寄托之旨，上繼風騷以推尊詞體，排除庸濫，詞選一序，實其詞學宣言也。至周濟出，標舉四家，謂問塗碧山，歷夢窗、稼軒，以還清眞之渾化，極薄姜張，於是其風益盛。晚清作手，有周之琦、蔣春霖、莊棫、譚獻章，清民之際，則有王鵬運（半塘），朱孝臧（祖謀、彊村），況周頤（蕙風）等主持風氣。

　　總而論之，詞之爲體，含蓄精雅，凝鍊玲瓏，運以才人妙思，益見豔妙，近代以來，語體大盛，而詞事不廢，良有以也。

第十五章　曲

一、導　言

曲盛於元，而繼於明清。吳梅中國戲曲概論云：「樂府亡而詞興，詞亡而曲作。大率假仙佛、里巷、任俠及男女之辭，以舒其磊落不平之氣」。王國維謂世之研究宋元戲曲者自彼始，蓋古人未嘗爲之也。其宋元戲曲史自序云：「凡一代有一代之文學：漢之賦，六代之駢語，唐之詩，宋之詞，元之曲，皆所謂一代之文學，而後世莫能繼焉者也。獨元人之曲，爲時既近，托體稍卑，故兩朝史志與四庫集部，均不著於錄，後世儒碩，皆鄙棄不復道，而爲此學者，大率不學之徒，即有一二學子，以餘力及此，亦未有能觀其會通，窺其奧窔者，遂使一代文獻，鬱堙沈晦者，且數百年」，然元人劇曲佳處，在「能道人情，狀物態，詞采俊拔，而出乎自然，蓋古所未有，而後人不能髣髴」者云云。

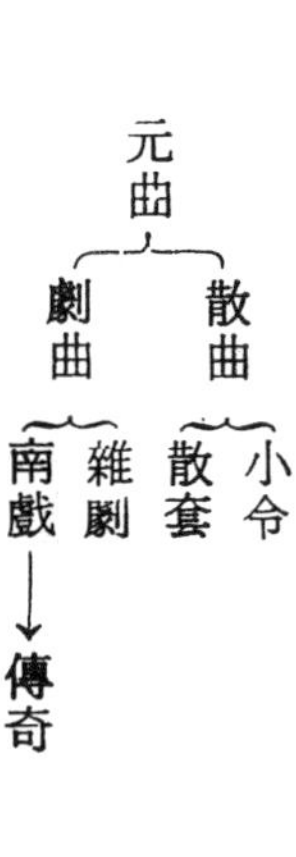

元曲之別有二：散曲劇曲是也。劇曲紀事必與首尾，以「科」紀動，以「白」紀言。散曲則無論紀事、寫景、狀物、言情，皆不須科白相聯繫，不可串演，故又名「淸曲」，蓋廣義之詩也。其中更分小令、散套。小令又名葉兒，爲獨立之短曲一首。散套一名套數，爲集同一宮調，叶同一韻部諸曲而成一套者。元明人多稱散曲爲樂府，意謂其曾經文學之陶冶，可以入樂府而充一代之雅製，有以別里巷之俚歌也。

劇曲有二：其產生於北，以四折爲一本者曰「雜劇」，其源於南地戲文，演成長劇者則稱傳奇。傳奇一名，本唐人文言小說之稱，宋則以諸宮調爲傳奇，元人稱南戲爲傳奇，明人則以稱長篇戲曲，蓋諸體取材，多由唐人傳奇故也。

二、元曲興盛原因

元曲之盛，與唐詩宋詞比肩，考其原因，蓋有數端：

（一）政治、社會因素

一、文士之見輕

蒙元入主，輕抑漢人，鄙賤儒生。「當時台、省元臣，都、邑正官，及雄要之職，中州人多不得爲之，每抑沈下僚，志不得伸，於是以其有用之才，而一寓之於聲歌之末，以抒其拂鬱感慨之懷」（明胡侍「眞珠船」卷末），才士文人，既不能爲君相拔擢，乃轉至民間求賞音，藉戲曲之嬉笑怒罵，以抒其不平之氣，此其一。

二　科舉之停廢

散曲作者，或有大臣，亦有蒙古、色目人，雜劇作者，則惟有漢族布衣小吏。金末重吏掾而輕科舉，蒙古滅金，廢科舉垂八十年，文章之士，非刀筆吏無以進身，故雜劇家多爲掾吏，而唐宋以來，科舉爲人才出路，一旦廢之。又不能爲高文典冊、學術之事，唯有宣洩其才力於新興文體之曲，作者以抒憤悶，聽者以忘煩憂，又有一二天才出於其間，元曲遂盛，此其二。（王國維宋元戲曲史）

三、時人之好尚

蒙元統治既定，耽於娛樂，且藉小說戲曲，可知漢人風尚歷史，習俗人情，而便統治（鹽谷溫說），且蒙古帝國，領土廣大，交通發展，大都、杭州等地繁庶，農村經濟元初亦告稍甦，戲曲遂有羣眾基礎。

（二）文學因素

詞至南宋姜、吳諸君，而極其醇雅，譬如「舞劍至於九變，能事遂畢」（清汪森詞綜序），不僅非平民所能作，亦漸非不知音之文士所能賞，文體至此，已極成熟而僵化矣（見「概說」章）。而元世文士，處境既大不如前，精雅小巧之詞，不足以盡抒激動奔放之意，於是淋漓酣暢，盡態極妍，篇幅較大，句法、韻調彈性更富之曲，遂代詞而興。

曲代詞興，亦屬漸進，據王灼碧雞漫志：熙寧、元祐間（一〇六八——一〇九三）諸宮調已產生，其後金人北樂，流播中原，深入民間，遂多與詞譜混融，而成韻文新體，詞人往往有作，曲體遂盛。

〔三〕音樂戲劇

蒙元習尚舞樂，而南人舒緩平和之詞樂，不諧北士口耳，遂乃變其音聲之柔曼，沿其句法之長短，以吹笳鳴角之雄風，易金粉靡麗之末習，於是調譜漸次散亡，而曲律代興。曲樂既成於北人，自又不盡諧於南耳，於是調和於北曲與詞樂之間者，又有南方戲曲。

以雜劇言，亦至元代而成熟。上古戲劇，有侏儒、俳優，南北朝有百戲，唐有參軍、代面、撥頭，踏謠娘，大率分爲歌舞、滑稽二種。宋世戲劇尤盛，合大曲、法曲、宮調、詞調，穿插種種雜戲、故事，而成綜合藝術，以「雜劇」爲總名，至金又有「院本」，蓋行院之中，歌妓所唱之曲本也。宋之雜劇大曲，金之院本，蓋均元劇前身。至若北宋神哲二宗之際，山西澤州孔三傳始作諸宮調古傳（見碧雞漫志，夢粱錄，東京夢華錄），諸宮調者，合若干宮調以詠一事，「合諸曲以成全書，備記一人之始末」，蓋「小說之支流，而被之以樂曲」者，是乃「元明以來，雜劇傳奇之鼻祖」也（吳梅中國戲曲概論）。諸宮調曲文之今存而全備者，惟金章宗時董解元之西廂搊彈詞（金元人凡讀書應舉者皆稱解元，非必中舉者），此乃北曲之開山。惟諸宮調不分齣目，不分角色，總以一人弦索彈唱，又無動作狀態。至蒙元之世，乃成熟而爲元人雜劇。

宋雜劇
宋金諸宮調 } → 元雜劇
金院本

三、元曲格律體例

（一）宮調

元曲亦如宋詞，用隋唐以來之燕樂二十八調平均分按宮商角羽四聲，宮聲七調曰「宮」，餘則曰「調」。元人實用者十二調，三百三十五種曲（據元周德淸中原音韻），各有情韻：

仙呂宮——淸新綿邈　商　調——悽愴怨慕　南呂宮——感歎傷悲
正　宮——惆悵雄壯　越　調——陶寫冷笑　大石調——風流蘊藉
黃鐘宮——富貴纏綿　中呂宮——高下閃賺　雙　調——健捷激裊
（以上九者常用）
小石調——旖旎嫵媚　般涉調——拾掇坑塹　商角調——悲傷宛轉
（以上三者較少用）

（二）用韻

金元以來，中原音韻源於汴梁（河南開封），以大都（河北，即今北京）爲中心，而大盛於中

國，入聲消失，派入三聲，曲韻亦以此爲據，平上去三聲通押。周德淸中原音韻一書分之爲十九部，遠較詩韻、詞韻爲寬：

東鍾	ung
江陽	ang
支思	i
齊微	i,ue
魚模	u
皆來	ay
眞文	in,un
寒山	an
桓歡	on
先天	en,'en
蕭豪	aw ,ew
歌戈	o
家麻	a
車遮	e,é
庚青	ing
尤侯	iw
侵尋	im
鹽咸	am
廉纖	em

〔三〕雜劇體制

元劇以一宮調之曲一套爲一折，用同一部之韻（南曲則有換韻），多每句押韻，句中多有襯字，一般多共四折，大抵係因「一人獨唱」以及「觀眾在場時間」二因素決定，第一折前半多借劇中人自敍身世，以見作者襟抱性情，常寓憤世嫉俗之意，第三折多爲全劇高潮。四折之外，或增一「楔子」以補充。（王實甫西廂記雜劇十六折，則合四劇本而成，關漢卿更續四折，即共五本矣。）

劇中紀動作曰「科」，獨語曰「白」，對語曰「賓」，歌唱曰「曲」，此皆戲劇要素，亦至元而備。每折之中，唱者只限一人，或「末」（男主角）或「旦」（女主角），他色則有白無唱，若唱，只限楔子中，除末、旦外，又有淨、丑，皆爲重要腳色。道具則謂之砌末。

元人常用套曲，第一折多仙呂點絳脣，二折多南呂一枝花，或正宮端正好，三折多中宮粉蝶兒，四折多雙調新水令，是亦一時風尙如此，人人習聽，故選調多用也。

北曲末尾，必有「題目正名」，由二或三句七、八言聯語組成而以正名一句或正名末二、三字爲劇名，如：

關漢卿竇娥寃：**題目**：秉鑑持衡廉訪法

正名：**感天動地竇娥寃**

白　樸梧桐雨：**題目**：安祿山反叛干戈舉

陳元禮拆散鴛鴦侶

正名：**楊貴**妃曉日一枝香

唐明皇秋夜梧桐雨

（四）雜劇題材

太和正音譜舉元人雜劇五百卅五本之目，總爲十二科：

神仙道化　　隱居樂道（林泉丘壑）　　披袍秉笏（君臣雜劇）

忠臣烈士　　孝義廉節　　叱奸罵讒

逐臣孤子　　神頭鬼面（神佛雜劇）　　撥刀趕棒（脫膊雜劇）

風花雪月　　悲歡離合　　煙花粉黛（花旦雜劇）

尤以最後數類更多，故事多取自古來小說，尤以唐人傳奇爲主。

〔五〕詞曲之異

	詞	曲
內容風格	靜、斂、縱、深	動、放、橫、廣
	偏於陰柔，多婉約	偏於陽剛，多豪放
	沈鬱含蓄，欲吐還茹	急切透闢，極情盡致
	宜抒情寫景	抒情寫景，敍事議論皆可
	精純，宜雅忌俗，宜莊忌諧	博雜，雅俗並包，莊諧雜出
句法形式	凝練文言	縱放語體，間亦雜以文言
	長短句，參差不大	靈活繁變，廣用襯字，每句由一字至數十字均有
	分平上去入四聲，上去通押	入聲消失，三聲通叶
	押韻法依譜式	多每句均押，或句中分節相押

四、元曲概述

明李開先張小山樂府序，謂洪武初年以詞曲一千七百本賜親王之國。寧獻王朱權太和正音譜，著錄元人雜劇五百卅五本，元鍾嗣成錄鬼簿著錄四百五十八本，然元曲傳至今日者僅一元曲選，又名元人百種曲（其中六種明初人作），爲明萬曆中臧晉叔所選，即北曲之全集也。

（一）元代劇曲佳處

我國劇曲，至元代乃臻成熟，每劇四折，每折易一宮調，且必有十曲以上，較前代之大曲爲自由，較諸宮調爲雄肆，且宋人大曲皆爲敍事，諸宮調稍有代言之處，元雜劇則科白敍事，曲文代言，形式完備，而就內容技巧而言，元劇勝處亦多：

一、以內容言——元劇凡帝王將相，文士儒臣，市井小民，販夫走卒，鼠竊巨盜，皆在描敍之列，作者之愛憎，羣眾之意識，時代之潮流，社會狀態，均現諸筆墨，其境界遠較詩古文詞爲廣。

二、以作意言——亦眞摯自然，非有藏之名山傳之其人之志，作者亦多無名位，其寫作劇曲，純出意興，以自娛娛人，酸腐頭巾之氣，矯揉虛僞之習，亦以是而少，故可謂中國最自然之文學（王國維說），故能寫情則沁人心脾，寫景則在人耳目，述事則如其口出。

三、以字論——元劇之對象爲羣眾，故賓白多活潑口語，曲文則多襯字，又俗語、古語、成語、詩詞，混雜使用，各盡其妙，且押韻自由而頻繁，亦遠較濃縮凝練之詩詞爲生動活潑。（吉川幸次郎元雜劇研究）

故總而論之，元代劇曲，合質樸自然之民間風調，與雋美精巧之文士詞采，恰到好處，遂成一代之文學。

〔二〕元劇作家之時與地

據鍾嗣成錄鬼簿，元代雜劇，可分三期：

一、**蒙古時代**——自取中原至一統之初，名作家如關漢卿、馬致遠、白樸、紀君祥、王實甫皆北人也，時地俱宜，雜劇全盛。

二、**一統時代**——自至元至順帝後至元間，名作者如喬吉、鄭光祖、宮天挺等，以南人爲多，或北人而僑寓南方者，土俗既殊，音聲亦異，北曲漸不復如前時之盛。

三、**至正時代**——此期作品存者既罕，亦少可觀，遠遜於一、二兩期矣。

元劇之盛，首推大都，次則平陽，中葉以後，則杭州爲盛，蓋劇曲基礎在於羣衆，故都會繁庶，爲其發展之溫床也。

〔三〕元劇名家

王實甫　西廂記，開研練艷冶之風。

關漢卿　救風塵、玉鏡台、謝天香諸劇，雄奇排奡，竇娥冤一劇尤有名。

馬致遠　孤雁漢宮秋，以淸俊開宗。

白　樸　梧桐雨

鄭光祖　倩女離魂

喬　吉　揚州夢

此所謂元曲六大家也，而日儒青木正兒，則分之爲本色、文采二派，前者曲辭素樸，多用口語，後者藻麗而多雅言，然亦就大體傾向而分而已。

（四）元人散曲

元人散曲作者至多，其辭清新俊逸，與宋詞唐詩，可以鼎足。一般分爲豪放、清麗二派，而以豪放爲正體，蓋元人所依之曲，本「遼金北鄙殺伐之音，壯偉狠戾；武夫馬上之歌，流入中原」（徐渭南詞敍錄），聲情慷慨，以本色語爲多，亦受蘇辛詞風影響，而喬吉、張可久輩，久寓杭州，山川明麗，姜張詞風，遂流入曲壇，而有清麗一派。

豪放派以馬致遠爲首，天淨沙小令，純是天籟，比美唐人絕句，秋思套曲，則感慨蒼涼，純是漆園之趣，通篇無重韻，周德清推爲萬中無一，爲一代散曲之冠焉。此外，貫雲石（酸齋）天馬脫羈，白仁甫鵬搏九霄，馮子振、滕玉霄亦有時名，皆東籬之羽翼也。

清麗派以喬吉、張可久爲代表，明李開先謂如詩家之李杜。喬吉兼作雜劇，特工小令，張可久爲散曲專家，傳作之多，冠於一代，而徐再思（甜齋）爲其羽翼，酸甜樂府，派異名齊，各臻妙味，亦佳話也。

此外，散曲作家甚多，見鍾嗣成錄鬼簿。

（五）元代南戲與南北曲之異

南戲與北方雜劇不同，不限四折，每折無一定之宮調，且不獨數色合唱一折，亦有數色合唱一曲，開場則無「楔子」而有「家門」或「開宗」，此其進步之處也。其源乃爲南宋浙江溫州雜劇，當時稱爲「戲文」（近人鄭振鐸力主爲印度輸入）。元既統一，雜劇南戲並行，現存南戲最古者即荊（朱權荊釵記）劉（劉知遠，即白兔記）拜（元施惠拜月亭，即幽閨記）殺（殺狗記佚名撰，或謂明徐㽦作）四大傳奇，及高明琵琶記，皆元明之間作品也。

然南北戲曲，以方音、樂律不同，風格互異，南曲清柔，宜於訴情，倘遇英雄武俠之劇，則北曲當行出色，二者形式較如下表：

	北曲	南曲
一	平聲分陰陽，入聲消失	平無陰陽，入聲仍在
二	襯字較多	襯字較少
三	四折，或加楔子	齣數不限，無楔子，開場有「家門」
四	一折一宮調一人獨唱	一齣不限一宮調可換韻數色合唱
五	有題目正名	無題目正名，有下場詩，戲名亦由繁冗而簡練
六	以正末爲男主角	以生爲男主角
七	文字多本色口語	文字典雅常有駢語
八	排場關目較拙樸	組織有序
九	富蒼莽雄宕之氣	饒綺麗柔美之致

南戲入明，遂兼采北曲，而成明之傳奇，傳奇與雜劇之異，卽南北曲之異也。

	宋金	元	明
南曲：	溫州歌曲	戲文	傳奇
北曲：	北地歌曲	雜劇	……雜劇

（詞 → 戲文、雜劇）

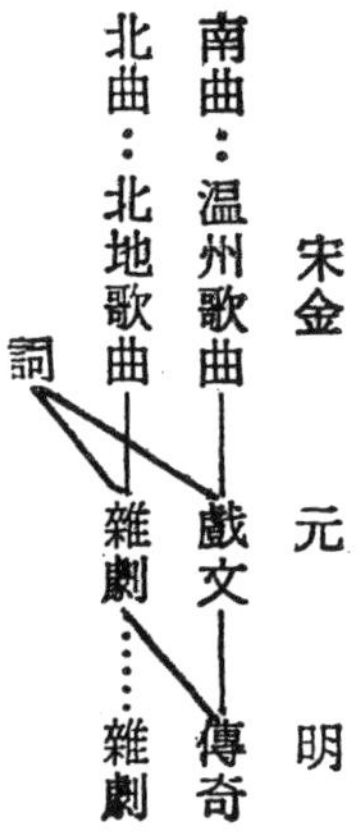

五、明曲概述

曲盛於元，明初稍息，至中葉而南曲大昌，其初各地聲腔樂器均異：

弋陽腔行於湖閩贛廣　　餘姚腔行於浙北江蘇

海鹽腔行於浙南溫州　　崑（山）腔行於吳中

嘉靖（世宗）隆慶（穆宗）間，太倉魏良輔，崑山梁辰魚，妙善聲樂，探討研究，改良崑腔，參用弦索（北）、簫管（南），流麗穩協，遂統一諸調，北曲乃衰。

（一）明代雜劇

初葉：寧獻王朱權：太和正音譜，品題曲家九十八人

雜劇多種皆失傳

周憲王朱有墩：雜劇二十餘本

中葉：康海（字德涵，號對山）：中山狼雜劇

王九思：杜甫沽酒遊春戲

馮惟敏：不伏老

汪道昆：「遠山戲」等四本短劇

徐渭（文長）：四聲猿（每折一劇）

〔二〕**明代傳奇**

明曲主流在傳奇，作者亦以江南爲眾，恰與元初成一對比，佳作甚多，主見於明毛晉所編汲古閣六十種曲。

明初自高明（則誠）琵琶記，見賞於太祖，爲風氣先導。寧獻王朱權有荆釵記，徐畛有殺狗記，其後作者稍衰，中葉成化（憲宗）弘治（孝宗）以後，風氣大盛，晚明吳江沈璟，臨川湯顯祖，並世爭雄，沈主音律，而文辭凡下。湯重文辭，而講意之所至，不妨拗折天下嗓子，所作玉茗四夢甚有名，而離魂記（牡丹亭）尤稱冠冕。於是湯文沈律，遂成二派，亦有斟酌二家，折衷短長者。明末傳奇作者，有阮大鋮、吳炳。吳作以療妬羹，情郵記最著，阮則品佞文工，深得玉茗（湯顯祖）之神，燕子箋，春燈謎，今傳於世。而傳奇一體，亦由雅俗共賞，漸變爲文人專藝矣。

〔三〕**明代散曲**

明人作散曲者亦多，崑曲流行之前，北曲爲盛，康海、馮惟敏、王九思，皆饒雄放之氣，爲南調

者則有陳鐸、沈仕，流麗綺艷，唐寅、祝枝山、文璧（徵明）並居吳下，特工南曲。及崑腔旣盛，音調流美，梁辰魚、沈璟依此新聲，作爲散曲，最稱名家，百載之間，爲曲壇宗主，而工麗有餘，本眞不足，是其病也，其間施紹莘則自成一家，不入梁沈窠臼，輕倩綿密，足爲明曲殿軍。然一般趨勢，由典雅而堆砌，拆碎固不成片段，倂合亦難象樓台，後來衰因，自此伏矣。

六、清曲概述

（一）明清戲曲之較

清人戲曲，就詞藻、意境而言，均遜於明代，近人推論其故，謂清代學風，崇古尙雅，而元明以來，曲有頹廢、鄙陋、荒唐、纖佻四弊，與清之時代精神不合（鄭騫氏說）；當世以考證爲學術，以曲爲末藝，是故文士用力，多在詩文，詞亦復盛，上附風騷，加以康雍以還，名公巨卿，憙曲者少，而俗調流行，雅樂不昌云云（吳梅說）；是皆清曲之衰因也。然協律、訂譜、演出、場規諸端，均有進步，吳氏舉其著者云：

一　明代傳奇多以四十齣爲度，少者亦卅齣，拖沓泛濫，疵病甚多，又事實離奇，至山窮水盡處，輒假神仙鬼怪作爲生旦團圓；清人則取裁說部，不事臆造，詳略繁簡亦較得宜。

二　明人無佳譜，清人曲譜較精。

三　明人無佳韻書，清人有之。

四　論律之書，明人亦不及清人。

〔二〕清代劇曲名作

清初李漁作十種曲，布局工而措詞拙，可以供優孟衣冠，不足入曲壇月旦，曲阜孔尚任，錢塘洪昇分雄南北，桃花扇（孔），長生殿（洪），蜚聲至今。以排場布置，宮調分配言，則孔不及洪，以文辭優雅，內容深刻言，則洪遜於孔，至若桃花扇爲當代曲史，此則尤不可及也（詳見後節）。乾嘉以還，有蔣士銓藏園九種曲，漸如弩末。縱觀有清一代，名手不過數家，實曲之末運也。

清人亦有作短劇者，洪昇四嬋娟，桂馥後四聲猿，皆上繼明人，而楊潮觀最稱絕詣。

清代戲曲，以崑腔爲主，吐字以吳音爲正，乾隆末年，招致京外名伶羣集輦轂，分雅、花二部，雅部蘇崑名優，一名內江班，花部各地雜腔，如弋陽、梆子、秦腔、西皮、二黃等，稱外江班，又稱「亂彈」。而新聲繁變，人情所喜，故雅部漸替，花部大興，崇尚崑曲者，則疾首蹙額，謂爲下里巴人焉。

〔三〕清代散曲

清初尚南曲，作者有吳綺、吳錫麒等，均駢文名手也，而朱彝尊，厲鶚，用詞人之筆，以喬吉、張可久爲宗，自此而外，作者實寥。民間盛行「道情」，以超世出塵爲教，蓋亦散曲之流也，名士鄭板橋（燮）徐靈胎（大椿）等，皆有創製，靈胎情貌尤廣，蓋欲創新詩體也。又有招子庸特工情語，作爲粵謳，而客途秋恨最有名。

（四）桃花扇

孔尙任桃花扇一劇，以南明福王弘光一朝爲背景，借侯方域、李香君情事，演明亡之慘痛，賓白科諢，幾皆有所本，年月時地，亦按考詳確，「繪影繪聲」（梁廷枬籐花亭曲話），「南渡諸人，面口畢肖」（李調元雨村曲話），實不愧爲「一部哭聲淚痕」（梁任公語）之偉大史劇也。其小引云：

「傳奇雖小道，凡詩、賦、詞、曲、四六、小說家，無體不備。至於摹寫鬚眉，點染景物，乃兼畫苑矣。」

此言戲曲爲綜合藝術也。又云：

「其旨趣實本於三百篇，而義則春秋，用筆行文，又左、國、太史公也。於以警世易俗，贊聖道而輔王化，最近且切。『今之樂，猶古之樂』（孟子語），豈不信哉！」

此尊崇其體，故下筆矜重也。又云：

「桃花扇一劇，皆南朝新事，父老猶有存者。場上歌舞，局外指點，知三百年之基業，隳於何人，敗於何事，消於何年，竭於何地；不獨令觀者感激涕零，亦可懲創人心，爲末世之一救矣。」

其用心艮苦如此，淸初文網方密，而能如此，亦可謂才卓而志偉矣。其小識又云：

「傳奇者，傳其事之奇焉者也。……桃花扇何奇乎？其不奇而奇者，扇面之桃花也。桃花者，美人之血痕也。血痕者，守貞待字，碎首淋漓，不肯辱於權奸者也，權奸者魏閹之餘孽也。餘孽者，進聲色，羅貨利，結黨復仇墮三百年之帝基者也。帝基不存，權奸安在？惟美人之血痕，扇面之桃花，嘖嘖在口，歷歷在目，此則事之不奇而奇，不必傳而可傳者也。」

是誠所謂「南朝興亡，遂繫之桃花扇底」（本末）矣。故包世臣藝舟雙楫云：

「近世傳奇，以桃花扇爲最。淺者謂之才子佳人之章句，而賞其文辭清麗，結構奇縱；深者則謂其旨在明季興亡，侯李乃是點染……然其意旨存於隱顯，義例見於回互，斷制寓於激射，實非苟然而作。」

故東塘之旨，蓋欲以合左氏、公羊爲一，表諸劇曲，而行春秋之義者也。相傳康熙最喜此曲，內廷宴集，每常演奏，每至「設朝」「選優」諸折，輒縐眉頓足曰：『弘光！弘光！雖欲不亡，其可得乎！』往往爲之罷酒（見吳梅顧曲麈談），則清帝之用心深矣。劇中老贊禮一角，即雲亭之現身說法，而末齣「餘韻」之中，以「問蒼天」澆胸中塊壘，以「哀江南」悲荊棘銅駝，而「秣陵秋」駢體彈詞，則概括興亡，比美梅村「圓圓」之曲，使人一唱三歎，低徊無盡。此則長生殿之所不及，而亦可謂曲中之史矣。

第十六章　小說

一、導言

我國近世流行之各種文體，小說成熟較遲。漢志著錄小說十五家，隋志以入子部，新唐書小說一類，龐雜已極。明胡應麟少室山房筆叢，分爲六類：即志怪、傳奇、雜錄、叢談、辨訂、箴規。清四庫提要則別之爲三：傳奇、雜事、異聞、瑣語是也。凡此諸類，大抵文士餘緒，篇幅不完，嚴格衡量，多不能以今日所謂「小說」者稱之。至宋之平話，元明之演義盛行民間，流傳不替，寫作藝術，與時俱進，而自來史家，囿於成見，皆未收錄。近代以來，西學大入，小說之體既尊，整理研究者亦眾，自魯迅中國小說史略，精闢扼要，開啓榛蕪，其後繼作踵起，當代孟瑤中國小說史，斐然美備，均此學之功臣也。

吾土先民起於中原，地瘠天寒，生產不易，遂成勤樸務實之性，而儒學盛行，重視倫常，敬神遠鬼，其後佛道諸教，泛鬼多神（佛教精義本在心性，然民間所染，大抵印度傳統信仰之遺），紀理不易，以故我國小說，雖有西遊、封神、聊齋等作，而神話幻想，迄未充分發展，加以晚周以來之文化傳統，不尙推理，不好法治，故偵探小說亦不興盛，包公、彭公、施公之類，亦不過聖君賢相，人存政舉觀念之遺耳。今則民智大開，世變日繁，中國小說，自有更大發展也。

二、上古「小說」

「小說」一詞，最初於莊子外物篇：「飾小說以干縣令（求高譽），其於大達亦遠矣。」蓋指淺薄瑣細之言。其後目錄學者乃總稱淺薄零碎、難以歸類之雜錄、筆記一類書籍爲「小說」，是本目錄名詞，非文學體式也。

漢志敍錄小說，謂出於稗官；今俱亡佚。據班固注，則諸書大抵或托古人，似子而淺薄；或擬古事，似史而謬悠者。現存之所謂漢代小說，亦多假托。考其源流，大抵如下：

上古「小說」
- 神話傳說：穆天子傳→漢武故事，漢武內傳，漢武洞冥記。
- 異聞雜錄：山海經→神異經，十洲記。

又有西京雜記、飛燕外傳等，作者均難確考，蓋戰國秦漢之世，燕齊方士，喜侈談海外靈境，神仙不死之說，以蠱惑朝野，會佛教入華，初亦似祠祀養生之術（參看上冊佛教章），文士則好誇異聞，方士則自神其教，於是僞托滋多。漢武一代雄主，好神仙方術，班固史家，東方朔滑稽多智，事迹傳奇，故諸書咸多依附也。

漢魏南北朝世積衰亂，宗教慰安需求殷切，鬼神志怪之書，遂隨佛道二教而增長，如：

列異記（曹丕？張華？）　　博物志（張華？）

搜神記（干寶）　　搜神後記（陶潛？）

述異記（任昉）　　幽明錄（劉義慶）

寃魂志（顏之推）　　冥祥記（王琰）

其著者也。此類書籍，時人以至作者多覦爲記錄實事，而非想象創作者，今存自漢至隋小說大抵此類。

漢末士流，崇尙品第人物，魏晉又盛淸談，於是高士雅人，一言一行，往往雋永可誦，奇譎可傳，紀錄成書，遂有裴啓語林。郭澄之郭子等，至宋劉義慶世說新語出，集其大成，盡掩衆製，劉孝標注，更徵引浩博，映帶本文，其後仿作甚多，此類記載人間實事之書，與鬼神志怪一類，遂成漢魏六朝小說之二大流派。

三、唐宋文言小說

漢魏六朝小說，形式細碎，結構簡單，雖或語言精練，而刻畫膚淺，至唐人傳奇然後一變。唐人小說，雖猶是搜奇記逸，但以態度言，則是時始有意作爲小說；以技術言，則文辭華艷，描敍宛轉，勝於六朝之粗陳梗概。胡應麟筆叢卅六云：

「變異之談，盛於六朝，然多是傳錄舛訛，未必盡幻設語。至唐人乃作意好奇，假小說以寄筆端。」

此云「幻設」「作意」，即有意識之創作矣。魯迅史略稱其：

「施之藻繪，擴其波瀾，故成就特異，雖亦托諭諷以紓牢愁，談禍福以寓懲勸，而大歸究在文采與思想，與惟明鬼神因果者異趣。」

此謂其結構、內容、技巧，均視前為進也。當時雖或訾其卑下，社會則甚風行，文人往往有作，用為行卷以投謁弋名，蓋以此表其史才、詩筆、議論也（陳寅恪引趙彥衛雲麓漫鈔），故宋洪邁容齋隨筆云：

「唐人小說，不可不熟：小小事情，悽惋欲絕，洵有神遇而不自知者，與詩律可稱一代之奇。」

此類文言小說，體傳而事奇，故曰「傳奇」，傳者古文運動之旁流，奇者六代志怪之遺响，蓋唐代特絕之作也。韓愈毛穎傳、羅池廟碑，亦屬其例。

唐人傳奇，可分四類：曰史外逸聞，韓偓海山記，陳鴻長恨歌傳是也；曰俠義勇烈，袁郊紅線傳，杜光庭虬髯客傳是也；曰男女艷情，蔣防霍小玉傳，元稹會眞記；白行簡李娃傳是也；曰釋道鬼神，李公佐南柯太守傳，李朝威柳毅傳，陳元祐離魂記，沈既濟枕中記是也、後世劇曲，亦多自此改編。

此外又有「雜俎」一類，上承六朝風格，篇幅簡短，紀載人物言行，遠方珍異，如李肇國史補，趙璘因話錄，段成式酉陽雜俎、蘇鶚杜陽雜編之類是也。

宋既一統，設館閣以羈縻各國詞臣，使修太平御覽，文苑英華等巨籍，又編集野史、傳記小說為太平廣記五百卷，採摭弘富，收神鬼報應諸類之書至五十五類，三四四種，蓋五代以前小說之淵海矣。其後宋世既重史學，印刷術又發展，故筆記小說大盛。南渡後，高宗好小說，傳奇、雜俎續盛，而洪邁夷堅志四百二十卷，最稱繁夥，然宋代志怪，旣平實而乏文采，傳奇又托往事而避近聞，以故價值不大，市井之間，則受唐代變文影響，興起平話，蓋白話小說也。

四、宋元之話本

隋唐以來，佛法流行，遂有演佛傳、佛經、因果報應、歷史、西域故事等爲通俗文體，以勸世獎善，吸引羣衆者，卽清末敦煌石窟所發之「變文」是也，其後漸流鄙俗，宋初禁之，然其流入於市井，乃有講說佛經、史事，以至社會人情之「說話」。宋初以來，偃武修文，和戎百載，海內晏安，民習娛樂，是以說話大興，說書之人，漸成專業，其底本稱爲「話本」，講史者則稱「平話」，是白話小說之源起也。

話本之體，往往冠詩詞或短篇故事於全書之首，以作引導，而便後至，書末又往往結以長詩，此與佛徒講經之押座文、解座文相近。正文部分，駢散文白交錯，而口語化之趨勢顯然。每次說話將畢，多有緊湊情節或懸疑之處，以作吸引，此種特色，其後遂保存於長篇章回小說之中。說書對象旣爲百姓，故內容多取現實，又每夾敍夾議，論斷嚴正，常以儒道二家之學，佛氏因果之說爲本，蓋廣大平民之社會教育矣。

說話有四家；銀字兒（小說）、說話（佛理）、講史（歷史）、合生（歌舞）是也。大抵踵事增華，狀態極其生動，描寫趨於細膩，悅目娛心，大爲羣衆所喜。短篇著者如京本通俗小說，淸平山堂話本，長篇如大宋宣和遺事，大唐三藏取經詩話等，均爲後世小說所本。

五、明代小說

明初獨夫專制，八股取士，士人思想遂桎梏無生氣，正統文學，甚見衰微，民間通俗文字，如劇曲小說，則頗興盛，宋元話本發展至此，代代加工，已臻成熟，遂有白話小說之發皇。短篇如馮夢龍編輯之「三言」（喻世明言，警世通言，醒世恒言），共收宋元明話本一百二十篇，凌濛初述撰之「二拍」（初刻、二刻拍案驚奇），及其共同選本之「今古奇觀」（三言廿九篇，二拍十篇）；長篇如三國志演義、水滸傳、西遊記、金瓶梅等，皆為一代文學瑰寶。蓋其時文人，漸知小說之感染羣眾，影響世教，甚於聖經賢傳（如李卓吾忠義水滸傳序，可一居士三言序），故其編撰小說，與前此之惟抒個人抑鬱，表一己才情者，又自不同，此亦其興盛之因也。至技巧之趨於工練，細緻，組織之嚴謹、周密，主題之明確、突出，則又文體發展之必然現象矣。且明代僧道甚眾，報應輪迴之說，深入人心，是故因果靈怪小說，並隨而大盛也。

（一）三國志演義

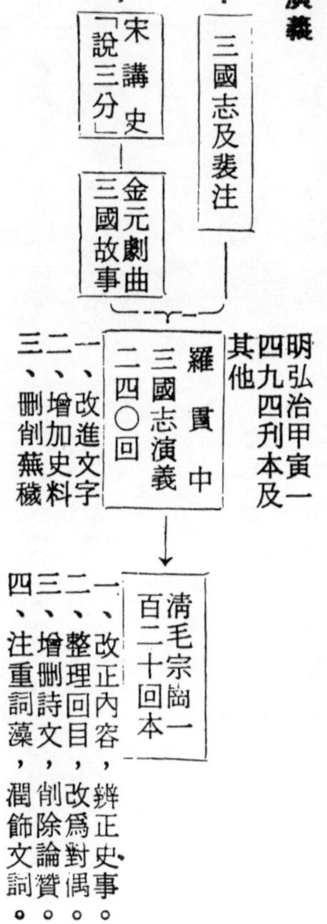

正史：三國志及裴注

民間故事：宋講史「說三分」——金元劇曲三國故事

→ 羅貫中 三國志演義 二四〇回（明弘治甲寅一四九四刊本及其他）
一、改進文字
二、增加史料
三、刪削蕪穢

→ 清毛宗崗一百二十回本
一、改正內容，辨正史事。
二、整理回目，改為對偶。
三、增刪詩文，削除論贊。
四、注重詞藻，潤飾文詞。

此書特點，在忠奸愛憎分明，激揚朋友風義，描繪奇詭智謀，而尊劉抑曹，帝蜀僞魏，尤與羣眾心理相表裏。以故數百年來，異姓聯昆弟之好，輒曰結義桃園；謀略逞占驗之奇，動言諸葛神算；以至歷代雄主之羈縻悍將，將帥之攻略用兵，宗教之偶像運用，平民之處世立身，百姓之鑑古知今，以此書爲終身教本者，不可勝數。又以原本正史，輔以說話，故創作想象，終乏超奇，至若「欲顯劉備之長厚而似僞，狀諸葛之多智而近妖」，則尤描繪之失也。

他如隋唐演義，東周列國志，說岳全傳等，皆效三國演義而不及者也。

〔二〕水滸傳

演北宋徽宗宣和三年間宋江等聚義，橫行河朔，其後接受招安事，屢經修改而成今本，其版本、編撰問題至繁：

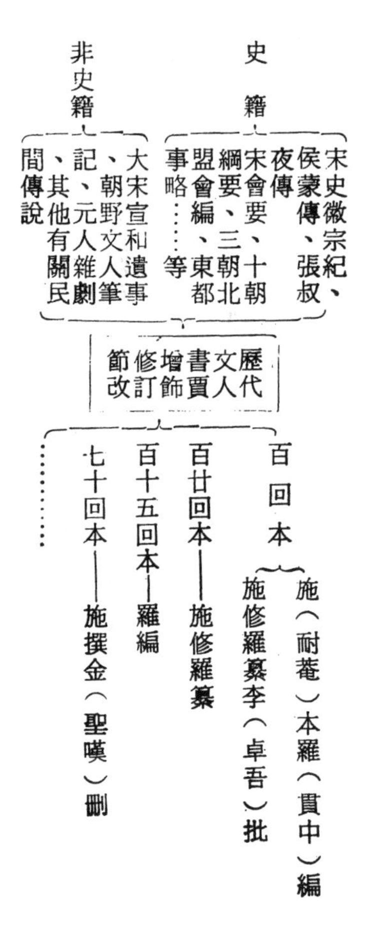

此書造語遣辭，活潑生動，情節複雜而曲折，刻劃性格，塑造人物，尤見成功，與紅樓夢同爲語體文學寶典。至其表現官逼民反，亂由上作，庸奸擅權，才俊失所，則「京師如鼠壤」而「山中壁壘堅」（龔自珍語）。主題嚴肅，描寫深刻，然今世猶有薄其非正統學術之比者，可謂迂而且陋矣。

至水滸後傳，寫圖霸於他方，蕩寇志，則爲尊君上、貶叛亂說法，皆此書之繼响也。

〔三〕西遊記

- 印度「猴王哈奴曼」故事
- 玄奘取經史事（慈恩三藏法師傳（慧玄）、大唐西域記（玄奘））
- 唐代變文「太宗入冥」故事
- 其他中、印傳說神話
- 道教方士之說
- 一般佛教信仰與故事

以上揉合而成：一、齊天大聖來歷；二、取經來歷；三、西遊八十一難 → 宋「唐三藏取經詩話」→ 西遊記雜劇 → 元古本西遊記（見永樂大典）⋯→ 明吳承恩撰定西遊記

西遊記百回，魯迅史略以爲取材「四遊記」中楊志和四十一回「西遊記」，擴展而成，胡適則以爲楊刪吳本。吳氏少敏慧，淹雅好玄怪，詩酒諧謔，洞達人情，作爲本書，設思神幻，以仙佛魔怪，地獄天堂，刻劃世情，描寫物態，以寄其嘲諷牢騷，又雜五行生尅，以及通俗佛理，以故見仁見智，解者紛如，其實過事深求，反爲吳氏所笑也。

此外，有四遊記，爲神魔小說之合集，董說西遊補，則以禪趣解情，譏彈晚明世風，甚有價值。又有許仲琳封神傳，雄肆不及西遊，徵實不如水滸，惟情節尚稱熱鬧，以故讀者亦多。

（四）**金瓶梅**

以水滸人物武松、潘金蓮、西門慶之事，衍成百回，作者題蘭陵笑笑生，未知何人，或謂王世貞（元美）復父仇之作，未可信。明朝其他小說，多由宋元話本累積加工而成，此則惟假一、二舊人物，由一作者獨創新情節，其刻劃世情，描寫人物，細膩眞切，晚明社會之腐敗，世風之俗惡，以至中葉以來，由朝廷流播民間之淫妄風氣，迷信習尙，均表露無遺。此書之病，在刻劃病態而缺乏理想，猥瀆頗多，致招惡評，掩其眞價，其後踵作紛起，皆以才子佳人，人情世態爲題材，至清曹雪芹紅樓夢出，而俗濫盡除，衆美兼備。

六、清代小說

明人小說，多由傳統話本、戲曲，加工潤色而成，清代則多以明人小說體裁爲基礎，個人獨力創作。明中葉嘉靖間，唐人傳奇，又復流布國中，文人每每仿作，至淸猶盛，而蒲松齡聊齋誌異，紀昀閱微草堂筆記最有名。

（一）擬晉唐小說——志怪與人事兩派

一、聊齋誌異——蒲留仙家道中落，屢試不第，禍福窮通之思遂深，與傳說狐鬼信仰相結，集記所聞，益以「四方同人郵簡相寄」；乃成本書。敍事則委曲入情，述怪則離奇可愕，文字雅麗，風行於世，仿之者如袁枚「新齊諧」（「子不語」），宣鼎「夜雨秋燈錄」，皆重志怪者也，然狐鬼告退，而粉黛漸盛矣。

二、閱微草堂筆記——曉嵐此作，追踪晉宋，尙質去華，態度嚴謹，雖奇豔不若聊齋，而雍容淡雅，俊語妙思，尙人情，反宋儒之苛察，更欲勸懲人心，作爲風教一助，於是踵作亦多，較之聊齋，少摹繪之風，末流遂墮爲因果報應之常談。

〔二〕諷刺小說

清代小說，除上述用文言，擬晉唐者外，白話小說續盛。雍正末、吳敬梓儒林外史五十五回出，秉公心，據聞見，刺士林，刻劃僞妄，掊擊陋俗，婉而多諷，尤病制藝。所傳人物大抵實有，而以象形、諧聲、會意、隱語諸法，寄寓姓名。全書實一連環扣結之短篇小說集，而以當代之儒林整體爲唯一主角。其中范進中舉、王玉輝節女諸回尤有名。

淸末世變益劇，而官威稍減，諷責小說繁興，如李寶嘉官場現形記，吳沃堯（我佛山人）二十年目覩怪現狀，九命奇冤，曾樸孽海花等皆是，而劉鶚老殘遊記，寫景敍情，細膩入微，不僅表現世態刺酷吏之惡而已。

然此類諷刺小說、繼作者往往公心不逮，才力不如，流爲黑幕揭發之書，甚至毀謗攻訐，非復文藝之事矣。

〔三〕愛情小說——紅樓夢及其他

乾隆中，有石頭記出，迅卽傳誦，風行數百載，其文學價值，久而彌見，蓋我國自來小說之冠冕也。

一、**名稱**——石頭記、情僧錄、風月寶鑑、紅樓夢……等，而以「紅樓夢」一名爲定。

二、**作者**——曹雪芹寫定前八十回，書未成而逝，高鶚續後四十回。

三、**內容**——以女媧煉石補天所遺靈石起敍，一念無明，遂墮煩惱，以石頭城（南京、金陵）賈氏（「賈」者，假也，「曹」之二柱俱不出頭，藏首而露足也）兄弟豪門榮、寧二府爲背景。幼子寶玉，自少迄長，周旋黛玉、寶釵等姻連姊妹及襲人、晴雯等侍兒之中，愛博心勞，憂患日甚，而榮府衰象已伏，其中寶、黛二人，厭塵俗，反功利，惡矯僞，氣質相投，而名教束身，柔懦成性，終難自拔，遂成犧牲之品。寶釵、鳳姐，則賢慧機詐，營謀智巧，終必欺人而不免自欺，此前八十回之大略也。高氏續作，揣摩原意，使破敗迭起，卒之黛玉殞亡，寶玉出家，鳳姐敗死，寶釵亦一切皆空，收結全書。

四、**藝術**——所寫悲歡離合，人情世態，極龐雜而淸晰，刻劃女兒心事，女性靈魂深處之貪嗔痴，細膩深刻，塑造人物，靈巧傳神，文字亦極洗練精確，不僅我國自來小說之冠冕，亦中國文學之寶典也。

五、**作意**——此書作意，至今猶有訟爭，或曰述他人事，病在深求而近穿鑿；或曰自述生平，則近理而信者較多：

一　述他人事——
(1)納蘭性德家事（但納蘭死時，其父相國明珠猶盛，與賈府敗落不合。）
(2)順治與董鄂妃情事（但小宛長順治十餘年，且旁證亦少。）
(3)康熙政事，弔明亡，揭淸失，惜貳臣之失節（自近人蔡元培來，今世猶有主之者）

二　自敍生年：曹雪芹生逢華屋，而零落坎坷，乃以賈代曹，以往事爲幻夢假象，影射所遇，寄其悔愧懺情之衷。

六、續作——高鶚後四十回，追踪原意，極審愼而富技巧，然以境遇才性之殊，亦有未盡合原意，未盡滿人意處，然經營慘淡，已爲曹氏功臣。其後續作甚多，或勉強使之團圓，則識見凡庸，不僅文字遠遜而已矣。

七、其他——金瓶梅、紅樓夢一脈，繼者甚多，蓋男女愛情，人生難免，而亦讀者喜聞者也，然才性庸下者，往往流爲才子佳人濫套。往昔男女社交，閉而不開，愛戀之情，遂惟向風月場中表露，陳森品花寶鑑，魏子安花月痕、靑樓夢，韓邦慶海上花列傳等，大抵自命風流，粥粥羣雌，皆我玩偶，亦大抵舊式文士之無聊痴想而已。

〔四〕淸代其他小說

盛淸以來，昇平日久，少壯游勇，或思功名，而民間每多不平，乃慕游俠良吏，於是遂有兒女英雄傳（文康）、三俠五義（石玉崑），小五義一類小說，蓋宋人話本之繼響也，又有施公案、彭公案等，亦足見法治不明，民多寃屈矣。

此外，夏敬渠野叟曝言，爲自命正統之理學腐儒者言，跨張榮顯，排斥佛道，庸俗鄙陋之氣，溢於楮墨。又有陳球燕山外史，全屬駢文；李汝珍鏡花緣，頗有男女平等之新意，而鋪陳文娛典藝，以至海外奇談，幾若萬寶全書，皆矜才炫學之作也。

（五）晚清小說之盛

晚清小說，益形蓬勃，考其原因與影響所及，殆如下述：

一　西潮激蕩，國難日深，志士悲憤之情，醒世之志，表諸小說，以其可暢所言，而易於感染，非詩古文辭所能及也，於是小說爲用益廣。而辭氣浮露，筆無藏鋒，往往不耐咀嚼；

二　外域文藝，流播中華，西洋小說，譯介日廣，國人漸知斯體之尊，而心理之刻劃，景物之描繪，結構之經營，皆以石錯他山，而大有進步；

三　報章雜誌，漸告發達，副刊連載小說，應時而生。其弊則煮字療飢，粗率匆忙；迎合讀者，趣味卑下，以視歷久彌光之水滸紅樓，相告遠矣。

凡上所述，皆可謂新小說之啓蒙時期必有現象，今則才士眼界旣廣，感慨益深，普遍民智，亦遠勝昔時，則新小說之發展前途，正未可量也。

第十七章　文學批評

一、概　說

四庫提要「詩文評類」云：

「文章莫盛於兩漢，渾渾浩浩，文成法立，無格律之可拘。建安黃初，體裁漸備，故論文之說出焉；典論其首也。其勒爲一書，傳於今者，則斷自劉勰、鍾嶸。勰究文體之源流而評其工拙，嶸第作者之甲乙，而溯厥師承，爲例各殊。至（唐）皎然「詩式」，備陳法律；（唐）孟棨本事詩，旁採故實；（宋）劉攽中山詩話，歐陽修六一詩話，又體兼說部。後所論著，不出此五例中矣。」

近人朱東潤氏謂吾人今日欲觀古人文學批評之所成就，蓋有數端：散見本集之論文篇章，一也；自甄錄去取而窺其意旨，二也；選家所附評註，三也；見諸他人專書，四也；見諸他人詩文，五也（中國文學批評史）。至若勒成典籍，條理畢具，自爲首尾者，則文心、詩品，最稱傑構，其他歷代名賢所論，雖深解卓識，往往而有，然思精體大，終推劉鍾之書也。

漢末以前，文藝猶未獨立，所謂「文學」，不過「學術」之殊稱；詞章之技，亦附庸經傳，輔翼風教，托名卜商之毛詩序，是其例也（見本書上冊），及曹公父子，篤好詩章，鄴下風流，總標七子，於是建安文學大盛，其時賞鑑品評之風尚方興（參看上冊魏晉玄學章），有意識之文學批評，於焉肇始。文心雕龍序志篇所謂「魏文述典，陳思序書，應瑒文論」是也。其中曹丕典論論文，尤見精備，其論文章不朽，則文學獨立之嚆矢也（又見與王朗書，與吳質書）；文氣之說，則以才性爲創作根源，下啓文心體性篇，姚鼐曾國藩陰陽剛柔古文四象之說也；論四科（奏議、書論、銘誄、詩賦）不同，則陸機文賦十分法與文心雕龍下篇所本也；論文人相輕與賞鑑之難，則文心知音篇所自也；論建安七子，則文心才略、時序之避評當代，詩品之不錄存者，方之子桓，又自異趣矣，或者副君之重，乃能暢所欲言耶？然評論所及，絕口不至陳思，則又文人狹妬，權位水火，傷及連枝，觀其「相輕」之論，可謂智及之而仁不能守之矣。

二、文心雕龍

（一）時代背景

我國歷代尙文，南朝詞章尤盛，作品既多，遂有評選賞鑑需要，「品藻異同，删整蕪穢，使卷無瑕玷，覽無遺功」（梁元帝金樓子立言篇），故劉知幾史通自序云：「詞人屬文，其體非一，譬甘辛殊味，丹素異彩，後來祖述，識昧圓通，家有詆訶，人相掎摭，故劉勰文心生焉」，此可謂知彥和用心矣。

〔二〕命名、寫作動機與立論態度

文心末篇序志，首釋其書命名，謂「古來文章，以雕縟成體」，若騶奭之羣言雕龍，極其華美，此書則「言爲文之用心」，故曰「文心雕龍」。至其撰述之由，蓋有三端：

一、立言不朽。以上繼仲尼——序志篇謂「宇宙綿邈，黎献紛雜，拔萃出類，智術而已；歲月飄忽，性靈不居，騰聲飛實，制作而已」，人「形同草木之脆，名踰金石之堅」，端在「樹德建言」，故作爲文心，亦立言之旨也。又感夢不凡，思隨孔子，而「文章之用，實經典枝條」，故論述文藝，以翼贊夫子，一也；

二、矯正訛濫文風——宋齊以來，文風日麗，采溢於情，時患浮詭，故通變、定勢、詮賦、夸飾、情采、辨騷諸篇，皆力排訛濫，使復文質均衡之「體要」，二也；

三、補前代論文衆作之缺失——彥和謂「近代之論文者多矣，至如魏文述典，陳思序書（曹植與楊德祖書），應瑒文論（文質論？），陸機文賦，仲洽流別（摯虞文章流別論），宏範翰林（李充翰林論），各明隅隙，鮮觀衢路。或臧否當時之才，或銓品前修之文，或泛舉雅俗之旨，或撮題篇章之意。魏典密而不周，陳書辯而無當，應論華而疏略，陸賦巧而碎亂，流別精而少巧，翰林淺而寡要。又君山（桓譚）公幹（劉楨）之徒，吉甫（應貞）士龍（陸雲）之輩，泛議文意，往往間出，並未能振葉以尋根，觀瀾而索源，不述先哲之誥，無益後生之慮。」彥和乃有志補正。

至其議論態度，則「擘肌分理，唯務折衷」，「其品列成文，有同乎舊說者，非雷同也，勢自不可異也；有異乎前論者，非苟異也，勢自不可同也，同之與異，不屑古今」；此其圓通而又中正者也。

〔三〕成書年代與內容體例

文心舊題梁劉勰著，而據梁書劉勰傳，文心序志篇、時序篇，其成書當在南齊末年，西元四九八——五〇二之間，（詳見劉毓崧通誼堂集書文心雕龍後），其篇目排列，至有條理，蓋彥和深於佛典有以致之。序志篇云：

「蓋文心之作也，本乎道，師乎聖，體乎經，酌乎緯，變乎騷，文之樞紐，亦云極矣。」

此以原道（文章本於自然之道）、徵聖（以聖人爲則）、宗經（經典爲文章本原）、正緯（參酌讖緯符籙之文）、辨騷（楚辭爲文盛之始，接軌詩經，而下開漢賦之浮詭，故曰「變」曰「辨」）五篇爲文章樞紐也，而後繼之以文體論，先「文」後「筆」，曰：

「若乃論文敍筆，則囿別區分，原始以表末（文體之源起與流變），釋名以章義（此體之性質），選文以定篇（此體之代表作），敷理以舉統（此體之要理與正途），上篇以上，綱領明矣。」

故上篇自「明詩第六」以下，繼之以樂府、詮賦、頌讚、祝盟、銘箴、誄碑、哀弔，皆有韻之「文」也；而雜文、諧讔，則介乎「文」「筆」之間。至若史傳、諸子、論說、詔策、檄移、封禪、章表、奏啓、議對、書記，則無韻之「筆」也（「文」「筆」之別，參看「駢文」章）。

下篇二十四篇，則論創作之原理，技術，鑒賞之標準，以及歷代文變，重要作者，而末篇序志則全書之總序也，故曰：

「至於割（剖）情（情思內容）析采（形式，技巧），籠圈條貫，摛神性（神思，體性），圖風勢（風骨，定勢），苞會通（附會，通變），閱聲字（聲律，練字），崇替於『時序』，褒貶於『才略』，怊悵於『知音』，耿介於『程器』，長懷『序志』，以馭羣篇，下篇以下，毛目顯矣。」

其中論析心神者，又有「養氣」「物色」等篇，評議技術者，又有「鎔裁」、「章句」、「麗辭」「比興」、「夸飾」、「事類」、「指瑕」等篇，綜論二者則「情采」、「總術」等篇，觀此，則譽者稱本書體大思精，科條分明，非虛美也。

三、詩　品

（一）撰作動機

一、創作方面——不滿當時尚用典、重聲律之風氣，謂拘忌傷美，故力主清新自然。（見後）

二、評選方面——不滿當時論詩之書，批評去取，往往失當，序云：

「陸機文賦，通而無貶；李充翰林，疏而不切；王微鴻寶，密而無裁（此書不可考）；顏延論文，精而難曉；摯虞文志，詳而博贍，頗曰知言；觀斯數家，皆就談文體而不顯優劣。至如謝客集詩（隋志有謝靈運詩集五十卷），逢詩輒取；張騭文士（文士傳），逢文即書，諸英志錄，並義在文，曾無品第。」

三、論議方面——不滿當時漫無標準，序云：

「觀王公搢紳之士，每博論之餘，何嘗不以詩爲口實？隨其嗜欲，商摧不同，淄澠並泛，朱紫相奪，喧議競起，準的無依。」

故當世有彭城劉繪（士章），「俊賞之士，疾其淆亂，欲爲當世詩品」而未遂，仲偉乃「感而作焉」，此其撰作之動機也。

（二）基本主張

一、反用典

齊梁之世，美文大盛，用典采言，尤關能藝，故文心有事類一篇，論據事類義，援古證今之理，然其流弊，以一事不知爲恥，以字有來歷爲高，「緝事比類，非對不發，博物可嘉，職成拘制。或全借古語，用申今情，崎嶇牽引，直爲偶說，唯覩事例，頓失精采」，（南齊書文學傳論），故鍾嶸論詩，力反用典曰：

「若乃經國文符，應資博古；撰德駁奏，宜窮往烈。至乎吟詠情性，亦何貴乎用事？『思君如流水』（徐幹室思），既是卽目；『高台多悲風』（曹植雜詩），亦惟所見；『清晨登隴首』，羌無故實；『明月照積雪』（謝靈運歲暮）。詎出經史？觀古今勝語，多非補假，多由直尋。」

此謂「詩與奏議異狀，無取數典」也（章太炎語）。然當世名家，顏延、謝莊、任昉、王元長以下，用事繁密，「詞不貴奇，競須新事」，遂成風尚，「文章殆同書鈔」，「句無虛語，語無虛字，拘攣補衲，蠹文已甚」；此所以仲偉有「自然英旨，罕値其人；詞既失高，則宜加事義，雖謝天才，且表學問，亦一理乎！」之歎也。

二、反聲律

自佛教廣流，繙譯稱盛，審音析義，影響遂及文體，沈約、王融、謝莊、周顒、謝朓諸賢，妙悟聲律，有四聲八病之說，用於製作，聲情之美益顯，故沈約宋書謝靈運傳論云：

「五色相宣，八音協暢，由乎玄黃律呂，各適物宜，欲使宮羽相變，低昂舛節，若前有浮聲，則後須切響，一簡之內，音韻盡殊，兩句之中，輕重悉異，妙達此旨，始可言文。」

又謂先士佳製，非傍書史，正以音律韻調，故能傳誦，故矜其聲律之學，爲高妙之秘，是即唐人律絕宋元詞曲平仄格調之先導也，仲偉則謂「不被管弦，亦何取於聲律？」又曰：

「昔曹劉殆文章之聖，陸謝爲體貳之才，銳精研思，千百年中，而不聞宮商之辨，四聲之論，或謂前達偶然不見，豈其然乎！」

又云：

「王元長創其首，謝朓、沈約揚其波，三賢或貴公子孫，幼有文辯，於是士流景慕，務爲精密，襞積細微，專相陵架，故使文多拘忌，傷其眞美。余謂文製本須諷讀，不可蹇礙，但令清濁通流，口吻調利，斯爲足矣，至平上去入，則余病未能；蜂腰鶴膝，閭里已具！」

平情論之，八病不免苛細，而四聲實有至理，卽如仲偉所云，清濁通流，口吻調利，其術正在必講，不必堅拒而使人得之於冥索也。

三、品第詩人

仲偉詩品，欲「辨彰清濁，掎摭利病」，依序所云，其原則如下：

一 「嶸今所錄，止乎五言」。

二 「其人既往，其文克定」，故「今所寓言，不錄存者」。

三 「詩之爲技，較爾可知；以類推之，殆均博奕」，故依其優劣，分爲上中下三品。

四 上品古詩作者若干人及知名作者十一人；中品卅九人，下品七十二人，共一百二十二人，另古詩作者若干人。

五 「一品之中，略以世代爲先後，不以優劣爲詮次」。

今按：「上品」有古詩，李陵、班姬、曹植、劉楨、王粲、阮籍、陸機、潘岳、張協、左思、謝靈運等。

「中品」有曹丕、何晏、應璩、陸雲、劉琨、盧諶、郭璞、嵇康、張華、陶潛、顏延之、謝惠連、鮑照、謝朓、江淹、任昉、沈約等。

「下品」有班固、曹操、曹叡、曹彪、徐幹、阮瑀、夏侯湛、杜預，殷仲文、范曄、謝莊、王融、陸厥等。

其品第高下，後世議者正多，是亦仁智之見，殊難強同也。

四、分析流別

仲偉又好推求詩人作品淵源所自，而不出國風、小雅、楚辭三者：

- 國風
  - 古詩——劉楨——左思
  - 曹植
    - 陸機——顏延年………（仲偉特以此系爲正，謂爲五言之冠冕，文詞之命世）
    - 謝靈運
- 小雅——阮籍
- 楚辭——李陵
  - 班姬
  - 王粲
    - 潘岳——郭璞
    - 張協——鮑照——沈約
      - 王融
      - 劉繪
    - 張華
      - 謝混——謝朓
      - ……江淹
    - 劉琨
    - 盧諶
  - 曹丕
    - 應璩——陶潛
    - 嵇康

〔三〕評論

仲偉輕用典，至有見地，故章太炎氏謂其起例，「雖杜甫媿之矣」。其反對聲律，容有過當，然歸本自然，崇尚眞美，故其論如此。至若品第詩人，分析流派，則爭論至多，蓋詩之成家，大抵博觀約取，積學富才，非一人一家所得而囿，嶸之所論，若一一見其師承，恐不免附會穿鑿之譏。故後世譏評仲偉者亦多，如：

一　宋葉夢得石林詩話，謂陶詩出於應璩百一詩之無據。

二　明王世貞藝苑巵言卷三，詆其所品不公。

三　清王士禎漁洋詩話譏其黑白混淆，不足深辨。

尤其曹操屈居下品，陶潛只在中品，曹丕不列上品之類，更多不平。但仲偉所論，只在五言，曹公所長，只在四言，又如陶令之詩，仲偉稱爲古今隱逸詩人之宗，已極推許，按太平御覽五百八十六，鍾嶸詩評（詩品原名）曰：「古詩李陵……陶潛十二人詩皆上品」，據此則陶公本在上品，今傳者乃後人竄亂之本矣（近人古直說），且文心雕龍，無片言及於彭澤，以斯而言，則仲偉非無巨眼矣。清錢謙益謂李陵出於楚辭，陳王出於國風，劉楨出於古詩，王粲出於李陵，莫不應若宮商，辨同蒼素，其論與諸人大殊。四庫提要，則論持折中，云：

「梁代迄今，邈踰千祀，遺篇舊製，十九不存；未可以掇拾殘文，定當日全集之優劣。」

此或可以稍平諸家之論矣。

附錄一：中國歷代學術文藝發展概覽表

時代	文化特色	政教學術	文藝	宗教
先秦	開闢創造	上古思想，以天命天志爲價值，其後漸以天命表現，在於「民彝物則」；人文精神，初告透顯。 西周代殷，以「尚文」易「尚鬼」，以封建宗法分配土地、權位，以禮樂制度表現人文，六藝專於貴族，守於王官，施諸政教。 晚周時世劇變，封建動搖，而文化蓄積既厚，復以諸子拯世立言之志，思想學術，大告昌盛。	民謠、卜辭 詩三百篇、尚書 縱橫之習，發爲煒曄之文，說理則諸子，敍事則左傳、國語、國策。 南方韻文：荀賦、楚辭。	原始信仰 燕齊方士 神仙之說
秦漢	融會綜合	政教學術，趨於一尊，諸子之學衰息，各家混合、蛻變。 秦項焚書，易卜而外，他書不行。陰陽五行信仰漸盛。 漢初承久亂而尚黃老，武帝罷百家，崇儒術，而讖諱迷信流行，於是	秦廷刻石頌功之文、雜賦。 楚聲流行，屈宋騷辭，衍成「縱橫」「言志」「體物」之賦。 經術濟世之文 史傳鉅製（史記，漢	佛教傳入 道教興起

時代	特色	學術思想	文學	宗教
		經注之學，五行之說，掩沒孔孟心性義理面目，而道教亦假老莊之言以興。	書） 樂府與五言詩之興起 建安文學之發皇（文學獨立，個性解放）	
魏晉	內省虛玄	漢末衰亂，儒教解紐，談莊老、析「才性」、論「玄理」之玄學盛行。 佛學大扇，由附合老莊而自出面目，說有談空，漸成思想主流。	文製由兩京之典重，而魏晉之淺綺；清談玄學，流入詩賦。 玄言詩賦，變爲山水文學。聲律對偶之學，演成宮體，下開律絕。	佛道之爭 佛法流行 大乘八宗
南北朝		經學不振，由鄭王之爭，而南北分立，而南學掩北。	文學批評興盛	
隋唐	弘博富麗	經注之學復盛，而才智心力，多趨佛老、詩賦。 中唐儒士之自覺（振孔孟以抗佛老，崇古體以抑駢儷）下啓宋學。	美文之繼盛 詩學全盛，詞之興起 古文運動，傳奇小說 變文佛曲	道教大盛 景教、回教傳入 會昌滅法
兩宋	尚理好思	世局與佛道之刺激，儒士之自覺，演成理學，薄漢唐，尊孔孟，貴人倫，重心性，輕功利，疏物理。 浙東之事功，朱陸之異同。 傳統經說之疑辨。	北宋文藝之論理化（古文、宋四六、宋詩、文賦） 歌詞全盛 諸宮調、話本、語錄	佛、道繼盛 禪、淨二宗流行

元明	衰疲萎靡	由部族高壓而暴君專制，思想學藝，並就衰微，惟姚江（陽明）心性之學，獨崇良知，直接孔孟，末流則虛懸本體，偏枯空寂。	士大夫文藝，或摹古，或佻巧，遜色唐宋，遠謝漢魏。 平民文學興盛，戲曲，小說日趨成熟。	也里可溫 喇嘛教 耶穌會
清代	倒捲復古	由反王（明）學而復朱（宋）學，由反理（宋明）學而復經（漢唐）學，清初通經實用之學，變爲乾嘉訓詁實證之學，吳皖並峙，考證大盛。 道咸國勢日衰，同光外侮大至，遂又漸反東漢訓注經學，而復西漢今文經學，而復晚周諸子之學，崇尚義理，迎抗西潮。	崇雅尙古，傳統文藝復盛。	禁教（天主教）風潮
現代	反省創新	由軍事、實業之革新（鴉片戰爭——甲午），而政治之溫和改革（甲午——戊戌）而政體之劇烈更易（戊戌——五四）而文化之刷新（五四——）。 由西化與本位之爭，而漸趨於選擇融和。	西洋文藝輸入 文白之爭 新文藝之興起	基督教之再入

附錄二：索引

二畫

三畫

四畫

五畫

六畫

七畫

八畫

九畫

十畫

十一畫

十二畫

十五畫

十六畫

十七畫

國家圖書館出版品預行編目資料

典籍英華

陳耀南編著. — 初版. — 臺北市：臺灣學生，　60
冊；公分
含索引
ISBN 978-957-15-0530-5（全套：平裝）

1. 漢學

032　　82003108

典籍英華（全二冊）

編著者：陳耀南
出版者：臺灣學生書局有限公司
發行人：楊雲龍
發行所：臺灣學生書局有限公司
臺北市和平東路一段七五巷十一號
郵政劃撥戶：〇〇〇二四六六八號
電話：（〇二）二三九二八一八五
傳真：（〇二）二三九二八一〇五
E-mail：student.book@msa.hinet.net
http://www.studentbook.com.tw
本書局登記證字號：行政院新聞局局版北市業字第玖捌壹號
印刷所：長欣印刷企業社
新北市中和區中正路九八八巷十七號
電話：（〇二）二二二六八八五三

定價：新臺幣九〇〇元

一九七一年九月初版
二〇一七年十月初版六刷

ISBN 978-957-15-0530-5（全套：平裝）